經學研究論叢

◆第十一輯◆

林慶彰主編
張穩蘋編輯

臺灣 學生書局 印行

編者序

本輯稿件有需特別提出說明者如下：

「周易研究」部分。鄭玄的《周易注》早已亡佚，從宋末王應麟開始集輯佚文，經明代，至清代輯佚者有十餘家。從各家輯佚的狀況，可以看出鄭氏《周易注》的流變。許繼起先生的〈鄭玄「周易注」流變考〉，詳細分析了鄭玄《周易注》的輯佚發展過程。

「詩經研究」部分。中文學界大老龍宇純教授賜稿〈試說「詩經」的虛詞「侯」〉，分析深入，結論合理，至爲感謝。上海博物館戰國楚竹書第一冊以《孔子詩論》一書最受注意，相關研究論文已百餘篇，俞志慧教授的〈「戰國楚竹書‧孔子詩論」校箋〉，將二十九支竹簡的釋文重新檢討，有不少新的發現。是眾多有關《孔子詩論》的論文，用力較深者。馬銀琴的〈西周穆王時代的儀式樂歌〉，將《詩序》所定詩篇的作成時代，重新檢討，配合《穆天子傳》等書，重新建構穆王時代的樂歌。分析相當深入，舉證也充足。

「經學文獻」部分，陳鴻森教授一直在輯集清乾嘉學者的遺文，前曾輯得錢大昕、王鳴盛、阮元等遺文數百篇，分別刊於《經學研究論叢》、《大陸雜誌》等刊物。今又輯得錢大昕遺文十餘篇，王鳴盛遺文十四篇，阮元遺文二十篇，編爲〈錢大昕王鳴盛阮元三家遺文續輯〉，在本輯刊出。

「序跋選譯」方面。日本明德出版社所出版的《朱子學大系》和《陽明學大系》一直是日本學者研究朱子、陽明學最重要的入門書。其中的《朱子學入門》和《陽明學入門》更是首要必讀書。我們請日本東北大學新科博士簡曉花女士將諸橋轍次、宇野哲人兩位權威學者的序文譯爲中文。刊於本輯中，以饗讀者。

感謝所有賜稿的學者，以及撰寫「學術會議」、「出版資訊」兩欄目的作者。

二○○三年三月 林慶彰 誌於
中央研究院中國文哲研究所

經學研究論叢 第十一輯

目　次

編者序⋯⋯⋯⋯⋯⋯⋯⋯⋯⋯⋯⋯⋯⋯⋯⋯⋯⋯⋯⋯林慶彰　I

【周易研究】

鄭玄《周易注》流變考⋯⋯⋯⋯⋯⋯⋯⋯⋯⋯⋯⋯⋯許繼起　1

【尚書研究】

論《尚書》「其」字兼及「厥」字⋯⋯⋯⋯⋯⋯⋯⋯張其昀　57

【詩經研究】

試說詩經的虛詞「侯」⋯⋯⋯⋯⋯⋯⋯⋯⋯⋯⋯⋯龍宇純　81

《戰國楚竹書・孔子詩論》校箋⋯⋯⋯⋯⋯⋯⋯⋯俞志慧　89

西周穆王時代的儀式樂歌⋯⋯⋯⋯⋯⋯⋯⋯⋯⋯⋯馬銀琴　133

鍾惺《詩經》評點的版本問題⋯⋯⋯⋯⋯⋯⋯⋯⋯侯美珍　173

【春秋三傳研究】

《春秋》經義的失落與衍生──以弒君之事爲例⋯⋯趙生群　195

董仲舒春秋學之歷史理論──三統與四法的建構及其內涵⋯⋯陳明恩　207

【儒學研究】

張伯行對程朱學的傳布及其影響⋯⋯⋯⋯⋯⋯⋯⋯楊　菁　225

日本儒學史(六之二)──江戶時代之儒學(二)⋯⋯張文朝　249

【小學研究】

連橫《臺灣語典》淺介……………………………………周美華　265

【經學文獻】

錢大昕王鳴盛阮元三家遺文續輯…………………………陳鴻森　285

【古史研究】

劉殿爵等點校《汲冢紀年存眞》辨誤舉例………………邵東方　317

【序跋選譯】

朱子學大系《朱子學入門》序………………諸橋轍次著・簡曉花譯　333

陽明學大系《陽明學入門》序說……………宇野哲人著・簡曉花譯　341

【經學人物】

臧在東先生年譜………………吉川幸次郎撰・王清信、葉純芳標點　353

訪當代三禮學專家——彭林教授……………林慶彰採訪・葉純芳整理　381

【學術會議】

清代揚州學派學術研討會……………………………………編輯部　401

「清代乾嘉學者的治經貢獻」學術研討會…………………編輯部　403

第五屆詩經學國際研討會……………………………………編輯部　407

「第十六屆國際易學學術研討會」會議報導………………李鴻儒　413

「第三屆海峽兩岸青年易學論文發表會」會議紀要………何淑蘋　423

第二屆中國經學學術研討會…………………………………編輯部　429

【出版資訊】

十三經注疏（標點本）（李學勤主編）……………………張穩蘋　431

十三經注疏（整理本）（李學勤主編）……………………張穩蘋　432

十三經注疏分段標點（周何主編）…………………………張穩蘋　433

中國經典詮釋傳統（二）：儒學篇（李明輝編）…………陳蕙文　434

五經哲學及其文化學的闡釋（嚴正）………………………劉康威　434

上博楚簡三篇校讀記（李零）…………………………………何淑蘋　435

上博館藏戰國楚竹書研究（朱淵清、廖名春）………………何淑蘋　436

經學今詮續編（中國哲學第二十三輯）………………………劉康威　437

經學今詮三編（中國哲學第二十四輯）………………………劉康威　438

經學研究論叢第十輯（林慶彰主編）…………………………劉康威　439

中國經學史（吳雁南、秦學頎、李禹階主編）………………劉康威　440

十三經論著目錄（周何主編）…………………………………鄭誼慧　440

經學研究論著目錄（1993－1997）（林慶彰、陳恆嵩主編）…鄭誼慧　441

宋初經學發展述論（馮曉庭）…………………………………何淑蘋　442

乾嘉學者的治經方法（蔣秋華主編）…………………………陳蕙文　443

論崔適與晚清今文學（蔡長林）………………………………鄭誼慧　443

清儒名著述評（鄭吉雄）………………………………………鄭誼慧　444

通經致用一代師──皮錫瑞生平和思想研究（吳仰湘）……何柏松　445

周易經傳與易學史新論（廖名春）……………………………何淑蘋　446

周易卦辭詳解（靳極蒼）………………………………………何淑蘋　447

蘇氏易傳研究（金生楊）………………………………………李鴻儒　448

易經解謎──周易黎氏學（黎子耀撰述，魏得良錄校）……李鴻儒　449

易圖象與易詮釋（鄭吉雄）……………………………………李鴻儒　450

易老與養生（潘雨廷）…………………………………………李鴻儒　451

易學與道教思想關係研究（詹石窗）…………………………李鴻儒　452

尚書思想研究（游喚民）………………………………………葉純芳　453

詩三百解題（陳子展）…………………………………………王清信　453

詩經論略（許志剛）……………………………………………王清信　454

詩經三頌與先秦禮樂文化（姚小鷗）…………………………王清信　455

詩經研究叢刊　第一輯（中國詩經學會編）…………………何柏松　456

詩經研究叢刊　第二輯（中國詩經學會編）…………………何柏松　457

二十世紀詩經研究文獻目錄（寇淑慧編）……………………何淑蘋　458

詩經研究史（戴維）……………………………………………何柏松　459

詩本義析論——以歐陽修與龔橙詩義論述爲中心（車行健）…………… 王清信　460

朱子詩經學新探（黃忠愼）……………………………………………… 王清信　461

從經學到文學——明代詩經學史論（劉毓慶）………………………… 王清信　462

三禮研究論著提要（王鍔編著）………………………………………… 何淑蘋　463

周禮名物詞研究（劉興均）……………………………………………… 黃智信　464

禮記譯解（王文錦譯解）………………………………………………… 黃智信　465

中國古代禮儀制度研究（楊志剛）……………………………………… 黃智信　466

宗周禮樂文明考論（沈文倬）…………………………………………… 黃智信　467

十八世紀禮學考證的思想活力——禮教論爭與禮秩重省（張壽安）… 黃智信　468

中國禮制史——宋遼金夏卷（陳戌國）………………………………… 黃智信　469

朱子家禮與韓國之禮學（盧仁淑）……………………………………… 黃智信　470

春秋左傳人物譜（方朝暉編著）………………………………………… 張穩蘋　470

左傳敘戰的資鑑精神（陽平南）………………………………………… 張穩蘋　471

春秋書法與左傳學史（張高評）………………………………………… 張穩蘋　472

漢代政治與春秋學（陳蘇鎮）…………………………………………… 張穩蘋　474

清末民初公羊學研究——皮錫瑞、廖平、康有爲（丁亞傑）………… 張穩蘋　475

詮釋學與先秦儒家之意義生成——「論語」、「孟子」、「荀子」

　　　對古代傳統的解釋（劉耘華）…………………………………… 陳蕙文　476

四書或問（黃珅點校）…………………………………………………… 葉純芳　477

學庸義理別裁（陳滿銘）………………………………………………… 陳蕙文　478

周公事蹟研究（楊朝明）………………………………………………… 葉純芳　479

崔述評傳（吳量愷）……………………………………………………… 鄭誼慧　480

朱子語類完成體研究（楊永龍）………………………………………… 何伯松　481

孟子林廟歷代題咏集（劉培桂）………………………………………… 何伯松　481

【附　　錄】

《經學研究論叢》撰稿格式…………………………………………………… 編輯部　483

經 學 研 究 論 叢
第 十 一 輯　　頁1～56
臺灣學生書局　2003 年 6 月

鄭玄《周易注》流變考

許繼起*

　　鄭玄是漢代經學大師，貫通今、古文經與緯學，晚年遍注群經，在古代文獻整理和促進中古學術融合發展方面做出了重大的貢獻，這也奠定了他在中國經學史和學術史上的崇高地位。他以箋《毛詩》和注《三禮》顯稱於世，此二書至今保存得相當完整。晚年所作《周易注》影響極大，但是傳至宋代已殘缺不全。南宋末王應麟始輯佚此書；受其影響，明代胡震亨、姚士粦，清代惠棟、孫堂、丁杰、張惠言、孔廣林、袁鈞、黃奭等有識之士也加入了輯佚的行列，最終使《周易注》以較完整的面貌展現在世人面前。本文擬針對這一現象，根據散見的史料和後人輯佚的內容，全面闡述《周易注》的成書及其解《易》的特點，考察其由盛到衰的傳播過程和後代的輯佚狀況，並詳細分析各輯本的特點以及它們對恢復鄭氏《易注》的原貌所做出的貢獻。換言之，本文試圖從古文獻學和學術史的角度，通過考察《周易注》的傳播及後代學者輯佚的詳細過程，揭示其內在的學術意義。

一、鄭玄的學術經歷

　　鄭玄（127－200），字康成。北海高密（山東高密縣西南）人，年少時有志學業，成年後四處訪師求學，精通今、古文經。晚年閉門修業，潛心著述。曾多次受詔徵辟，都推辭不就，有一代純儒風範。一生專心學術，遍注群經，尤其精通《詩》、《三禮》和《易》，是東漢末年最著名的經學大師。

---

*　許繼起，揚州大學中國文化研究所博士研究生。

　　縱觀鄭玄一生，可以將其學術經歷分爲四部分。

㈠ 京師求學

　　鄭玄出生在漢末沒落的士族家庭，很小就表現出對讀書的愛好和興趣。八歲會算術，十三歲熟誦五經，特別喜歡天文、占候、風角、隱術。與同齡的孩子相比他顯得更爲早熟，而且胸懷大志。據《鄭玄別傳》載：「玄年十一二，隨母還家，正臘會同列十數人，皆美服盛飾，語言閑通。玄獨漠然如不及，母私督數之，乃曰：『此非我志，不在所願』也。」❶十六歲負有才名，受鄉里器重，募得鄉嗇夫職位。恰逢潁川杜密爲北海相，到高密巡察時見到鄭玄，他慧眼識珠，召玄爲署郡職，鄭玄因此獲得入太學學習經術的機會。

　　鄭玄入太學時二十一歲，已經能「博極群書，精歷數、圖緯之言，兼精算術。」❷他入太學後，師事京兆第五元先，精通《京氏易》、《公羊春秋》、《三統歷》、《九章算術》。離開京師後，又跟隨東郡張恭祖學習《周官》（即《周禮》）、《禮記》、《左氏春秋》、《毛詩》等古文經。

　　這一時期，鄭玄主要學習今文經。在《易》學方面，系統學習京氏《易》，這對他以後注《易》影響很大。

㈡ 遍通古文經

　　鄭玄在張氏門下學成後，便開始了漫長的游學生涯。在此期間，他拜訪名儒大師，接觸並熟悉了各種數術讖緯。「（玄）游學周、秦之都，往來幽、并、兗、豫之域。獲覲乎在位通人，處逸大儒，得意者咸從捧手，有所受焉。遂博稽《六藝》，精覽傳記，時睹祕書緯術之奧。」❸這一時期，號稱「通儒」的古文經大師馬融，對鄭玄影響最大。

　　馬融，扶風茂陵（陝西平縣東北）人，字季長。「融才高博洽，爲世通儒，教

---

❶　見〔南朝宋〕范曄撰，〔唐〕李賢等注：《後漢書》（北京：中華書局，1996 年 5 月）卷35，頁1207。

❷　〔清〕王仁俊輯：〈鄭玄別傳〉，《玉函山房輯佚書續編三種》（上海：上海古籍出版社，1989 年 1 月），史編，總類，頁128。

❸　〔南朝宋〕范曄撰，〔唐〕李賢等注：〈鄭玄傳〉，《後漢書》，卷35，頁1209。

養諸生，常有千數。」❹馬氏平素讓高業弟子授學，鄭玄在其門下三年竟不得登堂而見。但是他仍日夜尋誦，學習上毫不懈怠，最終得到馬融的賞識。《鄭玄別傳》云：「時涿郡盧子幹（植）爲門人冠首，（玄）與盧子幹相善。季長又不解部裂七事，玄思得五，子幹得三，季長謂子幹曰：『吾與汝皆弗如也。』」❺又云：「……（融）嘗算渾天不合，諸弟子莫能解。或言玄能者，融召令算，一轉便決，眾咸駭服。」❻他曾會集弟子考論圖緯，聽說玄善長推算，於是召見鄭玄，鄭玄借機提出各種疑問求教馬融。問畢辭歸，馬融感嘆說：「鄭生今去，吾道東矣。」❼馬融善長古文經，鄭玄在其門下七年，深得古文精髓。

　　馬氏傳授費直古文《易》，鄭玄也由今文《易》轉向古文《易》，由此奠定了他解《易》的基本風格，也爲費氏《易》的興盛做出了貢獻。

㈢ **論爭今、古文**

　　鄭玄離開馬氏門下又游學數年，回家供養二老。後客耕東萊，跟從他的弟子逾千數。由於「李、杜」黨錮事件，他與同郡的孫嵩等四十多人受到牽連，自此以後決心杜門不出，隱修學業。

　　西漢末興起了今、古文之爭，東漢中後期規模越來越大，許多名儒大師都紛紛參予了這場轟轟烈烈的運動。任城何休精通今文經學，曾作《公羊墨守》、《左氏膏肓》、《穀梁廢疾》，力闢古文經說。爲維護古文經的利益，「玄乃發《墨守》、鍼《膏肓》，起《廢疾》。休見而嘆曰：『康成入吾室，操吾矛，以伐我乎！』」❽這次論爭，使鄭玄名聲大振。「（休）作《左氏膏肓》、《公羊墨守》、《穀梁廢疾》，及鄭康成蜂起而攻之，求學者不遠千里贏糧而至，如細流之赴巨海。京師謂康成爲經神，何休爲學海。」❾

❹　同前註，〈馬融傳〉，卷60，頁1972。

❺　〔清〕王仁俊輯：《鄭玄別傳》，《玉函山房輯佚書續編三種》，頁128。

❻　〔清〕沈可培：《鄭康成（玄）年譜》（上海：上海古籍出版社，1990年7月，據道光世楷堂刊本影印《昭代叢書》本），第4冊，壬集補編，頁2287。

❼　〔南朝宋〕范曄撰，〔唐〕李賢等注：《後漢書》，頁1207。

❽　同前註，頁1208。

❾　〔清〕沈可培：《鄭康成年譜》，頁2288。

　　鄭玄與其師馬融一起倡明古文經，提高了古文經學的地位。

(四) 遍注群經

　　靈帝末年，黨錮事解，鄭玄開始著述立說。

　　據史書記載，他所注經籍有：《周易》、《尚書》、《毛詩》、《儀禮》、《禮記》、《論語》、《孝經》、《尚書大傳》、《中候》、《乾象歷》。又著述《天文七政論》、《魯禮禘祫義》、《六藝論》、《毛詩譜》、《駁許慎五經異義》、《答臨孝存周禮難》，凡百餘萬言。❿史書給予他很高的評價：「自秦焚六經，聖文埃滅，漢興，諸儒頗修藝文；及東京，學者亦各名家。而守文之徒，滯固所稟，異端紛紜，互相詭激，遂令經有數家，家有數說，章句多者或乃百餘萬言，學徒勞而少功，後生疑而莫正。鄭玄括囊大典，綱羅眾家，刪裁繁誣，刊改漏失，自是學者略知所歸。」⓫他融通百家，遍注群經，為後代留下一筆寶貴的財富。

　　鄭玄一生基本以讀書、授學、著述為業。他在〈戒子書〉中說：「但念述先聖之元意，思整百家之不齊，亦庶幾以竭吾才。」⓬他以純正的品德、規範的禮法、豐厚的著述、博大精深的學識贏得當朝學人的敬重，也受到歷代學者的尊崇和敬仰。

二、《周易注》的成書及其特點

　　《周易注》完成於鄭玄晚年。《唐會要》卷七十七：「（玄）遭黨錮之事逃難，注《禮》，黨錮事解，注《古文尚書》、《毛詩》、《論語》，為袁譚所逼，來至元城，乃注《周易》。」⓭又《後漢書·鄭玄傳》載：袁紹與曹操兩軍對壘，相拒官渡，為穩定軍心，鼓舞士氣，袁紹命令他的兒子袁譚脅迫鄭玄隨軍。鄭玄不得已，帶病來到元城，建安五年六月病篤而卒，時年七十四歲。據此，《周易注》當成書於建安五年，即公元二〇〇年，是鄭氏晚年最後一部著作。這為他遍注群經

---

❿　〔南朝宋〕范曄撰，〔唐〕李賢等注：《後漢書》，頁 1212。

⓫　同前註，頁 1213。

⓬　同前註，頁 1209。

⓭　〔宋〕王溥：《唐會要》（北京：中華書局，1998 年 11 月），卷 77，頁 1406。

的美譽劃上了一個完整的句號。

《周易注》最能體現鄭氏注經的特色。鄭氏既採用漢儒以象術解《易》的方法和理論，又與古文《易》一脈相承，解析推演象數的同時，又闡述經傳義理。由於《周易注》過早的亡佚，很難完整的展示他注《易》的風格特色。幸有許多典籍保存了一些鄭氏《易注》的內容，宋至清末又有許多學者對此書做了大量的輯佚工作。筆者不揣淺陋，根據有限的資料，就鄭氏的解《易》特點略作剖析。

㈠ 爻辰說

爻辰說是指把乾坤陰陽十二爻與十二辰對應相配以解《易》。相傳此說始於京房，鄭玄加以繼承並有所發揮。坤爻排列，京氏由下而上配未、巳、卯、丑、亥、酉六支，由未開始逆數。鄭氏則由下而上配為未、酉、亥、丑、卯、巳、六支，由未開始順數。乾爻配置二者相同。

京房將陰陽十二爻與十二地支，十二月、十二方位、十二樂律相配置用以解《易》。鄭玄對京氏的理論加以繼承並有所改善，與黃道十二次、二十四節候、二十八星宿相配置，擴大了取象範圍。如表所示：

十二辰	子	丑	寅	卯	辰	巳	午	未	申	酉	戌	亥
卦次	初九	六四	九二	六五	九三	上六	九四	初六	九五	六二	上九	六三
十二次	玄枵	星紀	析木	大火	壽星	鶉火	鶉火	鶉首	實沈	大梁	降婁	娵訾
十二月	11	12	1	2	3	4	5	6	7	8	9	10
十二律	黃鐘	大呂	太簇	夾鐘	姑洗	中呂	蕤賓	林鐘	夷則	南呂	大射	應鐘

宋儒朱震曾作圖對鄭氏爻辰說加以演示。清儒惠棟重新考察，作「十二月爻辰圖」（如圖一）駁正朱氏圖式，以較完整的形式展示了爻辰說的全貌。惠氏駁正有以下三個依據：

《周易乾鑿度》云：「乾，陽也。坤，陰也。并如而交錯行，乾貞於十一月子，左行，陽時六。康成注云：貞，正也。初爻以此為正，次爻左右者，各從次數之。坤貞於六月未，乾坤，陰陽之主，陰退一辰·故貞於未。右行，陰時六，以順

成其歲,歲終從於屯蒙。歲終,則從其次,屯蒙需訟也。又云陰卦與陽卦同位者,退一辰,以未爲貞,其爻右行,間時而治六辰。陰陽同位,陰退一辰,謂左右交錯相避。」⓮

鄭玄注《周禮・太師》云:「黃鐘,初九也,下生林鐘之初六。林鐘又上生太蔟之九二,太蔟又下生南呂之六二,南呂又上生姑洗之九三,姑洗又下生應鐘之六三,應鐘又上生蕤賓之九四,蕤賓又上生大呂之六四,大呂又下生夷則之九五,夷則又上生夾鐘之六五,夾鐘又下生無射之上九,無射又上生中呂之上六。」⓯

韋昭注《國語・周語》:「十一月黃鐘,乾初九也。十二月大呂,坤六四也。正月太蔟,乾九二也。二月夾鐘,坤六五也。三月姑洗,乾九三也。四月中呂,坤上六也。五月蕤賓,乾九四也。六月林鐘,坤初六也。七月夷則,乾九五也。八月南呂,坤六二也。九月無射,乾上九也。十月應鐘,坤六三也。」⓰

　　惠棟根據三說作圖,指出朱震作十二律圖的錯誤在於「六二在巳　六三在卯,六五在亥,上六在酉,是坤貞於未而左行,其誤甚矣。」⓱他又據鄭注《禮記・月令》、《禮記・季冬》、《周易參同契》作「爻辰值二十八宿圖」(圖二)。⓲惠氏依圖作注,以更直觀的形式推演鄭氏以爻辰解《易》的方法和理論。二圖因駁正朱震的錯誤而作,但也受到後來學者的非難。⓳

⓮　〔清〕惠棟:〈鄭氏周易爻辰圖〉,《易漢學》(北京:中華書局,1985 年,《叢書集成初編》據《經訓堂叢書》本排印),卷 6,頁 93。

⓯　同前註,頁 94。

⓰　同前註。

⓱　同前註。

⓲　同前註,頁 93、頁 95。

⓳　見〔清〕黃奭:《易注・序》(民國甲戌(1934)江都朱長圻刊《黃氏逸書考》本)。

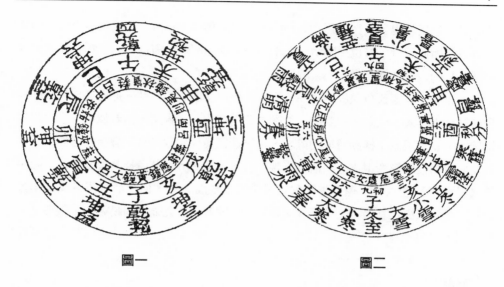

圖一　　　　　　　　　　　圖二

惠棟又從唐代《九經正義》中輯錄出鄭氏以爻辰解易的內容十一條，《漢上易》一條。如〈離〉：「九三，不擊缶而歌。」惠釋云：

> 艮爻也，位近丑，丑上值弁星，弁星似缶。《詩》云「坎其擊缶」，則樂器亦有缶。《詩正義》案：位近丑，據「周天玉衡圖」也。丑爲大寒，艮爲立春，故云近也。[20]

又如〈明夷〉：「六二，明夷睇於左股。」惠釋云：

> 旁視爲睇。六二辰在酉，酉在西方，又下體離，離爲目。九三體在震，震，東方。九三又在辰，辰得巽氣爲股。亦據「周天玉衡圖」。巽，近辰也。此謂六二有明德，欲承九三，故云「睇於左股」。《禮記正義》。[21]

---

[20]　〔清〕惠棟：《易漢學》，頁98。

[21]　同前註。

爻辰說，是用陰陽各爻與各類物象相配置，以解釋卦、爻辭。主要根據十二爻的屬相及各爻所值五行、方位、時令、二十八宿的對應關係，與占算的事物相比附，強化《易》的占筮功能。

可以看出：鄭氏以爻辰解《易》擴大了卦、爻取象的範圍，通過各自代表的物象層層比附經義，注重考察卦辭、爻辭之間內在的必然聯繫。這看似提高了占算的準確度，實際限制了機動發揮的餘地，這是適應漢代象數《易》發展的必然結果。其爻辰說對後世影響很大。在清代出現了許多推闡、考證及發揮其說的著作，除惠棟《易漢學》卷六外，還有朱駿聲《易鄭氏爻辰廣義》、何秋濤《周易爻辰申鄭義》、戴棠《鄭氏爻辰補》、王昶《鄭氏爻辰解》，曹元弼《周易鄭氏大義在爻辰說》等。各種著述，較為深入地探求了鄭氏爻辰解《易》的特點，但其中依類比附、臆測為說的也有不少。

㈡ 互體說

每一個卦體由六爻組成，除初爻和上爻外，其餘四爻可以組成互體卦。即每卦的二、三、四和三、四、五爻分別組成兩個經卦，這兩卦由四爻交互組合而成，因此稱互體卦。二、三、四爻組成下互卦，三、四、五爻組成上互卦。這樣每一卦由四個經卦組成，即本卦的上、下卦和互卦的上、下互卦。六十四卦中「唯有乾坤無互體，蓋純乎陽，純乎陰也。餘六子之卦皆有互體」。㉒南宋王應麟輯錄《周易鄭康成注》，卷末附錄鄭氏以互體解卦的八個條目。如：

〈歸妹〉：上六，服虔以離爲戈兵，兌爲羊，震變爲離，是兵刺羊之象也。三至五有坎象，坎爲血，血在羊上，故刺無血也。震爲竹，竹爲筐。震變爲離，離爲火。火動而上，其施不下，故筐無實也。㉓

〈蠱〉：巽上艮下。上九艮爻，艮爲山，辰在戌。得乾氣，父老之象，是臣

㉒　〔宋〕王應麟：〈周易鄭康成注序〉，《周易鄭注》（南京：江蘇古籍出版社，上海：上海書店，1990 年 3 月，據清光緒九年（1883）浙江書局刊影印《玉海》本），頁 2。
㉓　同前註，頁 15。

之致事也。故不事王侯，是不得事君。君猶高尚其所爲之事。㉔

用互體解卦早在《左傳》中就有記載。《左傳·莊公二十二年》：「周史有以《周易》見陳侯者，陳侯使筮之，遇〈觀〉䷓之〈否〉䷋，曰：『是謂「觀國之光，利用賓於王」。……坤，土也；巽，風也；乾，天也。風爲天；於土上，山也。』」楊伯峻注採并力之說，云：「……自否卦之第二爻至第四爻，古所謂互體，爲艮卦，艮爲山，故云『山也』。」㉕據此可以認爲先秦時代已經開始用互體解卦。

《易傳》應當是戰國時代的作品。㉖《繫辭下》云：「若夫雜物撰德，辨是與非，則非其中爻不備。」「二與四同功而異位」，「三與五同功而異位」，從這些表述中可以看出戰國時對中爻的重視，可以將此看作是互體理論的逐漸成熟和發展。漢代京房對互體已有較完整的論述：「會於中以四爲用，一卦備四卦，謂之互。」㉗這說明東漢時已經普遍運用互體解卦。

鄭玄採前人之說，進一步擴大取象的範圍，並且更廣泛地加以運用。互體解卦使一卦含四卦，卦中有卦，象中含象，象與象之間相互聯繫，相互制約，這樣本卦的內容變得飽滿而豐富，一卦之中包含更多的可以比附解釋的人事關係。同時互體更看重每一爻的作用，使每一爻具有多重內涵。這些都爲解釋者提供了廣闊的詮釋空間。

㈢ **五行生成說**

鄭玄「五行生成說」受劉歆《三統歷》「五行數」和京房「五行爻位」說的影

㉔ 同前註。

㉕ 楊伯峻：《春秋左傳注》（北京：中華書局，1983 年 3 月），頁 222。古今學者對此處是否用互體持有不同意見，清人顧炎武及近人高亨基本否認此處互體之說。見顧炎武撰：〈卦爻外無別象〉、〈互體〉；顧炎武著、黃汝清集釋、秦克誠校點：《日知錄集釋》（長沙：岳麓書社，1994 年 5 月），卷 1，頁 6，頁 7-8；高亨：〈「左傳」、「國語」的「周易」說通解〉，《周易雜論》（濟南：齊魯書社，1979 年 1 月），頁 92-93。

㉖ 高亨：〈周易大傳通說〉，《周易大傳今注》（濟南：齊魯書社，1957 年）。

㉗ 見張其成主編《易學大辭典》「互體條」，（北京：華夏出版社，1992 年 2 月）頁 452。

響。他認為水、火、土、金、木五行之數分別為一二三四五和六七八九十，前者為生數，後者為成數，並以此解釋《繫辭》中的天地之數和大衍之數。如《繫辭上》：「大衍之數五十，其用四十九。」鄭注云：

> 天地之數五十有五。以五行氣通，凡五行減五，大衍又減一，故四十九也。衍，演也。天一生水於北，地二生火於南，天三生木於東，地四生金於西，天五生土於中。陽無耦，陰無配，未得相成。地六成水於北，與天一并。天七成火於南，與地二并。地八成木於東，與天三并。天九成金於西，與地四并。地十成土於中，與天五并也。大衍之數五十有五，五行各氣并，氣并而減五，惟有五十，以五十之數，不可以為七八九六卜筮之占以用之，故更減其一，故四十有九也。《禮記‧月令》正義。❷❽

他又把大衍之數看成是五行之氣相生相合而生化萬物的法則。如《繫辭上》：「天數五，地數五，五位相得而各有合。」鄭注云：

> 天地之氣各有五，五行之次：一曰水，天數也。二曰火，地數也。三曰木，天數也。四曰金，地數也。五曰土，天數也。此五者，陰無匹，陽無耦，故又合之。地六為天一匹也，天七為地二耦也，地八為天三匹也，天九為地四耦也，地十為天五匹也。二五陰陽各有合，然後氣相得，施化行也。《左傳‧昭公九年》正義。❷❾

他把天地五氣與陰陽五行結合，以解釋天地萬物的生成。

　　漢代的天文學、物候學有很大的發展，為當時的卜筮、星占提供了廣闊的思維

---

❷❽ 〔宋〕王應麟輯，〔清〕惠棟增輯，〔清〕丁杰後定，〔清〕張惠言訂正：《周易鄭注》（《叢書集成初編》據《湖海樓叢書》排印），卷7，頁89－90。按：鄭注中又有惠棟、臧庸等人訂正的小字注文，從略。

❷❾ 同前註，頁90。

空間。隨著人們對自然現象認識的深入，帶動以占卜爲主的《周易》象數理論不斷豐富和發展。鄭玄精通《三統歷》、《九章算術》，善於占風候、觀天象。在太學時又系統地學習京房的象數理論，因此能自如地聯繫干支、星相、樂律、節候等自然現象以解《易》。爻辰說、互體說、五行生成說基本上繼承了漢代今文《易》以象數解《易》的傳統，但是鄭氏能化繁易簡，使之更切於民用。這與他學習費氏古文《易》有很大的關係。

㈣ 以《十翼》解經

　　以《十翼》說經本於西漢費直。費直，東萊（山東掖縣）人，古文《易》的開創者。

　　費氏著有《周易費氏章句》，傳至隋唐時殘缺。陸德明《經典釋文·序錄》載：「《費直章句》四卷，殘缺。」《隋書·經籍志》：「又有漢單父費直注《周易》四卷，亡。」清人對其《費氏易》、《周易分野》、《費氏易林》等著述有所輯佚。❸另外，《周易分野》的〈星分〉部分在《晉書·天文志》中有所載錄。❸清人皮錫瑞認爲鄭氏用爻辰解《易》源於費氏「分野」理論，云：「鄭君用費氏《易》，其注《易》有爻辰之說，蓋本《費氏分野》一書。」❸

　　費氏《易》長於卦筮，不主張用繁瑣的象數，亦不比附讖緯，主用十翼解經，重視結合文字訓詁以闡發本經義旨，是漢代義理派《易》學的代表。鄭玄與荀爽同時師從馬融習費氏《易》，爲推動費氏《易》的發展和繁榮做出了重要的貢獻。

　　受古文《易》的影響，鄭玄亦重視以傳解經，闡發本經義理。唐李鼎祚《周易集解》保存了較多的與此有關的內容。王昶《周易鄭氏義·序》云：「其（集解）引鄭者又多《象》下之注《象》者，言乎象，宜其據本象說卦德，而不及變也。」❸又云：「凡諸家以《十篇》說經者，皆可以補鄭。今輯鄭注，輔以群言，以《漢

❸　〔清〕馬國翰輯：《費氏易》一卷，《費氏易林》一卷，《費氏分野》一卷，見《玉函山房輯佚書》（清光緒十年（1884）章丘李氏刊本），經編，易類。

❸　見《晉書》（北京：中華書局，1974年11月），〈天文志上〉，卷11，頁307－309。

❸　〔清〕皮錫瑞：〈易經·論鄭荀虞三家之義鄭據禮以證易學者可以推補不必推爻辰〉，《經學通論》（北京：中華書局，1995年2月），頁21。

❸　〔清〕王昶撰：《周易鄭荀易義·序》，見《春融堂集》（清嘉慶十三年（1808）刊本）。

書·費直傳》一語爲家法，以定條例。引申觸類，演贊其志同，殊途之歸，一百慮之致，坐井觀天，日月有明，嘗亦見容光之照乎！」㉞鄭玄以傳附經，通過字義訓詁以挖掘《易》理的深層內含，同時又借助象數的推演，使抽象的道理變得形象而又直觀。這是對費氏以《十翼》解易的突破和發展。

㈤ 以禮注《易》

鄭玄以《三禮注》最著名。有人認爲他遍注群經，無不貫徹其禮學思想。清儒張惠言提出鄭氏用禮注《易》，云：「《記》曰：『夫禮本於太一，分而爲天地，轉而爲陰陽，變而爲四時，其降名曰命。韓宣子見《易》象，曰「周禮在魯矣」。』是故《易》者，禮象也。是說也，諸儒莫能言，唯鄭氏言之，故鄭氏之《易》要在禮。」㉟又云：「然則其列貴賤之位，辯大小之序，正不易之倫，經綸創製，吉凶損益，與《詩》、《書》、《禮》、《樂》相表裏，則諸儒未有及之者也。」㊱柯劭忞〈周易鄭荀義提要〉云：「其實鄭君據《禮經》以說《易》，如『婦人三月然後祭行，天子諸侯后夫人無子不出，盥而不薦，爲諸侯卿大夫賓士之禮，旅三爲聘客，初與二爲介』，其學說非荀虞所及也。」㊲皮錫瑞亦持此說，云：「鄭學最精者《三禮》，其注《易》，亦據《禮》以證。《易》義廣大，無所不包，據禮證《易》，以視陰陽術數，實遠勝之。」㊳鄭玄與荀爽同傳費氏《易》，張惠言合兩家之說，著《周易鄭荀義》三卷，對鄭氏以禮注《易》論述較詳。

鄭玄以禮注《易》，是對費氏古文《易》的繼承和發展。這樣使解釋者能更深入地挖掘卦爻間蘊含的政治、軍事、倫理等社會人事關係，揭示卦德的內涵，更好地實現對《易》義理的闡述和發揮。

㉞　同前註。

㉟　〔清〕張惠言：〈丁小疋鄭氏易注後定·序〉，《茗柯文二編》（上海：上海商務印書館，《四部叢刊初編》據清同治八年（1869）刊《茗柯文》本影印），卷上，頁31下。

㊱　同前註，頁21上。

㊲　柯劭忞：〈周易鄭荀義提要〉，《續修四庫全書總目提要》（北京：中華書局，1993年7月），經部，易類，頁77。

㊳　〔清〕皮錫瑞：《經學通論》，頁21。

(六) 以緯注易

鄭玄既注經，又注緯，融緯入經，用經注緯。其注「《易》緯」之作前代均亡佚，清人鍾謙鈞等人有所輯錄，收入《古經解彙函》。有八種：《易緯乾坤鑿度》二卷，《易緯乾鑿度》二卷，《易緯稽覽圖》二卷，《易緯辨終備》一卷，《易緯乾元序制記》一卷，《易緯是類謀》一卷，《易緯坤靈圖》一卷，《易緯通卦驗》二卷等。鄭氏廣注《易》緯，這必然影響到其注《易》的整體風格。

雜用讖緯注經，是漢代經學注釋的一個重要特色。漢代許多古文學家不提倡讖緯之術，因此在政治上常常受到排擠。「至光武皇帝，奮獨見之明，興立《左氏》、《穀梁》，會二家先師不曉圖讖，故令中道而廢。」❸❾賈逵能把《左傳》義理與圖讖相附會，因此討得章帝的歡心。史家范曄對此大發感慨，云：「論曰：鄭、賈之學，行乎數百年中，遂為諸儒所宗，亦徒有以焉爾。桓譚以不善讖流亡，鄭興以遜辭僅免，賈逵能附會文致，最差顯貴，世主以此論學，悲矣哉！」❹❶

賈逵、鄭玄能抬高古文經的地位，贏得官方和民間的雙重認可，這與他們經緯兼通，運用讖緯注經有一定的關係。

緯書作為經書的補充而產生，可謂經學附庸，但是由於漢代統治者的提倡，它在官方和民間有廣泛的群眾基礎。鄭玄在民間游學近二十年，接觸到很多讖緯、數術。他以此為基點，充分吸收其中合理的內核，為注經服務。

雜糅今、古文經說和讖緯之學闡述經義，是鄭玄注經的整體特色，《周易注》最能體現這種融會貫通的學術風格。他批判地繼承並發展了漢儒象數派解《易》的理論和方法，同時又站在古文《易》的立場上，通過對卦、爻所代表象、數的描摹和演繹，揭示經傳蘊含的義理。鄭玄打破漢儒家法和師承的兩大學術藩籬，消解壁壘森嚴的今、古《易》的門戶之見，以其博大的學術精神採眾家所長，建構起自己獨特的《易》學體系。他結束了象數《易》一統天下的局面，使費氏《易》從民間走向官方，為義理派《易》學的發展和繁榮作出了重大的貢獻。從某種意義上講，他調合了今、古《易》之間矛盾，使《易》學研究有了更廣闊的前景。

---

❸❾　〔南朝宋〕范曄撰，〔唐〕李賢等注：〈賈逵傳〉，《後漢書》，卷36，頁1237。

❹❶　同前註，頁1241。

三、《周易注》的盛衰

㈠ 兩漢——鄭《易》的興盛

　　兩漢是《易》學蓬勃發展的重要時期，這時門派眾多，習者不絕。西漢及東漢前期主要是今文《易》的天下。漢武帝設五經博士，《易》取楊何，宣帝立施讎、孟喜、梁丘賀《易》學博士，元帝時設京氏《易》博士。西漢時期今文《易》在政治上取得獨尊的優勢。

　　東漢光武帝雅好墳典，講求經術，受時風影響，喜讖緯術數，曾立四家今文《易》博士。「……於是立《五經》博士，各以家法教授，《易》有施、孟、梁丘、京氏，《尚書》歐陽、大小夏侯……凡十四博士，太常差次總領焉。」❹由於政治上的支持，今文《易》在整個漢代前期極爲盛行，但從京氏《易》之後，越來越流於一種純粹的象數之學，沒有更大的發展。

　　自發現古文經以後，一支古文《易》開始與今文《易》並行發展。古文《易》相傳始自費直和高相，官方沒有設立博士，但在民間流傳較廣。今、古文學家注《易》風格迥然相別，今文家重象數和讖緯，古文家重訓詁、講義理。

　　西漢末年劉歆倡導古文經，受到哀帝的重視，他的〈移讓太常博士書〉拉開今、古文論爭的序幕。王莽改制重用劉歆，立古文經博士，時間雖然不長，卻產生很大的影響。光武帝劉秀執政，重新恢復今文經的政治地位。東漢中後期古今經勢力漸盛，今、古經論爭愈演愈烈。

　　今文經到東漢已出現很大的弊端。「後世經傳既已乖離，博學者又不思多聞闕疑之義，而務碎義逃難，便辭巧說，破壞形體；說五字之文，至於二三萬言。後進彌以馳逐，故幼童而守一藝，白首而後能言；安其所習，毀所不見，終以自蔽。」❹「儒者說《五經》，多失其實。前儒不見本末，空生虛說。後儒信前師之言，隨舊述故，滑習辭語。苟名一師之學，趨爲師教授，及時蚤仕。汲汲競進，不暇留精

---

❹　同前註，〈儒林傳〉，卷 79，頁 2545。

❹　〔漢〕班固撰，〔唐〕顏師古注：《漢書‧藝文志》（北京：中華書局，1962 年 6 月），卷 30，頁 1723。

用心，考實根核。故虛說傳而不絕，實事沒而不見，《五經》並失其實。」❹東漢中後期，古文經師通儒輩出，逐漸在政治上爲古文經取得一席之地。東漢靈帝時，召荀爽、陳紀、鄭玄等善長古文經的大儒爲博士，「中平五年己未，詔曰：頃選舉失所，多非其人，儒法雜糅，學道浸微，處士荀爽、陳紀、鄭玄、韓融、李楷，皆耽道樂古，志行高潔，清貧隱約，爲眾所歸。其以爽等各補博士，皆不至。」❹

　　今文《易》講求陰陽災異，雜引讖緯成風，多牽強比附，無所依傍，其象數愈演愈繁而不切合民用。相反，古文《易》重視訓詁，講求事理，以樸實、簡易、謹嚴的學風受到當時學者的重視。隨著古文經勢力的崛起，古文《易》從民間走向官方，引起人們的關注。自西漢末，經過幾代古文《易》大師的努力倡導，在東漢中後期古文《易》有壓倒今文《易》的趨勢，「建武中，范升傳《孟氏易》，以授楊政，而陳元、鄭眾皆傳《費氏易》，其後馬融亦爲其傳。融授鄭玄，玄作《易注》，荀爽又作《易傳》，自是費氏興，而京氏遂衰。」❺

　　東漢末鄭玄遍注群經，鄭學成爲一時顯學，「鄭君康成，以博聞彊記之才，兼高節卓行之美；著書滿家，從學盈萬，當時莫不仰望，稱伊、洛以東，淮、漢以北，康成一人而已。咸言先儒多闕，鄭氏道備。自來經師未有若鄭君之盛者也。」❻《周易注》以其獨特的注釋風格和闡釋視角，受到世人的推崇，在漢末達到極盛。「漢世，鄭玄并爲眾經注解，服虔、何休，各有所說。玄《易》、《詩》、《書》、《禮》、《論語》、《孝經》，虔《左氏春秋》，休《公羊傳》，大行於河北。王肅《易》，亦有間行。」❼

---

❹　〔漢〕王充撰，黃暉校釋：〈正說篇〉，《論衡校釋》（北京：中華書局，1995 年 5 月），卷 28，頁 1123。

❹　〔清〕沈可培：《鄭康成年譜》，頁 2289。

❺　〔南朝宋〕范曄撰，〔唐〕李賢等注：〈儒林傳上〉，《後漢書》，卷 79，頁 2544。

❻　〔清〕皮錫瑞：〈經學中衰期〉，《經學歷史》（北京：中華書局，1959 年 12 月），頁 141。

❼　〔唐〕李延壽：〈儒林傳上〉，《北史》（北京：中華書局，1974 年 10 月），卷 81，頁 2708。

(二) 魏晉──鄭《易》的中衰

　　東漢建安至三國時期幾十年，仍然是鄭學的天下。王利器《鄭康成年譜·序》云：「王粲稱『伊、洛以東，淮、漢以北，一人而已』。豈不以先儒多闕，而鄭氏道備乎？黃初以後，鄭學遂立博士，朝臣辨論，鄭氏諸經說，無不撮引，高貴鄉公幸學講學，亦崇鄭學。蓋自建安以及三國，數十年中，今古之學式微，而鄭學統一天下矣。」❹三國時鄭《易》傳者有吳國的程秉。《三國志·吳書·程秉傳》載：

　　　　「（秉）逮事鄭玄，後避亂交州，與劉熙考論大義，遂博五經」❹。又云：「著《周易摘》，《尚書駁》，《論語弼》，凡三萬餘言。」❺、蜀國的許慈亦傳鄭《易》。《三國志·蜀書·許慈傳》載：「師事劉熙，善鄭氏學，治《易》、《尚書》、《三禮》、《毛詩》、《論語》。」❺

　　魏晉以「九品中正」的門閥制度取代漢代以經術取士的制度，今、古文在政治上的意義明顯減弱。世族階層爲區分等級的需要，非常重視禮法，鄭學因《三禮注》仍受到統治階層的重視。這一時期，與鄭玄同出馬融門下的王肅也爲群經作注，並大加責難鄭氏經注，經學史上稱「鄭、王」之爭。魏、西晉時二者相持難下。東晉時，依靠司馬氏集團的勢力在政治上強有力的支持，王肅經注多立於學官，《易》取其父王郎《易傳》。相比之下，鄭《易》相對受到冷落。

　　在「鄭、王」論爭期間，《易》學領域出現了新的氣象。魏晉玄學盛行，清談成風。受世風影響，玄學大師王弼作《周易注》，盡棄漢儒象數，以《老》、《莊》解《易》，其新穎獨特的詮釋風格亦爲世人所接受，也給當時《易》學及整個經學界帶來一股清新的氣息。東晉元帝立王弼《易》於學官，鄭《易》省不置。「時方修學校，簡省博士，置《周易》王氏、《尚書》鄭氏……《論語》《孝經》

---

❹　王利器：《鄭康成年譜·序》（濟南：齊魯書社，1983年7月），頁2。
❹　〔晉〕陳壽撰，〔劉宋〕裴松之注：《吳書·程秉傳》，《三國志》（北京：中華書局，1982年7月），卷53，頁1248。
❺　同前註。
❺　同前註，《蜀書·許慈傳》，卷42，頁1022。

鄭氏博士各一人，凡九人，其《儀禮》、《公羊》、《穀梁》及鄭《易》皆省不置。」❺太常荀崧以爲不可，奏請置鄭氏《易》、《儀禮》等博士各一人。元帝下詔同意置鄭《易》博士，但是時逢王敦亂政，過後元帝駕崩，鄭《易》遂無緣學官。❺

　　由於政治勢力和社會風尙的影響，魏及兩晉王郎《易傳》和王弼《周易注》先後立於學官，影響較大，鄭《易》相對受世人冷落。「鄭、王」《易》之爭，及王弼《易》的興起，無疑大大減弱了鄭《易》的影響和傳播。

㈢ 南北朝——鄭、王《易》雙峰並峙

　　兩晉以後，政始上南北對峙，鄭玄、王弼《易》出現並立的局面。較之魏晉，這是鄭《易》的中興時期。

　　南朝受兩晉文化政策和士人風尙的影響，重清談疏議，貴《莊》學玄理。劉宋建朝後，立鄭玄、王弼兩家《易》於學官，顏延之爲祭酒時廢鄭《易》博士。「元嘉建學之始，玄、弼兩立，逮顏延之爲祭酒，黜鄭置王，意在貴玄，事成敗儒。今若不大弘儒風，則無所立學，眾經皆儒，惟《易》獨玄，玄不可棄，儒不可缺。謂宜並存，所以合無體之義。」❺南齊建元四年（482）並置鄭、王《易》學博士。「時國學置鄭、王《易》，杜、服《春秋》，何氏《公羊》，麋氏《穀梁》，鄭玄《孝經》。」❺宋、齊兩代建立在軍閥紛爭的廢墟之上，文化發展還沒有步入正軌。雖有國學博士，但形同虛設，「蓋取文具而已。」❺梁朝武帝採取相應的文化政策，開五館，設教授，置博士，給南朝經學注入了一些生機。此時學官立鄭、王二《易》，「梁、陳，鄭玄王弼二注，列於國學。」❺梁五經博士爲平原山賓、吳

❺　〔唐〕房玄齡等撰，吳則虞點校：〈荀崧傳〉，《晉書》（北京：中華書局，1974 年 11月），卷 75，頁 1976－1977。

❺　同前註。

❺　〔梁〕蕭子顯：〈陸澄傳〉，《南齊書》（北京：中華書局，1974 年 2 月），卷 39，頁684。

❺　同前註，頁 683。

❺　〔唐〕李延壽：《南史·儒林傳》（北京：中華書局，1975 年 6 月），卷 71，頁 1730。

❺　〔唐〕魏徵：《隋書·經籍志》（北京：中華書局，1996 年 5 月），卷 32，頁 913。

郡陸連、吳興沈峻、建立嚴植之、會稽賀瑒。後兩者受鄭學，傳習鄭氏之《易》。賀瑒「所著《禮》、《易》、《老》、《莊》講疏，《朝廷博議》數百篇，《賓禮儀注》一百四十五卷。」❺❽嚴植之「少善《莊》、《老》……，及長遍治鄭氏《禮》、《周易》、《毛詩》、《左氏春秋》。」❺❾陳基本用梁代遺儒，經學沒有更大的發展。

　　南朝大體以王弼《易》為主，許多名儒也研習鄭《易》，但都不同程度地摻入《老》、《莊》的玄學色彩。

　　北朝經學的發展主要是在北魏。道武帝拓拔珪統一北方，採取相應的民族和文化政策，促進當時各民族的融合和共同發展。宣武帝時，天下承平，學業興盛，「故燕、齊、趙、魏之間，橫經著錄，不可勝數。」❻⓪北魏著名大儒徐遵明，廣收門徒，傳授鄭氏《禮》、《易》之學，影響深遠。「自魏末，大儒徐遵明門下講鄭玄所注《周易》，遵明以傳盧景裕及清河崔瑾。景裕傳權會、郭茂。權會早入鄴都，郭茂恒在門下教授。其後能言《易》者，多出茂之門。河南青齊之間，儒生多講王輔嗣所注，師訓蓋寡。」❻①

　　徐遵明為鄭《易》在北朝的流傳做了很大貢獻。此後，北朝善長《易》學的多出自徐氏門下。他的弟子盧景裕「雖不聚徒教授，所注《易》大行於世」。❻②再傳弟子權會入北齊，「少受鄭氏《易》，探頤索隱，妙盡幽微……」❻③徐氏歷經孝文、宣武、孝明三代，稱三朝通儒，他和他的弟子們為鄭氏《易》流傳和繁榮做出了重大的貢獻。西魏、東魏無所建樹。北齊、北周遵習北魏經學傳統。北齊時廢王《易》，只傳鄭義。《隋書·經籍志》：「齊代唯傳鄭義。」

　　縱觀北朝經學，能繼承漢儒遺風，《易》學基本推崇鄭注。

❺❽　〔唐〕姚思廉：〈賀瑒傳〉，《梁書》（北京：中華書局，1974 年 5 月），卷 48，頁 672。

❺❾　同前註，〈嚴植之傳〉，卷 48，頁 671。

❻⓪　〔唐〕李延壽：《北史》，頁 2704。

❻①　同前註，頁 2708。

❻②　〔北齊〕魏收：〈盧景裕傳〉，《魏書》（北京：中華書局，1974 年 6 月），卷 84，頁 1860。

❻③　〔唐〕李百藥：《北齊書·儒林傳》（北京：中華書局，1997 年 3 月），卷 44，592 頁。

　　南北對峙，由於文化政策和士人習尚不同，形成南學和北學兩種迥異的學術風格：「大抵南北所為章句，好尚互有不同。江左，《周易》則王輔嗣，《尚書》則孔安國，《左傳》則杜元凱。河洛，《左傳》則服子慎，《尚書》、《周易》則鄭康成。《詩》則並主於毛公，《禮》則同遵於鄭氏。南人簡約，得其英華；北學深蕪，窮其枝葉。考其終始，要其會歸，其立身成名，殊方同致矣。」[64]

　　就經學而言，南學崇清談疏議，北學重章句訓詁。南朝鄭、王《易》兩者並行，北朝《易》學，則基本同遵鄭氏。

㈣ 隋唐至宋——鄭《易》的衰亡

　　隋代結束對峙紛爭的局面，但南北經學仍處在相對疏離狀態。唐代孔穎達編修《五經正義》，統一經學注疏的模式，《易》專崇王弼。這一時期，鄭氏《易》開始日趨衰落。

　　據《鄭志·目錄》載：《周易注》九卷。陸德明《經典釋文·序錄》云：「鄭玄《注》十卷，〈錄〉一卷。《七錄》云十二卷。」《隋書·經籍志》：「《周易》九卷，後漢大司農鄭玄注。」《舊唐書·經籍志》：「《周易》九卷，鄭玄注，又十卷。」《新唐書·藝文志》：「鄭玄注《周易》十卷。」隋唐間書目所載鄭《易》的卷數相差不大。另外，考唐李鼎祚《周易集解》，它較完整地保存了鄭《易》對個別卦爻辭的解釋。這說明：《周易注》在隋唐時期還保存的相當完整。但是它已不能引起人們重視，「至隋，王注盛行，鄭學浸微，今殆絕矣。」[65]王利器《鄭康成年譜·著述》「《周易注》」條云：「《書斷》卷二引諺曰：『《韓詩》、《鄭易》挂著壁』，蓋《鄭易》在唐時已不為人所重視矣。」[66]

　　北宋初年晁以道著《錄古周易》八卷，熙寧間房審權著《周易義海》一百卷，南宋初年朱震著《漢上易集傳》、《漢上易叢說》、《漢上易卦圖》，其中也保存了少量鄭氏《易注》的內容，儘管其個別注文，前代著作不收，但數量極少。可見，《周易注》在北宋前期已經沒有足本。

---

[64]　〔唐〕李延壽：《北史》，頁 2709。

[65]　〔唐〕魏徵：《隋書》，頁 912。

[66]　王利器：《鄭康成年譜·序》，頁 236。

　　據《文獻通考‧經籍考》載：「《鄭康成易注》：《崇文總目》：『今唯〈文言〉、〈說卦〉、〈序卦〉、〈雜卦〉合四篇，餘皆逸。指趣淵確，本去聖人之未遠。《中興》無。』」《崇文》、《中興》均為官方所修書目，前者成於北宋仁宗慶歷年間，載鄭《易》四篇；後者成於孝宗淳熙年間，卻不見著錄。北宋末年私家目錄《郡齋讀書志》亦不著錄。據《宋史‧藝文志》載鄭玄《周易文言注義》一卷。由此可以斷定鄭注在北宋末年已殘缺不全。

㈤ 《周易注》衰落的原因

　　鄭玄《周易注》的衰落與王弼《易》興起有很大關係。王注以《莊》、《老》解《易》，盡除漢代象數，從一個獨特的視角重新詮釋《易》理。魏晉時期從帝王將相到士林名流都清談玄理，崇慕《老》、《莊》，這形成王弼《易》興盛的文化土壤。所以自東晉到整個南朝，王注都曾立於學官。唐代，孔氏《正義》更是以官方立言的形式維護了王氏《易》至尊的地位。「至穎達等奉詔作疏，始專崇王注，而眾說皆廢。故《隋志》『易類』稱鄭學寖微，今殆絕矣。」❻❼

　　另一個重要原因與許多帝王採取的文化戒律有關。鄭注融今、古文《易》，採用《易》緯著作，運用讖緯、天文現象比附人事吉凶禍福。自晉至唐五代各朝均禁讖緯之風，這不利於鄭《易》的發展。西晉泰始三年（267），武帝司馬炎在泰始三年（267）十二月下詔「禁星氣、讖緯之學」，❻❽次年頒行泰始律，明文禁止民間私自收藏星氣讖緯之書，如有違犯者處兩年刑罰。鄭注在某種程度上在所禁之列，而大量運用象數和讖緯的今文《易》在西晉全面衰亡。「梁丘、施氏、高氏亡於西晉，孟氏、京氏，有書無師。」❻❾後趙建武二年（336）石虎「禁郡國不得私學星讖，敢有犯者誅。」❼⓪前秦建元十一年（375）苻堅下令：「禁《老》、《莊》、圖讖之學。」❼❶北魏孝文帝太和九年下詔曰：「圖讖之興，起於三季。既

❻❼ 〈周易正義提要〉，《四庫全書總目》（北京：中華書局，1995 年 4 月），經部，易類，卷1，頁3。

❻❽ 〔唐〕房玄齡等撰，吳則虞點校：〈武帝紀〉，《晉書》，卷3，頁56。

❻❾ 〔唐〕魏徵：《隋書》，頁913。

❼⓪ 〔唐〕房玄齡等撰，吳則虞點校：《晉書》，卷160，〈載記第六‧石季龍上〉，頁2765。

❼❶ 同前註，卷140，〈載記第十三‧苻堅上〉，頁2897。

非經國之典，徒爲妖邪所憑。自今禁圖讖、秘緯及名爲《孔子閉房記》者，留者以大辟論。」⑫宣武帝元恪和明帝元詡先後於永平四年（511）、熙平二年（517）對天文學下了禁令。「（五月）丙辰，詔禁天文之學。」⑬「（四月）庚辰，重申天文之禁，犯者以大辟論。」⑭

　　北魏大儒徐遵明傳授鄭《易》，弟子盧景裕和崔瑾名聞於世。「齊文襄王入相，於第開講，招延時儁，會景裕解所注《易》。景裕理義精微，吐發閑雅，時有問難，或相詆訶，大聲屬言，言至不遜。而景裕神采儼然，風調如一，從容往復，無際可尋。」⑮盧氏講《易》有魏晉名士風采，他已經把《莊》學清談與鄭注做了某種程度的融合。盧氏弟子權會，「每爲人占筮，小大必中，但用爻辭、象象以辯吉凶。《易》占之屬，都不經口。」⑯可以看出，由於外部政治和文化環境的影響，鄭氏《易》的傳授者注重對《易注》義理方面的繼承和發展，對其象占則諱莫如深。

　　前代的文化戒律一直影響到隋唐。隋開皇十三年（539）隋文帝楊堅下詔：「丁酉，製私家不得隱藏緯侯、圖讖。」⑰唐高宗永徽三年（653）頒布《唐律疏議》，亦有禁纖的規定：「諸玄象、器物、天文、圖書、讖書、兵書、七曜歷、《太一》、《雷公式》，私家不得有，違者徒二年。」⑱五代後周及北宋對天文圖讖都制定類似的禁毀條律。這種政治上的文化扼制對備受冷落的鄭氏《易注》無疑是雪上加霜。

　　鄭玄《易》失去政治上強有力的支持，沒有了適合其生存的文化土壤，因此它走向衰亡是一種必然。

---

⑫　〔北齊〕魏收：〈高祖紀上〉，《魏書》，卷7，頁155。

⑬　同前註，〈世宗紀〉，卷8，頁210。

⑭　同前註，〈明帝紀〉，卷9，頁225－226。

⑮　同前註，〈儒林傳〉，卷84，頁1859。

⑯　〔唐〕房玄齡等撰，吳則虞點校：《晉書》，頁593。

⑰　〔唐〕魏徵：〈高祖紀下〉，《隋書》，卷1，頁38。

⑱　〔唐〕長孫無忌等撰，劉文俊點校：《唐律疏議》（北京：法律出版社，1999年9月），卷9，頁212。

四、《周易注》的保存

隋代結束了長期分裂對峙的局面，建立高度集權制的國家，在一定程度上促進了南北文化的融合發展。隋文帝楊堅出身戎馬，但注重文化的復興事業，開皇三年（583）採取秘書監牛弘的建議，大規模徵收典籍。「每書一卷，賞絹一匹，校寫既定，本即歸主。於是民間異書，往往間出。」❼❾隋末採取科舉取士制度，鼓舞士人讀經修業，客觀上推動了經學事業的發展。唐代進一步採取開明的文化政策。高祖李淵下詔設置州、縣、鄉各級學校。太宗開設弘文館，進一步完善科舉制度。隋唐開放的文化政策，促進了經學進一步發展和繁榮。

這一時期出現了幾部重要的典籍，對於保存鄭注的原始資料起到了重大的作用。一是陸德明《經典釋文》。二是《九經正義》，其中以《周易正義》、《詩經正義》和《三禮正義》保存的數量較多。三是李鼎祚《周易集解》。這些典籍各自以不同的方式保存了鄭氏《易注》的內容。下面依次略作介紹。

㈠ 陸德明《經典釋文》

陸德明，字元朗，蘇州吳縣（今蘇州市吳縣）人，著《經典釋文》三十卷。館臣評價此書云：「所採漢魏六朝音切凡二百三十餘家，又兼載諸儒之訓詁，證各本之異同。後來得以考見古義者，注疏以外惟賴此書之存。」❽⓿《釋文》集漢魏古注、六朝音義之大成，在中國訓詁學史、音韻學史上具有重要的意義和地位，同時也成爲後來學者輯錄隋唐以前經史注疏的重要資料來源。

陸氏在《經典釋文序錄·注解傳述人》中，對每部經籍的撰述、傳授和流傳一一追根溯源，對其師承家法做了細緻梳理和詳地闡述，對後來學者了解、研究各部典籍的學術源流有重要的參考價值。❽①

其〈周易音義〉部分，本經主要採納王弼注，〈繫辭〉以下依韓康伯注，兼及其它《易》傳、注、章句、集注、集解、義疏等四十多家著述，並參考了前代三家

---

❼❾　〔唐〕魏徵：《隋書》，頁 908。

❽⓿　〈經典釋文提要〉，《四庫全書總目》，經部，五經總義類，卷 33，頁 270。

❽①　〔唐〕陸德明撰，黃焯斷句：〈注解傳述人〉，《經典釋文》（北京：中華書局，1983 年 9月），卷 1，頁 4—18。

《音義》，可謂集前代《易》家注釋文字、訓詁、音韻之大全。其中鄭玄《易注》十卷亦在採集之列，其單字的字音、字義等訓詁資料因此得以較好地保存。對字義的解釋如：

　　荒：……鄭讀爲康，云虛也。⑧

　　索索：……鄭云猶縮縮，足不正也。⑧

保留很多音訓字。如：

　　贏：……鄭讀曰蘽。⑧

　　號：户羔反。注及下同。鄭、王廙：音號。⑧

亦較好地保存了鄭注對個別卦義的解釋。如：

　　需：鄭讀爲秀，解云：陽氣秀而不直前者，畏上坎也。坤宮游魂卦。⑧

　　艮：鄭云：艮之言很也。八純卦象山。⑧

　　陸氏《經典釋文・周易音義》擇錄鄭氏《易注》中對單字音、義的解釋，同時羅列各家之說，提供了可以進行對比的參照，爲了解鄭氏《易注》的注釋風格提供了眞實可靠的依據。

㈡ 《九經正義》

　　唐太宗貞觀年間，國子祭酒孔穎達主持編修《五經正義》，高宗永徽四年

---

⑧　〔唐〕陸德明：〈周易音義〉，《經典釋文》，卷2，頁21下。

⑧　同前註，頁28下。

⑧　同前註，頁27下。

⑧　同前註，頁26下。

⑧　同前註，頁20上。

⑧　同前註，頁28下。

（653）頒行全國。以後又增加賈公彥《周禮注疏》、《儀禮注疏》，徐彥《春秋公羊傳注疏》，楊子勛《春秋穀梁傳注疏》，合稱《九經正義》。唐代經學家看到了前代經學的弊端，拋開漢代章句的繁瑣，剔除魏晉清談的空疏，強調經學經世致用的垂教功能。因此這一時期的經學注疏融合當時北學樸實和南學重理的學術風尚，形成其獨特的注釋風格。

《周易正義》取王弼《易注》。孔穎達對王注推崇備至，認為「唯魏世王輔嗣之注獨冠古今，所以江左諸儒并傳其學，河北學者罕能及之。其江南義疏十有餘家，皆辭尚虛玄，義多浮誕。」❽❽

唐代經疏雖然遵守「疏不破注」的原則，但具體操作時還是有所剪裁。孔氏云：「今既奉勅刪定，考察其事，必以仲尼為宗，義理可詮。先以輔嗣為本，去其華而取其實，欲使信而有徵。其文簡，其理約，寡而制眾，變而能通。」❽❾其實，孔氏是試圖在鄭、王《易》之間尋找某種契合。宋人呂祖謙則認為王弼《易》尊鄭氏，二者並不矛盾。《古周易·跋》云：「東京馬融、鄭玄皆為費氏學，其書始盛行。今學官所列王弼《易》，雖宗《莊》、《老》，其書固鄭氏書也。費氏《易》在漢諸家中最近古，最見排擯，千載之後，巋然獨存，豈非天意哉。」❾⓿

基於此，孔氏沒有按照王弼形而上的思路進一步詮釋《老》、《莊》與《易》之間的許多哲學命題。相反，他意圖恢復《易》作為儒家經典的垂教功能，「故《易》者，所以斷天地、理人倫而明王道，是以畫八卦，建五氣，以立五常之行。象法乾坤，順陰陽，以正君臣、父子、夫婦之義。度時制宜，作為網罟，以佃以漁，以贍民用，於是人民乃治。君親以尊，臣子以順，群生合洽，各安其性，此其作《易》垂教之本意也。」❾❶因此在注釋形式上，一方面重視字義訓詁，另一方面注重闡述儒家義理。這兩方面對鄭氏《易》做了某種程度的採納和吸收。如：

❽❽　〔唐〕孔穎達：《周易正義·序》，（北京：中華書局，1996 年 5 月，影印阮刻《十三經注疏》本），頁 1。

❽❾　同前註。

❾⓿　〔宋〕呂祖謙：《古周易·跋》（上海：上海古籍出版社，1989 年 12 月，影印文淵閣《四庫全書》本），第 15 冊，頁 806 上。以下徵引該板本皆簡注為「《四庫全書》本」。

❾❶　〔唐〕孔穎達：《周易正義卷首·第一論易之三名》，頁 2。

《易緯‧乾鑿度》云：「易一名而含三義。所謂易也，變易也，不易也。」
又云：「易者，其德也。」光明四通，簡易立節，天以爛明，日月星辰，布
設張列，通精無門，藏神無穴，不煩不擾，淡泊不失，此其易也。變易者其
氣也。天地不變，不能通氣，五行迭終，四時更廢，君臣取象，變節相移，
能消者息，必專者敗，此其變易也。不易者，其位也。天在上，地在下，君
南面，臣北面，父坐子伏，此其不易也。鄭玄依此義作〈易贊〉及〈易論〉
云：「易一名而含三義，易簡一也，變易二也，不易三也。」❷

　　鄭氏依《乾鑿度》之論作〈易贊〉、〈易論〉，以闡述《易》理。孔氏對此亦持贊
成態度。《周易正義》所採用鄭《易》，將在後文輯佚作品中有所舉例。

　　《九經正義》中《詩》用鄭箋，《三禮》用鄭注，二者較完整地保存了鄭
《易》經義，且在數量上大大地超過了《周易正義》對鄭注的引用。後文將有舉
例。另外，《尚書》、《左傳》、《穀梁》、《公羊》正義也有少量載錄。

(三) 李鼎祚《周易集解》

　　李鼎祚，唐代資州盤石（今四川省資中縣）人，撰《周易集解》十卷。

　　唐代《易》學專崇王注，鄭注及其它各家《易》說備受冷落。針對這種現象，
李氏提出了自己的看法：「自卜商入室，親授微言，傳注百家，綿歷千古，雖競有
穿鑿，猶未測淵深。唯王、鄭相沿，頗行於代。鄭則多參天象，王乃詮釋人事，且
《易》之為道，豈偏滯於人者哉！致使後學之徒紛然淆亂，各修局見，莫辯源流。
天象遠而難尋，人事近而易習，則折楊黃華，嗑然而笑，方以類聚，其在茲乎！」❸

　　他主張重新恢復漢《易》傳統，因此「歷觀炎漢，迄今巨唐，採群賢之遺言，
議三聖之幽賾。」❹他以虞翻、荀爽為重點，集錄子夏、孟喜、京房、馬融、鄭
玄、劉表、何晏、宋衷、陸績、干寶、王肅、王弼、姚信、王廙、張璠、向秀、王
凱沖、侯果、蜀才、翟元、韓康伯、劉巘、何妥、崔憬、沈驎士、盧氏、崔覲、伏

---

❷　同前註，頁 1。

❸　〔唐〕李鼎祚：《周易集解‧序》（《四庫全書》本），第 7 冊，頁 606 上。

❹　同前註，頁 606 上。

曼容、孔穎達等三十二家《易》說。另據清人朱彝尊考證還有姚規，朱仰之、蔡景君三家。❾❺《集解》較爲完整地輯錄了漢魏到隋唐時代的各種《易》學著述。尤其是漢代象數《易》學的著作，有賴此書得以保存許多豐富的資料，對正確認識和評價漢代《易》學傳統大有裨益。隋唐以後，此類著述大量亡佚，《集解》所錄資料，更顯得尤其珍貴。如四庫館臣所說：「蓋王學既盛，漢《易》遂亡，千百年後，學者得考見畫卦之本旨者，惟賴此書之存耳，是眞可寶之古笈也。」❾❻

《集解》博採前代《易注》，收拾散亡之餘，興發繼絕，有功前人，亦有益來者。李氏自云，其重點在「刊輔嗣之野文，補康成之逸象」。❾❼明人朱睦㮮認爲李氏尊鄭氏《易》，云：「予嘗綜其義例，蓋鄭學者也……康成去古未遠，其所纂述必有所本，鼎祚恐其失墜，以廣其說，均有裨於《易》者也。」❾❽《集解》往往較完整地保存鄭《易》對某一卦、爻辭及《易傳》個別句子的解釋。如〈泰〉：「輔相天地之誼，以左右民。」集解：

> 鄭玄曰：財，節也。輔相，左右助也。以者取其順陰陽之節，爲出內之政。春崇寬仁，夏以長養，秋以收斂，冬敕蓋藏，皆可以成物助民也。❾❾

又如〈萃〉：「亨。王假有廟，利見大人，亨。利貞，用大牲吉。利有攸往。」集解：

> 鄭玄曰：萃，聚也。坤爲順，兌爲悅，臣下以順道承事其君說德，居上待之，上下相應，有事而和通，故曰「萃，亨也」。假，至也。互有艮巽，巽爲木，艮爲闕，木在闕上，宮室之象也。四本震爻，震爲長子；五本坎爻，坎爲隱伏。居尊而隱伏，鬼神之象，長子入闕升堂，祭祖禰之禮也，故曰

---

❾❺　〔清〕朱彝尊：《經義考》（《四庫全書》本），第 677 冊，卷 14，頁 145 下。

❾❻　〈周易集解提要〉，《四庫全書總目》，經部，易類，卷 1，頁 4。

❾❼　同前註。

❾❽　〔清〕朱彝尊：《經義考》，卷 14，頁 145 下。

❾❾　〔唐〕李鼎祚：《周易集解》（《四庫全書》本），第 7 冊，頁 657 下。

「王假有廟」。二本離爻，離爲目，居正應五，故「利見大人」矣。大牲，牛也，言大人有嘉會時可干事。必殺牛而盟，既盟則可以往，故曰「利往」。⑩

如〈同人〉：「同人於野，亨。」集解：

鄭玄曰：乾爲天，離爲火。卦體有巽，巽爲風。天在上，火炎上而從之，是其性同於天也。火得風，然後炎上益熾，是猶人君在上施政教，使天下之人和同而事之。以是爲人和同者，君之所爲也，故謂之同人。風行無所不遍，遍則會通之德大行，故曰「同人於野，亨」。⑩

《集解》中對鄭《易》個別經文的解釋，有助於我們全面了解鄭玄對經傳文義的詮釋，把握其注《易》的整體特色。

據《新唐書‧藝文志》載：「鄭玄注《周易》十卷。」李氏大概依此十卷本輯錄鄭注。

對鄭氏《易注》資料的保存，以《經典釋文》、《九經正義》和《周易集解》爲最，除此之外，《後漢書注》、《文選注》等文獻亦有所載錄。總之，隋唐間的史注經疏，內容豐厚博大，是後世學者整理、輯錄、研究鄭《易》的淵藪。

五、《周易注》的輯佚

㈠ 宋人輯佚之始

兩宋「疑古」之風興起，促進了學術的自由發展。在《易》學領域裡，象數派和義理派基本並行發展。

宋初道士陳摶開創圖書象數派，從种放、穆修、李之才、劉牧到周敦頤和邵雍，借鑒《易》緯著作和天文學知識，先後提出先天圖、後天圖、河洛圖、太極圖

---

⑩　同前註，頁 662 下。
⑩　同前註，頁 750 下。

等各種圖式說。在特定的時空模式內，探尋《易》的起源與人類世界的本源，推演事物變化規律，這實質是漢代象數《易》和道教《易》學的延伸和發展。圖書派的集大成者周敦頤和邵雍逐步將象數《易》引向理學的範疇。程頤發展周、邵的理學思想，力斥圖書派。南宋朱熹既重義理又不廢象數，吸收程氏《易》的思想內核，同時借鑒象數的表現形式以闡《易》理，可謂集兩派之大成。

在宋《易》體系中，王弼《易》受到強有力的衝擊，鄭《易》則處在若存若亡之間。北宋中後期鄭氏《易注》已殘缺不全。據《崇文總目》載僅剩〈文言〉、〈說卦〉、〈序卦〉、〈雜卦〉四篇。到南宋末年四明王應麟專事輯考，「始旁摭諸書，裒成此帙。」⑩使鄭氏《易注》獲得一線生機。

王應麟一心想成爲漢代「通儒」式的大師，一生就遍覽群籍，勤奮治學。他博通經史百家，熟知天文、地理、典故、制度，善長考證。所著《困學紀聞》二十卷，考證詳核精審，被認爲是清代考據學的源頭。他篤志遺經、潛心典籍，在古籍整理方面做出了很大成績。

《周易鄭康成注》就是在貫通群籍的基礎上輯錄而成。其自序說：「今鄭注不傳，其說間見於鼎祚《集解》及《釋文》，《詩》、《三禮》、《春秋》義疏，《後漢書》、《文選》注，因綴而錄之，先儒象數之學於此猶有考云。」⑩王氏涉獵十多種典籍，從中爬梳剔抉，把鄭注散見的片言隻字彙成一卷，力圖恢復鄭《易》原貌。

本經部分按六十四卦順序排列，前列卦名，下分列所輯錄的內容，有的前有經文，後有注文；有的不列經文，只列注文。如：

大畜：「日新」絕句，「其德」連下句。「良馬逐」。逐，兩馬走也。　曰閑輿衛日，習車徒。　自九三至上九有頤象居外，是不家食而養賢。　六四「童牛之牿，元吉」，巽爲木，互體震，震爲牛之足，足在艮體之中，艮爲

---

⑩　〈周易鄭康成注提要〉，《四庫全書總目》，經部，易類，卷1，頁2。

⑩　〔宋〕王應麟編：《周易鄭康成注·跋》，《周易鄭康成注》（《四庫全書》本），第1冊，頁146下。

手，持木以就足是施桎。　《鄭志》泠剛問蒙初六，注云：木在足曰桎，在手曰梏。今大畜六四「施桎於足」，不審「桎」「梏」，手足定有別否？答曰：牛無手，故以足言之。六五：「豶豕之牙」。牙讀爲互。　上九：艮爲手，手上，肩也。乾爲首，首肩之間，荷物處。乾爲天，艮爲徑路，天衢象也。❿

又如《繫辭上》：「天尊地卑，乾坤定矣。……在天成象，在地成形。」王氏輯錄如下：

　　君臣尊卑之貴賤，如山澤之有高卑也。　動靜，雷風也。類聚、群分，謂水火也。　成象，日月星辰也。成形，謂草木鳥獸也。⓯

王氏又輯錄鄭氏所作〈易論〉、〈易贊〉，由此可以看出鄭氏對《周易》的定名、作者、義旨等方面的觀點、看法和評價。

　　另外，他又從《左傳正義》和《三禮正義》中擇錄鄭氏以互體解《易》的八個條目附於卷末。

　　在《詩經正義》、《周禮正義》中，孔氏和賈氏指出鄭玄注經改字的弊病。王應麟對鄭《易》中所改經字也有所指摘。如：

　　然康成箋《詩》多改字，注《易》亦然。如：「包蒙」爲「彪」，「豶豕」之「牙」爲「互」，「包荒」讀爲「康」，「錫馬蕃庶」讀爲「蕃」，「遮皆甲宅之」「皆」讀爲「解」，「一握爲笑」之「握」讀爲「屋」。其說近乎鑿，學者蓋謹擇焉。⓰

---

❿　同前註，頁 6。
⓯　同前註，頁 13。
⓰　同前註。

王氏處於南宋季年，一反宋學空疏之風，專心鄭《易》，從內容龐雜的經籍注釋中鉤沉稽考散見佚文，對鄭《易》的存世有椎路之功。王氏此舉得後世學者稱道，〈丁小疋鄭氏易注後定敘〉：「宋之季年，學者爭說性命，莫不以王孔爲本，雜以華山道士之言。而王伯厚獨盡心鄭注，蒐輯闕佚，彙爲一書，可謂偉矣。」⑩

王氏率先輯錄鄭《易》，其存在的缺憾是顯而易見的。「然其書不著所出，又次序先後間與經文不應，亦有遺漏未載者。」⑱開創之始，難以建功，其內容雖不完整，但亦可窺見鄭《易》之一斑，對研究鄭《易》及整個漢代《易》說都很有幫助。如館臣所言：「雖殘章斷句，尚頗見漢學之崖略。」⑲

明清兩代的學者也正是看到了王氏輯作的不足及其價值所在，在其基礎上進行大量增訂、修補和辨正工作，使鄭《易》的內容不斷豐富，也使王氏之作日趨完善。自王氏以後，鄭《易》遂有綿延。

　㈡　明人拾遺補闕

王應麟開輯錄鄭《易》風氣之先，對後來學者影響很大。明代浙江海鹽（錢塘）胡震亨出資刊刻李鼎祚《周易集解》時，對王氏的輯錄進行重新梳理。他把王氏從其它典籍中輯錄的條目彙成《易解附錄》一卷，附於《集解》之後，凡是《集解》收入的內容不重加著錄。胡氏在刊刻時，做了某些調整，即把經文字句與注文分開，這樣使得輯佚的經注之文眉目清楚。

胡氏的同鄉姚士粦在〈易解附錄後語〉中說：「孝轅搜拾鄭注不見於《易解》者，爲《附錄》一卷，大都一準王氏集本意。」⑩胡氏分別刊刻《集解》和王氏所輯《集解》之外的內容，使二者兩全其美。但是胡氏只事刊刻，沒有深入其它典籍搜拾鄭注，進一步補充新的內容。

姚士粦大器晚成，中年以後潛心典籍。他看到了王氏輯錄的缺漏，從《周易正義》和《經典釋文》中加以鉤稽，錄得王氏絓漏的條目二十五則，收入〈易解附錄

---

⑩　〔清〕張惠言：《茗柯文二編》卷上，頁31。

⑱　〔清〕皮錫瑞：〈經學復盛時代〉，《經學歷史》，頁305。

⑲　〈新本鄭氏周易提要〉，《四庫全書總目》，經部，易類，卷1，頁2。

⑩　〔明〕姚士粦：〈易解後語〉（北京：中華書局，1985年，《叢書集成初編》據《祕冊彙函》本影印）。

後語〉，以跋語的形式，附刻於胡氏《易解附錄》卷尾。

姚氏的輯錄僅涉及《周易正義》和《經典釋文》，增補的內容也不多，卻有著極為重要的意義。這種意義在於他找到了王氏的疏漏之處，並做了補闕的工作。由此啟發清代學者惠棟、孫堂、丁杰、臧庸、張惠言等學者，以此為契機發現王氏輯錄中更多的缺憾和不足，從更廣闊的視角輯補鄭氏《易注》，使之內容更為充實，體例更趨完善。

(三) 清人輯佚之盛

清代是經學的復興期。皮錫瑞在總結其興盛的原因時說：「經學自兩漢以後，越千餘年，至國朝復盛。兩漢經學所以盛者，由其上能尊崇經學、稽古右文故也。」⑪

統治者的提倡是外在的原因，學者們自覺的倡導和實踐才是促使其發展的內在動力。清初學者顧炎武、黃宗羲、閻若璩、毛奇齡等人力闢晚明經師「束書不觀，游談無根」的流弊，崇尚實證，開清代樸學的先聲。乾嘉時惠、戴崛起，一南一北遙相呼應，帶動乾嘉樸學發展成波瀾壯闊之勢。皮錫瑞認為清代樸學基本以「許鄭之學」為中心而逐漸展開，云：「乾隆以後，許、鄭之學大明，治宋學者已尠，說經皆主實證，不空談義理，是為專門漢學。嘉、道以後，又有許鄭之學導源而上。」⑫

張舜徽先生亦持此觀點。《鄭學叢著・序》云：「清代二百六十餘年的學術界，特別是乾嘉學者，都圍繞了『許鄭之學』努力用功。」⑬又云：「道、咸以下，治學道路雖已變化，但是崇尚『許鄭』的學術氣氛，從來沒有輕淡過。所以我們說，有清一代的學術界完全為『許、鄭之學』所籠罩了，也不失之誇大！」⑭

如果僅以「許鄭之學」涵蓋清代學術，顯然失之偏頗，但是清代學者在這兩個領域的研究中確實取得了前所未有的成績。

---

⑪ 〔清〕皮錫瑞：〈經學復盛時代〉，《經學歷史》，頁295。

⑫ 同前註，〈經學復盛時代〉，頁341。

⑬ 張舜徽：《鄭學叢著・序》（濟南：齊魯書社，1984年6月），頁1。

⑭ 同前註。

　　皮氏總結清代樸學對後世做出的貢獻時歸納爲三方面：一、輯佚書。二、校勘學。三、通小學。⑮他認爲南宋王應麟開輯佚先導，對清代學者影響很大。「宋王應麟輯《三家詩》、鄭氏《易注》，雖彙采未備，古書之亡而復存者實爲首庸。至國朝而此學極盛。」⑯清儒輯佚之始，按照王氏的輯錄模式，在經、史、子、集各個領域同時展開。

　　「清儒最遵鄭康成，競輯其遺著。」⑰清人對鄭氏佚作的輯錄可以說碩果纍纍。⑱鄭氏《易注》的輯佚，是其中具典型意義的代表。繼王應麟、胡震亨、姚士粦之後，清代又有十幾位學者加入輯錄鄭《易》的行列，爲恢復鄭《易》原貌做出了貢獻。

　　1.惠棟《新本鄭氏周易》

　　惠棟推崇漢儒，主張恢復漢學傳統，是清代樸學的領軍人物。在經史考證、漢《易》研究方面成就突出。錢大昕評價說：「宋、元以來，經說之書盈屋充棟，高者蔑棄古訓，自誇心得；下者勦襲人言，以爲己有。儒林之名，徒爲空疏藏拙之地，獨惠氏世守古學，而先生所得尤深，擬諸漢儒，當在何邵公、服子愼之間，馬融、趙歧輩不能及也。」⑲

　　在王氏輯錄的基礎上，惠棟又加以增補，作《新本鄭氏周易》三卷。王氏之作對輯錄鄭注有發軔之功，但是存在許多不足。如沒有注明注文徵引的出處，這會使人對材料可靠性產生懷疑；再者有的條目徵引散亂，與經傳文字順序不符合。另外，其內容遺漏甚多。

---

⑮　〔清〕皮錫瑞：〈經學復盛時代〉，《經學歷史》，頁 330－331。

⑯　同前註，頁 330。

⑰　梁啓超：〈清代學者整理舊學之總成績二〉，《中國近三百年學術史》（北京：東方出版社，1996 年 3 月），頁 325。

⑱　清人對鄭氏佚作均有輯佚，其範圍之大，數量之多，可謂居各家輯錄之首。其《周易注》的輯錄自成體系，自惠棟之始，有孫堂、丁杰、張惠言等十幾家。有的學者專輯鄭氏之作，如黃奭《高密遺書》十四種、孔廣林《通德遺書》十七種、袁鈞《鄭氏遺書》二十種。另，馬國翰《玉函山房輯佚書》、王仁俊《玉函山房輯佚書續編三種》、黃奭《黃氏逸書考》皆有所輯。孫星衍、陳壽祺、臧庸、陳鱣、王復、王謨、錢東垣等人亦各有專輯。

⑲　〔清〕江藩：《國朝漢學師承記》（北京：中華書局，1983 年 11 月），卷 2，頁 29。

　　王氏涉獵多種典籍，遺漏之處在所難免。胡震亨僅以刊刻爲務，無另行輯補。姚士粦僅從《周易正義》和《經典釋文》鉤稽，但其它典籍卻沒有著力考索。惠棟針對王、姚二人的不足，又做了大量的工作。

　　首先，惠氏一一考求王氏輯錄材料的本源，注明其出自某書，摘自何處，以證明王氏輯錄信而有徵。其次，釐定各條目的順序，一一與經傳相比附。再者，補充王氏輯補的缺漏。如王氏原輯錄：

〈離〉：明兩作離。作，起也。　　九三，不擊缶而歌。艮爻也，位在丑，丑上值弁星，弁星似缶。《詩》云「坎其擊缶」，則樂器亦有缶。　　麗王公也。

九四，突如，其來如。震爲長子，爻失正，又互體兌，兌爲附決。子據明法之家而無正，何以自斷其君父不志也。突如，震之失正，不知其所如。又爲巽，巽爲進退不知所從，不孝之罪，五刑莫大焉。得用議貴之辟刑之，若如所犯之罪。焚如，殺其親之刑。死如，如殺之刑也。棄如，流宥之刑。❿

惠氏增補並調整如下：

〈離〉：明兩作離，大人繼明照於四方。作，起也。《釋文》
明兩者，取君明。上下以明德相承，其於天下之事無不見也。《文選注》二十
初九，履錯然。
錯，七名反。《釋文》
六二，黃離元吉。
〈離〉，南方之卦，離爲火。土託爲馬。土色，黃色之子，喻子有明德，能附麗於其父之道。文王之一作大子，發旦一無此字是也。愼成其業、則吉矣。《文選注》二十、《御覽》一百四十六
九三，不擊缶而歌。《釋文》

---

❿ 《周易鄭康成注》，頁7—8。

艮爻也，位近丑，丑上值弁星，弁星似缶。《詩》云「坎擊其缶，」則樂器
亦有缶。《詩·宛丘》正義

則大壹之差。

《釋文》云鄭無「凶」字。

年踰一作餘七十也。《詩·車鄰》正義、《禮記·射義》正義、《爾雅疏》

九四，突如，其來如，焚如，死如，棄如。

震爲長子，爻失正，又互體兌，兌爲附決，子居明法之家而無正，何以自斷
其君父不志也。棄如，震之失正，不知其所如。又爲巽，巽爲進退不知所
從，不孝之罪，五刑莫大焉，焉得議貴之辟刑之，若如所犯之罪。焚如，殺
其親之刑。死如，殺人之刑。棄如，流宥之刑。《秋官·掌戮》疏

麗王公也。《釋文》⑫

他還從朱氏《漢上易傳》中增補新的內容。如〈復〉：「六四中行獨復。」

爻處五陰之中，度中而行，四獨應處。《漢上易傳》⑫

又如〈頤〉：「大有慶也。」

君以得人爲慶。《漢上易傳》⑬

惠氏詳細查考各種典籍，增補九十二條注文。上經補二十八條，下經十六條，〈繫
辭〉十四條，〈說卦〉二十二條、〈序卦〉七條，〈雜卦〉五條。⑭後經黃奭考
證，認爲館臣所云此九十二條注文包括姚氏增補的二十五條。⑮惠氏把王氏輯錄的

---

⑫　〔清〕惠棟：《新本鄭氏周易》（《四庫全書》本，第 7 冊），頁 160－167。

⑫　同前註，頁 158 下。

⑬　同前註，頁 159 下－160 上。

⑭　〈新本鄭氏周易提要〉，《四庫全書總目》，經部，易類，卷 1，頁 2。

⑮　〔清〕黃奭：《易注》。

〈易贊〉、〈易論〉只題名「易贊」，並且從卷末提到卷首。㉖他還刪去王應麟輯錄的鄭氏以互體解《易》的八條論述，後人對此有褒有貶。㉗

惠棟對王氏的輯錄推本求源，一一考證，注明王氏輯錄引書出處，不知出處的，待聞闕疑。這種實事求是的學風，體現了乾嘉學派的本色。古人對於經傳熟治，引證經史，隨心所欲信手拈來，如不注明引文出處，會給後來讀者帶來諸多不便。惠氏學問淹貫古今，讀書可謂廣博，但與王氏相隔五百年之久，審視其輯錄時，如果不親自翻檢原書，也不能指出其採自何書、出自何處。他注明徵引本源，省卻後來學者翻檢之苦，增加了材料的可信度。這實際上建立了一種新的輯佚規範，對後來的輯佚者影響很大。梁啓超指出鑒定輯佚書優劣的第一條標準即針對注引而言。「佚文出自何書，必須注明；數書同引，則舉其最先者。能確遵此者優，否者劣。」㉘

惠氏此舉使輯佚學著作的體例更爲完整，學術上更趨規範化。

2. 孫堂《鄭氏易注》

清人孫堂搜集有關《易》學的殘簡斷注，編定《漢魏二十一家易注》。其中收入他對惠氏《新本鄭氏周易》所做的重校本，並有《補遺》一卷。他對惠氏的增輯精心校訂，在輯錄注文出處方面作了較多的整理和補充。他在《序》中說：「然此書止有雅雨堂刊本，內尙有訛脫者，有未注書所出者，堂因爲之正其訛，補其脫，注其所未注者。并有所出不一書，元注未備列者，今備列之，其古文之異於今文者，則別爲《補遺》一卷。」㉙

孫氏一一注明惠氏沒有標明出處的條目。有的條目數書同引，他都一一注出。他逐一查對惠氏所注王氏所輯之文，並對王、惠闕漏有所增補。孫氏重校時廣列經注異文異字，比勘眾家，糾正了王氏、惠氏的錯繆之處。如〈離〉：「六二，黃離元吉。」注並重校云：

㉖　〔清〕惠棟輯：新本《鄭氏周易》，頁 148 下。

㉗　〔清〕黃奭：《易注》。

㉘　梁啓超：《中國近三百年學術史》，頁 330。

㉙　〔清〕孫堂撰：《鄭氏周易·序》（《叢書集成初編》據《古經彙解》本排印），頁 1。

〈離〉，南方之卦。離為火，土託位焉，土色黃，火之子，喻子有明德，能附麗於其父之道，文王之（堂案：《御覽》作「太」。）子，發旦（堂案：《御覽》無「旦」字。是也。）慎（堂案：《初學記》作「順」。）成其業，則（堂案：《御覽》作「故」。）吉矣。《文選注》二十，《御覽》一百四十六。（堂案：此條亦見《初學記·儲宮部》。）⑬

值得一提的是，孫氏在增補糾繆的同時，對個別字、詞的訓詁釋義下了很大功夫。他彙集群書，多方取證，除經、史典籍外，還涉及很多字書和韻書，如《爾雅》、《說文》、《玉篇》、《類篇》、《集韻》、《廣雅》等。如〈泰〉：「九二，苞荒。」注：「荒讀為康，虛也。《釋文》。」重校云：

堂案：《集韻》：陳、樄、荒，并云虛也。《廣韻》引《爾雅》作「陳」。司馬相如〈長門賦〉：「委參差以樄梁。」郭云：「本或作『荒』。」今《方言》注云：或作「歉」，并同此義。亦通作「康」。《穀梁傳》：「四穀不升謂之康。」《廣雅》作「歉」，《韓詩外傳》作「荒」。《太平御覽》引《淮南·天文訓》云：「十二歲一荒。」高誘本「荒」作「康」。《詩·小雅·賓之初筵》云：「酌彼康爵。」《箋》云：「康，虛也。」《大雅·召旻》：「我居圉卒荒。」《箋》云：「荒，虛也。」又《逸周書·謚法解》：「凶年無穀曰穅。穅，虛也。」張守節《史記正義》引「穅」作「荒」。又，「好樂怠政曰荒」。《漢書·諸侯王表》：「有中山穅王昆侈。」顏師古注引此句「荒」作「穅」。是「穅」字古亦通「荒」。⑬

孫氏在〈補遺篇〉中，列增補三十多個條目。

　　除採用前人輯錄所用的文獻資料外，他涉及兩宋《易》學著述，如《易緯稽考

---

⑬　〔宋〕王應麟撰集，〔清〕惠棟增補，〔清〕孫堂重校並補遺：《周易鄭注》（《叢書集成初編》本），卷上，頁22。

⑬　同前註，卷上，頁9。

《圖》、《丙子易編》、《周易玩辭》、《周易會通》等，而且對同時代人的考據成果亦有所吸收，如盧文弨《經典釋文考證》、余蕭客《古經解鉤沉》等。

孫堂重視從字書、韻書中搜集訓詁材料，有很強的可信度和說服力，同時採用兩宋及同時代的學術成果，補充了新的內容。更可喜的是他不拘泥經師舊說，大膽指摘漢學宗師惠棟的失誤，促進了這一學術研究的爭鳴和發展。

　3.臧庸《鄭康成易注》

　臧庸，字在東。江蘇武進（今江蘇武進縣）人。他對王氏、惠氏輯本加以校補，輯《鄭康成易注》二卷。臧氏沉默樸厚，深潛漢學，和他的弟弟臧禮堂同時師事盧文弨。常與當時名儒錢大昕、段玉裁等人討論學問。阮元稱他「治學根據經傳，剖析精微」。[132]所著《拜經日記》八卷受到王念孫、陳壽祺的稱譽。特別精於文字校讎，盧文弨稱贊他「天下校書第一」。

　他對王氏、惠氏的輯本進行校訂，辨正和補充。在校正經注文字的釋音、釋義方面用功很深，有很多精辟的見解。如〈泰〉：「九二，苞荒。」注：「荒讀為康，虛也。《釋文》。」校正云：

　　《詩‧召旻》箋云：「荒，虛也。」《正義》云：「荒，虛」《釋文》文。假使當訓「虛」，則正可云「荒，虛也」，何必改讀從「康」。晁氏所見《釋文》北宋本作「大」也，為是。今本誤耳。[133]

又如〈離〉：「利貞。亨，畜牝牛吉。初九，履錯然。」注：「錯，七各反。《釋文》。」校正云：

　　《考工記》：「弓人為弓，老牛之角紾而昔。」鄭司農云：昔讀為「交錯」

---

[132]　〔清〕阮元撰：《拜經堂文集‧序》，見《拜經堂文集》（民國十九年（1930）上元宗氏影印本）。

[133]　〔漢〕鄭玄注，〔宋〕王應麟撰集，〔清〕丁杰後定，〔清〕張惠言訂正：《周易鄭注》，《叢書集成初編》本據《湖海樓叢書》影印，卷2，頁15。按：筆者不見臧氏輯作的單行刊本，叢書集成初編影湖海樓叢書本，所引臧氏校語條例分明，今據以引證以見臧氏輯作原貌。

之「錯」。玄謂「昔」讀「履錯然」之「錯」。《釋文》：「錯，七各反。」李云：鄭旦苦反。《易》，《釋文》：「履錯，鄭、徐七各反；馬七路反。」疑當作「徐七各反；馬、鄭七路反。」七路反與七苦反同讀爲「撍」。鄭《易》本馬，馬、鄭多同。荀云「初欲履錯於二」，亦讀「錯」爲「撍」。馬、鄭皆傳費氏《易》者也。⓭

在參校的過程中，臧氏曾受到丁杰的指導和教正，同時也批判地借鑒了孔廣林的輯錄。他與二人交往的過程中互有駁正。「款居西湖精舍，執鄭《易》來授之讀，且屬爲校讎。（丁）遂據私定本參之，更檢勘《十三經義疏》，歷旬日成，覆校數十條。先是由曲阜孔叢伯讀此書亦有校語。庸堂氣性戇直，有駁正過當處，先生惠書曰：『備見心細如髮，不留遺憾。』駁正孔氏各條，詞氣稍直，將來略爲改易，付彼一觀。」⓭

　　臧氏認爲《詩正義》、《三禮正義》中所引鄭《易》注文是鄭氏用京氏今文《易》作注的保留，與其用費氏古文《易》作注的部分不同。他細心分別，單列成文，主要通過分析其中今、古文字加以辨正，多言之有據。如「『朝士，掌建邦外朝之法』。注：『鄭司農云：外朝在路門外，內朝在路門內。左九棘，右九棘。故《易》曰：「係用徽纆，示於叢棘。」』《釋文》：『示於，之鼓反，又如字。本或作寘。』」⓭臧按：

　　古文「寘」字，今文假借，聲近，作「示」。《釋文》云：「寘，劉作『示』。」鄭注本費氏《易》，必作「寘」字。作「示」字者，蓋今文京氏《易》。仲師好古，雖傳費氏《易》，要其功令所班，誦習之本，亦爲

⓭　同前註，卷 3，頁 40。

⓭　〔清〕臧庸：〈丁小疋教授六十序〉，《拜經堂文集》，卷 4，頁 598。

⓭　《周易鄭注》，頁 165。按：此引鄭注《周禮》之文，見《周禮正義》（北京：中華書局，1996 年 5 月，影印阮刻《十三經注疏》本），頁 877 下。臧庸輯錄鄭注引《周易》文爲「係用徽纆，示於叢棘」，「示」，阮刻本作「寘」。

「示」字可知。⑬

但是臧氏判斷《詩箋》《三禮注》所用《易注》均爲今文《易》的做法，過於武斷，缺乏科學性。

在對《易注》卷次的劃分上，他依王弼分卷的方式將本經分爲六卷，《繫辭》以下分三卷。清人鄭珍對此提出自己的看法，《鄭學錄·書目》「《周易注》」條云：「時又有臧貢生庸堂，本經依輔嗣九卷之次，《繫辭》而下合爲三卷，雖與隋、唐《志》、《釋文》合，要出自俗間。并鄭就王，蓋非康成原次也。」

另外，他細心查考漢代到宋元各史傳、史志及私人目錄、文集等，收集有關鄭氏《易注》的散論、序跋二十一則，並對個別條目加案語，或解釋說明，或辨正繆誤，或闡明己見。儘管所錄不全，但從中可以大略窺見鄭氏《易注》的源流變化及相關評價。

4. 丁杰《周易鄭注後定》

繼孫堂之後，歸安（浙江吳興）丁杰又對惠、王兩個輯本重新校正和增補，著《周易鄭注後定》十二卷。丁杰，原名錦鴻，字升衢，人稱小疋先生。乾隆年間進士，曾與朱筠、戴震、盧文弨同在四庫館講習校書。丁氏對經史、文字、音韻、算數都著力用功，特別精通校讎。「杰爲學長於校讎，與盧文弨最相似，得一書必審定句讀，博稽它本同異。」⑱

丁杰校訂王、惠兩個輯本，用功頗深。其《後定》經多次刪改，曾幾度成書。第一次成書，丁氏廣徵博引，反復推證，詳細辨正經注異文異字。張惠言云：「丁君此書，余見其稿本，一字之異，必比附群書以考其合，往往列數十事，是故于義審，于義審則其分別有序也，無惑爾已。」⑲但是成書後，丁氏認爲內容過於繁瑣細碎，因此托海寧陳方正進行刪削。但是陳氏刪減又過於麤疏，丁杰又重拾舊本再

---

⑬ 同前註，頁 165。

⑱ 〔清〕趙爾巽等：〈儒林傳二〉，《清史稿》（北京：中華書局，1977 年 12 月），卷 481，頁 13222。

⑲ 〈丁小疋鄭氏易注後定序〉。

次加以整理，於嘉慶三年（1798）出示《後定》本。他仔細推研，去麤取精，辨正校勘較前本更爲精審。如〈離〉：「九四，宊如，其來如、焚如、死如、棄如。」丁小疋云：

> 《説文》部「去」、「宊」二字，注應依《繫傳》本。鼎臣妄爲移其次序。朱筍河翻刻毛本，于「去」字，注改兩「突」字爲「去」字。惠松厓校定《周易集解》，亦改「突」爲「去」，段懋堂駁之，是矣。然段亦不知鄭氏《易》實作「宊」，不作「突」也。⑭

又如〈睽〉：「六三，見輿曳，其牛掣。」注：「牛角皆踊曰掣。《釋文》」丁小疋云：

> 《子夏傳》、《虞翻注》及《説文》并訓「一角仰」，即《爾雅》所謂「一俯一卬，觭也」。故《子夏傳》作「觢」，許、虞作「觢」。荀爽竟作「觭」，與《爾雅》文合。鄭注訓皆「踊」，即《爾雅》所謂「皆踊觢」也。《爾雅》、《釋文》「觢」或作「觢」，鄭《易》作「觢」，亦與之合。⑭

　　丁氏認爲王應麟、惠棟錯誤地把鄭注《周易乾鑿度》的文字誤作《易注》的內容。他仔細地將二者加以區分，並分別考證，指出原書的失誤之處。有四條，如：

> 〈小過〉，王引注云：「中孚爲陽，貞於十一月子，小過爲陰，貞於六月，未法於乾坤。」惠不知所出處。丁小疋云：此全出《易緯・乾鑿度》，非康成自下語，厚齋爲《漢上易》所誤，故以次此。定宇又爲厚齋所誤。⑭

<hr>

⑭　《周易鄭注》，卷3，頁41。
⑭　同前註，卷4，頁51。
⑭　〔清〕臧庸輯：〈正誤〉，頁134。

又如：

> 「兩儀生四象。」王引注云：「布六於北方，以象水；布八於東方，以象
> 木；布九於西方，以象金；布七於南方，以象火。」惠不知所出。丁小疋云
> 此《乾鑿度》注，王氏誤以爲《易注》。**⑭**

丁氏又輯補王、惠漏輯的若干條目。如〈離〉：「六五，出涕沱若，戚嗟
若。」丁補注：

> 自目出曰涕。《漢上易》**⑭**

又〈離〉：「上九，……大人以繼明照於四方。」注：

> 作，起也。《釋文》。惠補：明兩者，取君明，上下以明德相承，其于天下
> 事，無不見也。《文選·謝宣遠、張子房詩》注。丁補：明月相繼而起，大
> 人重光之象，堯、舜、禹，文武之盛也。《漢上易》**⑭**

丁氏精心校正文字，增補條目，糾正前賢的錯誤。其用功勤奮，得到盧文弨的
稱美：「王氏次序，本多顚錯，胡氏、惠氏雖迭加更定，而仍有未盡。今皆案鄭
《易》本文，爲之整比，復摭補其未備者若干則，撫微振墜，使北海之學大顯於
世。」**⑭**

他依據《經典釋文》引《七錄》及《周易正義·序》所云，將《易注》分爲十
二卷，即把《彖》、《象》附上下經分爲六卷，依次而下是《繫辭上》、《繫辭

---

⑭ 同前註。

⑭ 同前註，卷3，頁41。

⑭ 同前註。

⑭ 〔清〕盧文弨撰：《丁小疋（杰）校本鄭注周易·序》（《四部叢刊》據清嘉慶二年（1797）
刊影《抱經堂文集》本），卷2，頁22下。

下》、《文言》、《說卦》、《序卦》、《雜卦》。隋唐的各種目錄中，有關《易注》卷數說法不一，丁氏分卷有理有據，得到後來學者的認可。

　　《周易鄭注後定》經過反復刪改，幾度成書，最終以謹嚴的風格贏得學界的贊同。張惠言說：「方今士以不習鄭學為恥，其考校鄭書者，無慮數十家，而以丁君此書為最善。蓋其始為以至于今二十餘年矣，不苟成書，有為其學者必咨焉。從而為之校者以十數，唯以傳信為務，而不以臆斷。其為之也勤，其出之也慎，則其獨善宜也。」⑭柯劭忞稱「於諸家最為詳備」⑭又云：「博引旁徵，足為鄭學之羽翼，欲研究鄭《易》者，固不能不以此為根柢。」⑭也深得盧文弨稱譽：「夫此書收拾於亡佚之餘，復經二三君子之博稽精覆，而後得以完然無憾，百世下讀是書者，其寶之哉！」⑮

　　5.張惠言《周易鄭氏注》

　　張惠言，字皋文，武進（江蘇武進）人。十四歲即做童子師，嘉慶四年進士。他專攻虞氏《易》，著《周易虞氏義》九卷、《周易虞氏消息》二卷、《周易虞氏易侯》一卷等，一一發明虞氏《易》說。

　　李鼎祚《周易集解》採集荀、虞兩家《易》說尤多。惠棟精心研究《集解》三十多年，著《易漢學》八卷、《周易述》二十三卷，基本宗虞氏《易》說，但不能貫通其義，因此取鄭、荀各家補充其說。後世學者常常因惠氏不能專心一家而有微辭。「然（惠氏）掇拾于亡廢之後，左右採獲十無二三，其所自述大抵祖襧虞氏，而未能盡通，則旁徵他說以合之。蓋從唐、五代、宋、元、明，朽壞散亂千有餘年，區區修補收拾，欲一旦而其道復明，斯固難也。」⑮繼惠氏之後張惠言窮力探索，三年精通虞氏宗旨。他認為虞氏繼承並發揚孟、京《易》說，是漢《易》正宗。「（虞氏）依物取類，貫穿比附，始著瑣碎，及其深沉解駁，離根散葉，暢茂條理，遂於大道，後儒罕能通之，⋯⋯故其義精求七十子之微言，由楊、何、丁將

---

⑭　〈丁小疋鄭氏易注後定序〉。

⑭　柯劭忞：〈周易鄭注提要〉，《續修四庫全書總目提要》，經部，易類，頁33。

⑭　同前註。

⑮　〔清〕盧文弨：《丁小疋（杰）校本鄭注周易》，卷2，頁22下。

⑮　〔清〕張惠言：〈周易虞氏易序〉，《茗柯文二編》，卷上，頁20。

軍所傳者，舍此何所自焉。」[152]張氏專門研究虞氏《易》一家之說，造詣很深，得到學者極大稱譽：「蓋虞氏之學，獨惠言深造，非汎濫者能及也。」[153]

　　虞氏《易》之外，張氏對鄭玄《易注》和荀爽《易傳》也很下功夫，曾作《周易鄭荀易義》，發明鄭荀《易》說。丁杰於嘉慶三年出示《周易鄭注後定》本之後，張氏依照丁氏的體例，參考前代的輯校，重新作了校正和補充。

　　張惠言以王、胡、惠、丁、臧爲主，又參證盧文弨、孫志祖等人的校釋，輯錄眾說，條分縷析，間出己見。徵引前人的輯錄、增訂、補遺時分別注明「姚補」、「惠補」、「丁補」、「臧補」等字樣，以示尊重前賢不掠人之美。他同校經、傳、注、輯之文，逐條考索，精心校勘，指出各家錯、訛、衍、脫的文字。如〈師〉：「貞丈人吉，無咎。」惠言校云：

> 軍二千五百人爲師。《周禮·夏官·序官》疏云：「『師：貞丈人吉，無咎。』軍二千五百人爲師。丈之言長也。以法度爲人之長，故吉而無咎，謂天子諸侯而主軍。」丁小疋云：此疏脫「注云」二字。自「軍二千五百人」以下，皆鄭注也。王伯厚集此注，冠以「軍二千五百人爲師」句，人多疑所出，唯小疋能通之。多以軍爲名，次以師爲名，少以旅爲名。師者，舉中之言。《詩·械樸》正義。丈之言長，能御眾。「眾」衍字，王無此字。有朝當作「幹」，王無此字。正人之德，以法度爲人之長。此句見《釋文》，作「能以法度長於人」，又《詩·甫田》正義云：「師：丈人吉，無咎」，言以禮法長於人，可依仗也。吉而無咎，謂天子諸侯主軍者。《春官·天府》疏[154]

張氏辨正前人訛誤的同時，提出自己的觀點。如〈困〉：「九二，困于酒食，朱紱

[152]　柯劭忞：〈周易虞氏易提要〉，《續修四庫全書總目提要》，經部，易類，頁76。

[153]　同前註。

[154]　〔清〕張惠言輯校：《周易鄭氏注》（清道光間刊《張皋文箋易詮全集》本），卷上，頁4。

方來，利用亨王作享。祀。」注：「二據初，辰在未，未爲土王本誤作『正』，此二爲大夫，有地之象。未上值天廚，酒食象。困于酒食者，采地薄，不足己用也。二與日爲體離，爲鎮霍。爻四爲諸侯，有明德，受命當王者，離爲火，火色赤。四爻辰在午時，離氣赤。又惠改「又」作「爲」。朱以下王誤連引是也，「文王將王作爲天子制用朱韍」，十二字今刪。《士冠禮正義》。朱深云「云」當爲「于」，古「亐」字之誤，惠妄改作「曰」赤。《詩·斯干·正義》。」⑮校云：

> 金先生（榜）云：《詩·斯干》箋：「芾者，天子純朱，諸侯黃朱。」疏云：「朱，明其深也。黃朱，明其淺也。」引《乾鑿度》「天子之朝朱芾，諸侯之朝赤芾」，證「朱芾」爲純朱，「赤芾」爲黃朱。故引鄭氏困卦注「朱深于赤」爲證。今汲古閣本《詩疏》，「困卦」訛「內卦」，「于赤」訛爲「云赤」，幸上下文義可證「云」字之訛。王氏沿訛。惠又改「云」爲「曰」，適與鄭義違反。惠言案：《七經孟子考文》，宋板《詩疏》內卦「內」字尚作「困」，故伯厚能採入注，而定字竟不知所出。此知集文不載出處，誤後學不少。⑯

張惠言辨正各家說法，申明一家之言，其解很有精義。又如《繫辭上》：「動靜有常，剛柔斷矣。」注：「陰動陽靜，剛柔之斷。《穀梁疏》、《公羊疏》。」張惠言認爲惠氏標注引文出處有錯誤。校正云：

> 惠言案：《公羊疏》不見此文，《穀梁·莊三年》疏有之，不言鄭注。案《樂記注》云「動靜陰陽用事」，《疏》云：鄭注《易》云「動靜，雷風也」。而此云「陰陽用事」者，亦得會通也。若《易注》正有「陽動陰靜」

---

⑮ 同前註，卷中，頁6—7。

⑯ 同前註，卷中，頁7。

之文，《疏》當引以證「陰陽用事」矣，明此非鄭注也。⑰

王應麟輯鄭氏以互體解《易》的八條論述附在卷末，惠氏校訂時刪去各條目。對此張惠言辨正說：

> 《易》有互體，自田何以來傳之，《集解》所見，京房、荀爽、宋衷、虞翻皆有明文，非康成獨得之解，厚齋以論互體爲康成之學，故載此條，又附入服虔《左傳注》二條。此厚齋鄭學之淺也。惠刪之，是已。⑱

卷末專列《正誤》，錄有丁杰的四條訂正。另有張氏本人對經注及「互體說」的辨正。

張惠言以丁氏《後定》本爲底本，辨正前人的錯誤，有高屋建瓴的優勢，也可能出現班門弄斧的尷尬。但張氏以其扎實的《易》學功底和精審的識斷贏得學者的認可。後人論及鄭《易》輯錄時，往往丁、張並舉。「鄭注輯本以丁杰、張惠言《後定》最善。」⑲張氏以專精之學識，完善了丁著，贏得學者的稱譽，丁、張二書往往並行刊刻。

另外，因爲荀爽與鄭玄都傳授費氏《易》學，張惠言又撰述《周易鄭荀義》三卷、《鄭氏易義》二卷，三書相互結合發明鄭氏《易》。

有人評價張惠言申明鄭氏《易》和荀爽《易》，在一定程度上是爲闡明虞氏《易》服務。借用他在《易義別錄序》中表述的治《易》觀點，可以說明他兼治鄭、荀《易》的做法。「『（惠言云）不盡見其辭，而欲論其是非，猶以偏言決獄也。不盡通各家，而欲處其優劣，猶揚白而嘲黑也』，故其所著皆羽儀虞氏《易》者。」⑳

---

⑰ 同前註，卷下，頁 14－15。

⑱ 同前註，卷下，頁 15。

⑲ 〔清〕曹元弼：《周易鄭注箋釋・凡例》（民國十五年（1926）刊本）。

⑳ 〔清〕不著撰人，王鍾翰點校：〈儒林傳下二・張惠言〉，《清史列傳》（北京：中華書局，1987 年 11 月），卷 69，頁 5569－5570。

6.陳春《周易鄭注》

清人陳春，繼承祖父之業編定《湖海樓叢書》，收書十二種，一百零九卷。其中收錄《周易鄭注》十二卷，題爲「漢鄭玄注，宋王應麟撰集，歸安丁杰後定，武進張惠言訂正」。以張惠言輯本爲依據，補掇殘缺的經文，按丁杰的分卷形式，將張氏三卷本劃分十二卷本。基本內容不變，在原刊本的基礎上，作了細緻的校勘並對徵引的原文做了進一步核對。在行文的體例編排、文字校勘方面較丁、張之本更爲完善，可謂集眾人之所長。陳春間有校語，行文簡略，不贅述。

7.孔廣林《周易注》

孔廣林，字叢伯，山東曲阜人。孔廣森之弟，擅長三禮，熱衷輯錄鄭氏遺作。孔氏比勘惠、王本二者所輯，校正經、傳、注文出處，指出其錯簡異同。如〈恒〉：「九三，不恒其德，咸承之羞。」注並校正云：

> 「咸」今作「或」，此見《釋文》。得正互體爲乾，乾有剛健之德，體在巽。此十五字見〈緇衣〉正義，雖不稱鄭注，以下文與《後漢注》所引略同，知此亦鄭注中語。巽爲進退，不恒其德之象。《正義》作「是不恒其德」也。又互體兌，兌爲毀折，後將有羞辱也。「將」本作「或」，茲依王氏本，〈緇衣〉正義作「是將」。見《後漢·馬廖傳》注、《禮記·緇衣》正義⑯

孔氏校正經注文字盡量詳備，沒有把握的地方，存疑以待賢者。如〈咸〉：「上六：齎咨涕洟。」校云：

> 王注：齎咨，嗟嘆之辭也。《釋文》錄此語云鄭同，然未審是否原文，故分注於此。⑯

---

⑯ 〔清〕孔廣林輯：《周易注》，見《通德遺書所見錄》（清光緒十六〔1890〕年刊本），卷4，頁1。

⑯ 同前註，卷5，頁2。

又如《繫辭上》：「野容誨淫。」校正云：

> 「野」今作「冶」。此見《釋文》。飾其容而見於外曰野。見《後漢・崔駰傳》注。《釋文》云：鄭、陸、虞、姚、王肅作「野」，言妖野容儀教誨淫泆也。未審是鄭注原文否，故附錄于此。❻❸

孔氏多引唐、宋類書進行校勘比證，如《北堂書鈔》、《藝文類聚》、《初學記》、《太平御覽》等。惠棟輯錄時對類書偶有涉及，但沒有著力用功，孫堂《補遺》已徵引較廣，孔氏輯錄有擴而大之的趨向。

孔氏之前，鄭《易》輯錄只有王本和惠本通行。孫堂刊行《漢魏二十一家易注》稱惠本「此本只有雅雨堂刊本」。❻❹孔氏說：「在昔戊子，廣林年二十有三，習《三禮》學，究心鄭義，讀注疏諸史及前代名人著述，凡有鄭君義訓見，即各依其所著書類錄之。歲在甲午，輯《易注》、《書注》、《駁異義》、《箴膏肓》、《發墨守》、《釋廢疾》、《鄭志》，為《北海經學七錄》。」❻❺孔氏輯錄《易注》收入《北海經學七錄》，乾隆三十九年（1774）成書，孫堂刊行其書是在嘉慶四年（1799）。孔氏刊本遠比孫氏刊本要早。同時代的丁杰年齡比孫氏大，他的《後定》本在嘉慶三年（1798）成書，此前曾幾度刪改，但二者對鄭《易》卷次劃分形式相同，即都分為十二卷。據臧庸〈丁小疋先生六十序〉，可知孔氏之書應在丁氏《後定》之前，丁氏之書又在臧庸輯錄之前。但三人有書信來往，其輯錄各有所長，亦互有駁正。❻❻

孔廣林第一次以結集的形式刊行輯錄的鄭氏遺作，先是定名《北海經學七錄》收書七種。後又陸續搜輯鄭氏輯作十一種，兩者合刊定名《通德遺書所見錄》，在嘉慶十八年（1813）刊行。孔廣林著述不富，但可以憑借此書留名百世。

---

❻❸　同前註，卷7，頁2。
❻❹　〔清〕孫堂：《鄭氏周易・序》。
❻❺　〔清〕孔廣林：《通德遺書所見錄・後記》。
❻❻　〔清〕臧庸：《拜經堂文集》，卷4，頁598。

8.袁鈞《易注》

與孔氏同時以輯佚鄭氏遺作而聞名的是乾嘉時人袁鈞。袁氏，浙江鄞縣人，他亦效仿王應麟輯錄鄭《易》的體制，網羅放失，專事收集鄭氏佚書二十三種。由他手定的有四種：《易注》、《尚書注》、《尚書中候注》、《詩譜》。其餘十九種由袁氏後人校定完成，與前四種並行刊刻於世。

袁鈞寓居嘉定好友李賡蕓家時，開始搜輯鄭氏佚作。李氏出資出力，熱情相助。「於是取諸經義疏及他所徵引，參之往舊所有輯本，辨析訛謬，補正闕失，并齊其不齊者，以次收拾，合成是編焉。」⑯他窮力搜索，輯成二十三種，定名《鄭氏佚書》，將所輯鄭氏《易》定名《易注》，分爲九卷。

他以王氏輯錄《周易鄭康成注》和胡氏《易解附錄》爲底本，參考惠氏輯錄和另外校本，重新辨正、釐定王氏輯錄。〈序〉云：「今所傳王氏輯本是後人增益成之者，《玉海》有《周易鄭康成注》。明胡震亨刊《集解》本取王氏所輯，除已見《集解》者，爲《附錄》，原輯尚可考見。乃其比次，既非鄭第，又不詳所據之書。時或參用兩書，不明所出，有乖傳信。」⑯又云：「今用鄭第編輯各注，所據本書，其曾經王氏輯者，并著『原輯』。」⑯他依《隋書·經籍志》將鄭《易》分爲九卷。⑰另外，他在注明注文出處、釐定經文與注文順序時參考了惠氏的輯錄。

他對輯錄的注文，一一與原文校訂，指出差異。如果同出數書，則分別注明，如〈比〉：「九五，王用三驅，失前禽。」注：「王因天下顯習兵於蒐狩焉，驅禽而射之。三則已，發軍禮也。失前禽者，謂禽在前，來者不逆而射，旁去又不射。唯背走者，順而射之，不中亦已，是皆所失。用兵之法亦如之。降者不殺，奔者不禁，背敵不殺，以仁恩養威之道。《秋官·士師》疏。」注並考證云：

　　《秋官·士師》疏考證曰：又見《左傳·桓四年》疏，首句作「王者習兵於

---

⑯　〔清〕袁鈞：《鄭氏佚書·敘》（清光緒十五年（1889）浙江書局刊《鄭氏佚書》本）。

⑯　同前註。

⑯　同前註。

⑰　同前註。

蒐狩」，「發」作「法」，在「前」下無「來」字，而「射」下有「之」字，「亦巳」作「則巳」，「是皆所失」作「是其所以失之」，「禁」作「御」，無「背敵不殺」句，有「皆爲敵不敵巳」六字，「以仁」上有「加」字。原輯據〈士師〉疏，惟「是皆所失」句依《左》疏，「所」下增「以」字，「失」下增「之」字。⓱

袁氏參校勘前人之說，指出經、傳、注文中錯、訛、衍脫的文字。如《繫辭上》：「以制器者尙其象。」注：「此四者存乎器象，可得而用。一切器及造立皆是。《春官・太卜》疏。」校正云：

> 考證曰：原輯無首三字。監本作「此者」，「者」疑是「皆」字形涉而訛。
> 孫志祖云：「此者存于器象」，疑是「此四者」脫「四」字。韓注「此四者
> 存乎器象可得而用也」，蓋襲康成語。孫說是，今從之。⓲

他精心辨正經文、傳文、注文中的異文異字，申明鄭義。如〈文言〉：「陰疑於陽必戰，爲其慊於無陽也，故稱龍焉。」校正云：

> 考證曰：《釋文》云：「慊，鄭作『溓』。」惠棟本無「無」字。孫志祖
> 曰：《釋文》不言鄭無「無」字。《詩・采薇》正義亦但云：《文言》『慊
> 于無陽』，爲「忄」邊「兼」，鄭從「氵」邊「兼」，不云無「無」字也。
> 且康成《詩》箋云：「時坤用事，嫌於無陽」，雖與注《易》有「嫌」、
> 「溓」之異，其經文之無陽則同耳。厚齋《玉海》標句亦有「無」字，不知

⓱　〔清〕袁鈞輯：《易注》（清光緒十五年（1889）浙江書局刊《鄭氏佚書》本），卷 1，頁11。

⓲　同前註，卷 7，頁 6–7。

松厓何所據而去之。鄭意似謂純坤無陽，而陽氣即雜于無陽之中耳。**⑩**

袁氏校訂王氏輯錄很下功夫，但在分卷上有失恰當。他將《易注》分爲九卷，錯在臧庸之前。雖然他試圖想用「鄭第」，但還是犯了一個不小的錯誤。

袁鈞氏自序云，他完成鄭氏佚作的輯錄是在乾隆六十年（1795）。而由他親手校定的《易注》等四種著作應早於此時，大概與孫堂、丁杰等輯作同時。但袁氏爲一介布衣，無力刊刻著述。其曾孫袁烺爲不廢祖業，節衣縮食，光緒十年（1884）才把袁氏親手校定的四種著述刊刻成書。其後，即光緒十五年（1889）袁烺把刻版交給浙江書局，在善化瞿子玖的幫助下並行刊刻另外十九種輯錄，即現在通行的《鄭氏佚書》。刊刻成書前，由袁烺的族弟袁堯年曾「竭數年之力，一一爲之寫定」。**⑭**有的地方加案語，申明一管之見。此時幾家重要的鄭《易》輯本都已經完成，並均刊刻通行。而袁氏之書從成編到刊行，經過整整二代人的努力，時隔近一個世紀，不免讓人產生諸多遺憾和感嘆。

置此不論，袁氏輯錄中有很多精闢見解，足以與當時大儒所輯鄭《易》相媲美。湘潭胡元儀在其《北海三考・注述考》「《周易注》」條目下云：「此本（指《鄭氏佚書》）《易注》亦佳，各有考證。張皋文《周易鄭氏義》二卷，雖屬私家著作，亦足資考證者也。」胡氏把袁鈞、張惠言兩家著述並提，可見袁書的價值所在。胡氏考證鄭氏佚作時，亦常常採用袁鈞的觀點。〔清〕俞樾云：「鄭君當日集兩漢經師之大成，而先生此編又可謂集鄭學之大成矣。」**⑮**

《鄭氏佚書》集錄鄭氏散佚的著述之大全，各篇均有細緻考證，光大了鄭氏之學。袁氏之書可以因此而傳世，由此也可見袁氏過人的學術識力。

9.黃奭《周易注》

黃奭，字右原，清末甘泉（江蘇揚州）人。他雖爲富商子弟，卻以讀書稽古爲樂事。曾師從江藩，江藩執經余古農，余氏又受惠棟親傳，因此劉富曾稱黃氏是惠

---

⑩　同前註，卷8，頁1。

⑭　〔清〕俞樾：《鄭氏佚書・跋》，見前註。

⑮　同前註。

棟的再傳弟子。❶⓱⑥

　　黃氏謹遵師承，「亦以搜逸掇殘補缺表微爲事，輯有《漢學堂逸書考》二百八十餘種。」❶⓱⑦黃氏在世時此書刊刻初版，雖印行數量很少，但已引起當時學術界的注意。《甘泉縣續志·黃奭傳》：「稿具，同時里中巨儒，若焦里堂循，黃春穀承吉等，并預商榷……又延江都陳穆堂（逢衡）爲讎校，雕成付印、海內寶之。」此書刊行不久，遇上洪楊之亂，黃氏帶全家避亂，把刻版藏在樊漵鎮僧舍。事後黃氏長子黃灝把殘版購回，沒來得及刊刻，便魂歸道山。次子黃澧「深懼日久散失，又以全書印本流傳尟，遍求原刻序目不可得，無從刊補，因就版片完好者，屬余兄良輔重編目錄，印行傳世，計存二百一十五種。」❶⓱⑧光緒十九年（1893）由書商刊行，據張之洞《書目答問》題名《漢學堂叢書》。此書少《通德堂經解》一目，因此沒有收入黃氏所輯《周易注》，但是當時爲了便於出售，書商諱言殘缺。

　　黃氏鄉里學人王鑒在廣東購得收書二百一十五種刻版，後又陸續得到些殘葉斷版，約十多種輯作。民國十二年（1923）王氏同鄉秦更年在上海購得原刊樣本，並將二者比刊，補缺掇殘得二百八十五種。王氏「亟命承霖（王氏之孫）分任校讎，以付剞劂。凡再期而蕆事，名曰《黃氏逸書考》，庶不悖稱先生本旨」。❶⓱⑨秦氏認爲光緒十九年黃灝刊本書名錯誤，「叔符（黃澧）《通德堂經解》跋尾謂爲《漢學堂逸書考》，《書考》是也，《漢學堂》則誤矣。」❶⑧⓪民國十四年（1925）王氏重刊黃氏之書，補入五十九種（有《周易注》一卷）。王氏正名補闕，爲恢復黃氏原書面貌歷盡艱難。但是因倉促成書，其疏忽之處在所難免，「王氏對於校勘頗疏，且匆促蕆事，缺版斷葉之處，舉未是正，學者病焉。」❶⑧①刊刻不久，王鑒便離世。

　　民國二十年（1931）江淮發大水，許多刻版浸水傾圮。江都朱長圻「不期殘失

❶⓱⑥　〔清〕劉富曾：《漢學堂叢書·序》（清光緒十九（1893）年刊《漢學堂叢書》本）。

❶⓱⑦　同前註。

❶⓱⑧　同前註。

❶⓱⑨　〔清〕王鑒：《黃氏逸書考·敘》（民國甲戌（1934）江都朱長圻刊《黃氏逸書考》本）。

❶⑧⓪　同前註。

❶⑧①　〔清〕朱長圻：《黃氏逸書考·敘》，見前註。

近千餘蓄，惟念鄉邦文獻所繫」，⑱購回殘版重新整理。當時北京中央圖書館葉仲經「慨以讎校爲己任，歷時二載，徵引不厭求詳，務去黃、王兩家因陋就簡諸敝，遂使神明煥然，頓還舊觀。且質諸南通周君雁石，又於揚州故家獲得先生手稿二十餘冊，靡特補訂訛謬不少。」⑱朱氏在民國二十三年（1934）刊行黃氏之書，收書二百九十一種，至此黃氏之才書得以完全。其《通德堂經解》黃氏所輯《周易注》一卷。

黃奭在世時其書有四明觀稼樓光緒十年（1884）刊本，亦題名《黃氏逸書考》，有《通德堂經解》一目，錄《周易注》一卷。此書南京圖書館有藏本，但是《中國叢書綜錄》失載。

黃奭繼承惠學遺風，治學謹嚴，能考求事物本源。他在輯錄鄭《易》時，不拘囿前代學者所涉及的資料範圍，大量徵引宋、元、明、清時期的《易》學著述，多方取證，反復推闡。所引宋代著作有劉牧《易數鉤隱圖》、晁以道《錄古周易》、朱震《漢上易傳》附《卦圖》《叢說》、鄭剛中《周易窺餘》、項安世《周易玩辭》。元代吳澄《易纂言》、熊朋來《五經說》。明代熊過《周易象旨決錄》、陳士元《易象鉤解》、何楷《古周易訂詁》、黃正憲《周易官窺》。清代《雕菰樓易學》、姚配中《姚氏周易學》、李富孫《周易集解剩義》、李道平《周易集解纂疏》等。在《凡例》中列「附目」一欄，注明參用的前代《周易注》的輯校本，標明卷數和版本。有王應麟《周易鄭康成注》一卷，《玉海》本。胡震亨《祕冊彙函》本，《津逮祕書》姚士粦本，惠棟《鄭氏周易注》一卷，盧見曾《雅雨叢書》本。惠棟《鄭康成易注》一卷，畢氏《經訓堂叢書》《易漢學》本。孫堂《鄭康成周易注》三卷，《補遺》一卷，《漢魏二十一家易注》本。張惠言《周易鄭氏注》三卷，陳鱣、盧文弨、孫志祖刪校本。丁杰《周易鄭注》十二卷，陳氏《湖海樓叢書》本，臧庸敘本。袁鈞《易注》九卷，《鄭氏佚書》本。孔廣林《周易鄭注》十二卷，鄭學本。另外，他還全面的參考了唐宋間各種類書。

清代學者很少從元、明兩代學者的著述中取證，但是黃氏敢於突破時代藩籬，

---

⑱　同前註。

⑱　同前註。

大膽涉足，從中徵引取證，爲我所用。如〈屯〉：「乘馬般如。」注：「馬牝牡曰乘。《釋文》。」校正云：

何楷《古周易訂詁》、鄭剛中《周易窺餘》云：「康成謂馬牝爲乘，則『乘』當讀如『百乘』『千乘』之『乘』。」⑱

　　黃氏在資料搜集上有膽有識，充分利用前代質實可靠的研究成果，因此推證結論更有說服力，辨正訛誤，更有理有據。如〈訟〉：「終朝三拕之。」注：「三拕，三加之也。」校正云：

項安世《周易玩辭》。惠氏《九經古義》云「〈訟〉：上九，終朝三褫之」，《說文》云：「褫，奪衣也，讀若池。」鄭康成本作「三拕」之音，徒可反。案：《淮南·人間訓》云：「秦牛缺遇盜，拕其衣被。」高誘曰：「拕，奪也。」是「拕」與「褫」字異而義同。晁以道讀爲「拖紳」之「拖」，楊慎以爲「終朝三拕之」以誇於人，眞小兒強解事也。「拖紳」之「拖」本作「袘」，見《說文》。今案：張惠言謂項平安所引「三加之」訓似非鄭原文，與惠說合。⑱

又如〈噬嗑〉：「六三，噬腊肉。」注：「小物全干曰腊。」校正云：

李富孫《易解賸義》。案：《周禮·天官·腊人》：「掌腊肉。」，注云：腊，小物全干。《疏》并不云是《易注》。《易·釋文》引此明云鄭注《周

---

⑱　〔清〕黃奭輯：《周易注》（光緒十年（1884）四明觀稼樓刊《黃氏逸書考》本），頁 4－5。

⑱　同前註，頁 8。

禮》，須分別觀之，不可直以爲《易注》。⑱

黃氏在說明注文出處，徵引他說與所加案語有空格間隔，行文潔淨清爽，眉目分明。

　　黃氏大量徵引元、明及清代學者的學術成果，材料新穎。但是由於元明兩代學風浮泛空疏，有些材料本身的可靠性值得懷疑，因此有時會影響到結論的正確性。

　　身爲惠棟後學，黃氏深知治學實事求是的重要性。他參考清代各家輯本，其中不乏碩學名儒，但他不迷信舊說，大膽地從舊有材料中擇優去劣，去蕪取精。他在《周易注・序》中，針對漢學宗師惠棟的輯錄提出「十疑」，辨正是非，源委分明，有理有據。治學求實重要，但是對其中艱難，黃氏深有所感：「彌信實事求是之難，不揣檮從事日久，亦惑于俗說。」⑱由此亦可見其用功之勤。

　　儀徵阮元曾經見到過黃奭輯錄的手稿，並爲其《高密遺書》作序，云：「其稿中，皆巾籍小本，細書狹行，朱墨紛雜，偶得一條，即加注貼簽，且寫且校，其中已有先輯者，與自所輯者，亦各有分別，吾於是慨然高密之學矣。」⑱黃氏治學的嚴謹愼重，其書又出眾本之後，自然有比前代輯本更精到的地方，這也是學術發展的自然規律。

　　至此，經過清代學者的輯補和增訂，《周易注》在卷次安排、內容收集、經注辨正等方面日趨完善，基本可以反映鄭氏之作的原始面貌。縱觀整個過程，清代許多優秀的學者紛紛參與其中，對鄭《易》的輯錄秩然有序，層次分明，千載之下，鄭氏之書因此得以完然無憾。

六、結論

　　從南宋王應麟發軔到明清代學者的辛勤補掇，《周易注》的輯佚不斷走向完善。創制之始，難以建功，王氏《周易鄭注》開輯錄鄭《易》之先河，體制麤糙自

---

⑱　同前註，頁 21。

⑱　〔清〕黃奭：《周易注・序》，見前註。

⑱　〔清〕阮元：《高密遺書・序》，《漢學堂叢書・政書類》。

不待言，其意義在於開闢了一個新的學術領域——標志著輯佚學的開始。⑱晚明學者補闕綴殘有很大的啓發意義，清代學者對鄭《易》的輯佚則逐漸地走上一種學術的自覺。

惠棟輯補、重訂對鄭注和王氏輯作的完善貢獻很大，更重要的是他初步建立了一種輯佚的學術規範，如注明引文出處等。順次而下，孫堂、丁杰、臧庸、張惠言、黃奭等學者更嚴格地遵守和完善這一規範，在《易注》卷次安排、區分經注眞偽、比勘文字差異、糾正前人謬誤、區分前人成果和自己的創獲等方面，做得更爲細緻更爲完備。梁啓超在評價惠棟的輯佚之作《九經古義》與惠氏弟子余蕭客《古經解鉤沉》時說：「此實輯佚之嚆矢，然未嘗別標所輯原書名，體例仍近自著。」⑲梁氏指出清代輯佚之始存在的不足，也說明了清初輯佚之作的基本特點。但是就惠氏《新本鄭氏周易》而言，梁氏之論略欠妥當，它恰恰說明惠氏在「別標所輯原書」方面是清代輯佚之學的先例。

梁氏曾指出鑒定輯佚書優劣的四個標準：⑴佚文出自何書，必須注明；數書同引，則舉其最先者。能確遵此例者優，否者劣。⑵既輯一書，則必求備。所輯佚文多者優，少者劣。⑶既須求備，又須求眞。若貪多而誤認他書爲本書佚文者劣。⑷原書篇第有可整理者，極力整理，求還其書本來面目。雜亂排列佚文則劣。⑲

以此觀之，從宋到明清學者們對鄭玄《周易注》的輯錄，能大略看出輯佚的產生、輯佚學的形成和輯佚體制的規範化過程。在這個過程中，從王應麟的發韌之作到丁杰、張惠言綜合眾說，再到黃奭比勘各家，其間歷經六百多年，通過十幾位學者的不懈努力，早已亡佚的《周易注》最終以完美的體制和豐富的內容展示在世人面前。這一完整的輯佚過程，展示學術發展的魅力，同時，也爲古書的整理和輯佚

---

⑱　對此問題有所爭論，梁啓超《中國近三百年學術史》認爲惠棟爲輯佚之始，皮錫瑞則認爲王應麟開輯佚之先河。《經學歷史》云：「王應麟輯《三家詩》與鄭《易》注，開國朝輯古佚書之派。」（頁 300）。筆者認爲王氏《周易鄭注》已具備輯佚書的性質，惠棟及後來學者，都在王氏基礎上進行鄭《易》的輯佚活動，因此我們有理由認爲王氏開後來輯佚之先河。

⑲　梁啓超：《中國近三百年學術史》，頁 320。

⑲　同前註，頁 330。

積累了寶貴的經驗。

（本文爲我的碩士論文，寫作過程中，張林川師給予了指導。此次交稿，王小盾師提出了修改意見，今一並表示感謝。）

經 學 研 究 論 叢
第 十 一 輯　　　頁57～80
臺灣學生書局　　2003 年 6 月

論《尚書》「其」字兼及「厥」字

張其昀*

前　言

　　《尚書》（指今文）是我國最古老的一部歷史文獻集。它的語言十分深奧難懂，韓愈《進學解》所謂「周誥、殷盤，佶屈聱牙」是也。同是作爲最重要的古代典籍，不用說《尚書》的可讀性遠遜于後世的《史記》，就是比起稍晚的《左傳》來，也顯得艱深晦澀。然而，比起極爲古拙的殷商甲骨文來，《尚書》的語言顯然要好懂一些。它的可讀性大致與兩周金文相當（《尚書》所覆蓋的歷史時期與金文大半交疊）。《尚書》的語言被認爲是代表了漢語史上自商周至魏晉南北朝約兩千年這一上古期中的一個重要階段。將《尚書》的語言跟殷商卜辭、兩周彝銘以及《左傳》、《史記》等上古其他典籍進行比較，可以尋繹出貫穿于其中的上古漢語的一些因革演變。

　　「其」字是古代文獻中使用頻率很高的一個字。「其」在《尚書》二十九篇中共使用二百零一次（「序」未計）。❶它的用法分爲五大類：一、代詞，二、副詞，三、連詞，四、助詞，五、語助。

---

*　張其昀，揚州大學中文系教授。

❶　本文《尚書》的篇章字句依據孫星衍《尚書今古文注疏》本（北京：中華書局，1986 年）。
　　書證譯文也以孫氏疏爲主要依據，兼參酌孔穎達《尚書正義》（《十三經注疏》本）、蔡沈
　　《書經集傳》（《四書五經宋元人注》本）、江聲《尚書集注音疏》（《皇清經解》本）、
　　曾運乾《尚書正讀》（北京：中華書局，1964 年）等多家著作。

一、用作代詞

共七十四處，分五個小類。

第一小類，表示他指，或稱回指，用以指前面提及的人或事物；在句中或做定語（猶謂「彼之」），或做主語（猶謂「彼」）。凡二十八處。例如：

(1)于其無好德，汝雖錫（賜）之福，其作汝用咎。（〈洪範〉）──對於那些沒有好德行的人，你即便賜給他們爵祿，他們也會[殘民]而爲你斂怨。

(2)[雨、暘、燠、寒、風]曰時五者來備，各以其敘（序），庶草蕃廡（蕪）。（同上）──[雨、晴、暖、寒、風]這五種氣候齊備，各自按照它們的次序[發生]，百草就蕃蕪。

(3)武王旣喪，管叔及其群弟乃流言于周。（〈金縢〉）──武王死後，[周公攝政，]管叔和他的兄弟們就在國中散布流言。

(4)嗚呼！天亦哀于四方民，其眷命用懋。（〈召誥〉）──啊！上天也哀憐四方民眾，它眷顧民命而用勉敬者[以爲民之主]。

(5)作其即位，爰知小人之依。（〈無逸〉）──等到他即位，于是深知小民之苦衷。

「其」在例(1)中指「無好德[者]」，在例(4)中指「天」，均做主語；在例(2)中指「雨、暘、燠、寒、風」，在例(3)中指「管叔」，均做定語。例(5)，「作」，王引之《經傳釋詞》：「猶及也。」（此例適爲其書證之一）「依」，王引之《經義述聞》卷四以爲「隱」字之借。「隱」，隱衷，苦衷也。「其」充當作爲介詞「作」的賓語的「其即位」這一主謂短語的主語。「其」在《尚書》中充當主謂短語的主語另有一處，也是在「作其即位」小句中，且與例(3)出于同篇。

第二小類，表示對指，指對話人或聽話人；在句中祇做主語（猶謂「汝」）。凡五處。例如：

(6)予乃胤保，大相東土，其基作民明辟。（〈洛誥〉）──我則繼續履行保傅職

責，[為營建洛邑]大規模地視察東方，你則始作民之明君。

(7)王曰：「父義和，其歸視爾師，寧爾邦。」（〈文侯之命〉）——王說：「伯父義和，你回去整頓你的民眾，安定你的邦國。」

「其」在例(6)中指成王，在例(7)中即指所呼告者「父義和」。將例(7)比照同篇上文「父義和，汝克紹乃顯祖，汝肇刑文武……」，「其」之用作對指代詞是顯而易見的。

第三小類，表示自指，「其」即所謂反身代詞，指說話人自身；在句中皆做主語（猶謂「吾」）。凡五處。例如：

(8)凡爾眾，其惟致告：自今至于後日，各恭爾事……（〈盤庚〉）——凡你們眾人，我要致以告誡：從今以後，各自恭慎地做你們的事情……

(9)者造德不降，我則鳴鳥不聞，矧曰其有能格？（〈君奭〉）——[您這]年高德劭者不親臨，我就聽不到鳳凰的鳴聲，何況說我能感通[上天]呢？

「其」在例(8)中指「致告」人盤庚，在例(9)中指說話人周公。

第四小類，表示意有所屬的特指（相當于「那個」「那種」等）；在句中皆做定語。凡三十五處。例如：

(10)乃既先惡于民，乃奉其恫，汝悔身何及！（〈盤庚〉）——既導民以惡，乃自承那禍痛，你將悔之無及！

(11)今殷王紂乃用其婦人之言，自絕于天。（〈泰誓〉）——今殷王紂竟然聽用那婦人之言，自絕于天。

(12)一人有慶，兆民賴之，其寧惟永。（〈呂刑〉）——天子一人有善德，萬民皆因之得福，那安寧局面就能長久。

第五小類，表示泛無確指的不定指（相當于「某個」「某種」等）；在句中做定語。僅一處：

⒀都！亦行有九德。亦言其人有德，乃言曰：載采采。（〈皋陶謨上〉）——
啊！人的性行有九種美德。說某人有美德，就要說出：[某人]做了某事某事。

孔傳；「言人性行有九德，以考察眞僞則可知。載，行；采，事也。稱其人有德，
必言其所行某事某事以爲驗。」句中「亦」，王引之《經傳釋詞》歸之于「語助」
（詳下）。王氏且舉此例中「亦行有九德」爲書證。

　　用作他指代詞的「其」做定語者十四次，而做主語者也達十四次，兩者使用頻
率相等；用作對指代詞和自指代詞的「其」都是做的主語，而用作特指代詞和不定
指代詞的「其」都是做的定語。「其」字的這種局面，與「厥」字在《尙書》中使
用的情況很不一樣。「厥」字在《尙書》中也是常用詞之一，使用達一百九十八
次。除去十處之外，一百八十八處是用作代詞的。《爾雅·釋言》：「厥，其
也。」實質即是就二者皆可作代詞而爲其訓的。與「其」字不同的是，「厥」字作
爲代詞沒有表示自指和不定指的用法，而祇有表示他指、對指、特指的用法。例
如：

⒁厥民析，鳥獸孳尾。（〈堯典上〉）——那些農民散布[于田野間從事耕作]，鳥獸
[開始]交配繁殖。

⒂天旣孚命，正厥德，乃曰：其如台！（〈高宗肜日〉）——上天已付與[我]使
命，去匡正他們的德行，[他們]竟然說：將奈何我！

⒃厥旣得卜，則經營。（〈召誥〉）——他已得吉兆，就開始[爲建城]測量規度。

⒄亂罰無罪，殺無辜，怨有同，是叢于厥身。（〈無逸〉）——亂罰無罪，殺戮
無辜，民心同怨，這[怨恨將]叢集到你的身上。

例⒁之「厥」表示特指。例⒂，「孚」，《漢書·孔光傳》叫作「付」，可據。
「厥」表示他指，指「不若（順）德」之民。例⒃爲作者敘事之辭，「厥」亦表示
他指，指太保召公。例⒄之「厥」表示對指，指聽話人成王。《尙書》中用作代詞
的「厥」，除去他指用法中有十例是做主語者——⒃即然——之外，其餘在句中全
是做的定語。

　　「其」「厥」二字早在甲骨文中就已出現（「其」字甲骨文作∀等形，至金文作∀等形，為「箕」本字。「厥」字甲骨文作弓等形，至金文作弓等形，郭沫若《金文餘釋之餘》認為乃矢栝之初文。隸定作「氒」）。「其」字在甲骨文中一般不用作代詞（起碼可以說它尚沒有典型的代詞用法），到金文中才較多地出現該用法。例如：

(18)王子吳擇其吉金自乍（作）飤（飼）鼎。（王子吳鼎）——王子吳擇取那[所受]吉金自己制造了飼鑊。

(19)余智（知）其忠誊（信），而讚（專）賃（任）之邦。（中山王壺）——我知他[為人]忠信，而專任之以國事。

(20)其進人，其貯，母（毋）敢不即師即市（寺）。（兮甲盤）——他們進獻生口，他們交納貢賦，不敢不到軍隊那裏和官署那裏[辦理]。

例(18)，「鼎」，高明〈周代用鼎制度研究〉（《北京大學學報》，1979 年第 2 期）讀作「鑊」，今從。「擇其吉金」為賞賜類彝銘之常用語。「其」字用作特指代詞，做定語。例(19)，「其」字用作他指代詞，充當主謂短語之主語。例(20)，「其」字亦用作他指代詞，做主語。「厥」字在甲骨文中不多見，且不用作代詞，而到了金文中，則比比皆用作代詞。例如：

(21)匍（普）有四方，眈（畯）正厥民。（大盂鼎）——普有四方之地，整治匡正那些民眾。

例中，「眈」讀為「悛」。

　　可以認為，金文和《尚書》中，「厥」字用作代詞是基本用法，「其」字作代詞的用法則處于發生和發展的過程中（「厥」「其」二字語音相通。「厥」為見母字，「其」為群母字，二字為牙音旁紐雙聲的關係）。作為代詞，是「厥」字使用在前，「其」字使用在後。《詩經》之〈雅〉、〈頌〉，創作年代早於〈國風〉。〈雅〉、〈頌〉中「其」字之外，「厥」字仍見運用，而〈國風〉中則不用一

「厥」字，此其「厥」先「其」後之一證也。《尚書》中，雖然有時候是「其」「厥」二字可互用，例如：

　　⑵有扈氏威侮五行，怠棄三正，天用剿絕其命。（〈甘誓〉）——有扈氏虐慢五
　　　行，怠棄天、地、人之正道，上天因而斷絕他的國命。

　　⑶今惟殷墜厥命，我其可不大監撫于時！（〈酒誥〉）——而今殷紂喪失他的國
　　　命，我們豈可對此不深加省察！

這裏作為「命」的定語，前例用「其」，而後例用「厥」。但是，《尚書》中很多時候是祇用「厥」而不用「其」。仍以充當定語者為例，比方說，用作「辟」（君；法）的定語的，就祇用「厥」而不用「其」。查金文就祇說「厥辟」而不說「其辟」，《尚書》的用法正與金文一致。例如：

　　⑷叀（惟）乙且（祖）逑（弼）匹厥辟，遠猷匐（腹）心。（墻盤）——乙祖輔弼
　　　他的君王，以忠心[為王]作深遠謀劃。

　　⑸惟茲惟德稱，用乂厥辟，故一人有事于四方，若卜筮，罔不是孚。（〈君
　　　奭〉）——惟此[群臣]各稱其德，用以輔佐他們的君主，故天子對各國有所舉措，就
　　　如同卜筮一樣，無不見信也。

例⑷，「猷」，《爾雅·釋詁》：「謀也。」例⑸，「乂」，孫星衍疏：「同艾，《釋詁》云：『艾，相也。』」按：相，輔助也。除「厥辟」之外，《尚書》中還有「厥（庶）民」「厥世」等，也都不用「其」字。至于〈禹貢〉一篇，言「厥土」「厥賦」「厥田」「厥木」之類稱實物之辭凡四十六處，概不用「其」字（該篇「厥」字共四十七處，另一處為指人的「禹賜玄圭，告厥成功」）。這些都應視為古初遺留下來的用語習慣。而《尚書》之後，「厥」字的代詞用法迅速萎縮。可以看到，在《左傳》以及後來其他先秦古籍中，「厥」字則大多為「其」字所代替。

　　《左傳》語句中，雖然也有用「厥」字的，例如：

(26)寡君聞楚爲不道，荐伐吳國，滅厥民人。（〈哀十五年〉）

但是這僅屬個別現象（引用古語者，如〈文二年〉引《詩》曰：「毋念爾祖，聿脩厥德」；專名用字，如「韓厥」，此類不計）。我們基本上可以說，《左傳》是用「其」不用「厥」。

不包括作爲專名用字的，如〈定十年〉「公會齊侯于祝其」之「其」等，「其」字作爲詞在《左傳》中共使用了二千五百一十次，其中一千九百五十一次是用作代詞的，占「其」總數的近八成；而充當定語的達一千六百二十次，占代詞「其」數目的八成以上，這就奠定了後來「其」字主要用途的格局基礎。

值得注意的是，在《尚書》中「其」字作爲他指代詞而充當主語的與充當定語的機會均等（14：14）；❷「其」用作對指代詞和自指代詞的用法也非僅見。《尚書》中「其」字的這些用法在《左傳》中雖沒有得到發展，但依然是存在著的。例如：

(27)吾一婦人，而事二夫，縱弗能死，其又奚言！（〈莊十四年〉）

(28)曰：「子其行乎！」太子曰：「君實不察其罪，被此名也以出，人誰納我？」（〈僖四年〉）

(29)六年其逋，逃歸其國，而棄其家。明年，其死于高梁之虛（墟）。（〈僖十五年〉）

(30)齊侯曰：「大夫之許，寡人之願也。若其不許，亦將見也。」（〈成二

---

❷ 《馬氏文通》卷 2：「「其」字指名，有兩用焉，一爲讀之起詞而居主次，二以附名而居偏次。《孟》：『親之欲其貴也，愛之欲其富也。』……『其』皆主次。」楊樹達刊誤：「愚意：此種在讀首之『其』字，有時固可當『彼』一字解，但有時實是當『彼之』二字解。如前文馬氏所舉之例，乃是說『親之欲彼之貴也，愛之欲彼之富也』……如此，則『其』字乃偏次而非主次……」周法高《古代漢語‧稱代編》也認爲「其」字的用法不能全用「彼之」來代替，稱：「當然可能由『其』字領位的用法而逐漸變爲『其』字主位的用法；不過已經演變成一用法後，便不見得能和前一用法相等了。」有時候，「其」字實可作兩種解釋，我們前舉「其」作主語的例(1)和例(4)顯然可毋疑；例(5)「作其即位」，「其」也不必作「彼之」解。《左傳‧莊十八年》「及文王即位」，「文王」後即無「之」字，是可爲證。

年〉）

「其」在例⒄中用作自指代詞，做主語；在例⒅中亦用作自指代詞，做定語；在例
⒆中用作他指代詞，做主語；在例⒇中用作對指代詞，指對話人「大夫」即晉中軍
元帥郤克，做主語。《左傳》之外，其他多部先秦典籍大致亦然。例如：

　　　⑶吾朝夕儆懼，曰：其何德之修，而少光王室，以逆天休？（《國語·周語
　　　　　下》）

此「其」字即爲說話人太子晉自指之辭，在句中是做的主語。

　　秦漢以後，包括《史記》在內的上古一些典籍，和中古以後的一些典籍，偶爾
也使用「厥」字作代詞。例如：

　　　⑶故興師遣將以征厥罪。（《史記·衛青列傳》）
　　　⑶詔公卿有司，至于其日，率厥官屬，飲酒以樂，所以同其休、宣其和、感
　　　　　其心、成其文者也。（韓愈〈上巳日燕太學聽彈琴詩序〉）

這袛能看作是一種復古現象吧。

二、用作副詞（含情態副詞、時間副詞、語氣副詞）

　　共八十九處，使用面相當寬廣，分九個小類。
　　第一小類，表示據理揣度推斷。《經傳釋詞》：「其，猶殆也。」相當于「也
許」「大概」。凡十六處。例如：

　　　⑶俟志以昭受上帝，天其申命用休。（〈皋陶謨中〉）——虛心等待以明白地接受
　　　　　上天[之命令]，上天也許再次賜給你休吉。
　　　⑶乃卜三龜，一習吉。啓籥見書，乃并是吉。公曰：「體，王其罔害……」
　　　　　（〈金縢〉）——于是即[太王、王季、文王]三王前各置一龜而卜，一一是吉兆。用

鑰匙開啓密室對照兆書，也都是吉。周公說：「[據]兆象，王大概沒什麼危險……」

例(34)，「徯志」，孫星衍疏：「謂如《管子・九守篇》云，虛心平意以待須也。」

第二小類，表示祈望或命令。《經傳釋詞》：「猶尙也，庶幾也。」相當于「希望」或「要」。凡二十九處。例如：

(36)繼自今立政，其勿以憸人，其惟吉士，用勱相我國家。（〈立政〉）——今後設立長官，望不要任用奸佞之人，而要[任用]賢能之士，以[讓他們]勉力輔佐我國家。

(37)惟祖惟父，其伊恤朕躬。（〈文侯之命〉）——祖輩父輩們，求你們好生關照我。

例(36)，「立政」，王引之《經義述聞》卷三：「政與正同；正，長也。立政，謂建立長官也。」

第三小類，表示主觀意志。相當于「[吾]當」。凡 15 處。例如：

(38)帝曰：「我其試哉！」女于時，觀厥刑于二女。（〈堯典〉）——帝[堯]說：「我當試試[他]！」就把[兩個]女兒嫁給他，觀察他據以與二女相處的法度。

(39)天惟畀矜爾，我有周惟其大介賚爾，迪簡在王廷，尚爾事，有服在大僚。（〈多士〉）——上天給你們憐憫，我們大周當重重賞賜你們，選拔你們到朝廷上，把職事加到你們身上，[讓你們]在高位任職。

例(38)，「刑」，朱駿聲《說文通訓定聲・鼎部》：「假借爲型。」謂法度也。例(39)，「服」，謂職位也。楊樹達《積微居小學述林・釋服》：「外服內服，即外職內職，猶後世言外官內官也。」

第四小類，表示反詰。楊樹達《詞詮》：「其，反詰副詞，豈也。」凡五處。例如：

(40)惟天不畀允罔固亂，弼我，我其敢求位？（〈多士〉）——祇是上天不[把國命]
　　給予奸佞誣罔固陋惑亂之人，而輔助我，我豈敢貪求王位呀？

(41)眇眇予末小子，其能而亂四方，以敬忌天威？（〈顧命下〉）——我這個微不
　　足道的小子，豈能治理天下四方，以敬畏天之威德呢？

例(40)，「允」，《爾雅・釋言》：「佞也。」「罔」，《字匯・网部》：「誣
也。」「固」，《廣雅・釋言》：「陋也。」「亂」，高誘《呂氏春秋・論人》
注：「惑也。」例(41)，「眇眇」，孔傳：「微微。」按，通「渺渺」。「亂」，
《爾雅・釋詁》：「治也。」

　　第五小類，表示強調或者肯定，含今語「必定」、「是……的」之義。凡四
處。例如：

(42)今其有今罔後，汝何生在上！（〈盤庚〉）——如今[你們不隨遷]必定死亡無
　　日，你們何得還活在世上！

(43)今天其相民，矧亦惟卜用。（〈大誥〉）——現在上天是幫助民眾的，況且我們
　　也是按占卜行事，[其吉利可知。]

例(42)，「上」，孫星衍疏：「謂地上。」可從。例(43)，「相」，《集韻・漾韻》：
「助也。」

　　第六小類，表示事態之將然。《經傳釋詞》：「其猶將也。」凡十五處。例
如：

(44)稱爾戈，比爾干，立爾矛，予其誓。（〈牧誓〉）——舉起你們的戈，排列好
　　你們的盾牌，豎立起你們的長矛，我即將發布誓詞。

(45)王伻殷乃承敘，萬年其永觀朕子懷德。（〈洛誥〉）——王使殷民承順其序，
　　[殷民]必將千秋萬歲永遠觀法我周家子孫而懷其德。

例(45)，「伻」音崩，使令。〈立政〉：「乃伻我有夏。」孔傳：「乃使我周家王有

華夏。」句中「其」字，孫星衍疏恰以「將」對譯之。按：此「其」字在表示將然之外，兼表示肯定的語氣。

第七小類，表示事態之已然。凡三處。見下：

⑷峙夷既略，瀦淄其道。（〈禹貢〉）——峙夷已經治理好，瀦、淄二水也已疏導。

⑷淮沂其乂，蒙羽其藝。（同上）——淮、沂二水已治理，蒙、羽二山已可種植。

例⑷，「略」，《廣雅・釋詁》：「治也。」「道」，通「導」。句中「其」與「既」互文。例⑷，「乂」，《爾雅・釋詁下》：「治也。」「藝」，《說文》：「種也。」

第八小類，表示一并（或曰：共同行事）。裴學海《古書虛字集釋》：「其，猶亦也。」相當於「一起」。僅一處。見下：

⑷茲予大享于先王，爾祖其從與享之。（〈盤庚〉）——現在我禘祭先王，你們的先祖一起參與配享。

裴氏書中也取此例為書證。

第九小類，表示讓步，相當于「[縱然……]亦」。僅一處。見下：

⑷爽惟天其罰殛我，我其不怨。（〈康誥〉）——想來上天縱然誅罰我，我也不怨恨。

例中，前一小句之「其」用作表示假設條件的連詞，相當于「縱然」「即便」（見下）。二「其」字作為關聯詞相互呼應，形成一個複句。

在《尚書》中，「厥」不用作副詞，而「其」用作副詞的比用作代詞的還多。反溯到甲骨文中，「其」就有副詞的用法；金文中這樣的「其」也不乏見。例如：

⑸貞：今夕其雨？貞：今夕不雨？（《殷虛文字甲編》3404）——貞問：今晚下
雨？貞問：今晚不下雨？

⑸大令眾人曰：「劦（協）田，其受年。」（〈甲骨文合集〉1）——命令眾人
說：「協力耕作，必將獲豐年。」

⑸余其宅茲中或（國），自之辥民。（何尊）——我將定居此中土，由此治民。

⑸遹拜首（手）稽首，敢對揚穆王休，用乍（作）文考父乙障（尊）彝，其孫
孫子子永寶[用]。（遹簋）——作揖且跪拜叩首，冒昧對答穆王所賜休慶，因而制
作[我]有文德的先父乙之尊貴彝器，讓子子孫孫永遠寶用。

例⑸為甲骨貞問之辭，「其」表示探詢語氣（亦可用「气」字）。「其 V ？其不 V
／不其 V ？」（V 表示動詞謂語）正反對貞為卜辭常例（「其」字可省其一，亦可
全省。反貞之否定副詞「不」可易之以「弗」「毋」等）。這種用法當是「其」字
由「箕」義借來之後最初的也是最大量的用法。例⑸是甲骨文裏為數不很多的記事
之辭，「其」字表示將然和肯定語氣。例⑸，「辥」音義，王國維《觀堂集林》卷
六釋曰：「余謂此經典中『乂』『艾』之本字也。〈釋詁〉：『乂，治也』，
『艾，相也，養也』。」其文乃器銘中引迷武王的話，與〈召誥〉中「其自時中
乂」（將從此中土施治）大意略同，正可互為參證。例⑸，「其」字表示祈望，為
賞賜類彝銘末尾祝頌話之常用字。

　　甲骨文的語言尚處在十分活躍的變化發展過程中，有些句式尚未定型。卜問命
龜之辭中，作為副詞表示探詢語氣的「其」與它在語義上所修飾的動詞的相互位置
即不止一種。前述反貞之辭「其不 V ／不其 V」即然。再比如：允其出（《殷虛書
契菁華》9.8）／其出允（《殷契遺珠》179）／出允其（《卜辭通纂》500），同
一語義而三式并存。可以說，用上「其」，就可以表示句子的探詢語氣，而不必固
定其字在句中的位置。彝銘中這種一語而數式的情況有所減少，但仍可發現。比如
上述例⑸的祝頌語作「其孫孫子子永寶[用]」，但同樣的意思也可記作「子子孫孫
其永寶[用]」（曶鼎）——「孫孫子子」多作「子子孫孫」，再如：「其子子孫孫
永寶用」（小克鼎），後即定型于是。在《尚書》中也有同樣用法的「其」字而位
置不一的情況。例如：

(54)汝其敬識百辟享，亦識其有不享。（〈洛誥〉）——望你恭謹地記住百國諸侯朝
　　聘之享獻，也記住那些沒有享獻的。

(55)保奭，其汝克敬以予監于殷喪大否。（〈君奭〉）——太保奭，望你恭謹地與
　　我一起借鑒有殷滅亡之大否厄。

例(55)，「以」，馬瑞辰《詩經·大雅·皇矣》通釋：「以、與古通用。」比照此二
例，同樣是對「汝」之行事表示祈望，「其」一在「汝」之後而加于動詞（包括其
附加成分和連帶成分，下同）之前，一則在「汝」之前而與動詞隔離。這恰同于上
舉彝銘例中同樣是表示對子孫行為的期望，而「其」字有前後兩個位置的情況。這
情況可描寫為：S 其 V／其 SV（S 表示主語）。而《尚書》之後，在《左傳》及
其他上古典籍中，在中古及其以後的典籍中，作為副詞的表示祈望的「其」字都是
加于動詞之前而不再與動詞隔離，即定于「S 其 V」一式。例如：

(56)父不可棄，名不可廢，爾其勉之，相從為愈。（《左傳·昭二十年》）

(57)君喟然嘆曰：「吾與女未有過切，是何與我之深也！」使人謂世子曰：
　　「爾其圖之。」（《穀梁傳·僖十年》）

(58)舜曰：「唯茲臣庶，汝其于予治。」（《孟子·萬章上》）

(59)與爾三矢，爾其無忘乃父之志！（歐陽修《五代史·伶官傳論》）

例(56)，孔疏：「勉謂努力。爾其勉之，今勉力報仇，比于相從俱死為愈也。」例
(57)，「與」，對待。「深」，謂仇深。例(58)，「于」，《經傳釋詞》：「與也，連
及之詞。」這種句式由多式而定于一式（由未定型而定型）的變化，是漢語語法不
斷成熟發展的一點表現。

三、用作連詞

共十八處，分四個小類。

第一小類，表示條件（含假定條件）。《經傳釋詞》：「其，猶若也。」凡五
處。例如：

(60)商今其有災，我興受其敗。（〈微子〉）——我殷商現在如果有災禍，我等大概都要承受其難。

(61)立事、準人、牧夫，我其克灼知厥若，丕乃俾亂，相我受民，和我庶獄庶慎。（〈立政〉）——[設立]立事、準人、牧夫[之官]，我祇有能清楚地了解他們的長處，才可使他們治理[政事]，以助我受理民事，使我們的眾多案件和應慎重處理之事得到適當處理。

例(60)之背景是殷雖風雨漂搖，然尚未陷於亡國之災，該句乃父師箕子設論之辭。例(61)，「若」，《爾雅・釋詁》：「善也。」「丕」，孫星衍疏：「語詞。」按：即語氣詞。句中「其」與「乃」相呼應。

　　第二小類，表示承接。《經傳釋詞》：「其，猶乃也。」《古書虛字集釋》：「其，猶則也。」凡十一處。例如：

(62)爾所不勖，其于爾躬有戮。（〈牧誓〉）——你等如果不努力，你等則將刑戮加身。

(63)爾之許我，我其以璧與珪歸俟爾命；爾不許我，我乃屏璧與珪。（〈金縢〉）——你們如果準許我的請求，我就帶回璧和珪等候你們的命令；你們如果不準許我的請求，我就藏起璧和珪。

例(62)，「所」，《經傳釋詞》：「若也。」句中「其」與「所」作為關聯詞相呼應。例(63)，「其」與「乃」互文。該例亦為《經傳釋詞》所引。

　　第三小類，表示襯托。《古書虛字集釋》：「其，猶且也；一為尚且之義。」猶謂「猶」。僅一處：

(64)皋陶曰：「都！在知人，在安民。」禹曰：「吁！咸若時，惟帝其難之……」（〈皋陶謨上〉）——皋陶說：「啊！[帝王之德]在于知人，在于安民。」禹說：「噢！皆如此，帝堯尚且難以做到……」

孫星衍疏：「皆若是，堯猶難之。」

　　第四小類，表示轉折。《古書虛字集釋》：「其，猶而也。」相當於「卻」「但是」。亦僅一處：

　　㈤今殷其淪喪，若涉大水，其無津涯。（〈微子〉）——現在殷商恐怕要滅亡了，如涉大水而[大水]卻沒有渡口和邊際[那樣危險]。

「厥」字在《尚書》中也可用作連詞，祇有四處，兩處是表示承接的用法，兩處是表示假設條件的用法。例如：

　　㈥今爾惟時宅爾邑，繼爾居，爾厥有幹有年于茲洛。（〈多士〉）——如果你們安家在你們的這個新邑，繼續你們的職業，那麼你們在這洛邑便會有事可做有好的年成。

　　㈦厥或告之曰：「小人怨汝詈汝。」則皇自敬德。（〈無逸〉）——如果有人告訴你：「小人怨恨你咒罵你。」就大加注意敬修自己的德政。

例㈥，孫星衍疏：「居者，江氏聲云：『繼爾所居之業也。』『宅爾邑，既謂安其居處，則『繼爾居』不得復謂居處。《易・文言傳》云：『修辭立其誠，所以居業也。』《詩・蟋蟀》云：『職思其居。』亦謂所爲之事爲居也。」該句背景是周公代表成王發布誥命，要將殷民遷往洛邑，遷徙非在「今」時，「今」在句中當用同假設連詞。《經傳釋詞》引王念孫曰：「今，猶若也。」句中「厥」表示承接，與「今」相關聯。例㈦，「皇」，孔傳訓「大」。句中「厥」表示假設條件。《古書虛字集釋》：「厥，猶若也。」句中「厥」「則」相呼應。此例亦爲裴氏書證之一。

　　連詞除去用在單句中連接詞或詞組之外，用在複句中連接分句是它的重要用法。《尚書》語句中複句所占的比例尚較小，因而「其」作爲一個連詞的用法不算多。而在金文中，特別是在語句大多爲短小單句的甲骨文中，「其」用作連詞的就更不算多了。

(68)癸酉貞：禘五玉其三小（少）宰（牢）？（《殷虛書契後編·上》26.15）——癸
　　酉日貞問：禘祭用五玉和三少牢？

(69)我其巳（祀）賓（儐），乍（則）帝降若；我勿巳（祀）賓（儐），乍（則）
　　帝降不若。（《殷虛書契前編》7.38.1）——我如果儐祀，則天帝降順遂[于我]；我
　　[如果]不儐祀，則天帝不降順遂[于我]。

(70)王肇遹眚文武堇（勤）疆土，南或（域）艮子敢臽（陷）虐我土，王章
　　（敦）伐其至，戕（撲）伐厥都。（宗周鐘）——王審慎地遵循文王、武王[之道]
　　勤治疆土，南方的艮子竟敢攻陷虐害我國土[我人民]，于是導致王[對他的]憤怒討伐，
　　一直攻伐到他的都城。

例(68)，「其」用以表示連同。《古書虛字集釋》：「其，猶與也。」例(69)，這是甲
骨文中不多見的一個多重複句，「其」與「乍」（則）作爲關聯詞語相呼應。句式
適與前面例(63)〈金滕篇〉書證雷同。例(70)，「肇」，《爾雅·釋言》「敏也。」引
申爲「審慎」義。「遹眚」，西周彝銘常語，「遵循」之義。「敦」，《說文》：
「怒也。」

　　在《左傳》及《尚書》之後的其他上古典籍中，「其」在《尚書》中作爲連詞
的用法得到了繼承，并有所拓展。例如：

(71)其以嘉服見，則喪禮未畢；其以喪服見，是重受吊也。（《左傳·昭十
　　年》）

(72)天其弗識，人胡能覺？（《列子·力命》）

(73)未有上好仁而下不好義者也，未有好義其事不終者也。（《禮記·大學》）

(74)君寧死而又死乎？其寧生而又生乎？（《呂氏春秋·貴信》）

(75)孔子曰：入其境，田疇草萊甚辟，此恭敬以信，故民盡力；入其邑，墻屋
　　甚尊，樹木甚茂，此忠信以寬，其民不偷。（韓嬰《韓詩外傳》六）

例(71)，「其」表示假設條件，與例(63)〈金滕篇〉書證「其」字同。例(72)，「其」表
示襯托，與例(64)〈皋陶謨上篇〉書證「其」字同。例(73)，「其」表示轉折，與例(65)

〈微子篇〉書證「其」字同。例(74)，「其」表示選擇，即《詞詮》所謂「轉接連詞，抑也」，此用法則爲《尚書》中的「其」字所無。例(75)，「其」表示結果，《古書虛字集釋》：「其，猶故也。」該例即爲其書證之一。句中，「其」與「故」互文，此用法亦爲《尚書》所無。

論「其」字作爲連詞的用法，儘管《尚書》比起甲骨文和金文來，比例有所增大，《尚書》以後的典籍比起《尚書》來，用法有所拓展，但是該用法始終沒有成爲「其」字的主要用法。至于「厥」字，作爲連詞，它後來沒產生出什麼新的用法，原有的《尚書》中的用法祇是偶見運用。例如：

　　(76)厥有愆不臧，乃凶于而國，害于而躬。（《史記・三王世家》）

句中，「厥」字與「乃」字相關聯，表示假設條件，與例(67)〈無逸篇〉書證之「厥」字同。

四、用作助詞

　　猶「之」也。「其」「之」上古音亦可通，皆爲之部字。此用法僅三處：

　　(77)節性，惟日其邁，王敬作所，不可不敬德。（〈召誥〉）——節和性情，思日行之甚速，王當謹愼行事啊，不可不敬修德政。
　　(78)殷王亦罔敢失帝，罔不配天其澤。（〈多士〉）——殷先王也不敢違失上帝[意旨]，[行事]無不切合上帝降下的恩澤。

例(77)，「所」，語氣詞，猶《楚辭》中之「些」（今讀「所」去聲）。二例之外，另一處用「其」爲「之」的是〈康誥篇〉中的「朕其弟」（我的弟弟）。
　　「厥」字用如「之」的僅是同一篇的兩處「自時厥後」。例如：

　　(79)自時厥後，立王生則逸。（〈無逸〉）——從此之後，所立君王一生下來就安逸享樂。

此例與同篇另一句例「自時厥後，亦罔或克壽」（從此之後，也沒有哪一位君王能長壽的）均爲《詞詮》所引。然而楊氏于此句後再續一「生則逸」小句，意在形成反復格式，以表示強調。其實該小句屬後不屬前。

「其」用同連詞「之」，這用法也見于金文。例如：

(80)先王其嚴在上……降余多福。（宗周鐘）——先王之尊嚴在天廷之上……下賜給
　　我多多的福分。

《尚書》而後，此用法亦未大行，亦未消失，偶見間出，不絕如縷。例如：

(81)令尹其不勤民，實自敗也。（《左傳·僖二十八年》）

(82)又怪屈原以彼其材游諸侯，何國不容？而自令若是！（《史記·屈原列
　　傳》）

例(81)「令尹其不勤民」與前引例(77)「日其邁」皆可描寫爲「S 其 V」。例(82)「彼其材」與前引例(80)「先王其嚴」皆可描寫爲「A 其 N」（A 表示定語，N 表示名詞中心語）。

「厥」字用同「之」似乎祇見于《尚書》，前無所承，後無所啓。

五、用作語助❸

語助沒有實在意義，訓詁材料中均免訓。其價值祇在于調節語流節律。共十七處，依其所處位置而分三小類。

第一小類，句中語助。凡十二處。例如：

(83)下民其咨，有能俾义？（〈堯典〉）——天下民眾都在憂愁哀嘆，有誰能使[洪水

---

❸ 「語助」一詞，取之於劉淇《助字辨略》。王引之《經傳釋詞》亦沿用此名，楊樹達《詞詮》則稱之爲「助詞」。

得到]治理呢？

(84)妹土嗣爾股肱，純其藝黍稷，奔走事厥考厥長。（〈酒誥〉）——妹土之人
世爲爾股肱，當專務種其黍稷，奔走事其父兄也。

例(83)，「下民其咨」孔傳：「民咨嗟憂愁，病水困苦。」未傳「其」字。例(84)，譯
文乃直錄孫星衍之疏，亦未疏「其」字。

第二小類，句首語助，亦即所謂「發語辭」。有四處。例如：

(85)嗚呼！其在受德，暋，惟羞刑暴德之人，同于厥邦；乃惟庶習逸德之人，
同于厥政。（〈立政〉）——唉！到了紂王受德，十分強暴，衹是與濫刑傷德之人
一同治國，竟然衹是與一批嬖幸失德之人一同謀政。

(86)其今爾何懲？惟時苗民，匪察于獄之麗，罔擇吉人，觀于五刑之中，惟時
庶威奪貨，斷制五刑，以亂無辜。（〈呂刑下〉）——現在你們要以什麼爲懲
戒？就是這些苗民，[他們]不審察刑獄之施行，不擇用善人，以考察五刑之是否適
當，衹是[任用]一大批恃威勢掠奪財貨之人，來裁斷五刑，亂罰無辜。

例(85)，「受德」，孫星衍疏存二說：一、乃紂之字，二、言「受之德」也。此取前
說。「暋」，《說文》作「忞」，訓「強也」。「羞」，《爾雅·釋詁》：「進
也。」此引申爲「濫用」。「習」，《爾雅·釋詁》：「狎，習也。」是「習」亦
爲「狎」，此指狎習親近之人。

行文當數端并提時，尤往往用「其」字以發端。故《經傳釋詞》又釋「其」爲
「更端之詞」。王氏所舉書證即此用法四處中的另兩處：〈無逸篇〉之周公對成王
的勸誡辭中歷數殷先哲王時的「其在高宗」與「其在祖甲」。

第三小類，句末語助，讀音姬。僅一處：

(87)今爾無指告予，顛隮，若之何其？（〈微子〉）——現在你不將己意告我，[我]
將顛墜[于非義]，怎麼辦呢？

孫星衍疏：「指者，《廣雅・釋詁》云：『恉，意也。』指與恉同。隮，當爲躋。躋登又爲墜，如亂之訓治、徂之訓存也。『恐顚墜于非義』者，言恐去之非義，則當死之。」《經傳釋詞》訓此「其」字曰：「問詞之助也。或作期，或作居，義并同也。」此例亦爲王氏所引。

　　《尚書》中「不」「弗」「未」等否定詞以及表示反問的「曷」等之後往往用「其」字以爲語助，這已爲人們所熟知，如：〈大誥〉之「曷其」（兩處）、〈康誥〉之「未其」、〈召誥〉之「不其」（兩處）、〈康誥〉之「未其」、〈召誥〉之「不其」（兩處）、〈洛誥〉之「弗其」等。「其」的這種用法，與卜辭中從反面貞問的「不其 V／其不 V」之類語句中表示探詢語氣的作副詞的用法之間，當有其淵源關係。可以認爲，卜辭中的作副詞的「其」，當它所表示的探詢語氣弱化而消失的時候，也就變成了作語助的「其」。而作語助的「其」并非處于「不」「曷」等之後者，當是由處于「不」「曷」等之後的「其」的用法進一步拓展而致。

　　「厥」字在《尚書》中用作語助的，僅四處。例如：

(88) 在今後嗣王，誕罔顯于天，矧曰其有聽念于先王勤家？誕淫厥泆，罔顧于天顯、民祗。（〈多士〉）——在今後嗣王，大無顯德于天，況其有能從念先王勤家之訓？大淫游佚豫，無顧于天之顯道及民之敬順。

(89) 嗚呼！厥亦惟我周太王、王季，克自抑畏。（〈無逸〉）——啊！也衹有我們周的太王、王季，能[以義]自抑和敬畏[天命]。

例(88)，「誕」，《爾雅・釋詁》：「大也。」「淫」，《廣雅・釋言》：「游也。」此言游樂。「泆」，《史記・魯世家》作「佚」，《一切經音義》卷二十三云：「佚，古文泆同。」「誕淫厥泆」即「誕淫泆」——「淫佚」乃常語也。「厥」用作句中語助。該句譯文直錄孫星衍疏。例(89)，「厥」用作句首語助。（另二處「厥」字均用作句中語助。）

　　在《左傳》中，在其他古籍，特別是《詩經》（它的文句本有節律上的要求）中，「其」皆有語助的用法。例如：

(90)寡人有子，未知其誰立焉。（《左傳‧閔二年》）

(91)北風其涼，雨雪其雱。（《詩經‧邶風‧北風》）

(92)夜如何其？夜未央。（《詩經‧小雅‧庭燎》）

(93)賜！汝來何其晚也！（《史記‧孔子世家》）

後世以「厥」爲語助者，司馬遷筆下即有之。例如：

(94)成一家之言，厥協六經異傳。（《史記‧自序》）

此例亦爲《助字辯略》書證。劉氏稱「厥」字爲「語辭」，亦即語助也。

王力《古代漢語》稱：「『其』字用作詞頭，一般用于形容詞或不及物動詞的前面。」引上面舉出本文例(91)等以爲書證。楊伯峻《古漢語虛詞》稱：「『其』有時用于句中（昀按：謂『句子之中』，包括本文所謂『句中』『句首』和『句末』），既無意思，作用也不明顯，僅僅多一音節罷了。《詩經》常用它和單音形容詞或副詞配合。」楊氏未給這樣的「其」命名，亦引本文例(91)爲其書證之一。我們以爲，如果說某爲詞頭，則必意味著另有某爲詞幹（甚或再有某爲詞尾），詞頭加上詞幹（甚或再加上詞尾）方成爲一個詞；然而人們祇說「涼」「雱」是詞，不說「其涼」「其雱」是詞。「其」畢竟是一個獨立的語言單位。不取「詞頭說」，這是對的；但是不對它重新命名，這也不妥。「其」使文句多出一個音節，這便對文句的語流節律作了調整，這就是「其」字作用之所在。鑒于此，我們乃依劉淇、王引之、楊樹達而稱該「其」字爲「語助」。（在文句中，與「其」配合的，既不限于形容詞或不及物動詞，也不限于單音形容詞或副詞。）

六、餘論

《尚書》中「其」字的用法是比較豐富多采的（相比而言，「厥」字則顯得比較單調）。但是，這並不意味著《尚書》中的「其」字足以涵蓋包括此前的甲骨文和大約同時的金文在內的上古漢語「其」字的所有用法。事實上，上古漢語中「其」字的一些用法在《尚書》中還是闕如。比方說，例(68)作爲連詞而表示連同的

用法，即未見于《尚書》。❹再比方說：

(95)豈唯寡君舉（與）群臣受其貺，其自唐叔以下，實寵嘉之。（《左傳‧昭三年》）

(96)高繚之事夫子三年，曾無以爵位，而逐之，其義可乎？（劉向《說苑‧臣術》）

例(95)，「其」用作連詞，表示遞進。《古書虛字集釋》：「其，猶且也；一爲又且之義。」相當于「而且」。例(96)，「其」用作介詞。《古書虛字集釋》：「其，猶于也。」這些用法，皆爲《尚書》所無。但是，有些爲《尚書》所無的用法，或許是由《尚書》的用法孳生衍化而成的。例如：

(97)士不信慤而有（又）多知（智）能，譬之其豺狼也，不可以身邇也。（《荀子‧哀公》）

《古書虛字集釋》：「其，猶若也；一爲若似之義。」裴氏且援引該例爲書證；注「譬之其豺狼也」曰：「《說苑‧尊賢篇》作『譬猶豺狼與』，猶亦若也。」這裏「其」字之「猶若也」的用法，當與前述「猶殆也」的用法有關聯：「殆」爲揣度而不十分肯定之辭，「若」爲判斷而得其近似之辭，兩者自可溝通。「譬之其豺狼也」語義自可通于「譬之殆豺狼也」。

總　結

　　根據以上對《尚書》中的「其」字以及「厥」字用法的窮盡式分析和溯源探流的歷史考察，可知：「其」字在《尚書》中最主要的用法是作副詞，其次才是代

---

❹　裴學海《古書虛字集釋》：「其，猶與也。」書證有二，一爲故書《周禮‧考工記‧弓人》：「利射侯其弣」（今本「其」作「與」），二爲《周易‧睽‧六三》：「見輿曳其牛掣」。

詞。「其」字在甲骨文中還沒有代詞的用法，主要是用作表示詢問語氣的副詞。「其」用作代詞，在表示他指、特指以及不定指之外，還可表示對指和自指；表示他指時在做定語之外，還可做主語。作爲代詞，是「厥」字使用在前——金文中的「厥」通常即用作代詞，「其」字使用在後——金文中的「其」方可用作代詞。「其」字作爲副詞，使用面相當寬廣。「其」字在《尚書》中還有少數是用作連詞和語助的，極少數是用同助詞「之」的；「厥」字也有極少數是用作連詞、語助和用同助詞「之」的。這些用法，或起源于甲骨文，或旁見于金文。在《左傳》等《尚書》之後的其他上古典籍中，「其」字在《尚書》中的用法得以繼承和拓展。其最重要的一點是擴張了「其」字的作代詞而做定語的用法，使該用法在「其」字的用法中占據壓倒的優勢，奠定了後來「其」字主要用途的格局基礎。「厥」字與「其」字最大的一點區別是從來不用作副詞。「厥」字的代詞用法在《尚書》之後迅速萎縮。到《左傳》中，代詞已基本上是用「其」不用「厥」；自《史記》之後，「厥」字作代詞的用法已屬偶爾的復古現象。

經 學 研 究 論 叢
第 十 一 輯　　頁81～88
臺灣學生書局　　2003 年 6 月

試說詩經的虛詞「侯」

龍宇純*

　　《詩經》侯字常見，一般用爲名詞，如〈兔罝〉的「公侯干城」，或者〈何彼襛矣〉的「齊侯之子」；偶而從名詞轉用爲動詞，見於〈閟宮〉的「俾侯于魯、俾侯于東」，都是見而義曉，不待說明。〈羔裘〉的「洵直且侯」，是個特殊的例。與直字平列，應爲狀詞，毛《傳》說：「侯，君也」，鄭《箋》說：「君者，言正其衣冠，尊其瞻視，儼然人望而畏之。」說成有人君的樣子，大概其本意便是如此。此外，爲數不少用作虛詞的侯字，幸得毛、鄭等早有訓釋，不然也許不易明瞭。不過其中也有毛以爲虛詞，鄭以爲實詞的地方，也有後人持見又不同毛、鄭的，情形究竟如何，有待討論。更重大的問題是，所有自毛、鄭以來以爲虛詞從不曾引起爭論的，細細思量，未始便沒有可以商酌的餘地。分類將各詩句及早期注釋列出，然後加以研討如下。

　　甲類：

　1.〈小雅·六月〉：「侯誰在矣，張仲孝友。」毛《傳》說：「侯，維也。」

　2.〈正月〉：「瞻彼中林，侯薪侯蒸。」鄭《箋》說：「侯，維也。林中大木之處，而維有薪蒸爾。」

　3.〈十月之交〉：「擇三有事，亶侯多藏。」毛《傳》說：「擇三有事，有司國之三卿，信維貪淫多藏之人也。」

　4.〈四月〉：「山有嘉卉，侯栗侯梅。」鄭《箋》說：「侯，維也。」

---

*　龍宇純，前臺灣大學中文系教授。

5.〈大雅・下武〉：「媚茲一人，應侯順德。」毛《傳》說：「應，當；侯，維也。」《正義》」說：「可愛乎此一人之武王，所以可愛者，以其能當此維順之德。祖考欲定天下，武王能順而定之，是能當順德。」

6.〈蕩〉：「侯作侯祝，靡屆靡究。」毛《傳》說：「作、祝，詛也。屆，極；究，窮也。」鄭《箋》說：「侯，維也。王與群臣乖爭而相疑，日祝詛，求其凶咎無極已。」《正義》說：「作即古詛字，詛與祝別，故各自言侯。《傳》辨作爲詛，故言詛、祝，詛也。」

7.〈桑柔〉：「菀彼桑柔，其下侯旬。」毛《傳》說：「菀，茂貌；旬，言陰均也。」《正義》說：「毛以爲菀然而茂者，彼桑也。其葉稚而柔濡，故菀然茂盛。於此之時，人息其下，維均得陰，皆無暑熱之患。」

8.〈周頌・載芟〉：「千耦其耘，徂隰徂畛，侯主侯伯，侯亞侯旅，侯彊侯以（原當作予，詳拙作〈讀詩雜記〉，見《中國文哲研究通訊》第十二卷第一期）。毛《傳》說：「主，家長也。伯，長子也。亞，仲、叔也。旅，子弟也。彊，彊力也。以，用也。」鄭《箋》說：「千耦，言趨時也。或往之隰，或往之畛，父子餘夫俱行，強有餘力者相助，又取傭賃，務疾畢已；當種也。」《正義》說：「所往之人，維爲主之家長，維處伯之長子，維次長之仲叔，維眾之子弟，維強力之兼士，維所以傭賃之人。此等俱往畛隰，芸除草木，盡家之眾，皆服作勞。」

以上共計十六侯字。一方面毛、鄭以來訓侯爲維，無有異見。一方面，侯薪侯蒸、侯栗侯梅、侯作侯祝、侯主侯伯、侯亞侯旅、侯彊侯以（予）的句子，與〈斯干〉「維熊維羆、維虺維蛇」，〈生民〉「維秬維秠、維穈維芑」，以及〈我將〉「維羊維牛」可以對照；其下維旬，也可以與〈鶴鳴〉的「其下維蘀、其下維穀」互勘。甚至如「侯誰在矣，張仲孝友」，如不因取矣字友字叶韻，把「侯誰在矣」改寫爲「其在者侯誰」，比較〈韓奕〉的「其殽維何，炰鱉鮮魚」，也可以顯現其本質並無差異。這樣說來，這些侯字訓作維，一點看不出有何不妥。

乙類：

9.〈大雅・文王〉：「陳錫哉周，侯文王孫子。」毛《傳》說：「侯，維也。」《正義》說：「毛以爲：文王始布陳大利以賜子孫，於是又載行周

道，致有天下，以此德流於後世，維文王孫之與子，皆受而行之。」鄭《箋》說：「侯，君也。乃由能敷恩惠之施，以受命造始周國，故天下君之，其子孫適爲天子，庶爲諸侯，皆百世。」

10.又：「商之孫子，其麗不億。上帝既命，侯于周服。」毛《傳》說：「麗，數也。盛德不可爲眾也。」《正義》說：「毛以爲：至於上帝既命文王之後，維歸於周而臣服之，明文王德盛之至也。」鄭《箋》說：「至天已命文王之後，乃爲君於周之九服之中，言眾之不如德也。」

11.又：「侯服于周，天命靡常。」

此類共三條，並毛以侯爲詞，鄭以侯爲君。「侯文王孫子」句，毛明說侯用同維，連同上文「陳錫哉周」，意思是說：「上天普遍賜予在周國者，是爲文王的子孫」，從語法而言，十分貼切。鄭訓侯爲君，轉變名詞爲動詞，不成問題；一個君字講成「天下君之」，明是增文解經。但只要稍稍改個說法，「侯文王孫子」是說使文王的子孫都成爲君，適爲天子，庶爲諸侯，問題就可以化解了。但這等於說侯的意思可以兼賅天子，終爲不當，作詩的人何不直用君字？當以毛說爲是。「侯于周服」句，毛未明說侯字如何取義，從「盛德不可爲眾」來看，意思是說「商的子孫其數雖眾，終不敵周之盛德，而須服從于周」，《正義》說此句爲「維歸於周而臣服之」，應該便是毛的原意。句子造得不免詰屈，這是因爲遷就原句，原句「侯于周服」，則是爲了取服字與億字叶韻，特別倒於句末；其常式即下句的「侯服于周」，換成現在的話，便是「唯（語詞唯與維通，比較〈小旻〉的「維邇言是聽」，和〈斯干〉的「唯酒食是議」；清人早已指出）有臣服於周」，何等明快！鄭以侯爲君，以九服說服字，可以講通變形的「侯于周服」，卻不能講通其常態的「侯服于周」，自無可取。

照上來的分析，《詩經》中共計有十九個侯字，用同虛詞的維。無論從正確性或從數量上來說，都可謂已是不爭之實。但從另外的角度仔細思考，仍覺有不能已於言者。

首先，是侯、維二字使用的情況。維字及其變體的惟或唯（參見下文引《說文》惟字段注），普遍出現於各書之中，同於維字用法的侯字，則除《詩經》以外，不見於其他先秦古籍。《爾雅·釋詁》有「侯，乃也」一條，又有「伊、維，

侯也」一條。郝懿行《義疏》揭舉的例，超出《詩經》的，只是《漢書‧敘傳》的「侯草木之區別分」，和《文選‧東京賦》的「侯其禕而」。辭賦家的作品，自是襲之於《詩》，對本文而言，不具徵引的意義。王引之《經傳釋詞》「侯，維也」和「侯，乃也」之下，列出的例，也以《詩經》為限。至吳昌瑩作「衍釋」，始據其族人吳嘉儀說，增列了《易‧繫辭》的「能說諸心，能研諸侯之慮」一條，說：「侯，維也，語詞也。諸，猶凡也。之，猶所也。謂能研究凡所思慮也。」不僅使前後兩平行的諸字用義不同，連之字都要特別解釋，比起原先即按「諸侯」兩字講解，還要匪夷所思。即以《詩經》一書而言，維字用作語詞，其數超過二百五十，侯字才十九見，也遠遠不能相比。這代表何種意義，不容不究。

　　本文開頭提到，有後人持見與毛、鄭不同的，指的是〈大明〉的「維予侯興」。其實此在毛、鄭二家，既已彼此相左，毛以為虛詞，鄭以為實詞。前文乙類所以沒有引出，基本上我不認為是虛詞，為行文方便，所以暫時未引。此刻也還不便詳論，要待至結尾時再說。這裡先簡單交代，毛實際沒有明說，據《正義》的解釋，毛以侯為維，應該是可信的。鄭則以諸侯為說，而顯不可採。今人則都以語詞看待，卻釋作乃，不取孔氏說的維。殊不悟維字本也訓乃，理論上是無法強為之別的。然而在「侯薪侯蒸」或「維秬維秠」的句子裡，侯維二字互易，不產生語義上的任何不同；「其下侯旬」和「其下維蘀」，也可以侯維互換。可是把「維予侯興」改為「維予維興」或「侯予侯興」，立即發現與「維秬維秠」、「侯薪侯蒸」不同調，後者維或侯下是兩個並列的名詞，予與興卻是主語與述語關係，在語法的觀念裡，唯獨這個句子的維和侯是不可互易的。這究竟表示什麼意義，當然也不能沒有交代。

　　要揭開這樣的謎底，我想只有一種可能，侯字本沒有同於虛詞維的功能，凡《詩經》侯字可以釋作維、可以易作維字的，本是維字的誤讀；不能易為維，不可解作維字的，則本來便是侯字。正因為同於維字的為維字的誤讀，其數量自然遠較維字為少，不能與維字一般，普遍見之於先秦各古書之中。

　　於是，謎底揭開了。原來維字其始只寫作隹。〈石鼓文‧汧沔〉說：「其魚隹可？隹鱮隹鯉。」與〈無羊〉「吉夢維何！維熊維羆，維虺維蛇」可以比照，是其明證。隸書隹字作隹，侯字作侯，隹字最後橫畫如其波磔起伏稍大，隹字便有可

能看成了侯字。這便是《詩經》中自〈六月〉至〈載芟〉，以及〈文王〉共十九個侯字義同於維字的原因。說經之家，比較「侯薪侯蒸」與「維秬維秠」，或「其下侯旬」與「其下維蘀」的句子，自可得出「侯，維也」的訓解，並不需要侯字果真有此用法的。

　　對於何以只是《詩經》有此誤字，他書均無的情況，顯應提出說明。我的看法，這涉及到詩與散文本質的差異。散文的句法，與實際語言的語法接近。在實際語言裡，"侯"與"維"（加""以字表語音）音義相去懸遠，寫成文字即使形近，也不容易將維字誤認為侯；就算偶爾看錯，也定能及早發現而予以更正。詩的語言本宜精緻，受到形式的限制，尤不能無變化，於是容易產生特別的語法。從周代傳流下來的詩，到隸書通行的漢代（六國文字之草率，便是隸書的先導，隸書非始見於秦漢），語法又自有不同。後人看前代的詩，因形近而判讀錯誤，在所難免；且寫錯之後，如其同樣情況稍多，即使心有所疑，也必然不敢專輒改字，久而久之，積「非」便成了「是」。

　　進一層看，維誤作侯何止他書無有，自〈六月〉至〈載芟〉，盡在小、大雅及周頌之中，屬全詩典雅難懂的部分。一百六十首超過半數的國風，也一個不見。中如「賣侯多藏、侯于周服、應侯順德」的句子，或如「侯文王孫子」之見於「陳錫哉周」之下，確乎非輕易可以理解。鄭氏幾處想更易毛《傳》，結果都出了問題。難懂的詩出錯，不難懂的詩不出錯，豈不等於說明了他書所以不見此誤字的道理？

　　這樣的錯誤，說是絕不見於其他先秦古籍，似乎也非如此。前文說吳昌瑩所舉《易・繫辭》一例，其中侯字恐即是隹字之誤。《說文》說：「惟，凡思也。」段玉裁說：「經傳多用為發語之詞，《毛詩》皆作維，《論語》皆作唯，古文《尚書》皆作惟，今文《尚書》皆作維。」這是說作發語詞用的惟、唯、維三字，其實只是一個。從金文發語詞只用隹字看來，惟、唯、維三字其先都只作隹，〈繫辭〉的「能研諸侯之慮」，本是「能研諸隹」四字，與「能說諸心」相對，「之慮」二字為隹字誤作侯字之後後人所增。隹與惟或維同，義謂思慮。（說詳拙文〈先秦古籍文句釋疑〉，將刊見於《歷史語言研究所集刊》慶祝王叔岷先生九秩華誕專號。）

　　又《廣韻》侯韻：「詡，就也。千侯切。」《集韻》同，《全本王仁昫刊謬補

缺切韻》及《清故宮藏王韻》亦同（並誤補於幽韻末）。《廣雅·釋詁三》：
「誰，就也。」曹憲音子佳反；《詩·北門》「室人交徧摧我」，《釋文》云：
「摧，韓《詩》作誰，音千佳子佳二反，就也。」案崔聲之字不得入侯韻，韓
《詩》既爲摧字異文，侯當是佳字之誤，尤不啻爲我上來所作推論提供了最佳證
據。

　　現在，討論〈大明〉的「維予侯興」。此句的全章原文是：「殷商之旅，其會
如林。矢于牧野，維予侯興。上帝臨女，無貳爾心。」毛《傳》說：「旅，眾也。
如林，言眾而不爲用也。矢，陳也。興，起也。言天下之望周也。」又於末二句
說：「言無敢懷貳心也。」鄭《箋》說：「殷盛合其兵眾，陳於商郊之牧野，而天
乃予諸侯有德者當起爲天子。言天去紂，周師勝也。」又說：「臨，視也。女，女
武王也，天護視女伐紂，必克，無有疑心。」毛的說法，十分籠統，予字侯字如何
取義，不易見出。《正義》說：「毛以爲：殷商之兵眾，其會聚之時，如林木之盛
也，此眾雖盛列於牧地之野，維欲叛殷而歸我，維欲起我而滅殷，言皆無爲紂用，
盡望周勝也。非直敵人之意嚮如此，又上天之帝既臨視汝矣，其所將之眾，皆無敢
有懷貳心於汝之心，言皆一心樂戰，故周所以勝也。」明以予義爲我，侯義爲維。
後者更於下文說：「上篇侯皆爲維，言天下之望周，解維予侯興之意。」而且毛所
說的話語中，看不出有訓侯爲君的意思，便該是以侯爲語詞，孔氏的推想應是正確
的。但值得注意的是，此說前四句一氣，主語是「殷商之旅」；後二句則似乎換作
詩人口吻，不能不說是其缺點。又把「無貳爾心」說爲「其所將之眾，皆無敢有懷
貳心於汝之心」，也覺迂曲。鄭氏的理解，則是每三句一截，其主語分別爲商眾或
上帝，予是授予，侯是諸侯。顯現出來的問題是：林字從韻字變爲不韻，「有德
者」爲經文所無，爲其致命之傷。於是依毛意，「殷商之旅」陳師於牧野，下接
「維予侯興」，可以釋侯爲君，或讀侯爲后，意思便成「望我后興起」。末兩句也
可以解釋爲商眾對武王的說辭。意思是「上帝正照臨（取眷顧之意）著你，莫要三
心二意」。似乎都可以說通。但詩前章說文王如何生下武王，保佑他，命他征伐商
紂，下章說呂望佐助武王伐商，中間插上一段商眾的話，特別是末二句，全不像商
眾對武王說話的語氣，最後一句話更是沒有意義，所以終覺可疑。

　　從馬瑞辰改訓矢字爲誓，以「維予侯興」以下三句，爲武王在牧野的誓辭，侯

為語詞，作用同乃，今人說詩，沒有不採用馬說的。關於侯字訓乃的問題，前文已經談過。於此更要指出，此說在「殷商之旅，其會（馬說同膾，可取）如林」之後，揭出來的主詞忽然變作了武王，不免唐突。且殷商之眾，自以效忠商室為天職，對著商眾說「無貳爾心」，豈非要他們堅守國土，與己為敵，可以說太不合適了。

　　究竟此詩應如何詮釋？請先看〈魯頌・閟宮〉一節相關的文字：「至於文武，纘大王之緒。致天之屆，于牧之野。無貳無虞，上帝臨汝。敦商之旅，克咸厥功。」首先，我以為應將此詩的「殷商之旅」改為「敦商之旅」。隸書敦旁或作𦎫，與殷旁作𣪊略近；殷商為習見詞，本篇「自彼殷商」一見，〈蕩〉「咨汝殷商」七見；殷敦古韻又同部，所以誤敦作殷。其次，因為末二句明是對軍眾誓師的語氣，矢字當從馬氏訓誓。再次，侯字當然不是佳的譌誤，循其聲應讀為後。「後興」的結構相當於「後彫」，一面對商之興在前而言，一面更表示周人為最後興起的氏族，意思是此後不復有他氏族代周而起。但這裡也有一個問題，〈牧誓〉之辭見在，無此等語，即並〈泰誓〉三篇言之，其中亦無類似三語的話，這個究竟，便不是我能知道的了。

辛巳年除夕前四日宇純於絲竹軒

經 學 研 究 論 叢
第 十 一 輯　　頁89～132
臺灣學生書局　 2003 年 6 月

《戰國楚竹書·孔子詩論》校箋

俞志慧*

前言

　　上海博物館藏戰國楚竹書一經媒體披露，就引起筆者的濃厚興趣，經過不算太
漫長的等待，今天終於如願以償拜讀到幾千年來的一流學者都無緣得見的這一批簡
文，喜何如哉！在整個整理過程中，傾注了許多學者的心血，捧讀此書，能不頓生
感佩之情？從最初媒體披露，到二○○一年十一月第一輯之成書，其中不斷得到一
些信息，也不斷讀到學界提出一些頗有價值的看法，譬如關於《詩論》的著作權
人、首簡個別字詞的隸定、整批竹簡於思想史、學術史、文學史等等的意義，其中
很有些有價值的觀點。同時也不斷風聞重寫思想史、學術史的聲音，筆者以爲，這
裡有二個認識誤區，從思想史、學術史方面講，思想史、學術史每個時代都在重
寫，新材料的發現只是提供了重寫的更多可能性，並非莫可或缺；從新材料方面
講，新材料的發現使得改寫思想史、學術史中的某些說法成爲必要，但必要性並非
必然性，這道理就像公眾需要廉政，這廉政並不必然到來一樣簡單。重寫之前，需
要將既有材料與新材料進行重新整合，然後才可以考慮材料的補充、觀點的微調、
斷代的位移甚至思想家之間縱橫關係的重新釐定。而這些工作的基礎，是對新材料
的正確閱讀，以免因一些基礎材料的誤讀影響整個思想史、學術史構架的正確性。
　　本文所做的工作僅限於對基礎材料的校箋，擬在馬承源等先生釋讀成果的基礎

＊　　俞志慧，紹興文理學院中文系副教授。

上做進一步的研究。除文字隸定多與馬先生有出入外，其中涉及《詩經》風、雅、頌三部分的排序、本組簡文與《詩大序》之關係、上與春秋《詩》學下與兩漢《詩》學的關係等處，也多有與馬先生不盡一致處。譬如風、雅、頌的排序，《左傳·襄公二十九年》——是年孔子七歲或八歲——吳國季札在魯國觀樂、評樂的次序已同於今本《詩經》，即便風、雅、頌內部的排序也與今傳《毛詩》的次序大致相同。筆者以爲，傳世文獻中基本事實總是可靠的，不至於經那麼多人整理的傳世文獻就是假的，個別抄手的抄錄才眞實不虛；況且若不憑一二殘簡而以儘可能全面的簡文所得出的印象，與傳世文獻中風—雅—頌之序也並非不相吻合（詳見下文），更何況傳世文獻本身已經成爲一種歷史事實。基於這樣一種觀念，筆者在行文中以傳世文獻中有關春秋《詩》學的材料作爲參照，在釋讀的基礎上，將這些材料上掛下聯，發掘其思想史、學術史意義。

凡例：

簡文有句逗符號處，抄錄時根據文意相應標上標點。簡文墨釘作章節號者本文以■標識，重文號、合文號一律改成相應的文字，於校箋時出注。

簡文中殘缺或殘泐不能辨識的字，可據書法和文意推定字數的，隸定時用□號表示，能據上下文推定其字者，於□中標出該字。簡文有殘缺又不明殘缺字數（包括缺整簡的情況）者以省略號代替。無法隸定或電腦不能顯示的字，本文按原形摹寫。

本文抄錄時不嚴格摹仿簡文原來的字體，爲方便排印和閱讀，對一些學界公認的戰國異體字概用通行字書寫。

校箋次序如次：先隸定文字，再解釋詞義，後疏通文句，於相關處能進行編連則編連，否則存疑以待高明。

文末，將重新整理的二十九枚簡文合爲一處，調整原有句逗，全部重新標點。將全部通假字、異體字在（）內標注本字、正字；奪字在〔〕內補上。簡末標原簡序號。以■爲章段號，在■下提行。

爲節省篇幅，引用許愼（58－148？）《說文解字》和《爾雅》只指出何部或何篇，不再出注，《說文》所用版本用段玉裁（1735－1815）注本（上海：上海古籍出版社，1981 年），《爾雅》用清郝懿行（1757－1825）《義疏》本（北京：

中國書店，1982 年）。

1.**行此者，其又不王乎■？孔子曰：詩亡隱志，樂亡隱情，文亡隱言。**

〔校箋〕隱，左爲「阝」，右邊上「文」下「心」，馬承源先生（以下簡稱「馬校」）隸定爲「離」❶，饒宗頤先生隸定爲「吝」，李零先生在北大考古中心網站（網頁更新日期爲 2000 年 11 月 30 日）上發表的〈參加「新出簡帛國際學術研討會」的幾點感想〉一文云：「饒宗頤先生讀爲『吝』是對的。『鄰』和『離』讀音相差太遠，讀爲『離』是不太合適的。」郭店簡中，「吝」字見於《老子》甲簡九「畏四鄰」、《窮達以時》簡十二「莫之智而不吝」，《尊德義》簡十五「民少以吝」及簡三十四「正則民不吝」、《性自命出》簡四十八二見，《六德》簡三「歸四鄰」，左邊皆無「阝」旁，右邊皆無「心」底；唯《性自命出》簡五十九「凡悅人勿吝也」之「吝」有「心」底，然左邊仍無「阝」旁。以「阝」與「心」合作部首者，似當釋爲「隱」。此字以「文」得聲，「隱」在上古即屬「文」部。馬王堆帛書《春秋事語》有七個「隱」字，其中《魯桓公少章》有四個「隱」字清晰可辨，前二個「隱」皆作「心」底，第二、三、四個「隱」之右邊皆有與「文」極相似的符號。❷本組簡文簡二十有形體相似的字，左邊有「阝」，右邊無「心」字作底，馬校隸定爲「其鄰志必有以俞也」，與「俞（喻）」相對爲言，讀「鄰」即不可解，讀如「隱」則與「喻」之顯白義正相反對，簡八「言不中志者也」可與本簡「隱志」互釋。有無「心」底，全視書寫者的意願而定，如郭店簡《語叢二》「望生於敬，恥生於望」，同一簡前一「望」無「心」底，後者卻有；又如「情」，郭店簡中多數沒有「忄」或「心」部，偶爾也有。與「隱志」相反的命題尚有「足志」，《左傳·襄公二十五年》孔子引述古《志》之語云：「言以足志，文以足言。」「詩無隱志」「隱志必有以喻」可以看成是孔子對古《志》之語的繼承與發揚。

---

❶ 馬承源主編：《上海博物館藏戰國楚竹書（一）》（上海：上海古籍出版社，2001 年），頁123。以下凡引自該書而不出注者皆見相應條目的簡文之下。

❷ 〈馬王堆帛書「春秋事語」釋文〉，馬王堆漢墓帛書整理小組，《文物》1977 年第 1 期，圖版三，頁 34。

　　何謂「隱情」？《禮記・少儀》「軍旅思險，隱情以虞」❸中正有「隱情」一詞，唯詞義與此小異。此間孔子「樂亡隱情」之意可以《樂記》中師乙謂「夫歌者，直己而陳德也」❹一語解之，歌需「直己而陳德」，需長言之、嗟嘆之、手之舞之足之蹈之，與歌一體且「感於物而動」的樂自然不能隱情不彰。《樂記》云：「樂必發於聲音，形於動靜，人之道也。聲音動靜、性術之變盡於此矣。故人不耐無樂，樂不耐無形，形而不為道不耐無亂。先王恥其亂，故制雅、頌之聲以道之，使其聲足樂而不流，使其文足論而不息，使其曲直、繁省、廉肉、節奏足以感動人之善心而已矣。」❺其中「足樂」、「足論」、「足以感動人之善心」皆足以提示樂何以不能「隱情」之原因。

　　何謂「隱言」？《論語・季氏》：「子曰：侍於君子有三愆：言未及之而言謂之躁，言及之而不言謂之隱，未見顏色而言謂之瞽。」❻《荀子・勸學》也有類似之文：「未可與言而言謂之傲，可與言而不言謂之隱，不觀氣色而言謂之瞽。故君子不傲不隱不瞽，謹順其身。」❼荀子未明言引自孔子之語，但魯《論》「躁」正作「傲」，可知其源自孔子也，荀子「不隱」之說更與孔子「亡隱」之說後先相應，所不同者「不隱」就「言」而論，竹書「亡隱」則就著之竹帛之「文」立論，二者可以互相補充。又，古《志》語「言以足志，文以足言」中，「文」與「言」並列為言，則「文」亦當作名詞，如此，「文以足言」與「文無隱言」正好構成一對正反命題，二者相反亦相成。❽

　　此條屬綜述，下文雖亦有點評具體詩章者，更多的則僅摘取個別詩句、詩詞作

---

❸　〔清〕阮元校刻：《十三經注疏》（北京：中華書局，1980 年），頁 1515 上。

❹　同前註，頁 1545 中。

❺　同前註，頁 1544 中、下。

❻　同前註，頁 3522 上。

❼　〔清〕王先謙：《荀子集解》（北京：中華書局，1954 年，《諸子集成》本），頁 10。

❽　將首簡三「亡」下之字釋為隱，本人已在拙文《孔門言語科考論》（《孔孟學報》第 79 期，2001 年 9 月 28 日出版，頁 53－89）中採用注解形式作了五百多字的說明，2001 年 10 月，筆者在臺灣政治大學書店看到廖名春先生在臺灣出版的《新出楚簡試論》（臺北：臺灣古籍出版公司，2001 年 5 月）一書中引用了李學勤先生的觀點，李先生在清華大學簡帛講讀班第十一次研討會上正將此字隸定為「隱」，顯然，李先生的研究比筆者早。

抓拍式散點式點評。這與春秋文獻如《左傳》、《國語》所見言語說詩斷章取義之作風同，與戰國著述大段引用詩章異，與後世運用概念、判斷、推理進行思辯和採取歸納或演繹之法對詩歌進行系統的學理探討更大異其趣，準此，這二十九枚竹簡文字，似不宜冠以「詩論」之名，而以「論詩」或「論《詩》」稱之爲當。

「詩言志」是長時段中中國古人的廣泛共識，孔子的貢獻，在於將這種長時段中人們的廣泛共識結合音樂、散文進行理論的提升，將「詩亡隱志」三句簡文與《樂記》、《詩大序》比較，後二者幾乎是對簡文關於詩、樂、文與志、情、言關係的敷衍和展開，因而也可以這樣說，「詩亡隱志，樂亡隱情，文亡隱言」是孔子文藝思想的綱領之一。

2.寺也，文王受命矣。訟坊德也，多言後。其樂安而儒，其詞紳而荡，其思深而遠，至矣。大夏盛德也，多言

〔校箋〕本簡有「文王受命」之語，當承論述有關文王之詩之後，觀簡七「有命自天，命此文王」正與本簡「文王受命」相接。簡二到簡七上下兩端俱留白，從書寫範式看，在此範圍內移動次序應該沒有問題。

「寺」依字形可隸定爲「詩」，於句中卻不得其解，疑係「時」之借，則「文王雖欲也，得乎？此命也、時也。文王受命矣」文氣一貫。

「訟」後之字，下部從「土」，馬校隸定爲「坊」，〈攻敔藏孫編鐘〉有「坊」字，其構形與此字殊，❾恐非。〈者減鐘〉有此字，唯無「土」旁，吾師董楚平先生《吳越徐舒金文集釋》釋爲「旁」，並有詳細解釋：

> 甲骨文、金文各有方、旁二字，……方原指土地。至於四方八面的方，甲金文皆用旁字。……上部⊢⊣、⊢⊣是義符，表示東南西北四方八面之邊界，下部從方，是聲符。後來只用聲符之方。❿

❾　董楚平著：《吳越徐舒金文集釋》（杭州：浙江古籍出版社，1992 年），圖版並釋文：頁80。

❿　同前註，圖版：頁 31；釋文：頁 32；注釋：頁 36－37，又，該書所附《中山王鼎》銘文

準此，該字可隸定爲「坊」，義則取其本字「旁」，《說文》：「旁，溥也。從二闕，方聲。」《廣雅・釋詁》：「旁，大也。」⓫同期文獻形容美德常用「盛德」、「令德」、「明德」、「崇德」等詞，與此大德之義正相應合。

　　侃，字作左右結構，左邊有「亻」傍，右上爲「言」之省文，右下一橫三豎，馬校隸定爲「㞷」，恐非。疑當讀爲「侃」或「誾」，《論語・鄉黨》：「朝，與下大夫言，侃侃如也。」何晏等《集解》引孔安國語：「侃侃，和樂之貌。」⓬此句形容頌之樂安祥和樂。芐，係上下結構，「艹」下「豸」，不見於《說文》，但《說文》「艹」部有藐（「艹」下「須」）字（《爾雅・釋草》寫作「薞」），許愼謂「茈草也。從草，須聲。」段注：「莫覺切，古音在二部，古多借用爲眇字。」若用其借字，與「紳」之綿長義正合。馬校將「紳」與「芐」釋爲二種合樂歌吹之物，與上句「其樂安而侃」詞性不類，恐非。

　　謂〈大雅〉盛德，此前文獻中未見，《左傳・襄公二十九年》季札評〈大雅〉：「廣哉，熙熙乎！曲而有直體，其文王之德乎！」⓭一云盛德，一云「文王之德」，義可互證。

　　此簡分論頌和大雅，先頌後雅。

3. **也。多言難而怨退者也，衰矣少矣。邦風其内勿也，享觀人谷安，大僉材安。其言文，其聖善。孔子曰：隹能夫**

　　〔校箋〕怨，字形從上到下依次作「宀」「占」「月」「心」，馬校讀爲「惆」，《說文》「心」部：「惆，怨也。」於義通。然《說文》「心」部「怨」下附有該字古文，其構形與簡文此字相似，郭店簡〈緇衣〉簡十有一字，比此字少「宀」，裘錫圭先生（以下稱裘先生）謂「此字應從今本釋作『怨』」，⓮馬王堆

　　「仇人在旁」之「旁」，金文書作「仿」。（圖版：頁 198；釋文：頁 197。）

⓫　〔清〕王念孫著，鍾宇訊點校：《廣雅疏證》（北京：中華書局，1983 年），頁 5。

⓬　〔清〕阮元校刻：《十三經注疏》，頁 2493 下。

⓭　同前註，頁 2007 下。

⓮　荊門市博物館編：《郭店楚墓竹簡》（北京：文物出版社，1998 年），圖版：頁 17，釋文注釋：頁 133。

帛書《春秋事語》之「怨」字皆有「宀」，❶❺本篇簡十八、十九釋爲「怨」之字亦與此字形近，疑此應爲「怨」字之異構。退，馬校認爲係「戁」之借字，筆者以爲，不如作如字讀更合上古以單字爲詞之習慣，《方言》與《廣雅》皆曰：「退，緩也。」❶❻《史記‧屈賈列傳》云：「〈國風〉好色而不淫，〈小雅〉怨誹而不亂。」❶❼或可作「怨緩」之注解。「多言難而怨退者也」與季札評樂對照，亦唯〈小雅〉可當之：「美哉！思而不貳，怨而不言，其周德之衰乎？猶有先王之遺民焉。」❶❽

　　專，郭店簡此字在《五行》簡三十七、《尊德義》簡三十五、《成之聞之》簡廿七、《語叢一》簡廿八釋爲「博」；《老子》甲簡十二釋爲「輔」，《忠信之道》簡八釋讀者釋爲「傅」，裘先生謂「也有可能讀爲『溥』或『博』」，李零先生讀爲「附」；❶❾《語叢一》簡八十二釋讀者釋爲「博」，李零釋爲「薄」；《語叢二》簡五釋讀者闕釋，李零釋爲「博」。可見其能指極豐富，金文中還有釋爲「敷」的。釋單字皆無不可，要能使句義貫通。這裡馬校釋爲「溥」，謂與「溥天之下」之「溥」同義。觀，簡文作上下結構，上雚下囧，《說文》「見」部「觀」下附此字，謂「古文觀，從囧」，子云：「詩可以觀」，此正可爲之作注。谷，馬校釋爲「俗」，人俗，猶民風，然「人俗」未聞，似以借作「欲」爲當，於郭店簡和本組簡文（請見下）皆不乏佐證。僉，簡文書作「僉」下「日」，與郭店簡〈緇衣〉簡廿六裘先生釋爲「恭且儉」之儉的右邊和同簡釋讀者釋爲「斂」的左邊同形，《性自命出》簡六十四即有此字，李零釋爲「斂」，此詞馬校據《周禮》釋爲「斂材」，謂孔子以司徒之職喻詩人采風之事，唯如此比喻稍嫌牽強，筆者認爲僉也可作如字讀，《說文》「亼」部：「僉，皆也。」大，《孟子‧盡心下》：「充

❶❺　〈馬王堆帛書「春秋事語」釋文〉，頁 32－35。

❶❻　〔清〕錢繹撰集：《方言箋疏》（上海：上海古籍出版社，1984 年）卷 12，頁 15。《廣雅疏證》，頁 51。

❶❼　〔漢〕司馬遷：《史記》（北京：中華書局，1959 年），頁 2482。

❶❽　〔清〕阮元校刻：《十三經注疏》，頁 2007 中。

❶❾　李零著：《郭店楚簡校讀記》，見《道家文化研究》第十七輯（陳鼓應主編，北京：三聯書店，1999 年），頁 502。以下釋郭店簡凡引李零語皆源於此文。

實而有光輝之謂大。」㉑國風展現人性之光輝和男女情感世界之豐富，其洋洋大觀，豈只禮之儉奢與政之善惡而已，此其所以大也。子曰：「小子何莫學夫詩？詩，可以興，可以觀，可以群，可以怨。邇之事父，遠之事君；多識鳥獸草木之名。」㉑準此，「邦風」以下可作如是讀：「邦風，其入（納）勿（物）也博，觀人欲安大，僉材（在）安（焉）。」安，通「焉」，前一「焉」釋爲「則」、「乃」，後一「焉」爲句末助詞，與郭店簡《魯穆公問子思》「寡人惑安」、《尊德義》「下必有甚安者」之「安」用法同，下文簡八之「安」同此。二「焉」字異義，可歸入俞曲園（1821－1907）《古書疑義舉例》「上下文同字異義例」，㉒亦古人行文之有波瀾處。

　　隹，讀如「誰」，其書法已見於郭店簡〈緇衣〉第九簡「誰秉國成」之「誰」字。

　　「多言」與「文」之關係文獻上所論不少，邦風言文聲善說甚有價值。本簡既是論詩，古人知言相人之法亦寓焉。

　　從簡二到簡三論詩順序如次：頌－大雅－小雅－邦風。

4.曰詩其猶坊門，與賤民而絹之，其用心也將可女？曰：邦風氏也。民之又戚惓
　也，上下之不和者，其用心也將可女？……

　　〔校箋〕坊，請見簡二校箋，其義則因組詞之異稍變，「坊門」之義有〈坊記〉可參，《大戴禮記·禮察》：「孔子曰：『君子之道，譬猶防與？』」《周禮·稻人》「以防止水」鄭注：「防，瀦旁隄也。」㉓

　　絹，字作左右結構，左邊作「谷」旁，或係「欲」之省文，右邊似「冐」（馬校釋爲「兔」，其構形與下文簡廿三釋爲「兔苴」之）兔）字同），不見於《說文》，其字當與怨或壓、厭等義有關。「賤民而絹之」，義可參孟子指斥視民如草芥而殘民以逞者。

㉑　《十三經注疏》，頁 2775 下。

㉑　《論語·陽貨》，同前註，頁 2525 中。

㉒　〔清〕俞樾等：《古書疑義舉例五種》（北京：中華書局，1956 年），頁 3－4。

㉓　〔清〕王聘珍撰，王文錦點校：《大戴禮記解詁》（北京：中華書局，1983 年），頁 21。

戚，此字已見於郭店簡《性自命出》簡三十四，李零讀爲「戚」，《詩・小雅・小明》：「自詒伊戚」毛《傳》：「戚，憂也。」惓，簡文作上下結構，上部爲「卷」之省，下部爲「心」，《淮南子・人間篇》「是猶病者已惓而索良醫也」，東漢高誘注：「惓，劇也。」❷❹下文簡廿九首字同此。

本簡前言「將可女」下接「邦風是也」，則下句亦當有「……是也」字樣，簡五正以「是也」開頭，若是，則尚缺一至三字。以風始，以頌終，中間當係二雅、大雅、小雅、大小雅（先秦文獻未見「變雅」），要非雅莫屬，唯「民之又（有）戚惓也，上下之不和者，其用心也」似專指小雅，則所缺簡文就不只一至三字了，尤其是一、下文尚有關於大雅的議論；二、簡四下端、簡五上端殘缺者都只是留白部分，故可推知中間尚缺一簡。

簡一「孔子曰」下合論詩、樂、文，爲總部一，此疑爲總第二，「詩其猶坊門乎」一語又爲詩之總論，然後依次分論風、小雅、大雅、頌。

5. 氏也，又成工者可女，曰：訟氏也。■清廟王德也，至矣。敬宗廟之禮，以爲其本，秉文之德，以爲其業。肅雍

〔校箋〕業，簡文作並「業」，《說文》「業」下附有一字也是並排二個同樣的符號，疑正是本簡之字，唯《說文》所列乃勻淨的篆書，簡文爲軟筆書寫，故顯得豐腴。業，事也，與《易・文言》「君子進德修業」之「業」義同。末字有「隹」和「呂」二部分構成，觀今本〈清廟〉有「於穆清廟，肅雍顯相」之句，則此字當係「雍」之異構，毛《傳》：「肅，敬。雍，和。」

「成工」，馬校讀作「成功」，竊疑係「臣工」的異文。〈周頌〉有〈清廟〉之什，有〈臣工〉之什。

據「曰頌是也」四字，則本簡應在第四簡之後，唯「是也」前尚有缺省。

本簡有墨釘，爲章號，則墨釘之下論〈清廟〉當視爲另起。「邦風是也」、「（小雅）是也」、「（大雅）是也」、「頌是也」視後文之〈清廟〉仍爲總論，下文接著頌－雅－風之序展開，此至第六簡末論頌。「秉文之德」爲〈清廟〉詩句，全篇至此始舉具體詩句分析之。

---

❷❹　〔漢〕劉安撰，〔漢〕高誘注：《淮南子》（上海：上海書店，1986 年），頁 305。

6.多士，秉文之德，吾敬之。剌文曰：乍競佳人，不顯佳德。於乎！前王不忘，吾
敚之。昊天又成命，二后受之，責且顯矣。訟

　　〔校箋〕乍，據詩詞顯然係「亡」字因形近而誤書，亡競佳人，《詩經》作
「無競維人」。「不顯維德」「於乎，前王不忘」，皆爲〈烈文〉詩句。敚，郭店
簡多見，或釋爲「悅」，或釋爲「奪」，依文義，此處當讀如「悅」。下文簡廿四
「敚」同此。成，與郭店簡《老子》乙簡十三、《成之聞之》簡一釋爲「成」之字
同形，馬校隸定爲「城」，非也，下簡「成」同。「昊天有成命，二后受之」係
〈昊天有成命〉之詩句，詩在〈清廟〉之什第六。

　　今本〈清廟〉有「濟濟多士，秉文之德」之句，則此章接上簡論〈清廟〉之後
可無疑矣，唯上章以「肅雍」作結，直接修飾「多士」，與詩詞稍異，然其用詞反
更簡淨，孔子論詩之時亦未必要在文字上步趨唯謹，如俞曲園《古書疑義舉例》所
謂「古人引書每有增減」。簡五、六二言「秉文之德」，可定此篇確爲宗祀文王，
毛《序》、鄭《箋》、伏生《尚書大傳》、蔡邕《獨斷》所持之宗祀文王說爲當；
戴震《毛鄭詩考正》、王引之《經義述聞》將丕顯與丕承分屬諸文王武王，謂兼祀
武王爲未當。㉕

　　「頌」字繫於簡末，則此簡爲論《頌》之末簡無疑。

7.……懷爾盟德害，成胃之也。又命自天，命此文王，成命之也，信矣。孔子曰：
此命也夫！文王雖谷也，得乎？此命也。

　　〔校箋〕盟，簡文作「明」下「示」，此字已見於金文〈王孫浩鐘〉，㉖是
「盟」的異體字，〈皇矣〉有「予懷明德」之句，則此字爲「明」之異體無疑。
「害」作爲語末助詞，已見於郭店簡《成之聞之》，裘先生謂「也可能簡文『害』
即應讀爲『何』」，㉗李零逕讀爲「何」，《孟子·梁惠王上》「時日害喪，予及
女偕王」，《尚書·湯誓》「害」作「曷」，二字同屬古音月部匣母。曷，即

㉕　説參〔清〕徐鼎《讀書雜釋》（北京：中華書局，1997 年）「〈清廟〉」和「〈清廟〉宗祀
　　文王」條，頁 61－64。

㉖　見徐中舒主編，四川大學歷史研究所編：《殷周金文集釋》（成都：四川人民出版社，1984
　　年），頁 67。

㉗　《郭店楚墓竹簡》，頁 169。

「何」也。「懷爾盟德書」當係化自〈大雅〉〈文王〉之什第七首〈皇矣〉「帝謂文王：予懷明德，不大聲以色」之句，而下句「又（有）命自天，命此文王」則出自〈文王〉之什第二首〈大明〉，唯此間言說次序與今本有出入，《左傳‧襄公四年》及《國語‧魯語下》並記叔孫穆子論《詩》次序皆同今本，前者孔子尚未出生，後者孔子尚在童年，可知此處孔子論《詩》並不全按原來次序。成，此字形已在郭店簡多次出現。係「誠」之假借。「誠謂之也」或係「誠之謂也」之倒，乃對「懷爾盟德」的解釋，倒文以成句，猶《左傳‧昭公十九年》「諺所謂『室於怒市於色者』」，此類句式在俞樾《古書疑義舉例》和劉師培（1884－1919）《古書疑義舉例補》中言之甚詳，下文「成命之也」與此同。谷，通「欲」，下文簡九、十六之「谷」同此。末簡可斷作：「文王雖欲也，得乎？此命也……」

　　孔子談命，於傳世文獻罕有旁證，今於此見，尤足寶愛。二詩皆盛言天與命，可與《尚書‧無逸》、《逸周書‧度邑解》、《詩經》他篇、《論語》、《大學》《中庸》等言命之文字相發明。於此又可知何晏（190－249）等集解《論語‧子罕》「子罕言」章斷句之正確：「子罕言利，與命與仁。」❷❸二「與」字義同「吾與點也」之「與」，謂贊同也。

　　前七簡上下端都留白，書寫格式相同，排序時可放在一起考慮。如上述，簡一係總論，簡四接首簡之「詩」字展開，「坊門」之喻又為論詩大節，同簡下以〈邦風〉—〈小雅〉為次，簡四、五之間缺一簡，依前後文義，當為論〈大雅〉，第五簡「訟是也」之前論頌，到此以章號作結，其邏輯次序為〈邦風〉—〈小雅〉—〈大雅〉—〈頌〉。此下復以〈清廟〉具體詩句為例，到簡六末全為對〈頌〉的具體評論，簡七上端殘，但本簡論〈大雅〉則可無疑，下端留白，末句「此命也」下正好與簡二「時也，文王受命矣」相接，然後重覆〈頌〉—〈大雅〉之序，下接簡三〈小雅〉—〈邦風〉，以「孔子曰：『誰能夫？』」之間作結，至此，其順序是〈頌〉—〈雅〉—〈風〉。下文更具體的論述，當接此話頭，復以〈風〉—〈雅〉—〈頌〉為序（惜乎竹簡斷殘，僅見〈風〉、〈雅〉和〈風〉、〈雅〉合論），故此可推知簡十接於簡三之後。A、B、C－C、B、A－A、B、C 這種思考和言說方

---

❷❸　《十三經注疏》，頁 2489 下。

式在後世的行文中很少見，先秦文獻中卻是一種模式，《易傳》、《孟子》、《逸周書》中皆有，最典型者要數《逸周書・命訓解》以下一段：

> 撫之以惠，和之以均，斂之以哀，娛之以樂，慎之以禮，教之以藝，震之以政，動之以事，勸之以賞。畏之以罰，臨之以忠，行之以權。權不法，忠不忠，罰不服，賞不從勞，事不震，政不成，藝不淫，禮有時，樂不滿，哀不至，均不壹，惠不忍人。凡此，物攘之屬也。惠而不忍人，人不勝害，害不如死。均一則不和，哀至則匱，樂滿則荒，禮無時則不貴，藝淫則害於干，政成則不長，事震則寡功。以賞從勞，勞而不至；以法從中則賞，賞不必中；以權從法則行，行不必以知權。權以知微，微以知始，始以知終。❷⁹

上述文字從「撫之以惠」到「行之以權」為一層，從「權不法」起逆向回溯到「惠不忍人」為第二層，第二個「惠不忍人」起再次逆向上溯到「行不必以知權」，在形式上恰與第二層的起點「權不法」相合。簡文風－雅－頌、頌－雅－風、風－雅－風雅合論的思路正與此同，這種循環往復、似轆轤相轉的言說方式最能見孔子循循善誘、諄諄教誨的風采。

8. 十月善諱言，雨無政、即南山，皆言上之衰也，王公恥之。少文多疑矣，言不中志者也。少宛其言不亞，少又怎安。少弁、考言，則言譖人之害也。伐木……

〔校箋〕諱：《廣雅・釋言》：「訾也。」《一切經音義》卷五引《通俗文》：「難可謂之諱訾。」❸⁰毛《傳》：「〈十月之交〉，大夫刺幽王也。」鄭《箋》：「當為刺厲王。」❸¹二者相參，「刺」與「諱」之義亦吻合。

〈雨無政〉今本「政」作「正」，然毛《傳》有「非所以為政」之語，《呂東萊讀書記》載董氏引韓詩亦作「政」，❸²《左傳・昭公八年》叔向引此詩句謂小人

---

❷⁹ 孔晁注：《逸周書》（北京：中華書局，《叢書集成初編》，1985 年），頁 10－11。

❸⁰ 《廣雅疏證》，頁 169 下、67 下－68 上。

❸¹ 《十三經注疏》，頁 445 中。以下毛《傳》、鄭《箋》皆同此本，不再出注。

❸² 見〔清〕王先謙撰，吳格點校，《詩三家義集疏》（北京：中華書局，1987 年），頁 682。

必有怨咎，可與下句「上之衰」互相印證。

　　即南山，當即〈節〉也，三家與《左傳‧昭公二年》皆僅以〈節〉稱之，唯毛詩連「南山」爲文，與簡文同。毛《序》：「〈節南山〉，家父刺幽王也。」《傳》：「家父，大夫也。」可與「言上之衰」相發明。「皆言上之衰」，「皆」字綜合上述三詩而言。此句也可與季札評〈小雅〉之語相參，既言「上之衰」，又有上文「吾敬之」、「吾悅之」之語，則雖未明言美刺，而美刺已在其中矣。漢人之詩學不可謂無根矣。從「王公恥之」一語看，則三首詩之作者爲王公，然於詩歌文本和前賢研究無證，若是「王公之恥」則與詩合，亦與「言上之衰也」語氣一貫，頗疑係書手誤倒。

　　少文，當即〈小旻〉。「〈小旻〉多疑」之說，似就詩中人謀不臧、神龜又不我告猶於是詩人不免生出些臨深履薄之感而言，「言不中志者也」一語則指詩中所謂發言盈庭，但又莫可適從而言。《左傳‧僖公二十二年》臧文仲引〈周頌‧敬之〉及〈小雅‧小旻〉諷喻魯僖公慎事敬天、設備防禦，魯說亦謂宜畏慎小人❸，此皆可爲「〈小旻〉多疑」之旁證。

　　「不中志者也」下，馬校據《詩經》今本篇序隸定爲〈小宛〉，簡文只是將「夕（月）」繁構，成了三個「月」，又將「宛」字之「巳」置於最上「月」上，於是成了「宛」之異形。亞，郭店簡釋讀者多釋爲「惡」，下文簡廿四、廿八之「亞」字同此。〈小宛〉其言溫厚，當得「不惡」二字：「我日斯邁，而月斯徵。夙興夜寐，毋忝爾所生。」秂，簡文有禾、口、人三部分組成，從「口」與否，正與簡書「文」字或從口或不從口均無分別之情形同，如馬先生說：「當時楚國文字僅有大體的規範……從楚簡文字的整體而言，字形規範還是不嚴，從某些具體的文字來看，同一字的寫法仍有變化。」❸《說文》「禾」部：「秂，上諱。」即光武帝劉秀，段注引《古今注》及《爾雅‧釋草》立說，不如以孔子自己之言釋之更近詩歌文本，《論語‧子罕》：子曰：「苗而不秀者，有矣夫！秀而不實者，有矣

❸　王先謙廣引《荀子‧臣道篇》、《呂氏春秋‧安死篇》高誘注、《淮南子‧本經篇》高誘注，云：「皆魯說，並言『宜畏慎小人』，此最古義。」同前註，頁691。

❸　《上海博物館藏戰國楚竹書（一）》，頁125。

夫！」㉟與「實」相對者，花也，引申之則華美也。於此言詩詞之秀，蓋因〈小宛〉以蟲鳥為喻具生動形象之藝術效果也。

　　譖，作「言」旁二「虫」字，不見於字書，疑係「讒」或「譖」之異體。弁，簡文書作「叀」（上下結構，上部為「占」中多一橫，下部為「又」），已見於郭店簡《老子》甲簡二、三十五、《尊德義》簡廿一、廿二、《性自命出》簡九、《六德》簡九，除第一例釋讀者釋為「辯」外，其它皆釋為「使」，此處依毛詩篇序當與「辨」音同，讀如「弁」，〈小弁〉齊說：「伯奇放流。」「言譖人之害」意或指此，《韓詩外傳》卷七第十五章：「《傳》曰：『伯奇孝而棄於親，隱公慈而殺於弟，叔武賢而殺於兄，比干忠而誅於君。《詩》曰：予慎無辜。』」㊱皆可為「譖人之害」作解。

　　考言，即〈巧言〉，考、巧皆從「丂」得聲，同在古音宵部溪母，可以通轉，馬王堆帛書〈六十四卦〉履卦「視禮巧祥」之「巧」、蠱卦「有子，巧無咎」之「巧」，㊲今本《周易》皆作「考」。《毛詩序》：「巧言，刺王公也。大夫傷於讒。故作是詩也。」

　　〈節南山〉之什今本次序如次：〈節（南山）〉－〈正月〉－〈十月之交〉－〈雨無正〉－〈小旻〉－〈小宛〉－〈小弁〉－〈巧言〉。簡文〈節〉置中，與今本異，〈十月之交〉鄭《箋》：「作《詁訓傳》時移其篇第。」孔子所論或為其篇次之舊。〈伐木〉在〈小雅〉〈鹿鳴〉之什第五章，可併入下簡討論。唯今本〈鹿鳴〉之什在〈節〉之什前。

9.**歸咎於其也。天保其得錄蔑疆矣，巽寡，德古也。誶父之眛亦又以也。黃鳥則困而谷反其古也，多恥者其忎之乎？菁菁者莪則以人益也。棠棠者芋則……**

　　〔校箋〕〈伐木〉、〈天保〉俱在〈小雅‧鹿鳴〉之什，次序亦正好先後相接。「咎於其也」文句不通，疑書寫時有漏字。然〈伐木〉有「微我弗顧」、「微

㉟　《十三經注疏》，頁 2491 中。

㊱　〔漢〕韓嬰撰，許維遹校釋：《韓詩外傳集釋》（北京：中華書局，1980 年），頁 257。

㊲　見馬王堆帛書整理小組撰：〈馬王堆帛書（六十四卦）釋文〉（北京：《文物》，1984 年第3 期，頁 1、3）。

我有咎」之句可參，謂不要歸咎於我。

巽，馬校讀作「饌」，並引〈天保〉「吉蠲爲饎，是用孝享」爲證。古，讀如「故」，本簡下一「古」字、簡廿四之「古」同此。「饌寡，德故也」，馬校謂「是說孝享的酒食不多，但守德如舊」，在此筆者提出一段同期文獻作爲馬先生此論的補證，《國語‧周語下‧劉文公與萇弘欲城周》：

> （衛彪傒）曰：……周詩有之曰：「天之所支，不可壞也；其所壞，亦不可支也。」昔武王克殷，而作此詩也，以爲飫歌，名之曰「支」，以遺後之人，使永監焉。夫禮之立成者爲飫，昭明大節而已，少典，與焉。
>
> 韋注：「節，體也。典，章也。與，類也。言飫禮所以教民敬式，昭明大體而已。故其詩樂少，章典威儀少，皆比類也。」❸⑧

對本段文字的最後一句，筆者手頭的幾個《國語》注本皆未能得其確詁，原因是注者沒有細讀韋注「與，類也」一句，故誤將「少典，與焉」合成一句。衛大夫彪傒的意思是行飫禮的目的在於教人有所敬畏法式、昭明大節，因而所用的詩樂和章典威儀不多，只是藉此比類而已。「少典，與焉」之句式和意義皆與簡文「巽寡，德故也」逼似。

〈天保〉毛《序》：「下保上也。君能下下以成其政，臣能歸美以保其上焉。」「其得彔（祿）莐疆」句當係對「罄無不宜，受天百祿。降爾遐福，維日不足」「如山如阜，如岡如陵。如川之方至，以莫不增」「如月之恆，如日之升。如南山之壽，不騫不崩。如松柏之茂」等詩句的解釋。

淬父，以今本《詩》篇序論，〈小雅‧祈父〉可當之，毛《序》：「刺宣王也。」鄭《箋》：「刺其用祈父，不得其人也，官非其人則職廢。」賧，此字左邊爲「貝」，右邊爲「枲（企下木）」，馬校隸定爲「朿」，釋爲「責」，於文義

---

❸⑧ 〔三國‧吳〕韋昭注，上海師範學院古籍整理組校點：《國語》（上海：上海古籍出版社，1978 年），頁 145、146。

通，《廣雅·釋詁》「言」旁有此字，云：「誎，怒也。」又曰：「讓也」❸《說文》「言」部作「言」旁「束」，云：「數諫也，從言，束聲」。誶，《說文》「言」部：「讓也。」〈祈父〉之又稱爲「誶父」，或因其詩有過責之意也。

　　〈黃鳥〉，於〈秦風〉、〈小雅〉二見之。同簡〈天保〉、〈祈父〉、〈菁菁者莪〉、〈裳裳者華〉旨在〈小雅〉，故此亦當指在〈小雅〉者，在今本〈鴻雁〉之什，列於〈祈父〉、〈白駒〉之後。簡文「困」或指詩人之處境，「谷（欲）反（返）其古（故）」可與詩中「言旋言歸，復我諸兄（父）」句對應，「多恥者」當指此邦之不我肯穀又不勞而獲者。〈黃鳥〉一詩行文與〈魏風·碩鼠〉類似，其意亦多可互釋。忞，字形作「方下心」，前此未見，只好闕釋。❹

　　〈菁菁者莪〉在〈小雅·南有嘉魚〉之什，在〈鴻雁〉之什前，孔子論詩之次序與今本確實有異，除上述〈節南山〉之什有確鑿的佐證外，這種隨機點評的形式並不能成爲懷疑其時《詩經》篇次的理由，與上述討論〈文王〉之什之失次同樣，這種抓拍式、散點式的討論並無嚴守次序之必要，今人更不必因之懷疑其時《詩經》具體篇目的編次。以人益也之「人」可以詩中「樂且有儀」、令「我心則喜（休）」之君子當之，則「益」之義相當於「以友輔仁」之「輔」。

　　棠棠者芋，當是〈裳裳者華〉，在〈小雅·甫田〉之什，本簡略有殘斷。簡九與簡八相聯屬，但上不與簡七或簡三相聯，下不與簡十相接，以下第十簡又接著第三簡邦風的話頭始大量論述邦風中各篇詩章，一直到第十六簡，都屬於馬先生所歸納的第二類：「第二類是論各篇《詩》的具體內容，通常是就固定的數篇詩爲一組一論再論或多次論述。」❹第八、九兩簡皆屬此類，從前述邏輯順序看，當置於這一類風詩的集中討論之後。

---

❸　《廣雅疏證》，頁 48、58。
❹　據「誤」、「悖」、「說」三字作「忄」旁或「言」旁兩可，此字或即爲「訪」之異體，訪，謀也；又，問也。然無旁證，聊備一說，附志於此。
❹　《上海博物館藏戰國楚竹書（一）》，頁 122。

10. 關疋之改，梂木之時，灘往之智，鵲巢之歸，甘棠之保，綠衣之思，燕燕之情，害曰童而皆賢於其初者也。關疋以色俞於禮……

〔校箋〕關，簡文書作「門」內「串」，〈鄂君啓舟節〉三「關」字皆作此形，❷知此爲「關」之異體字。疋，馬校釋爲「雎」，「疋」「雎」古音同在魚部，可以通假。改，馬校釋爲「改」，謂「在簡文中無義可應，當是從巳聲的假借字」，最後釋爲「怡」，謂指新人心中的喜悅。其實，結合本簡「〈關雎〉以色喻於禮」和簡十二「好反內（人）於禮」，讀作「改」無誤，其意與《毛詩序》所謂「發乎情，止乎禮義」相類。

梂木，即〈樛木〉，在今本〈周南〉第四。梂，韓詩作「杉」，其他三家未聞有異字。四家與詩歌文本皆看不出「時」之義，觀下簡「〈梂木〉之時則以其彔（祿）也」和簡十二「〈梂木〉福斯才（在）君子」，則此「時」指君子得福祿之及時也，爲何及時，莫非是如葛藟得逢樛木故能贔緣而上？惜乎文獻不足，要能運用興、起（猶今語聯想），或能思過半也。

灘，〈鄂君啓舟節〉有二「灘」字，釋讀者正釋作「漢」。❸往，簡文書作「止」下「王」，《說文》「之」部：「坒，草木妄生也。……讀若皇。」〈鄂君啓舟節〉和〈鄂君啓車節〉亦各有此字，釋讀者隸定爲「往」，往、皇、廣同在古音陽部，可通假。二字馬校亦釋爲〈漢廣〉，〈漢廣〉在〈周南〉第九。毛《序》未及「智」字，〈漢廣〉之智，結合簡十一「智（知）不可得也」和簡十三「不攻不可能」二語觀之，當指詩人有一種知其不可得而不強求的自知之明，詩三次詠唱同一組詩句：「漢之廣矣，不可泳思。江之永矣，不可方思。」其意可與下一段話相映襯：「子曰：『暴虎馮河，死而無悔者，吾不與也。必也臨事而懼，好謀而成者也。』」❹臨事而懼，好謀而成，不亦智者之表現乎？《大學》云：「知其所止。」此皆有所不爲之智。當然，當春秋說詩斷章取義成爲風氣之後，孔子如此說解〈漢廣〉，亦未必就是針對詩人之旨與文本之義。

---

❷　《殷周金文集釋》，原文：頁 472，釋文：頁 473。

❸　同前註。

❹　《論語‧述而》，《十三經注疏》，頁 2482 中、下。

　　「鵲」字左右兩邊互易，當仍然是「鵲」，巢，簡文書作「木」旁「桌」，此字形不見於金文和簡帛，依義依序當即「巢」字。〈鵲巢〉在〈召南〉第一。歸，《說文》「止」部：「女嫁也。」今人多謂〈鵲巢〉爲送嫁娘歌，❹於此得一有力證據，毛《序》、鄭《箋》之說未免離文索解矣。

　　〈甘棠〉在今本〈召南〉第五，《韓詩外傳》卷一第二十八章涉及〈甘棠〉緣起，❻詩中「勿剪勿伐」正可解釋〈甘棠〉之保的「保」字，準此，馬校讀爲借字「褒」，恐求之過深。

　　〈綠衣〉在〈邶風〉第二。一「思」字抓住了〈綠衣〉的關鍵詞：「心之憂矣，曷維其已（亡）」、「我思古人，俾無試兮」、「我思古人，實獲我心」，《國語‧魯語下》「公父文伯之母欲室文伯，饗其宗老，而爲賦〈綠衣〉之三章」，韋注：「其三章曰：『我思古人，實獲我心。』以言古之賢人，正室家之道，我心所善也。」❼看來讀詩雖可以斷章取義，但同時人對同一首詩往往斷取同一章句。

　　燕燕，簡文左邊作鳥旁，右邊爲「口」下「女」，疑爲「匽」或「晏」字之省文，〈匽侯盾飾〉上之「匽」，上部正從「口」，❽此字以「晏」得聲，其下又有重文號，馬校隸定爲「燕」，阜陽漢簡《詩經‧邶風‧燕燕》之「燕」正寫作「匽」，相反，〈邶風‧谷風〉「宴爾新婚」之「宴」卻寫作「燕」，❾知三字可

---

❹　如吳闓生：《詩義會通》（北京：中華書局，1959 年）、郝志達：《國風詩旨纂解》（天津：南開大學出版社，1990 年），即持此說。

❻　《韓詩外傳》：昔者周道之盛，邵伯在朝，有司請營邵以居。邵伯曰：「嗟！以吾一身而勞百姓，此非吾先君文王之志也。」於是出而就蒸庶於阡陌隴畝之間而聽斷焉。邵伯暴處遠野，廬於樹下，百姓大說，耕桑者倍力以勸。於是歲大稔，民給家足。其後，在位者驕奢，不恤元元，稅賦繁數，百姓困乏，耕桑失時。於是詩人見邵伯之所休息樹下，美而歌之。《詩》曰：「蔽芾甘棠，勿剪勿伐，召伯所茇。」此之謂也。《韓詩外傳集釋》，頁 30。

❼　〔三國‧吳〕韋昭注，上海師範學院古籍整理組校點：《國語》（上海：上海古籍出版社，1978 年），頁 210。

❽　《殷周金文集釋》，頁 354。

❾　文物局古文獻研究室、安徽阜陽地區博物館阜陽漢簡整理組：〈阜陽漢簡「詩經」〉（《文物》，1984 年第 8 期，頁 2。

以通轉。〈燕燕〉，毛詩緊接〈綠衣〉之下，位於〈邶風〉第三。毛《序》以「衛莊姜送歸妾也」解之，孔子獨標一「情」字，似更具概括力，「燕燕于飛，頡之頏之。之子于歸，遠于將之。瞻望弗及，佇立以泣。」其情何等深厚！「黯然銷魂者，唯別而已矣」，此情正是離別之情。

　　「曰」前之字，馬校隸定爲「害」當無問題，有前文簡七、八可資參照，然其義難明，或爲某一人名之借字。童，係「動」的借字，一「皆」字總結上文七首詩，然而，謂〈關雎〉「發乎情，止乎禮義」可也，謂其它六首詩的詩人亦「皆」有上達之思之舉，則不謂之斷章取義不得也，孔子說詩極重興、起，春秋「賦詩斷章，予取所求焉」❺，於此可見一斑。

　　俞，通「諭」，《說文》「言」部：「諭，告也，從言俞聲。」段注：「凡曉諭人者皆舉其所易明也……或作喻。」則譬喻之義亦寓焉，簡十四亦論〈關雎〉：「其四章則俞矣，以琴瑟之敚疑好色之願。」其中「疑」字與本簡「俞」字可互釋，該「疑」與簡八釋爲「〈小旻〉多疑」之「疑」同形，但用法有別，這裡通「擬」，比也。「〈關雎〉以色俞（喻）於禮」一語，雖語焉不詳，然將詩與禮樂教化相聯繫卻可見一斑，漢人以教化說《詩》，譬如「〈關雎〉，后妃之德也」之類，雖不可謂全自孔子出，要亦不背其本也。

　　本簡所列七首詩，依〈周南〉－〈召南〉－〈邶風〉之順序，同一風中，〈周南〉中依次是第一－第四－第九，〈召南〉中依次是第一－第五，〈邶風〉中依次是第二－第三。在今本《詩經》中雖非緊挨著，但無一例外地順序而下，由此可見，孔子所見之《詩經》編次與今本無大異。

　　此節於以下簡十一至簡十六又爲總論，體例取先秦常見的經說體，其言說方式與《管子‧宙合、明法》和《韓非子‧十過》及六篇〈儲說〉同。簡十一「〈關雎〉之改」起經簡十二至簡十三「〈甘棠〉」之前爲一層，評〈關雎〉、〈樛木〉、〈漢廣〉、〈鵲巢〉，其中簡十一先扼要揭出何以認定「改」、「時」、「智」、「歸」四字爲四首詩關鍵詞之原因，簡十二、十三通過反問再將此原因明晰化；簡十三「〈甘棠〉」起，下接簡十五、十六至「〈燕燕〉之情，以其蜀

---

❺　《左傳‧襄公二十八年》齊慶舍家臣盧蒲癸語，《十三經注疏》，頁2000。

（獨）也」爲又一層，評〈甘棠〉、〈綠衣〉、〈燕燕〉。前一層詳於〈關雎〉，略於後三首；後一層詳於〈甘棠〉，略於後二首。由總到分，層層深入，邏輯清楚，秩序井然。

　　本簡「害曰」至斷殘部分皆論〈關雎〉，文未完，簡十四上端弧形完整，殘存簡文皆論〈關雎〉，當與此相接。如此，調整之後十至十六簡的次序如下：10－14－11－12－13－15－16。

11.……**青愛也。關疋之改，則其思臨矣。枑木之時，則以其錄也。灘往之智，則智不可得也。鵲巢之歸，則遠者……**

　　〔校箋〕首字「青」，或讀如字，或借作「情」，次字與下文簡十五「敬」後及「〈甘棠〉」之後的字形同，後二者皆可釋爲「愛」，則前一字「青」即爲「情」之借字，本文簡一、十六、十八、廿二之「情」正省去「忄」部。遠，與下文簡十三「不亦有」下及簡廿七「其所愛」前一字同形，皆有「辶」底或「彳」旁，與郭店簡《老子》甲簡十、《成之聞之》簡三十七釋爲「遠」之字形似，以句義度之，釋爲「遠」於本文有此字之二簡無違忤。

　　臨，已見於郭店簡《老子》甲簡三十五「臨生曰祥」，通「益」。前一「智」通「知」。

　　本簡上端殘，簡十四下端亦殘，從討論內容看，當接於簡十四論〈關雎〉之後，繼總論之後圍繞七首詩的關鍵詞逐一展開。

12.……**好，反內於禮，不亦能改乎？樛木福斯才君子，不……**

　　〔校箋〕內，此字形已見上文簡三，在金文、簡書中或釋爲「內」；或釋爲「入」，此以讀「入」爲當。「反內於禮」猶「發乎情，止乎禮義」，或指〈關雎〉從「寤寐思服」、「轉輾反側」到「琴瑟友之」、「鐘鼓樂之」的過程而言，琴瑟、鐘鼓皆爲禮樂之器，當然，這種說解仍不離春秋斷章取義的用詩傳統。

　　才，讀如「在」，這種寫法在甲、金文中亦常見。「福斯在君子」當就〈樛木〉詩句「樂只君子，福履綏（將、成）之」而言，其義爲有德君子斯能得上天之福佑，如《尚書‧湯誓》「天道福善禍淫」之誡，又如《中庸》「君子居易以俟命，小人行險以徼幸」之比，孔子教誨弟子，冀其能下學上達，不爲章句之微所限，是亦賢者識其大者。

13.……可得，不攻不可能，不亦智恆乎？鵲巢出以百兩，不亦又遠乎？甘棠……

〔校箋〕攻，簡文書作上下結構，從「工」從「攵」，馬校存疑，其實，從「攵」之字在金文中亦有作從「又」者，如〈師望鼎〉之「啟」即從「又」，**❺¹**至於是上下結構還是左右結構，在當時書法尚無嚴格規範的情況下並無實質性區別，《古籀彙編》即收有二個將「攻」寫成上下結構的例子**❺²**；《說文》「攵」部：「攻，擊也。」段注：「《考工記》『攻木、攻皮、攻金。』注曰：『攻，猶治也。』此引伸之義。」簡文當亦用其引申義，猶求也。據簡十和簡十一詩篇之順序，簡十二〈樛木〉下缺文當評〈漢廣〉，本簡上端殘字及「可得」句顯然就〈漢廣〉而言，故二簡相接沒有問題。智通「知」，智恆，即知常。《老子》第十六章：「復命曰常，知常曰明。不知常，妄作，凶。」**❺³**文獻有孔子向老聃請教之記載，從時序看，二者有先後關係，但本人基於對先秦格言、諺語的深入考察，知常守中的思想與先秦時期的其他許多思想觀念一樣，與其說是某一人思想的薪傳，勿寧說他們都有共同的思想文化資源——這個資源是這樣的豐厚，以至於孔子確信可以光述而不作就能完成君子人格。**❺⁴**

「〈鵲巢〉出以百兩」，係就「之子于歸，百兩御（將、戔）之」而言。百兩，毛《傳》：「百乘也。諸侯之子嫁於諸侯，送御皆百乘。」鄭《箋》：「其往嫁也，家人送之，良人迎之，車皆百乘，象有百官之盛。」此說於禮書無證，詩句不過喻其送迎之盛況，不必據為典要。何謂「遠」？郭店簡《五行》曰：「以其外心與人交，遠也。遠而莊之，敬也。……」「出以百兩」，過分張揚外在形式，大概就是「以其外心與人交」了，子云：「禮云禮云，玉帛云乎哉？樂云樂云，鐘鼓

❺¹ 見容庚編著，張振林、馬國權摹補：《金文編》（北京：中華書局影印，1985 年），頁211。

❺² 徐文鏡編：《古籀彙編》（武漢：武漢古籍出版社，1981 年），三下，頁45。

❺³ 題〔周〕李耳著，〔三國・魏〕王弼注：《老子》，《諸子集成》（北京：中華書局，1954年），冊三，頁9。

❺⁴ 見拙著〈古「語」述論〉，《「孔學與二十一世紀」國際學術研討會論文集》（臺灣政治大學文學院編印，2001 年 10 月），頁223－265。

云乎哉？」❺

14. 兩矣，其四章則俞矣，以琴瑟之效，疑好色之願。以鐘鼓之樂，……

〔校箋〕本簡「其四章」之下評論〈關雎〉無疑，至此既已是「四章」了，則「其」字之前亦必有關於〈關雎〉，然上端弧形完整，文意當承自更上一簡，觀第十簡下端殘，殘餘部分有「〈關雎〉以色俞於禮」之文，故可推定本簡承自第十簡，唯中間略有缺文。

毛《傳》分〈關雎〉為三章，鄭玄分五章，「琴瑟友之」正好在鄭玄所定之四章。俞，馬校讀如「愉」，觀第三章「寤寐思服」、「轉輾反側」到第四章「琴瑟友之」的情感轉變，其說可從。但與簡十「以色俞於禮」和本簡「擬好色之願」合參，則讀如「喻」亦通，姑兩存之，以待高明。

本簡下端殘損嚴重，依文氣和句式論，此下至少尚有與「擬好色之願」句式類似的文字。

15. ……及其人，敬愛其樹，其保厚矣。甘棠之愛，以召公……

〔校箋〕簡十三下端始論〈甘棠〉，此簡上下端殘損嚴重，但從下簡上端殘餘部分仍有「召公」字樣看，本簡全簡都在評論〈甘棠〉，準此，本簡上當與簡十三相承，下當與簡十六相連。

「敬愛其樹」，謂愛召伯其人，兼及其所手植之樹，即詩所謂「蔽芾甘棠，勿翦勿伐，召伯所茇」也。基於所引詩句，「保」之義當作如字解，《中庸》「子孫保之」鄭玄注：「保，安也。」❻

16. ……（召）公也。綠衣之憂，思古人也。燕燕之情，以其蜀也。孔子曰：吾以萬釁得氏初之詩，民性古然。見其美必谷反其本。夫萬之見詞也，則……

〔校箋〕「必谷反」下一字馬校隸定為「一」，其實該字第二筆尚依稀可見，為簡文「其」之第二筆，與前半句「見其美」相參照，後半句讀為「反其本」，無論句式還是句義皆能豁然貫通。

本簡上接簡十五論〈甘棠〉，以上端殘餘部分尚有「（召）公也」可證。

---

❺　《論語・陽貨》，《十三經注疏》，頁 2525 中。

❻　《十三經注疏》，頁 1628 上。

　　蜀，《爾雅・釋山》：「獨者，蜀。」郝懿行《義疏》：「蜀亦孤獨。」《方言》卷十二：「蜀，一也，南楚謂之獨。」❺❼

　　萬，字作上下結構，上有「艹」，下部有變體：此字在本簡「夫」下及簡十七共出現三次，本簡第一次出現時，其起筆與郭店簡《尊德義》簡五釋讀者隸定爲「禹」之字同；後二次出現時，與《尊德義》簡六的二個「禹」字以及〈唐虞之道〉簡十的「禹」字同，唯郭店簡「禹」有「土」字底，《說文》及先秦文獻則無，故此字可以隸定爲「萬」。馬校亦謂其字形雖不完全相同，但應是同一個字，並隸定爲「蕎」或「荅」，後者乃「萬」的古文。《說文》「艹」部：「萬，草也，從草，禹聲。」段注：「《考工記》故書：『禹之以眡其匡。』先鄭讀爲萬，鄭云：『萬蒌。』未詳何物。」「萬」下一字，左邊爲「長」的反書，右邊與金文「覃」字同，《說文》：「覃，長味也。」段注：「引伸之凡長皆曰覃。」《廣雅・釋詁》：「覃，長也。」❺❽準此，其左邊爲義符，右邊亦聲。觀《詩經》中有〈葛覃〉、〈采葛〉，下文簡十七又有「茉萬」，當亦指具體詩篇，筆者以爲「萬」即「葛」之借字，〈萬覃〉即《周南・葛覃》，《茉萬》即《王風・采葛》（「采」作「茉」，或係同聲通假，或因下字有「艹」誤書）。「葛」從「曷」得聲，「萬」從「禹」得聲，曷在古音月部匣母，禹在魚部匣母，同聲通轉。馬王堆帛書〈六十四卦〉損卦「禹之用」今本作「曷之用」，大有卦「初九，無交禹」，今作「無交害」，❺❾「害」「曷」聲轉，此皆可爲「萬」即「葛」之證。

　　「必谷反其本」義近簡九「必欲反其故」，以詩歌文本證之，因綿長茂盛（此正其美也）、施於中谷的葛起興，最後回到「言告言歸」「歸寧父母」的主題——是爲反其本。毛《序》：「后妃之本也。」鄭《箋》：「躬儉節用，由於師傅之教，而後言尊敬師傅者，欲見其性亦自然。」《傳》、《箋》一言「后妃之本」，一言「見其性亦自然」，合簡文中孔子語觀之，其說信而有徵！

　　古然，即「固然」，古通「固」，下文簡二十、廿四之「古然」同此。

---

❺❼　〔清〕錢繹撰集：《方言箋疏》，卷12，頁37。

❺❽　《廣雅疏證》，頁56。

❺❾　〈馬王堆帛書（六十四卦）釋文〉，頁2、6。

　　上文簡十開始討論的七首詩至「孔子曰」作一小結，其中又引入〈葛覃〉與〈甘棠〉作比，由「得氏初之詩民性古然」二句照應簡十「童而皆受於其初」之語，行文周密。然本簡句子尚未完足，幸下端弧形完整，「夫萬之見訶（歌）也則」半句剛好由下文簡廿四「以□薇之古（故）也」補上。如此編連的理由，除了語氣相接之外，尚有：一、簡廿四上端弧形略殘，但只影響到對該簡第二字的隸定；不影響對其上端首字的判斷；二、簡廿四仍在評論〈甘棠〉，則從內容上應視爲承第十簡而來，與簡十至簡十六合爲一體；三、本簡與簡廿四分別有以下句子：

　　　吾以〈萬罩〉得氏初之詩，民性古（固）然（簡16）
　　　吾以〈甘棠〉得宗廟之敬，民性古（固）然（簡24）

其爲並列句式，一目了然如此，不宜遠隔如彼。

17.……東方未明又利詞。將中之言不可不韋也。湯之水其愛婦愁。菜萬之愛婦……

　　〔校箋〕〈鄭風〉有〈將仲子〉，毛《傳》：「仲子，祭仲也。」然其前後皆是詩篇名，未見三家有異名，《左傳・襄公二十六年》、《國語・晉語四》引之亦皆無單稱「將仲」之例，則簡文「將中」之下當是書手漏抄一「子」字。韋，馬校認爲是「畏」的同音假借字，驗諸〈將仲子〉畏父母、諸兄、旁人之言，其說是也。二「愛」字簡文書作「旡」下「心」，《說文》「心」部云：「悉，惠也。從心，無聲。」段注：「惠，仁也；仁者，親也。……乃自愛行而悉廢，轉寫許書者遂盡改悉爲愛。」從音義二方面言，均與「愛」字無異。郭店簡〈緇衣〉簡廿五「慈以愛之」之「愛」字形與此同，《老子》乙簡八「悉以身爲天下」，今本即作「愛以身爲天下」。然而，在《說文》中「悉」、「愛」二字並存，如「德」「悳」在《說文》和郭店簡中並存一樣，今人已看不出其分別，古人或以爲有微妙的分別，不能簡單以異體字視之，今爲印刷方便計，權書作「愛」字，下文簡廿七之「愛」字同此。

　　〈東方未明〉「又利詞」，當是就詩中「顛倒衣裳」之生動筆法而言。

　　〈將仲子〉在〈鄭風〉之二，「言不可不畏」則就詩句「父母之言（諸兄之言、人之多言），亦可畏也」而言。《左傳・襄公二十六年》鄭國子展賦此詩即取

「人言可畏」句以諫晉侯釋衛侯，《國語・晉語四》齊姜亦以此勸重耳痛下決心，切勿懷私。孔子此論亦爲春秋時人用此詩之通例，至於其評詩，此處已與上文有所區別，少了些當時常見的斷章取義，多了些後世的文本分析。

　　《詩經》無〈湯之水〉，有〈揚之水〉，分別見於〈王風〉之四、〈鄭風〉之十八和〈唐風〉之三，「揚」「湯」皆從「易」得聲，可通假，故簡文〈湯之水〉當即《詩經》〈揚之水〉。至於是哪一〈風〉中的〈揚之水〉，筆者認爲，本簡上論〈鄭風〉、〈齊風〉，此下論〈王風・采葛〉（說見簡十六校箋），依其邏輯順序言，當不會再返回〈鄭風〉；今本《詩經》〈國風・衛風〉以下與《左傳・襄公二十九年》季札觀樂衛風以下之序次分別是：

　　　　王—鄭—齊—魏—唐—秦—陳—檜—曹—豳（《詩經》）
　　　　王—鄭—齊—豳—秦—魏—唐—陳—鄶及以下（《左傳・襄公二十九年》）

從詩篇次序看，〈唐風〉與〈王風〉懸隔，故此〈揚之水〉當就〈王風〉中之詩篇。馬校從「悡」的詞義和三首〈揚之水〉的內容分析，結論是：「『其愛婦悡』的辭意當合於〈王風〉的〈揚之水〉，是說〈湯之水〉所表達的愛懷，也是婦人的離恨。」其說可信，〈王風・揚之水〉：「懷哉懷哉，曷月予還歸哉？」毛《序》：「刺平王也。不撫其民而遠屯戍於母家，周人怨思焉。」鄭《箋》：「怨平王恩澤不行於民，而久令屯戍不得歸，思其鄉里之處者。」皆可爲之佐證。

　　〈采葛〉，在今本《詩經・王風》之八。詩分三章，「一日不見，如三月（秋、歲）兮」，一唱三嘆，其愛之深，思之切，詩義自明。就詩旨言，毛《序》、鄭《箋》離文索解，視孔子之以文本說詩遠矣。

18……因木苽之保，以俞其怨者也。折杜則情憙其至也▆。

　　〔校箋〕苽，今本作「瓜」，未聞三家有異文，此依馬校隸定。〈木瓜〉，在〈衛風〉之末。保，通「報」，同在古音宵部幫母，詩有「投我以木瓜（桃、李），報之以瓊琚（瑤、玖）」之句，「木瓜之保」，所指即此也。俞，馬校謂「按辭義當讀爲『愉』，即厚報以愉薄投者」，然此說於「怨」字失解。筆者以

爲，俞通「予」，又通「抒」，《廣雅・釋言》：「抒，渫也。」❻又，《左傳・文公六年》「難必抒矣」杜注：「抒，除也。」❻鄙意古人講和之時有此施報之禮，故曰「非報也，永以爲好也」。惜於古來注家皆未見〈木瓜〉「俞怨」之說，毛《傳》引孔子語及《左傳・昭公二年》韓宣子賦此詩，❻皆僅就「報」字立說。

　　憙，《說文》「喜」部：「說也，從心、喜，喜亦聲。」折杜，馬校隸定爲「杕杜」，《詩經》中〈杕杜〉有二，一在〈唐風〉之六，一在〈小雅・鹿鳴〉之什第九，《唐風・杕杜》毛《序》：「刺時也。君不能親其宗族，骨肉離散，獨居而無兄弟，將爲沃所并爾。」此詩絕無「情憙」之意，因此馬校謂「詩篇可能屬於〈小雅〉中的〈折杜〉」。然而，〈小雅〉之〈杕杜〉盡是征夫之憂怨，與漢樂府〈十五從軍征〉同其悲愴，何喜之有？在〈唐風〉之十有〈有杕之杜〉，此詩與二首〈杕杜〉皆以「有杕之杜」起興，或者在孔子之時皆以「杕杜」稱之。詩中二次出現「中心好之，曷飲食之」之句，鄭《箋》：「言中心誠好之，何但飲食之，當盡禮極歡以待之。」此正「情喜，其至也」可爲落實處。

　　從下端的墨釘推論，此簡應爲前文從〈衛風〉到〈唐風〉諸詩之總結，其形式與上述簡十六「孔子曰」之後下接簡廿四以〈葛覃〉與〈甘棠〉二詩總結從〈周南〉到〈邶風〉七首詩之情形同，準此，本簡當置於論〈齊風・東方未明〉、〈鄭風・將仲子〉、〈王風・揚之水〉、〈王風・采葛〉（簡 17）、〈邶風・北門〉、〈衛風・木瓜〉（簡 19）、〈木瓜〉、〈唐風・有杕之杜〉（簡 20）之後，其順序是簡 17－19－20－18，理由是：(1)簡十七論詩之法與簡十同，皆以極簡淨之語評詩，有待下文展開，簡十九與二十正是其展開，此二簡論詩之法復與前文簡十以下詳論〈關雎〉等七首詩之法同。前一組詳於〈關雎〉和〈甘棠〉，本組詳於〈木瓜〉和〈有杕之杜〉。(2)簡十一－十六及簡廿四第一次合論國風，彼論七首國風：依次是〈周南〉三首，〈召南〉二首，〈邶風〉二首，至〈邶風〉第三〈燕

---

❻　《廣雅疏證》，頁 171 下。

❻　《十三經注疏》，頁 1844 下。

❻　前者曰：「吾於〈木瓜〉，見苞苴之禮行，」後者杜預注：「義取於欲厚報以爲好。」同前註，頁 2029 中。

燕〉結束，本組適有〈邶風〉中詩，按理亦應從〈邶風〉起。然而，本組各簡均嚴重殘損，簡十七殘餘部分不及正常長度的一半。從第一組論〈風〉詩之體例以及本組下三簡的殘存內容判斷，簡十七殘餘部分當尚有〈北門〉、〈木瓜〉（依序評論此二首之內容當在簡十七上部）、〈有杕之杜〉（依序此內容當在簡十七下部）的內容。將上述諸因素綜合考量，本組依次論〈邶風〉第十，〈衛風〉末首，〈齊風〉第五、〈鄭風〉第二、〈王風〉第四與第八，〈唐風〉之十。除簡十七同一簡內齊風、鄭風、王風之序與今本相反外，各簡總的次序仍與今本相同。

19.……淇志，既曰天也，猶又怨言。木苽又臧惎而未得達也。交……

〔校箋〕本簡上下端俱殘，首字作左右結構，左邊作「己」，右邊上部依稀可辨，與金文所見「其」字同，下部為「水」，金文「其」字又多作「己」下「其」，故此字疑為「淇」字，在「志」字之前，或為「其」之借。末字殘，馬校謂「末字殘半，疑『交』字」，驗諸下簡「或前之而後文」，或是也。從「既曰天也」四字推斷，此語必與《詩經》中有「天」之詩句相關，又，此上下皆論《國風》，茲將《詩經·國風》中這些句子摘錄如下：

①天實為之，謂之何哉？（〈邶風·北門〉）

②母也天只，不諒人只！（〈鄘風·柏舟〉）

③胡然而天也，胡然而帝也？（〈鄘風·君子偕老〉）

④悠悠蒼天，此何人哉！（〈王風·黍離〉）

⑤悠悠蒼天，曷其有所？（〈唐風·鴇羽〉）

⑥彼蒼者天，殲我良人。（〈秦風·黃鳥〉）❸

上述六例在詩中皆可謂有怨言，唯第三例僅以天、帝作比，可以排除；據上簡〈木瓜〉置於〈唐風〉前，可以推斷此處當不會討論〈鴇羽〉和更遠的〈黃鳥〉；又，本簡殘存部分下半評論〈木瓜〉，〈木瓜〉在〈衛風〉，則〈衛風〉之後的〈黍離〉亦可排除。〈柏舟〉一詩中「母也天只，不諒人只」確是怨言，但「天」字係由「母」字帶出，不具實際意義。準此，此句當討論〈北門〉。觀〈北門〉之

---

❸　另有〈唐風·綢繆〉「三星在天」和〈豳風·鴟鴞〉「迨天之未陰雨」二例，此「天」非彼「天」，可置不論。

詩，滿紙怨尤：「出自北門，憂心殷殷。終窶且貧，莫知我艱」、「王事適我，政事一埤益我」、「室人交遍謫我」，毛《序》：「刺士不得志也。言衛之忠臣不得其志爾。」鄭《箋》：「不得其志者，君不知己志而遇困苦。」不得其志，因而怨天尤人，適與殘存簡文相合。

　　瘯，字作「疒」裡「或」，《說文》「疒」部謂「瘯，頭痛也，從疒，或聲。讀若溝洫之洫。」慁，字作「兀」下「心」，形似郭店簡《忠信之道》簡一（裘先生釋爲「欺」）、《六德》簡四十一（釋讀者釋爲「其」）、《語叢二》簡廿七（裘先生據《說文》「心」部慁字釋爲「毒」），諸義相較，結合上字「頭痛」之義，似以釋「毒」較長，但句義難明，待識者明示。

20. **幣帛之不可去也，民性古然，其隱志必又以俞也，其言又所載而後入，或前之而後交，人不可蜀也。吾以折杜得雀……**

　　〔校箋〕「隱」和「喻」之隸定請見簡一校箋。

　　入，讀如「內」，〈鄂君啓舟節〉中也有幾個「內」通「入」的例子，唯這裡是「入」通「內」，內是「納」的古字，其意或爲通過幣帛等禮物，便其內心思想得以表達，然後其言說也因此有了傳遞的媒介而可能被接受；「前之」指幣帛等禮吻，「後交」指情。這一段話是孔子「吾於〈木瓜〉，見苞苴之禮行」的另一版本。蜀，此字形已見於郭店簡《老子》甲簡二一「獨立不改」、《五行》簡十六「君子愼其獨也」、《性自命出》簡七「獨行」「獨言」，彼皆徑釋爲「獨」，於義無誤，但「蜀」本有「獨」之義（見簡十六校箋），鄙意不煩改字。孔子對〈木瓜〉的解釋可見其對古人在禮尚往來中培養的樂群精神的重視。

　　此「枤杜」指〈有枤之杜〉，請見簡十八校箋。雀，通「爵」。〈有枤之杜〉毛《序》：「刺武公也。武公寡特，兼其宗族，而不求賢以自輔焉。」此從武公一面立說，詩云：「彼君子兮，噬肯適我（來游）？中心好之，曷飲食之？」若從「君子」一面而言，此君子正應得爵者也。

21. **貴也。贓大車之囂也，則以爲不可女可也。沾霋之瞼也，其猶輐與。孔子曰：宛丘吾善之，放差吾喜之，尸鳩吾信之，文王吾美之，清……**

　　〔校箋〕《詩》三百篇篇題中有「大車」字樣者唯〈王風·大車〉和〈小雅·谷風之什·無將大車〉而已，因第一個「也」字下必有一句讀，故馬校將「贓」與

「大車」合釋，認爲是指〈無將大車〉一篇，可從。贓，從「臧」得聲，與「將」皆在古音陽部精母，可通假。《詩經》作「無將大車」，孔子於此下有「以爲不可」之辭，故略標題中之「無（毋）」字，其意可由荀子之說解之：「君人者不可以不愼取臣，匹夫者不可以不愼取友。……取友善人，不可不愼，是德之基也。《詩》曰：『無將大車，維塵冥冥。』言無與小人處也。」❻❹毛《序》謂：「大夫悔將小人也。」《韓詩外傳》卷七亦引此詩喻不可汲引小人，皆與孔子之意近似。馬校謂《詩》題中「無」字衍，又謂「孔子對此詩意評之爲『嚻』」，皆不敢苟同。

　　沾，簡文將「水」部置於口中。雺，簡文書作「雨」下「各」，《說文》「雨」部：「雨雺也。從雨，各聲。」段注：「此下雨本字，今則『落』行而『雺』廢。」馬校謂此二字當指〈湛露〉，「沾」在古音屬談部照母，「湛」在眞部照母，同聲可通轉。「露」作「雺」，或亦屬通轉。隘，已見於郭店簡《老子》甲簡三十五「隘生曰祥」，今本「隘」作「益」，但此處不作「益」解，或爲「賜」之假借字，隘從「益」得聲，賜從「易」得聲，「益」「易」同在古音錫部，可以通轉。毛《序》：「〈湛露〉，天子燕諸侯也。」《左傳·文公四年》文公賦此，❻❺王先謙以此爲「天子燕諸侯之確證」。❻❻此皆可作釋「隘」爲「賜」之證。鉈，簡文作「車」旁「它」，馬校結合詩句「厭厭夜飲，在宗載考」認爲當讀爲「酡」，釋爲「酡」是也，酡爲微醉貌，與此意最接近貼切的詩句應是首章「厭厭夜飲，不醉無歸」。

　　丘前一字形狀與簡體之「亩」字同，然《說文》無「亩」字，下簡引此詩有「詢又情而亡望」句，〈陳風·宛丘〉有「洵有情兮，而無望兮」之詩句，「洵」、「詢」互通，〈溱與洧〉「洵訏且樂」，魯詩「洵」作「詢」，前者係在

---

❻❹　《荀子·大略》，頁337—338。

❻❺　「衛寧武子來聘，公與之宴，爲賦〈湛露〉及〈彤弓〉，不辭，又不答賦。使行人私焉。對曰：『臣以爲肄業及之也。昔諸侯朝正於王，王宴樂之，於是乎賦〈湛露〉，則天子當陽，諸侯用命也。諸侯敢干王所愼，而獻其功。……今陪臣來繼舊好，君辱貺之，其敢干大禮以自取戾？』」《十三經注疏》，頁1840下—1842上。

❻❻　《十三經注疏》，頁601。

言談時對後者的簡化，則此處論〈宛丘〉可無疑矣，唯文獻中未見〈宛丘〉有異名，亦未見「宛」字如此寫法。

于差，據下簡引詩，當是〈猗嗟〉。

尸鳩，今本作〈鳲鳩〉，《荀子・勸學》、《說苑・反質》、《列女傳・魏芒慈母傳》皆引作「尸鳩」，陳喬樅《三家詩遺說考・魯詩遺說考》謂魯詩如此。

「貴也」前當亦論及某一具體詩篇。本簡下端殘，末字爲「清」，依本簡句例下文當評一首詩，此詩題名首字爲「清」，《詩經》篇名以「清」字開頭的僅有《鄭風・清人》和《周頌・清廟》，前文「孔子曰」起從風詩談到大雅，這裡依序當不會再回到〈鄭風〉，故此下有可能評〈清廟〉。

此簡以下（除簡廿四外）八簡合論風、雅（頌），爲總評，當置於分論風、雅之後，因每簡皆有風有雅，其內部次序不易排定，或者如《論語》中孔子課弟子之言，未必有邏輯性。

22.……之。宙丘曰：詢又情，而亡望，吾善之。於差曰：四矢變，以御亂，吾憙
　之。尸鳩曰：其義一氏心女結也，吾信之。文王 曰：文 王才上於昭於天，吾美
　之。

〔校箋〕詢又情，而無望，〈宛丘〉毛《傳》：「洵，信也。」鄭《箋》：「此君信有淫荒之情，其威儀無可觀望而則效。」孔子既謂「吾善之」，則其所理解的二句詩義與鄭玄所指者絕然不同，「情」字在先秦文獻中也不是後世道學家心目中的猙獰面貌，「有情」之義只是如通常的有情有義，絕非「淫荒之情」，「望」之義因此需重新檢討，《禮記・表記》「以人望人，則賢者可知已矣」鄭玄注：「當以時人相比方耳」，❻準此，詩句旨在歌頌這無比有情之人，唯如此孔子才會「善之」。當然，詩歌的文本義並不妨礙毛《傳》的解讀，因爲斷章取義甚至賦予新義進行解讀本來就是春秋詩學的經典傳統，孔子解詩尤其強調興、起。

〈猗嗟〉三章今本作「四矢反兮，以禦亂兮」。韓詩「反」作「變」，變易也。變，簡文書作「夏」，已見於上文簡八，故筆者依韓詩將此字隸定爲「變」。「吾憙之」，喜其射技之精也。

---

❻　同前註，頁 1640 上。

〈鳲鳩〉在曹風第三，毛《序》：「刺不壹也。在位無君子，用心之不壹也。」所引詩句在首章，唯文字作「其儀一兮，心如結兮」，二者相較，今本文字更整飭。《荀子・勸學篇》所引已同於今本。《淮南子・詮言訓》引作「其儀一也，心如結也。」《禮記・緇衣》引作「淑人君子，其儀一也」，郭店簡〈緇衣〉則引作「淑人君子，其義弌也」。看來「結」下作「也」字乃古本如此。「義」「儀」古今字，「兮」、「氏」聲近。用情專一，故吾信之，與毛序「刺不壹」之說適相反對，但所關注的詩句還是相同的。

「文王在上，於昭於天」出〈大雅・文王〉首章。鄭《箋》：「文王初爲西伯，有功於民，其德著見於天，故天命之以爲王，使君天下也。」趙岐（約 110－201）《孟子章句・滕文公上》注「周雖舊邦」二句云：「詩言周雖后稷以來舊爲諸侯，其受王命，惟文王新復修治禮義以致之耳。」❻❽孔子所美者，莫非文王之修治禮義乎？

依上簡簡末尚有「清」字，可推知此下當還有評論〈清廟〉之語。

此簡說詩皆取斷章之法，與前述評〈關雎〉等欲以一字說整首詩之法異。

23.……**鹿鳴以樂詞而會，以道交見善而教，冬乎不厭人。兔苴其用人則吾取**……

〔校箋〕〈鹿鳴〉，在〈小雅・鹿鳴〉之什，《左傳・襄公四年》叔孫穆子曾議此詩，以樂詞，當指詩中「我有嘉賓，鼓瑟吹笙」、「和樂且湛」、「我有旨酒，以燕樂嘉賓之心」等句言；「以道交」，則指「我有嘉賓，德音孔昭」而言，《左傳・昭公十年》魯臧武仲評季平子殺人以祭，引此詩「德音孔昭，視民不佻」，杜預注：「佻，偷也，言明德君子必愛民。」❻❾臧武仲正以有道君主以德政示民作對比。鄭《箋》：「視，古示字。先王之德教甚明，可以示天下之民，使之不愉（偷，苟且）於禮義。」此皆可爲簡文「道」之具體化。教，毛詩作「效」，教、效古音同在宵部見母，可以通轉，「見善而教」之「教」似以釋爲「效」更得孔子原意，與「見賢思齊」、擇善而從之訓誡用意同。亦可與下段文字相參證：《左傳・昭公七年》：仲尼曰：「能補過者，君子也。《詩》曰：『君子是則是

---

❻❽ 同前註，頁 2702 下。

❻❾ 同前註，頁 2059 上。

效。』孟僖子可則效已矣。」❼❶多，通「終」。不厭人，好學不厭也。

　　《左傳・成公十二年》晉卻至先後引《周南・兔苴》詩句：「赳赳武夫，公侯干城」、「赳赳武夫，公侯腹心」。由「干城」起興，先用褒義，亦詩本義，與孔子所取者同；後用反義，卻不關詩旨，雖屬斷章取義，但舉賢之義亦寓焉。❼❶孔子謂「其用人則吾取」，取其舉賢之義也。

　　本簡合論〈小雅〉、〈周南〉。

24. 以□蘼之古也。后稷之見貴也，則以文武之德也。吾以甘棠得宗廟之敬，民性古然。甚貴其人，必敬其立。敓其人，必好其所為。惡其人者亦然。

　　〔校箋〕立，「位」之古往。□，右邊尚完整，上為「屮」，下為「王」，可能是「蓋」字。蘼，馬校將右下邊隸定作「女」，此部分之構形應是「又」，基於上文簡十三的校箋，從「又」或從「攵」在金文、簡書中並沒有十分嚴格的規範，所以隸定該字可從「敕」去考慮。《說文》無「蘼」字，在「辶」部有「遯」，附於「速」往下，謂「速」的籀文，在「艸」部又有「蘬」字，云：「牡茅也，從草，遯聲。」《爾雅》「釋草」有「蘬」，亦釋謂「牡茅」。郝懿行《義疏》：「《說文》：蘬，牡茅也。……陸璣疏云：茅草之白者，古用包裹禮物，以充祭祀，縮酒用之。」❼❷筆者以為因為敕、敓二字易混，書手遂將下部的「敓」當作「敕」，終於將右下邊寫成了「又」。簡文「蘼」當是《說文》所收的「蘬」之省。陸璣揭出的包茅之禮對理解〈葛覃〉一詩很有啟發意義，又可與孔子的「夫葛之見歌也，則以□蘼之故也」對勘。與古代的祭祀禮儀相關聯，不論用之以包裹還是藉墊，〈葛覃〉的重要性都不待言而自明，后稷之見貴，文、武之德或皆因這祭祀禮儀帶出。

　　本簡當置於第十六簡之後，文氣一貫，又為簡十以來的總結。

25. ……腸腸少人。又兔不奉時。大田之卒章，智言而又禮。小明不……

　　〔校箋〕腸，馬校認為當讀如「蕩」，並據〈大雅・蕩〉首句「蕩蕩上帝」推

---

❼❶　同前註，頁 2051 上、中。

❼❶　同前註，頁 1910 下－1911 上。

❼❷　同前註，〈釋草〉，頁 54。

論「『蕩蕩』可能本爲〈蕩〉的篇名」，於文獻無證。鄭《箋》：「蕩蕩，法度廢壞之貌。」魯詩作「盪盪」，《爾雅·釋訓》：「盪盪，僻也。」回到〈蕩〉之詩旨，二義皆通，或作「蕩蕩」，或作「盪盪」，要皆爲二字。郝懿行《爾雅義疏》云：「蕩蕩，放縱之意。」準此，「蕩蕩」二字未必與詩意有關，如前文擇取詩中一二詞句作點評耳，「蕩蕩小人」即指小人之無忌憚者也。「子曰：『君子固窮，小人窮斯濫矣。』」❼❸

　　奉，上有「不」，下有「時」，當通「逢」，奉、逢同在古音東部並母，「不奉時」意謂生不逢時。「又兔」從馬校釋讀，云：「今本《詩》無此篇名。若以首句二字爲篇之命名例，則〈有兔〉可能是今本《詩·王風·兔爰》的原有篇名。首句云『有兔爰爰』，首二字和簡文篇名相同。詩句：『我生之初，尙無爲；我生之後，逢此百罹。』同句型有『逢此百憂』、『逢此百凶』等辭語，皆爲生不逢時之嘆。」其說有理。

　　〈大田〉卒章曰：「曾孫來止，以其婦子，饁彼南畝，田畯至喜。來方禋祀，以其騂黑，與其黍稷，以享以祀，以介景福。」《韓詩外傳》云：「人事倫則順於鬼神，順於鬼神則降福孔皆。《詩》曰：『以享以祀，以介景福。』」❼❹言祭鬼神之有禮也。「智言」即知言，知言是先秦儒家的一個重要命題，或言有物，或言有序，以此衡量，〈大田〉卒章似兼而有之。

　　〈小明〉在〈小雅〉〈谷風〉之什。簡文殘損嚴重，不可解。

26.……忠。行白月閟，浴風忢，蓼莪又孝志，隰又長楚得而悔之也。……

　　〔校箋〕郭店簡〈緇衣〉巷伯之「伯」寫作「白」，金文「伯」多書作「白」❼❺。「白」前一字馬校釋爲「北」，北，金文、簡帛皆作二人相背之狀，其收筆處爲弧形，此字二個收筆處皆作頓挫狀，疑爲「行」之省文（「行」字收筆處有作弧形者，有作頓挫者），行通「巷」，行、巷同在古音陽部匣母。《說文》：「巷，

---

❼❸　《論語·衛靈公》，同前註，頁 2516 下。

❼❹　〔漢〕韓嬰撰，許維遹校釋：《韓詩外傳集釋》，頁 94。

❼❺　如〈伯梁父簋〉、〈伯喜父簋〉、〈伯庸父盉〉等，徐中舒主編，四川大學歷史研究所編：《殷周金文集釋》，頁 287－291。

里中道也。」《爾雅‧釋宮》作「衖」，則「行」與「巷」即字形亦近似。簡文下評〈谷風〉、〈蓼莪〉，今本〈巷伯〉之下正是〈谷風〉、〈蓼莪〉。此正可爲「行白」二字釋讀之啟示也，〈巷伯〉毛《序》：「〈巷伯〉，刺幽王也。寺人傷於讒，故作是詩也。」《韓詩外傳》卷三引此詩「慎爾言矣，謂爾不信」，以牽合人們對四種人信與不信的態度，❼唯「月悶」二字不得其解，姑存疑以待高明。

　　浴風，即〈谷風〉，「谷」書作「浴」多見於簡帛，〈邶風〉亦有〈谷風〉，但與〈蓼莪〉並置，則此〈谷風〉當指在〈小雅〉者，悉，簡文書作「丕」下「心」，前此未見，詩詞淺白，是槽糠之妻怒斥負心丈夫得意忘本之詩。

　　蓼莪，今本作〈蓼莪〉，詩有「父兮生我，母兮鞠我，拊我畜我，長我育我，顧我復我，出入腹我。欲報之德，昊天罔極」等句，「有孝志」之說於詩文自明。《韓詩外傳》卷七引此詩章論爲人父之方，❼❼則已然從爲父母一方立言，詩句因此獲得了新意。

　　「長楚」，即「萇楚」，《爾雅‧釋草》正作「長楚」。〈隰有萇楚〉在〈檜風〉，毛《序》：「疾恣也。國人疾其君之淫恣，而思無情欲者也。」鄭《箋》：「無家，謂無夫婦室家之道也。」從詩歌文本看，不如孔子「得而悔之」說爲近眞，毛、鄭之說不免有道學家的牽強。

　　此簡先評〈小雅〉，後評〈檜風〉，也屬合論。

27.……女此。可斯雀之矣，遠其所愛，必曰吾奚舍之賓贈氏也。孔子曰：七率智
　　難。中氏君子。北風不絕人之怨子立不

　　〔校箋〕「可斯雀（爵）之矣」當爲一句，馬校認爲「可斯」係詩篇名，並以〈小雅‧節南山之什〉〈何人斯〉落實之，「但詩意與評語不諧」。筆者據《論語》中「斯可」二字連文六見，如〈顏淵篇〉「士何如斯可謂之達矣」、〈子路

---

❼　《韓詩外傳集釋》，頁127。

❼❼　《韓詩外傳》卷7第27章：「夫爲人父者，必懷慈仁之愛，以富養其子，撫循飲食，以全其身。及其有識也，必嚴居正言，以先導之。及其束髮也，授明師以成其技。十九見志，請賓冠之，足以成其德。血脈澄靜，娉內以定之，信承信授，無有所疑。冠子不詈，髦子不笞，聽其微諫，無令憂之。此爲人父之道也。《詩》曰：『父兮生我，母兮鞠我。拊我畜我，長我育我，顧我復我，出入腹我。』」同前註，頁270。

篇〉「何如斯可謂之士矣」、〈堯曰篇〉「何如斯可以從政矣」等等，疑係書手抄寫時將二字誤倒，遂造成閱讀困難，「斯可雀（爵）之矣」則文通句順。「雀（爵）」字已見於上文討論〈唐風〉之十有〈有杕之杜〉之簡二十，是否呼應上文，簡文殘損嚴重，不敢必，但有此可能，本簡下文還討論到《唐風·蟋蟀》，可資思考。

賓贈，二字依馬校隸定。「遠其所愛，必曰吾奚舍之」句係針對「賓贈」的點評，則後者必是詩篇名，但《詩經》中並無帶「贈」字的詩題，連出現「贈」字的詩篇亦僅有〈鄭風·女曰雞鳴〉、〈溱洧〉、〈秦風·渭陽〉、〈大雅·崧高〉、〈韓奕〉五首，與「遠其所愛，必曰吾奚舍之」之義相聯繫，莫非在〈渭陽〉乎？「我送舅氏，曰至渭陽。何以贈之？路車乘黃。我送舅氏，悠悠我思。何以贈之？瓊瑰玉佩。」僅供參考。

七率，馬校謂即今本〈唐風〉篇名〈蟋蟀〉，鄭《箋》：「憂深思遠，謂『宛其死矣』、『百歲之後』之類也。」此可釋「智難」二字。《左傳·襄公二十七年》鄭國印段賦此詩，杜注：「言瞿瞿然顧禮儀。」趙孟因而稱其可為保家之主。⑱顯然僅截取一句，故與四家說異。孔子論詩，或論詩章，或論詩句，或論詩文之情，或論詩人之志，要在能起興，與各家說固不必同也。

中氏君子，從本句下有句讀號以及前後皆以一句論一詩之例看，「中氏」當是詩篇名，但《詩經》無以「仲氏」為篇題的詩篇，雖說篇名古今有異稱，《詩經》之命篇亦非全取篇首數字，但詩中出現「仲氏」字樣者唯〈邶風·燕燕〉、〈小雅·節〉、〈大雅·文王之什·大明〉，前二首上文已稱其名，〈大明〉又名〈明明〉⑲，未聞「仲氏」之名，且孔子僅以「君子」二字點評，實難據此遽下結論，只好告闕。

此「北風」應是〈邶風·北風〉，毛《序》：「刺虐也。衛國並為威虐，百姓不親，莫不相攜持而去焉。」王先謙《集疏》：「詩主刺虐，以北風喻時政也。此

---

⑱　《十三經注疏》，頁1997上、中。
⑲　見《逸周書·世俘解》。

衛之賢者相約避地之詞，以爲百姓莫不然，或非也。」⑧「不絕」、「怨」或指此。

28.……□亞而不廈。墙又薺愼密而不智言。青蠅智……

〔校箋〕度。書作「廛」下「又」，郭店簡中多見，裘先生疑爲「序」、「度」、「敘」，李零讀爲「度」，有時似可釋爲「文」或「矩」，筆者將郭店簡中凡有這個字的句子合在一起，仍找不出一個在每個語例中都能兼容的當代語詞，只好存疑。墙又薺，今作〈墙有茨〉，在〈鄘風〉，《說文》「艸」部：「薺，蒺藜也。從艸，齊聲。《詩》曰：『墙有薺。』」《詩經·楚茨》，《禮記·玉藻》作「楚薺」，可見「薺」、「茨」二字古通用。愼密而不智（知）言，當指詩中反覆吟詠的「中冓之言」，「不智（知）言」即詩中所謂「不可道（詳、讀）也。所可道（詳、讀）也，言之丑（長、辱）也」，謂不知如何言說也，如《左傳·襄公二十七年》鄭伯有賦〈鶉之賁賁〉，趙孟曰：「床笫之言不逾閾，況在野乎？非使人所得聞也。」⑧

〈青蠅〉在〈小雅·甫田〉之什。《左傳·襄公十四年》戎子駒支賦〈青蠅〉，取「愷悌君子，無信讒言」規勸晉范宣子⑧。不信讒言或即此簡所云之「智」。

本組簡文討論「言」的文字較多，集中反映了孔子的言語思想。首簡「文毋隱言」、簡二、三謂頌、雅「多言」，簡三「邦風，其言文，其聲善」，簡八「〈十月〉善諿言」、「〈小旻〉言不中志」、「〈小宛〉其言不惡」，簡十七「〈東方未明〉有利詞」、簡十九〈北門〉有怨言、簡二十〈木瓜〉「其言有所載而後納」、簡廿三「〈鹿鳴〉以樂詞」、簡廿五「〈大田〉之卒章知言而有禮」，至此又謂「〈墙有薺〉愼密而不知言」，足見孔子對言的重視。基於這樣一個歷史事實：孔子之前尚無有意爲文，到了孔子之後始有圍繞一個中心統一構思謀篇佈局者，如《尚書》許多篇章之前有序言性質的文字、《逸周書·商誓》和〈毛公鼎〉

---

⑧　同前註，頁 201。

⑧　同前註，頁 1997 上。

⑧　同前註，頁 1956 上、中。

都反覆出現「王曰」、「王若曰」等字樣，皆可見早期文獻多是史官對某些重要人物若干次言語的記錄、整理和分類（如祝禱、詔告、格言、外交辭令）匯編，而這種編輯思想無疑也嘉惠後來的文章學，早期文獻中的文學因素也成爲後世文學創作取之不盡的源頭活水，因而可以認爲，孔子對「言」的重視和論述也就是對後起的文學的重視和論述，簡文中的這些思想與《論語》中孔子對《詩》、文的理解互相貫通，它們對於後來意義上的文學和文學思想，既是催化劑，又是重要的指導思想，這組簡文在文學上的價值於焉可見。

29.……惓而不智人。涉秦其絕。律而士。角怒婦。河水智。……

〔校箋〕惓，已見簡四，但此處與〈涉秦〉、〈河水〉並置，皆爲對特定詩篇的點評，則〈惓而〉亦當是詩篇名，今本毛詩〈周南〉有〈卷耳〉，當即此也、「惓」從「卷」得聲，「而」、「耳」俱在古音之部日母，可以通假。「智」通「知」，〈卷耳〉不知人，於詩歌文本難識，然以下文獻對理解簡文會有所幫助：

> 君子謂楚於是乎能官人，官人，國之急也，能官人則民無覦。《詩》云：「嗟我懷人，置彼周行。」能官人也。王及公、侯、伯、子、男、甸、采、衛、大夫，各居其列，所謂周行也。[83]

> 《詩》云：「采采卷耳，不盈頃筐。嗟我懷人，置彼周行。」以言慕遠世也。[84]

一云楚能官人，一云「慕遠性也」，官人須以知人爲前提，而遠世之能官人能用賢，於當世之主正以不能知人、用人相刺也。準此，則從孔子少年時代迄漢初，知說詩用詩者皆取「嗟我懷人，置彼周行」二句爲〈卷耳〉之關鍵句。

〈鄭風‧褰裳〉有「子惠思我，褰裳涉溱」之句，「涉秦」當即「涉溱」，絕，此當就詩句「子不我思，豈無他人（士）」而言，觀詩義無決絕之意，不過初戀女子使小性子而已。

律，此字不見《說文》，《集韻》謂「勒沒切，魁大貌」。馬校謂「律而」乃

---

[83]　《左傳‧襄公十五年》，同前註，頁 1959 中、下。

[84]　《淮南子‧淑真篇》，頁 33。

篇名，依前後文句例當是也；又謂「今本所無」，依字面看亦是也，但以上文稱
《詩經》中篇名有異文或異名的情況考量，也不敢必其在《詩》三百之外。

　　幨，字作左右結構，左邊或爲「巾」旁，右上爲「采」，右下作「臼」，疑此
爲「采」字之繁構，不見於《說文》等字書，不得其解。角幨，馬校謂「篇名，今
本所無」，謂篇名可也，謂今本所無亦不敢必，蓋與〈律而〉一樣，其字義不明，
先得反思文字隸定的正確性，再作進一步的判斷，於此只好存疑。可以明確的是，
前者用「士」字點評，後者以「婦」字概括，其所指者應該是兩首詩的詩題。

　　河水，詩題，已見於《左傳・僖公二十三年》和《國語・晉語四》，後者曰：

> 秦伯賦〈鳩飛〉，公子（重耳）賦〈河水〉。秦伯賦〈六月〉，子余使公子
> 降拜。秦伯降辭。子余曰：「君稱所以佐天子匡王國者以命重耳，重耳敢有
> 惰心，敢不從德。」

三國吳韋昭（204－273）注：「〈鳩飛〉，〈小雅・小宛〉之首章，曰：『宛彼鳴
鳩，翰飛戾天。我心憂傷，念昔先人。明發不寐，有懷二人。』言己念昔先君洎穆
公不寐，以思安集晉之君臣也。」「河，當作『沔』，字相似誤也。其詩曰：『沔
彼流水，朝宗於海。』言己反國當朝事秦。」[85]江永《群經補義》和楊伯峻《春秋
左傳注・僖公二十三年》亦引此說，江永復引〈沔水〉「嗟我兄弟，邦人諸侯，莫
肯念亂，誰無父母」之句，謂「欲以此感動秦伯，望其念亂而送己歸也。」[86]諸先
賢皆言之鑿鑿，固無可疑者也。唯韋昭謂「河」、「沔」因字相似而誤之說，驗諸
簡文、《左傳》和《國語》，則非也，正如〈小宛〉有〈鳩飛〉之異名，〈裳裳〉
有〈涉溱〉之異名，〈沔水〉也容有〈河水〉之異名也。詳觀文本，〈沔水〉有
「民之訛言，寧莫之懲」之句，又與《韓詩外傳》相參：「傳曰：鳥之美羽勾喙
者，鳥畏之。魚之侈口垂腴者，魚畏之。人之利口贍詞者，人畏之。是以君子避三
端：避文士之筆端，避武士之鋒端，避辯士之舌端。《詩》曰：『我友敬矣！讒言

---

[85]　〔三國・吳〕韋昭注：《國語》，頁360、361。

[86]　楊伯峻編著：《春秋左傳注》（北京：中華書局，1981年），頁410。

其興。』」❸所謂「流言止於智者」也，於此，「〈河水〉智」之意得以落實。

　　至此，上述簡文討論詩篇共六十首，其中〈賓贈〉、〈中氏〉、〈律而〉、〈角幖〉四首因文字隸定仍在存疑階段，相關信息少之又少，故而尚無法在《詩》三百篇中找到相對應的詩篇，其他五十六首儘管有異文或異名，仍可見於今本《詩經》中。當然，筆者並不贊同《詩經》是先秦的詩歌總集之說，但此外的詩歌較之經過整理的《詩經》顯然更難經受時間的淘洗，因而無論是傳世文獻中，還是地下材料中，今人想在輯佚工作中比前賢如馬國翰、杜文瀾取得更多的成績，看來非常困難，更不可能像某些製造新聞的記者說的那樣，一下子發現多少多少逸詩。

附：重新隸定和排序之後的《孔子詩論》

行此者，其又（有）不王乎■

　　孔子曰：「詩亡隱志，樂亡隱情，文亡隱言。」（1）曰：「詩其猶坊門與！賤民而祕之，其用心也將可（何）女（如）？曰邦風氏（是）也。民之又（有）戚悁也，上下之不和者，其用心也將可（何）女（如）？……（4）（中缺一簡）氏（是）也！又（有）〈成工〉者可（何）女（如）？曰訟（頌）氏（是）也！」■

　　〈清廟〉，王德也，至矣！敬宗廟（廟）之禮，以爲其本；「秉文之德」，以爲其業。「肅雍（5）多士，秉文之德」，吾敬之；〈刺（烈）文〉曰：「乍（亡）競佳（維）人，不顯佳（維）德。於乎！前王不忘」。吾敚（悅）之：「昊天又（有）成命，二后受之」，貴且顯矣！訟（6）

　　……「懷爾盟（明）德」害？成（誠）胃（謂）之也！「又（有）命自天，命此文王」，成（誠）命之也，信矣！孔子曰：「此命也夫！文王雖谷（欲）也，得乎？此命也，（7）寺（時）也！文王受命矣！訟（頌），坊德也，多言後，其樂安而侃，其訶（歌）紳（伸）而芟（眇），其思深而遠，至矣！大夏（雅），盛德也，多言（2）也！多言難而怨退者也，衰矣，少（小）矣！邦風，其入（納）勿（物）也專（博），觀人谷（欲）安（焉）大，斂材（在）安（焉）。其言文，其聖（聲）善。」孔子曰：「佳（誰）能夫？」（3）

---

❸ 《韓詩外傳集釋》，頁241－242。

〈關疋（睢）〉之改，〈梂（樛）木〉之時，〈灘（漢）往（廣）〉之智，〈鵲巢〉之歸，〈甘棠〉之保，〈綠衣〉之思，〈燕燕〉之情，害曰：「童（動）而皆賢於其初者也。」〈關疋（睢）〉以色俞（喻）於禮，（……）（10）兩矣，其四章則俞（喻）矣，以琴瑟之敓（悅）疑（擬）好色之願，以鐘鼓之樂……（14）……青（情）愛也。〈關疋（睢）〉之改，則其思盩（益）矣；〈梂（樛）木〉之時，則以其彔（祿）也；〈灘（漢）往（廣）〉之智，則智（知）不可得也；〈鵲巢〉之歸則遠者（11）……好反內（入）於禮，不亦能改乎？〈樛木〉，福斯才（在）君子……（12）……可得，不攻不可能，不亦智恆乎？〈鵲巢〉「出以百兩」，不亦又（有）遠乎？〈甘棠〉……（13）……及其人，敬愛其樹，其保厚矣。〈甘棠〉之愛，以召公……（15）……（召）公也。〈綠衣〉之憂，思古人也；〈燕燕〉之情，以其蜀也。孔子曰：「吾以〈萬（葛）覃（覃）〉得氏（是）初之詩，民性古（固）然。見其美，必谷（欲）反（返）其本。夫萬（葛）之見訶（歌）也則（16）以□薪之古（故）也。后稷之見貴也，則以文、武之德也。吾以〈甘棠〉得宗庿（廟）之敬，民性古（固）然。甚貴其人，必敬其立（位），敓（悅）其人，必好其所爲，惡其人者亦然。（24）……〈東方未明〉又利詞，〈將中（仲）〔子〕〉之言不可不韋（畏）也，〈湯（揚）之水〉其愛婦悡；〈茶（採）萬（葛）〉之愛婦……（17）……淇（其）志，既曰天也，猶又（有）怨言：〈木苽（瓜）〉又（有）瘬慇而未得達也。交……（19）……幣帛之不可去也，民性古（固）然。其隱志必又（有）以俞（喻）也，其言又（有）所載而後入（納），或前之而後交，人不可蜀也。吾以〈折（杕）杜〉得雀（爵）……（20）……因木苽（瓜）之保（報）以俞（抒）其怨者也，〈折（杕）杜〉則情憙（喜），其至也！■（18）

〈十月〉善諊言，〈雨無政〉、〈即（節）南山〉，皆言上之衰也，王公恥之。〈少（小）文（旻）〉多疑矣，言不中志者也。〈少（小）宛〉其言不亞（惡），少又（有）乇（秀）安（焉）。〈少（小）弁〉、〈考（巧）言〉，則言諊人之害也。〈伐木〉……（8）歸咎於其也。〈天保〉，其得彔（祿）蔑疆矣，巽寡，德古（故）也。〈諄（祈）父〉之賥亦又（有）以也。〈黃鳥〉，則困而谷（欲）反（返）其古（故）也，多恥者其恖之乎！〈菁菁者莪〉，則以人益也。

〈棠棠（裳裳）者芋（華）〉則……（9）

　　貴也；〈賦（將）大車〉之囂也，則以爲不可，女（如）（何）可也？〈沾霫（露）〉之賹（賜）也，其猶軱與？孔子曰：〈宙（宛）丘〉，吾善之；〈於（猗）差（嗟）〉，吾喜之；〈尸鳩〉，吾信之；〈文王〉，吾美之：〈清□〉……（21）……之。〈宙（宛）丘〉曰：「詢（洵）又（有）情，而亡望。」吾善之；〈於（猗）差（嗟）〉曰：「四矢變，以禦亂。」吾憙（喜）之；〈尸鳩〉曰：「其義（儀）一氏（兮），心女（如）結也。」吾信之；〈文王〉曰：「文王才（在）上，於昭於天。」吾美之。（22）

　　……〈鹿鳴〉以樂詞，而會以道交，見善而教，多（終）乎不厭人；〈兔苴〉其用人則吾取。（23）

　　……「腸腸（蕩蕩）」少（小）人，〈又（有）兔〉不奉（逢）時；〈大田〉之卒章，智（知）言而又（有）禮；〈小明〉不……（25）

　　……忠。〈行（巷）自（伯）〉月悶；〈浴（谷）風〉悆，〈翏（蓼）莪〉又（有）孝志：〈隰又（有）長楚〉得而悔之也。……（26）

　　……女（如）此，可斯（「斯可」之倒）雀（爵）之矣；遠其所愛，必曰吾奚舍之，〈賓贈〉氏（是）也。孔子曰：〈七（蟋）率（蟀）〉智難；〈中（仲）氏〉君子；〈北風〉不絕，人之怨子立不（27）

　　……□亞（惡）而不度；〈墻又（有）薺〉愼密而不智言；〈青蠅〉智……（28）

　　……〈惓（卷）而（耳）〉不智（知）人，〈涉秦（溱）〉其絕；〈聿而〉士；〈角孾〉婦；〈河水〉智……（29）

二〇〇一年十二月三十一日晚初稿，二〇〇二年元月十一日定稿

鳴謝：本文在寫作過程中，承師兄羅家湘博士悉心賜教，文稿草成後，羅博士又是本文的第一讀者，提出寶貴意見，謹此致謝！

主要參考文獻

上海博物館博物館藏《戰國楚竹書（一）》，馬承源主編，上海：上海古籍出版社，2001 年

《郭店楚墓竹簡》，荊門市博物館編，北京：文物出版社，1998 年

《殷周金文集錄》，徐中舒主編，四川大學歷史研究所編，成都：四川人民出版社，1984 年

《吳越徐舒金文集釋》，董楚平著，杭州：浙江古籍出版社，1992 年

《說文解字》，〔東漢〕許慎著，〔清〕段玉裁注，上海：上海古籍出版社，1981 年

《古籀彙編》，徐文鏡編，武漢：武漢市古籍書店，1981 年

《金文編》，容庚編著，張振林、馬國權摹補，北京：中華書局影印，1985 年

《毛詩正義》，〔東漢〕鄭玄箋，〔唐〕孔穎達疏，〔清〕阮元校刻《十三經注疏》本，北京：中華書局，1980 年

《詩三家義集疏》，〔清〕王先謙著，吳格點校，北京：中華書局，《十三經清人注疏叢書》，1987 年

《韓詩外傳集釋》，〔西漢〕韓嬰撰，許維遹校釋，北京：中華書局，1980 年

《詩傳孔氏傳》，舊題〔周〕端木賜述，北京：中華書局，《叢書集成初編》，1985 年

《春秋左傳正義》，〔晉〕杜預注，〔唐〕孔穎達疏，〔清〕阮元校刻《十三經注疏》本，北京：中華書局，1980 年

《論語正義》，〔魏〕何晏集解，〔北宋〕邢昺疏，〔清〕阮元校刻《十三經注疏》本，北京：中華書局，1980 年

《國語》，〔三國‧吳〕韋昭注，上海師範學院古籍整理組校點，上海：上海古籍出版社，1978 年

《爾雅義疏》，〔清〕郝懿行撰，北京：中國書店，1982 年

《廣雅疏證》，〔清〕玉念孫著，鍾宇訊點校，北京：中華書局，1983 年

《方言箋疏》，〔清〕錢繹撰集，上海：上海古籍出版社，1984 年

〈馬王堆帛書〈六十四卦〉釋文〉，馬王堆帛書整理小組撰，《文物》，1984 年

第 3 期

〈馬王堆帛書《春秋事語》釋文〉，馬王堆漢墓帛書整理小組，《文物》，1977
　　年第 1 期

〈阜陽漢簡《詩經》〉，文物局古文獻研究室、安徽阜陽地區博物館阜陽漢簡整理
　　組，《文物》，1984 年第 8 期

〈銀雀山竹簡〈守法〉〈守令〉等十三篇〉，銀雀山漢墓竹簡整理小組，《文
　　物》，1985 年第 4 期

〈〈儒家者言〉釋文〉，國家文物局古文獻研究室、河北省博物館、河北省文物研
　　究所定縣漢墓竹簡整理組，《文物》1981 年第 8 期

〈〈雲夢秦簡〉釋文〉，雲夢秦墓竹簡整理小組，《文物》，1976 年第 6、7、8
　　期

〈郭店楚簡校讀記〉，李零著，載《道家文化研究》第十七輯，陳鼓應主編，北
　　京：三聯書店，1999 年

經 學 研 究 論 叢
第 十 一 輯　　頁133～172
臺灣學生書局　　2003 年 6 月

西周穆王時代的儀式樂歌

馬 銀 琴*

　　自太王遷岐至文王受命，自武王克商至周公成王踐奄絀殷征東夷，經過數代人的努力，以姬姜婚姻聯盟爲基礎的周人政權終於平定天下，成爲諸侯共主。至康王之世，社會進入了平穩發展的歷史階段。《左傳・昭公二十六年》王子朝告諸侯云：「昔武王克殷，成王靖四方，康王息民。」《史記・周本紀》亦云：「成康之際，天下安寧，刑錯四十餘年不用。」依後代各王朝盛衰演變的歷史規律，經過成康之世的休養生息，西周中期的昭穆時代應該是西周文化史上最繁榮的階段。但是，由於可以據信的文獻資料相當匱乏，昭穆時代的社會發展狀況始終不爲後人所知。隨著金石學、考古學的發展，以出土資料與有關文獻相互補充來揭示歷史眞相的研究日益興起並逐步走向成熟。考古發掘與研究填補了史籍記載的空白，例如著名銅器〈史墻盤〉銘文恰好記載了史籍缺載的昭王南征與穆王周游之事：「宏魯昭王，廣㱙楚荆，佳奐南行；祇視穆王，井帥宇誨。」❶有了銅器銘文的直接記載，再來查檢先秦以來的傳世文籍可知，這些事件，雖然沒有直接出現於文獻資料的記載當中，但在《左傳》、〈天問〉、《竹書紀年》以及《呂氏春秋》等著作中均有或隱或顯的曲折反映。將考古資料與文獻記載結合起來，揭示昭穆時代的社會生活史成爲可能。

---

*　馬銀琴，上海師範大學人文學院博士後研究。

❶　釋文據馬承源主編《商周青銅器銘文選》（北京：文物出版社 1988 年）。以下未特別標注的銘文釋文均出於此。

　　在文學尚未自覺，民俗生活不入史冊的西周時代，文化的發展與繁榮最直接地通過禮樂制度的發展與完善表現出來。考古學、制度史的研究表明，周代的禮樂制度，由周公的「制禮作樂」開始，經過了一個漫長的歷史過程，至西周中期的穆王時代才逐漸完備起來的。❷在禮樂相須爲用的西周時代，禮的完備標志著樂的繁榮。本文關於西周穆王時代儀式樂歌的討論，即在這一時期周禮逐漸完備的背景下展開。

　　西晉太康二年，魏襄王墓被盜掘，《穆天子傳》（又名《周王遊行記》）始與《竹書紀年》等同見於世，校訂其書的荀勖於〈穆天子傳序〉中云：

> 其書言周穆王遊行之事，《春秋左氏傳》曰：「穆王欲肆其心，周行於天下，將皆使有車轍馬跡焉。」此書所載則其事也。……汲郡收書不謹，多毀落殘缺，雖其言不典，皆是古書，頗可觀覽。

《隋書‧經籍志》云：

> 晉時，又得汲冢書，有《穆天子傳》，體制與今起居正同，蓋周時內史所記王命之副也。

此後很長時間，學者們多將它列入起居注一類。但是由於此書內容多與神話傳說相合，傳文也有不少晚出的痕跡，其記事的眞實性因此一再受到懷疑，至清代學者編纂《四庫全書》時，乾脆將其列入小說類，根本否定了它的史料價值。自此之後，

---

❷　參見唐蘭：〈西周銅器斷代中的「康宮」問題〉（《唐蘭先生金文論集》，北京：紫金城出版社，1995 年）；郭寶鈞：《商周銅器群綜合研究》（北京：文物出版社，1981 年）；張亞初、劉雨：《西周金文官制研究》（北京：中華書局，1986 年）；陳漢平：《西周冊命制度研究》（上海：學林出版社，1986 年）；鄒衡、徐自強：〈「商周銅器群綜合研究」整理後記〉（附《商周銅器群綜合研究》書後）；劉雨在：〈西周金文中的射禮〉（《考古》，1986 年第 12 期）；劉雨：〈西周金文中的祭祖禮〉（《考古學報》，1989 年第 4 期）；李朝遠：〈青銅器上所見西周中期的社會變遷〉（《學術月刊》，1994 年第 11 期）。

此說幾成定論。近年來,隨著考古學的發展,人們從銅器銘文的記載中發現,《穆天子傳》中的毛班確是周穆王時的重要大臣,他曾受穆王之命,平定過東國犬戎之亂,因作〈班簋〉以記其事。這一發現改變了學者們對《穆天子傳》的看法。楊樹達云:「《穆天子傳》一書,前人視爲小說家言,謂其記載荒誕不可信。今觀其所記人名見于彝器銘文,然則其書固亦有所據依,不盡爲子虛烏有之說也。」❸唐蘭考證〈班簋〉時亦云:「毛班見《穆天子傳》,此書雖多夸張之語,寫成時代較晚,但除盛姬一卷外,大體上有歷史根據的,得此簋正可互證。」❹就此書的寫作時代而言,嘉慶時人洪頤煊的說法頗可採用,他在〈校正穆天子傳序〉中云:「雖殘編斷簡,其文字古雅,信非周秦以下人所作。」另外,楊寬《西周史》專門考證了此書的眞實來歷,他認爲,此書的內容來自河宗氏世代口傳的祖先神話傳說,他在將此書的內容與其他部族神話傳說進行比較時發現,其中關於河宗柏夭引導穆王西行的記載具有歷史的眞實性。也就是說,儘管《穆天子傳》一書在細節的記載上充斥著神話傳說特有的夸誕與不眞實,但是透過神話的夸誕,書中作爲中心內容出現的周穆王西征、安撫戎狄各部並接受其朝貢以及冊封賞賜諸事,則有其歷史的眞實性。這與《左傳》、〈天問〉、《竹書紀年》以及〈史墻盤〉銘文所載穆王之事相合。《左傳》云:「昔穆王欲肆其心,周行天下,將皆必有車轍馬跡焉。」〈天問〉云:「穆王巧梅,夫何爲周流?環理天下,夫何索求?」《穆天子傳注》引《竹書紀年》云:「穆王西征,還里天下,億有九萬里。」〈史墻盤〉銘亦云:「祗視穆王,井帥宇誨。」因此,在穆王之事史籍缺載、文獻不足的情況下,此書的史料價值無疑是不能抹煞的。對本文的寫作而言,《穆天子傳》中對周穆王於征途中祭祀、燕樂、受貢、賞賜的盛大場面的描寫,爲本文討論周穆王時代儀式樂歌創作高潮的發生提供了一個強大繁榮的社會文化背景。正是在這一相當發達的文化背景之中,一大批儀式樂歌被創作出來,形成了西周初年以來樂歌創作的又一個高潮。

通過《詩經》保存下來的這一時期的儀式樂歌,可大致區分爲三種類型:

---

❸　《積微居金文說·毛伯班簋跋》(增訂本)(北京:中華書局,1997年),頁104。
❹　唐復年編:《西周青銅器銘文分代史徵》(北京:中華書局,1986年)。

（一）儀式〈頌〉歌，（二）頌功之歌，（三）燕享樂歌。茲逐類考述如下。

一、儀式〈頌〉歌

1.〈閔予小子〉、〈訪落〉、〈敬之〉、〈小毖〉：

在〈周頌〉中，〈閔予小子〉、〈訪落〉、〈敬之〉、〈小毖〉四首，從《詩序》開始，歷代的經學家都以作於一時的組詩視之。其辭分別爲：

> 〈閔予小子〉：「閔予小子，遭家不造，嬛嬛在疚。於乎皇考，永世克孝，念茲皇祖，陟降庭止。維予小子，夙夜敬止。於乎皇王，繼序思不忘。」
>
> 〈訪落〉：「訪予落止，率時昭考。於乎悠哉，朕未有艾。將予就之，繼猶判渙。維予小子。未堪家多難。紹庭上下，陟降厥家。休矣皇考，以保明其身。」
>
> 〈敬之〉：「敬之敬之，天維顯思，命不易哉。無曰高高在上，陟降厥士。日監在茲。維予小子，不聰敬止。日就月將，學有緝熙于光明。佛時仔肩，示我顯德行。」
>
> 〈小毖〉：「予其懲而，毖後患。莫予荓蜂，自求辛螫。肇允彼桃蟲，拚飛維鳥。未堪家多難，予又集于蓼。」

關於這四首樂歌的主旨，《毛序》的說法是：「〈閔予小子〉，嗣王朝於廟也。」「〈訪落〉，嗣王謀於廟也。」「〈敬之〉，群臣進戒嗣王也。」「〈小毖〉，嗣王求助也。」僅言「嗣王」而未稱其號，至西漢，申公所傳《魯詩》始以此爲成王之詩，鄭玄箋《詩》亦明繫於成王。自此之後，儘管在細小的問題上尚有爭論，但對四詩的大體時代，歷代經學家眾口一辭，皆取成王之說。近現代以來科學的研究方法使學者們能夠打破經學陳說的束縛，把經學問題納入史學的視野中做進一步深入的討論。在這樣的學術背景下，上述四詩作於成王時代的陳說也受到了應有的懷疑。將四詩放在周公、成王初年的歷史中來考察，其間的不契合是非常明顯的。

首先，據前文關於周初史實的考稽可知，武王卒時，天下未定，王室不寧，武

王以「兄弟相後」的方式傳位周公，又言「以長小子于位，實維永寧」，要其在天下安定之後傳位於其子誦。周公臨危受命，忠實地秉衍了武王的遺命，用七年時間平亂定天下、營成周、制禮作樂，然後把一個安定、穩固的王位拱手交給了成王。因此，在成王繼位之時，天下安定，且去武王之卒已有數年，此時情勢，實與「遭家不造，嬛嬛在疚」、「未堪家多難，予又集于蓼」等悲歎之辭不合。

其次，由《毛傳》開始，遵信成王之說者無不以詩中「昭考」爲成王之父武王。朱熹《詩集傳》釋〈載見〉「率見昭考」時，依據西周宗廟祭祀中的昭穆制度，以及《尙書・酒誥》「穆考文王」之語，想當然地推論「昭考」爲武王。馬瑞辰《毛詩傳箋通釋》更據《左傳・僖公二十四年》「文之昭也」、「武之穆也」之文云：「以文所生爲昭，武所生爲穆，則益知文爲穆，武爲昭矣。」然由唐蘭〈西周銅器斷代中的「康宮」問題〉一文的論證可知，昭穆制度是在西周中期昭穆時代以後，除父祖之外各王附祭於昭宮、穆宮而得名並逐漸形成和完善起來的。再查檢相關史籍，對於武王，有稱之爲「武考」者，如《逸周書・大戒解》「敢稱乃武考之言曰」，有稱之爲「烈考」者，如《尙書・洛誥》「越乃光烈考武王弘朕恭」，唯獨不見稱其爲「昭考」的用例。而「穆考文王」之「穆」，其用法應與「我其爲王穆卜」（〈金縢〉）、「於穆清廟」（〈周頌・清廟〉）、「穆穆文王」（〈大雅・文王〉）之「穆」相同，是在表示恭敬、讚美的意義上使用的，與表示昭穆制度之「穆」並無關連。因此，以「穆考文王」之稱而推言「昭考」指稱武王的論斷是不能成立的。

那麼，〈訪落〉詩中的「昭考」應指何人？由「文考文王」、「武考」武王之例，我們自然而然地想到了諡號爲「昭」的周昭王。在史籍記載中，穆王恰恰是以「昭考」來稱呼昭王的。《逸周書・蔡公解》穆王謂祭公云：「以予小子揚文、武大勳，弘成、康、昭考之烈。」這使我們能夠把〈訪落〉諸詩的創作與穆王聯繫起來考察。在思考的過程中，我們發現了昭穆時代所發生的重大歷史事件與諸詩內容之間的契合與對應。

據夏含夷〈從西周禮制改革看《詩經・周頌》的演變〉❺一文轉述，傅斯年先

---

❺ 載《河北師院學報》，1996 年第 3 期。

生曾把〈閔予小子〉、〈敬之〉、〈訪落〉三詩與《尚書》中記述康王登基典禮的〈顧命〉一文進行比較以說明三詩的儀式背景，茲錄夏文相關內容如下：

《尚書・顧命》	《詩經・周頌》
…… 　　王麻冕黼裳，由賓階隮。卿士、邦君麻冕蟻裳，入即位。太保、太史、太宗。皆麻冕彤裳。太保承介圭，上宗奉同、瑁，由阼階隮。太史秉書，由賓階隮，御王冊命，曰：「皇后憑玉几，道揚末命。命汝嗣訓，臨君周邦，率循大卞，燮和天下，用答揚文武之光訓。」王再拜，興，答曰：「眇眇予末小子，其能而亂四方，以敬忌天威。」	閔予小子，遭家不造，嬛嬛在疚。於乎皇考，永世克孝。念茲皇祖。陟降庭止。維予小子，夙夜敬止。於乎皇王，繼序思不忘。（〈閔予小子〉）
太保暨芮伯咸進，相揖，皆再拜稽首，曰：「敢敬告天子，皇天改大邦殷之命，惟周文武，誕受羑若，克恤西土。惟新陟王，畢協賞罰，戡定厥功，用敷遺後人休。今王敬之哉！張皇六師，無壞我高祖寡命。」	敬之敬之，天維顯思，命不易哉，無曰高高在上。陟降厥士，日監在茲。
王若曰：「庶邦侯、甸、男、衛，惟予一人釗報告。昔君文武丕平富，不務咎，底至齊，信，用昭明于天下。則亦有熊羆之士，不二心之臣，保乂王家，用端命于上帝。皇天用訓厥道，付畀四方。乃命建侯樹屏，在我後之人。今予一二伯父，尚胥暨顧，綏爾先公之臣，服于先王。雖爾身在外，乃心罔不在王室，用奉恤厥若，無遺鞠子羞。」	維予小子，不聰敬止，日就月將，學有緝熙于光明。佛時仔肩，示我顯德行。（〈敬之〉） 訪予落止，率時昭考，於乎悠

群公既皆聽命，相揖趨出。王釋冕，反喪服。	哉，朕未有艾。將予就之，繼猶判渙。維予小子，未堪家多難，紹庭上下，陟降厥家。休矣皇考，以保明其身。（〈訪落〉）

　　從以上比較中的確可以看出二者之間的對應關係，綜合上文所言可以做這樣的假設：〈閔予小子〉諸詩是穆王登基大典中使用的儀式樂歌。

　　在發現〈顧命〉與〈閔予小子〉諸詩在儀式功能上的對應時，也能明顯地看出二者之間的差異。〈顧命〉之文所記述的康王登基典禮肅穆而隆重，新王誥命之辭以申誠群臣為內容，表現了不容抗拒的權力與威嚴。〈閔予小子〉諸詩，在表達繼承先祖之道、「夙夜敬止」、「繼序思不忘」等程式化的內容之外，以懇切、謙遜的口吻（「維予小子，不聰敬止」）表達了求助於大臣之心（「佛時仔肩，示我顯德行」），與康王之誠令明顯不同。另外，〈顧命〉所記登基典禮中，有大史宣讀前王遺命一事，而〈閔予小子〉諸詩沒有相應的內容。除此之外，更為突出的一點差異，是諸詩表現出來的與〈顧命〉之莊嚴不同的那種「遭家不造」、「未堪家多難」的悲憫、哀哀之情。

　　當我們把諸詩的創作與穆王的登基典禮聯繫起來時，便能為這種差異的產生找到深刻的歷史根源。

　　史籍中多次記載了周昭王伐楚之事。今本《竹書紀年》云：「十九年春，有星孛于紫微，祭公、辛伯從王伐楚，天大曀，雉兔皆震，喪六師于漢，王陟。」《楚辭·天問》：「昭后成游，南土爰底，厥利維何，逢彼白雉。」《左傳·僖公四年》：「昭王南征而不復，寡人是問。……昭王之不復，君其問諸水濱。」《史記·周本紀》：「昭王南巡狩不返，卒於江上，其卒不赴告，諱之也。」金文中也出現了大量有關昭王南征荊楚的記載。由這些記載可以確知，昭王十九年，周王室進行了第二次南征荊楚的戰役，在這次南征途中，昭王喪師殞命，溺於漢水而不返。

　　對周王室來說，昭王的死是一次意外的事件。穆王在這次突發性的災難事件之後倉促繼位，特殊的繼位原因必然使他的登基典禮出現與康王登基時不同的儀式內

容。〈閔予小子〉一詩的獨特內容正好映射出其典禮儀式的特殊性。詩云：「於乎皇考，永世克孝，念茲皇祖，陟降庭上」。詩先呼「皇考」，云其「克孝」後復有「念茲皇祖，陟降庭止」之文。此句中「念」與「陟降」爲並列關係，而「陟降」一詞，多用來言鬼神上下之意，如《大雅・文王》：「文王陟降，在帝左右。」因此，「念茲皇祖，陟降庭止」一句的主語應爲前文之「皇考」。全句義爲呼喚先父亡靈，言其生時至孝，請其亡靈念及皇祖而歸止庭內。「堂下謂之庭」❻，據《周禮》、《儀禮》記載，周人有許多重大的儀式活動都在庭舉行。而《尙書大傳・洪範五行傳》云：「于中庭祀四方。」據《禮記・檀弓》記載，子路死於衛，「孔子哭子路於中庭」。這又是在「庭」行祭招魂的明證。❼由上文的對比可以看出，與〈顧命〉太史宣布前王遺命，新王以「眇眇予末小子……以敬忌天威」等拜答之語相對應的，正是〈閔予小子〉悲哀的呼喚與「夙夜敬止」的誓戒之辭。〈閔予小子〉諸詩，是應穆王繼位時特殊的儀式要求產生出來的。

昭穆時代是周王室由極盛而走向衰落的轉折期。從出土的金文資料來看，昭王時期，東夷、虎方、荊楚相繼而叛，周王室因此進行了一系列的征伐戰爭。長期的征戰使軍心浮動，甚至發生了《師旗鼎》「師旗眾僕不從王征」之事。穆王時代的〈班簋〉、《彔䶂尊》、《䶂簋》銘文都反映了當時的緊張局勢。劉雨《西周金文中的軍事》❽一文，在分析西周金文中出現的表示征戰的用語，如征、伐、克、敔、𢦏、狩、及、戍、御、追、搏等之後指出：「帶有上伐下語意的如征、狩、克、𢦏等多用於西周早期，帶有防守、抵禦語意的如戍、御等則多用于西周中晚期。」征伐與防守、抵禦的分期，正是以穆王時代的《競卣》、《遹甗》、《彔䶂尊》、《䶂簋》等開始的。除此之外，文獻資料中也留下了昭穆之際國勢衰微、王室不寧的記載。《周本紀》云：「昭王之時，王道微缺。昭王南巡狩不返，卒於江上……穆王閔文武之道缺，乃命伯冏申誡太僕國之政，作〈冏命〉。復寧。」由這些記載可知，在穆王繼位前後，周王室「天下安寧，刑錯四十餘年不用」的太平盛

❻ 見《楚辭・劉向〈九歎・思古〉》「甘棠枯於芳草兮，藜棘樹於中庭」王逸注。

❼ 關於這一點，李山《詩經的文化精神》已經論及。

❽ 載《胡厚宣先生紀念文集》（北京：科學出版社，1999年）。

世已成爲一去不返的昔日輝煌。昭王爲平邊患南征北戰，最終身死軍中。昭王野死、邊亂四起，年輕的穆王正是在這樣一個危機四伏的局勢面前以非常規的儀典繼承王位的。因此，在其登基大典及相關儀式中使用的〈閔予小子〉諸詩才會反復出現「遭家不造」、「維予小子，未堪家多難」、「未堪家多難，予又集於蓼」一類的詩句，其中曲折地反映了這段歷史的眞實狀況。「莫予荓蜂，自求辛螫」，據馬瑞辰《毛詩傳箋通釋》的解釋，即「莫與牽引扶助，徒自求辛勤耳」。于省吾《澤螺居詩經新證》據金文詞例證成王肅「以言才薄，莫之藩援，則自得辛毒」之說，兩家之說略有不同，但無人鋪助之意則是相同的，這也與《詩序》所云「嗣王求助」之意相吻合。將此與〈訪落〉「於乎悠哉，朕未有艾，將予就之，繼猶判渙」、〈敬之〉「不聰敬止，日就月將，學有緝熙于光明」等語合觀，穆王繼位之初，邊患蜂起、「未堪家多難」而先王舊臣未附的困境，以及繼承先祖王業、「揚文武之大勳，弘成康昭考之烈」以「戡後患」的決心，都較爲明顯地呈現出來。

通過上文的分析，我們從詩中稱謂、詩歌與儀式的對應關係、詩歌內容與歷史事實的對應與統一等三個方面論證了〈閔予小子〉、〈訪落〉、〈敬之〉、〈小毖〉四詩的作年，可以肯定地說，四詩之作，在周穆王繼位之初。

判定了〈閔予小子〉四詩的年代，《詩序》「嗣王」一詞的意義也隨之凸現出來：以「嗣王」來指稱穆王，不但進一步證明《詩序》的產生時代與儀式樂歌的創作時代之間具有同步對應的關係❾，而且也是《詩》文本曾在穆王之世得到編輯的有力證據。

　　2.〈執競〉：

　　　執競武王，無競維烈。不顯成康，上帝是皇。自彼成康，奄有四方，斤斤其明。鍾鼓喤喤，磬筦將將，降福穰穰。降福簡簡，威儀反反。既醉既飽，福

---

❾　《毛詩》首序解詩模式與周代禮樂制度之間存在著內在的對應關係，《毛詩》首序是周王室的樂官在記錄儀式樂歌、諷諫之辭以及那些爲「觀風俗、正得失」的政治目的采集於王朝的各地風詩時，對詩歌功能、目的及性質的簡要說明。它產生於作品被編輯之時。拙文《從漢四家詩說之異同看〈詩序〉的時代》（載《文史》，第 51 輯）對此有所涉及，筆者擬撰專文作進一步討論，此不贅。

　　祿來反。

　　　詩中「武王」自指周武王無疑，「成康」之異解則頗多，且直接關涉到對詩義
的理解與創作時代的界定。毛《傳》、鄭《箋》訓之爲「成安祖考之道」，故以此
詩爲「祀武王」之樂歌，應作於成王之時；朱熹《詩集傳》則以「成康」指成王、
康王，故以爲「此祭武王、成王、康王之詩」。在《詩經》樂歌及西周銅器銘文
中，「不顯」一詞之後，多爲指人或指物的名詞，如「於乎不顯，文王之德之
純」、「不顯申伯」、「不顯其光」、「不顯考文王」、「對揚天子不顯休命」
等，未見其後跟動詞或動詞短語的用例。且在「自彼成康，奄有四方」句中，「成
康」作爲「奄有四方」的主語，明顯是就人而言的，若依毛《傳》、鄭《箋》之
說，不但詩義不明，從語法上也是講不通的。因此，詩中「成康」，應是成王、康
王的省稱，這一稱呼，與以「文武」指稱文王、武王一樣，在先秦時代是非常通用
的。此詩應如朱熹所言，爲「祭武王、成王、康王之詩」。在周人的祭祖禮中，有
將數位先王同時祭祀的禮儀，康王時銅器〈小盂鼎〉銘云：「王各廟，祝，……用
牲，嘗周王、□（武）王、成王。」是對康王禘祭文王、武王、成王的記載，此與
〈執競〉以武、成、康王合祭之事同。所不同者在於〈小盂鼎〉所載的祭禮，是盂
奉康王之命伐鬼方，戰爭勝利之後的獻俘告廟之祭，而〈執競〉在歌頌武、成、康
三王之後，描述了祭祀用樂的場面以及祭畢燕饗時的祈福，應是在合祭武王、成
王、康王的儀式上使用的樂歌，其詩之序云：「祀武王也。」專祭先祖之禮與獻俘
之祭應有不同，因此，從康王禘祭文、武、成三王，不能必然地推出〈執競〉中祭
祀武、成、康三王者必是昭王。相反，〈執競〉一詩，在很多方面表現出了穆王時
代詩歌具有的特點。

　　　首先，在周初的詩歌中，「福」字大多單獨使用，如〈周頌・烈文〉「錫茲祉
福」，〈大雅・文王〉「自求多福」，〈大明〉「聿懷多福」，但在〈執競〉一詩
中，卻出現了以「福祿」連言的用例，這與〈大雅・鳧鷖〉詩中反復出現的「福
祿」之祈應具有相同的思想背景。應該指出的是，「福祿」之祈在西周後期也十分
流行，但西周後期的「福祿」之祈采用了與西周中期「福祿來□」句式不同的語言
格式：「福祿如□」、「福祿□之」。與之相比，〈執競〉、〈鳧鷖〉等詩中的

「福祿來□」更爲質直，這也是其時代較早的一個表徵。

　　其次，此詩「斤斤其明」一句中，「其」字用作代詞，這是西周早期語言中不曾出現的語法現象。在殷商甲骨卜辭與可明確判定爲西周早期的詩歌、銅器銘文中，「其」字最主要的語法功能是補足語氣，或表達某種推測、祈願。如卜辭「方其來于沚？方不其來？」（《甲骨文合集》6728）、〈周頌·烈文〉「維王其崇之」、〈周頌·昊天有成命〉「肆其靖之」、〈令鼎〉銘「余其舍女臣十家」等。唐鈺明在〈其、厥考辨〉一文中說：「西周早期以前的『其』和『厥』，的確是涇渭分明的兩個詞。」「進入西周中期以後，『其』和『厥』的界限開始模糊了，本來只作副詞的『其』字，逐漸侵入『厥』字的領地，出現了作代詞的用例。」在考察「其」、「厥」二字在銘文中的大量用例之後，作者進而指出，「其」字與「厥」字的這種變化「主要發生在西周中晚期之交」。但是，「銘文是一種書面化程度相當高的文體，這種文體往往語言舊質較遲退出而語言新質較晚進入，因此，它不但與周代實際口語距離較大，而且與周代的其他文體（如作爲詩歌的《詩經》、作爲語錄體的《論語》）相比，也略偏于泥古和保守」。❿據此，我們把在西周中晚期出現於銘文中的語法變化在實際語言中發生的時代定在西周中期，應當是去事實不遠的。

　　第三，《詩》云：「鍾鼓喤喤，磬筦將將，磬筦將將，降福穰穰，降福簡簡，威儀反反。」除了這種連用疊文進行場面描寫的方法不見於西周早期詩歌之外，關於鐘聲的描寫也提供了一個斷代的依據。在考古發掘中，西周時代的青銅鐘，時代最早的是由穆王後期的長囟墓中出土的三枚編鐘，「這三編鐘是由鐃制變鐘制的創例，現階段發掘品中，尚無早于此三鐘者。」⓫而以「鐘」自名的銅器，時代最早的是恭王時的《益公鐘》，其銘云：「益公爲楚氏龢鐘。」同時，還可引以爲旁證的是，如果鐘在西周初年即已產生，描寫周初合樂盛況的〈有瞽〉不會不言及這一相當重要的樂歌。這就說明，鐘及其名稱有可能是穆王時代才出現的，涉及鐘的使用的〈執競〉一詩不當早於穆王之朝。

---

❿　唐鈺明：〈其、厥考辨〉，《中國語文》，1990 年第 4 期。

⓫　郭寶鈞：《商周銅器群綜合研究》（北京：文物出版社，1981 年），頁 45。

另外，「執競武王」一語，與恭王時器〈史墻盤〉銘文中「𦒣圉武王」、「憲聖成王」、「睿哲康王」、「弘魯昭王」、「祇視穆王」等語結構相同、意義相類，反映了同一時代的語言特點。

此詩又有「既醉既飽」一句，相同語意的詩句亦出現在〈大雅·既醉〉中。商紂王以縱酒亡國，「恭行天之罰」，⓬而奪得天下的周人深以爲戒，放在開國之初，再三申佈禁酒之令而作〈酒誥〉：「罔敢湎于酒」「勿辨乃司民湎于酒」。又於〈無逸〉再做申戒：「無若殷王受之迷亂酗于酒德哉。」對於聚眾飲酒之人，處罰是相當嚴酷的，〈酒誥〉云：「汝勿佚，盡執拘以歸于周，予其殺」。因此，周人開國之初，在如此嚴格的戒酒之令下，不可能發生「既醉」之事。康王之世，「既歷三紀，世變風移，四方無虞，予一人以寧」⓭，上承成王之制，息民養農，以勤儉治國。《北堂書鈔》卷十八「帝王部」引古本《竹書紀年》云：「晉侯築宮而美，康王使讓之。」康王二十三《大盂鼎》銘文復云；「我聞殷墜命，佳殷邊侯甸與殷正百辟率肆于酒，故喪師。」當此之時，即使有「既醉」之事，也不會寫入莊嚴肅穆的祭祀樂歌之中。經過昭王時代的動亂而進入穆王之世後，去武王克商已近百年，社會生活發生了巨大的變化，周初的戒酒令也失去了原有的威力，統治階層飲酒爲樂之事時有發生，描寫飲酒爲樂、人神俱歡的燕享樂歌也在這一時期產生出來。參見下文關於〈既醉〉一詩的討論。〈執競〉之「既醉既飽」應是在同樣的社會背景下發生的。

除上所述，〈執競〉一詩在寫法上也表現出了與周公成王時代詩歌不同的特點。周初的祭祀頌歌，很少對儀式活動本身作直接地描寫，其中的絕大部分內容是主祭者對所祭先祖的直接祝禱。而〈執競〉在以第三者的口吻稱頌作爲祭祀對象的武、成、康三王之後，著重摹擬、刻寫了祭祀禮儀中的樂器之聲（「鍾鼓喤喤，磬筦將將」）、祭祀者的具體表現（「威儀反反，既醉既飽」），以及祭祀者的祈願（「降福穰穰，降福簡簡」、「福祿來反」）。詩歌創作者或者說唱頌者身份的改變，暗示了西周社會祭祀禮儀制度的轉變，或者說，這種改變與禮儀制度的變革之

⓬　《尚書·牧誓》。
⓭　《尚書·畢命》。

間存在某種同步發展的對應關係。而前文的論述已經表明，西周禮儀制度的變革是在西周中期的穆王時代完成的。

綜上所言可知，〈周頌・執競〉應是西周中期周穆王合祭武王、成王、康王的儀式樂歌。

3.〈周頌・潛〉：

> 猗與漆沮，潛有多魚。有鱣有鮪，鰷鱨鰋鯉。以享以祀，以介景福。

《詩序》云：「季冬薦魚，春獻鮪也。」關於薦魚之祭，文獻多有記載。《國語・魯語上》里革諫宣公云：「古者大寒降，土蟄發，水虞於是乎講眾罶，取名魚，登川禽，而嘗之寢廟，行諸國，助宣氣也。」《禮記・月令》：「季冬之月，……命漁師始漁，天子親往，乃嘗魚，先薦寢廟。」《呂氏春秋・季冬紀》的記載與此相同。《淮南子・時則訓》云：「仲春之月……天子烏始乘舟，薦鮪於寢廟，乃爲麥祈實。……季冬之月，……命漁師始漁，天子親往射漁，先薦寢廟。」由這些記載可知，在西周時代確曾有過薦魚於廟之禮。《詩序》「季冬薦魚，春獻鮪也」，乃是對此詩在冬、春兩次薦魚於廟儀式中使用的儀式功能的解說。據〈魯語〉之文，薦魚於廟之禮爲古禮，而由〈月令〉等的記載，此禮的舉行與「射魚」儀式有密切的關係。非常巧合的是，在西周早期至穆王時代的銅器銘文中正好出現了多次周王「矢魚」、「射魚」、「乎漁」的記載。據劉雨《西周金文中的射禮》，射禮盛行於穆王前後，金文中所反映的射禮，分爲水射與陸射兩種形式，水射有「射禽」、「射魚」，陸射則多爲「射侯」。在其文中，劉雨對水陸兩種射禮的關係做了這樣的說明：

> 一般文獻認爲水射不是正式的射禮，而是「習射」。《禮記・射義》「天子將祭，必先習射于澤」，「已射于澤，而後射于射宮」。從金文的情況看，周天子與邦君諸侯隆重的在鎬京辟雍大池中射魚射雁，其射並不像是習射，

而是射禮的一種。……總之，水中的射禮應該與陸上的射禮有區別。❹

表面地看待銅器銘文所提供的資料，上述結論無疑是符合歷史事實的。但是，若從縱向發展的歷史角度重新分析這些資料，又會得出怎樣的結論呢？

從已出土的西周銅器銘文所提供的資料來看，水射流行於西周早期，從武王時代的〈天亡簋〉起，〈麥方尊〉、〈靜簋〉、〈遹簋〉、〈攸鼎〉等對此均有記載。而到周穆王時代，水射儀式已經相當複雜，參加射禮的人一般需要經過專門的訓練。〈靜簋〉銘云：

> 佳六月初吉，王在鎬京，丁卯，王令靜司射學宮，小子及服、及小臣、及夷僕學射。雩八月初吉庚寅，王以吳來、呂剛會□盠㠯、邦周射于大池。靜學無罟，王易靜鞞剩。

與此同時，康王時代以水射所得薦於寢廟的禮儀也開始發生改變，出現了〈攸鼎〉、〈遹簋〉銘文中穆王以水射所得魚、禽賞賜從御的記載。穆王之後，有關水射的記載未再出現於銅器銘文的記載中。

有關陸射的記載最早出現於昭王時代的〈令鼎〉銘文，至穆王時代開始流行，〈長囟盉〉、〈義盉蓋〉銘文均有記載。〈大雅·行葦〉所述即爲當時行射禮時先饗後射的全過程，〈長囟盉〉穆王先饗後射之事，與此正合。之後，恭王時器《十五年趞曹鼎》、〈師湯父鼎〉、懿王時器〈匡尊〉均記載了在射廬舉行的射禮，厲王時器〈鄂侯馭方鼎〉記載了厲王與鄂侯馭方燕射之事。

將上述分析與《禮記·射義》之文合觀，可以大略地描述出西周射禮發展的歷史軌跡：西周早期，水射是一種正式的射禮，除了考察諸侯忠順與否的政治目的之外，射禮亦與薦魚於廟的祭禮相關連；在這種射禮不斷發展走向成熟的昭穆時代，不同於水射的陸射儀式也逐漸發展起來，至穆王後期，它取代水射儀式成爲周王考察諸侯的一種手段；政治功能的減弱乃至喪失，最終導致了水射作爲正式典禮活動

---

❹　《考古》，1986 年第 12 期。

的終結，古老的水射活動由此逐漸演化為正式射禮或祭禮的一種準備工作，即《射儀》所謂「天子將祭，必先習射於澤」的「習射」，水射所得之物亦由原來的薦於寢廟（〈麥方尊〉）變成了賞賜從御（〈遹簋〉、〈攸鼎〉）。與此相關連的薦魚於廟的制度，亦因此而逐漸廢止，成為春秋時人眼中的古禮。據此推測，用於薦魚之祭的〈潛〉，不應產生於其禮已趨廢棄的穆王之後。

此詩中的「以享以祀，以介景福」，作為祈福套語，在西周中期的穆王之世始流行於世，且在當時及以後的詩歌與銅器銘文中出現了多種類似的表達方式，如〈周頌・載見〉「以孝以享，以介眉壽」、〈大雅・行葦〉「壽考維祺，以介景福」、〈小雅・楚茨〉「以妥以侑，以介景福」、〈無專鼎〉「用享于烈，用割眉壽」、〈梁其鼎〉「用享孝于皇祖考，用祈多福，眉壽無疆」、〈芮叔𡪄父簋〉「用享用孝，用易眉壽」等。而西周前期的詩歌與銘文中絕不見類似的句式。因此，從詩歌語言的發展來看，〈潛〉之作不早於穆王之世。

據上所言，我們把〈周頌・潛〉的創作斷在西周中期的穆王時代。

4. 〈周頌・載見〉：

> 載見辟王，曰求厥章。龍旂陽陽，和鈴央央，有革有鶬，休有烈光。率見昭考，以孝以享，以介眉壽。永言保之，思皇多祜。烈文辟公。綏以多福，俾緝熙于純嘏。

首先，詩中「昭考」之稱，據上文論述應指周昭王，這是〈載見〉作於穆王時之一證。

其次，「以孝以享，以介□□」句式，依出土金文資料，同類句式的出現與流行不早於昭穆時代，上文考訂〈周頌・潛〉時已論及。與「壽」相關的祈福之語有〈沈子也簋蓋〉「用妥公唯壽」、〈耳尊〉「侯萬年壽考黃耉」。〈沈子也簋〉，郭沫若《兩周金文辭大系》考訂此器作於與魯幽公同時的昭王初年。唐蘭《西周青銅器銘文分代史徵》定為穆王時器，馬承源《商周青銅器銘文選》則訂為康王末年之器。〈耳尊〉時代不可考，馬承源繫之於西周早期，大約亦在昭王前後。而「眉壽」一詞，據已出土的金文資料來看，最早見於恭王時的〈仲枏父簋〉與〈師奎父

鼎〉。〈仲枏父簋〉銘云：「用敢饗孝于皇且考，用祈眉壽，其萬年子子孫孫其永寶用。」〈師至父鼎〉銘云：「用匄眉壽黃耇吉康，師至父其萬年子子孫永寶用。」「用匄眉壽黃耇吉康」，與〈耳尊〉之「侯萬年壽考黃耇」意義相近而用詞更爲講究，當是經過一定時期的發展之後出現的祈福套語。在恭王之後，又出現了很多如「用匄眉壽無疆」、「萬年眉壽」、「眉壽萬年無疆」等等語彙。由這些金文資料可以證明，「眉壽」一詞，是西周中期穆王時代前後出現而在中晚期非常流行的嘏辭。

　　據上述兩點，可以判定〈載見〉爲周穆王時代的作品。

　5.〈周頌·雝〉：

　　在上文討論〈執競〉一詩的創作時，我們曾指出它與周初詩歌在寫法上的不同特點，並進一步認爲這種不同是由詩歌創作者或者說唱頌者身份的改變引起的。西周初年的獻祭頌歌，均出自作爲主祭者的周王或其代言人之口，是主祭者對其祖先神靈的直接祈禱。而到西周中期的穆王時代，獻祭之歌已以周王之外的第三者的口吻唱出，如〈執競〉、〈載見〉，唱頌獻祭之歌、祈取福佑不再是周王的專權。獻祭頌歌反映出來的唱誦者身份的變化，應是西周中期祭祀禮儀發生改變的直接結果。這與西周政權的組織形式以及周人思想意識的改變具有密切的聯繫，詳論見下文。這裡想要討論的，是這種改變在《周頌·雝》中的表現。〈雝〉云：

　　　有來雝雝，至止肅肅。相維辟公，天子穆穆。於薦廣牡，相予肆祀。假哉皇考，綏予孝子。宣哲維人，文武維后。燕及皇天，克昌厥後。綏我眉壽，介以繁祉。既右烈考，亦右文母。

仔細分析這首樂歌，根據詩義及詩中人稱關係的轉換可將全詩以四句爲一組分爲四組。第一組「有來雝雝，至止肅肅，相維辟公，天子穆穆」，在一定的距離之外描述了參加祭祀的人員及其儀態；第二組「於薦廣牡，相予肆祀，假哉皇考，綏予孝子」，則以周王的口吻說明獻祭供品並祈禱于先王；第三組「宣哲維人，文武維后。燕及皇天，克昌厥後」，其中「宣哲維人」與「文武維后」對舉，讚美參祭群臣的才智明哲與周王的文功武略，仍是以第三者的口吻所做的頌讚之辭；第四組

「綏我眉壽，介以繁祉，既右烈考，亦右文母」，復以主祭者周王的口吻祈福於所侑享的「烈考」與「文母」。

　　上述分析十分清楚地說明，在〈雝〉所記述的祭祀活動中，周王不再是獻祭之歌唯一的唱誦者，獻祭之歌的唱頌由周王與其他人分角色完成。由此可知，在這時的祭祀活動中，周王已不作為唯一的主持者出場。這與周初的祭祀活動由周王主持，其獻祭之歌出自周王之口已有了很大的不同。據此可將此詩的創作時代大體考訂為西周中期。而詩歌的用語，恰好表現了西周中期的語言特點。

　　首先，由上文對〈載見〉一詩的考證可知「眉壽」一詞是在西周中期才出現的，而「綏我眉壽，介以繁祉」也與「用匄眉壽」、「以介景福」、「綏我多福」等相類，是在西周中期以後才流行於世的嘏辭。

　　其次，「天子」一詞，在可靠的周初文獻中沒有出現，武王時詩〈時邁〉僅云：「昊天其子之」。根據我們對已出土的西周銅器銘文資料的統計，西周初年銅器銘文只稱「王」而無「天子」，至康王末年的〈刑侯簋〉、〈麥方尊〉二器始有「天子」之稱，到昭穆時代，「天子」一詞開始頻繁地出現在銅器銘文中。據此可知，康王末年才開始出現、至昭穆之世開始流行的「天子」一詞，不會出現於西周初年的詩歌中。漢以來經學家以〈周頌・雝〉為西周初年作品的說法是不能成立的。

　　最後，詩中又有「烈考」之稱。《逸周書・諡法解》云：「秉德遵業曰烈；有功安民曰烈。」孔晁注云：「遵世業而不墮改。」又云：「功，以武立功。」《爾雅・釋詁》：「烈者，業也。」由此可知，所謂「烈」，為武功卓著之稱。被稱為「烈考」者，必為以武立功之人，穆王時《癹方鼎》銘文可證成此說，其銘云：「癹曰：『烏虖！王唯念癹辟剌（烈）考甲公，王用肇事乃子癹率虎臣御淮戎』……其子子孫孫永寶茲烈。」周武王克殷，以武立功，開國承家，故周代文獻中，有稱之為「烈考」者，如《尚書・洛誥》，有稱之為「烈祖」者，如《逸周書・祭公解》。恭王時銅器〈史墻盤〉銘文對一一頌讚西周前期諸王，其銘云：

日古文王，初龯龢于政，上帝降懿德大鼏，匍有上下，迨受萬邦。䎦圉武王，遹征四方，達殷，畯民永不狄，虘！尨伐尸童。憲聖成王，左右綬剛

剛緐，用肇蘇周邦。睿哲康王，分尹亡疆。宏魯邵王，廣骰楚荊，隹寏南行。祇視穆王，井帥宇誨，龤寧天子。

結合這段銘文及文獻資料，西周前期諸王，文王以德顯，有「文考」之稱，成王、康王「天下安寧，刑錯四十餘年不用」，維武王克殷、昭王伐楚，以武功卓顯於世，其後人可以「烈考」、「烈祖」稱之。而由前文可知，這首詩歌不可能做於周初成王之世。因此，詩中「烈考」，非指武王，應爲穆王之父昭王。

由〈雝〉反映出的儀式制度的變化及樂歌語言特點的分析可以判定：《周頌·雝》是穆王時代的祭祀樂歌。

另外，〈雝〉詩云：「相予肆祀」。「肆祀」是周人祭祖禮的一種，《周禮·春官·大宗伯》云：「以肆獻祼享先王，以饋食享先王。」鄭注：「肆獻祼、饋食，在四時之上，則是祫也，禘也。」又〈大祝〉云：「凡大禋祀、肆享、祭示，則執明水火而號祝。」鄭注：「肆享，祭宗廟也。」由此可知，「肆祀」是祫、禘之類合祭先王的祭祀禮，此與《詩序》「〈雝〉，禘太祖也」正相符合。從詩之內容來看，周王反復呼喚的是「皇考」（或「烈考」）與「文母」，因此，這應是在以昭王爲主祭對象的禘祭先王的祭祀活動中使用的樂歌。穆王時器〈剌鼎〉銘文云：「辰在丁卯，王啻（禘），用牡於大室，啻（禘）邵王。」先云「王禘」又專言「禘昭王」，其情形與詩相合。二者所記或爲一時之事，或應相去不遠。

二、頌功之歌

在前文的討論中，我們對詩歌創作者（唱頌者）身分的改變與祭祀禮儀的發展之間的關係問題已經略有涉及。由於促使上述改變發生的時代背景及其意識形態，不僅影響了祭祀樂歌的創作，而且推動了穆王時代紀祖頌功之歌創作方式與歌頌對象的變化，同時也爲一種新型樂歌——燕享樂歌的出現創作了條件。因此，在討論穆王時代的頌功之歌之前，有必要儘可能詳細地對這個問題做一梳理。

夏人尊命，殷人尊神，周人尊禮，《禮記·表記》的記載反映了夏商周三代思想意識發展的總體趨勢：天道神權對人事的控制不斷減弱，代表人事行爲力量、通過制定各種制度（「禮」）來影響社會的政權力量不斷加強。就西周這一段歷史而

言，其思想意識形態的發展，在「尊禮」的特徵之下，也表現了與上述大趨勢相同的發展走向。

通過史籍的記載以及銅器銘文所提供的資料可以看出，在武王革命、開國立業的西周初年，周人面對商紂尊崇天命卻身死國滅的事實，儘管已經發出了「上天之載，無聲無臭，儀刑文王，萬邦作孚」（〈大雅‧文王〉）、「天不可信，我道惟寧王德延」（《尚書‧君奭》）的訓誡，但殷人尊神的思想仍然在周人那裡得到了延續，天命鬼神觀念仍然主宰者周人的意識，除了《逸周書‧克殷解》中有關武王慘虐紂尸以厭勝殷人的記載是這種思想的極端體現之外❶❺，由《尚書》、《逸周書》、《詩經》中可信為周初的文獻資料以及出土銅器中西周初年的銘文資料中，仍然可以體察到一個主宰人間社會的、具有不可動搖的權威性的上帝鬼神世界的存在，體察到當時人們對這種權威的懼戒懼懼的尊崇與信仰。《逸周書‧商誓解》云：「上帝弗顯，乃命朕文考曰：『殪商之多罪紂。』……□帝之來，革紂之□，予亦無敢違天命。」殷之喪國、周革殷命是皇天上帝的旨意，〈康誥〉云：「天乃大命文王殪戎殷。」〈召誥〉亦云：「天既遐終大邦殷之命。」不僅如此，周王室的命運亦是由上天主宰的，因此，〈召誥〉云：「今天其命哲、命吉凶、命歷年……王其德之，用祈天永命。」周武王之所以借天命以伐殷，其中或許有一些政治上的考慮，但當時天命觀念的盛行應是最主要的原因。「我其夙夜，畏天之威」、「時邁其邦，昊天其子之」、「維羊維牛，維天其右之」，除了這些對天發出的直接禱告之外，西周初年祭天祀地的祭祀儀式的率先發展也反映了周人思維中天地鬼神所占居的重要地位。

祭祀儀式中獻祭之歌的唱頌者身分的變化直接反映了周人天命觀念的變遷。在天命神權支配世界的意識占主導地位的西周初年，祭祀上帝及祖先神靈的各種儀式在周人的心目中無疑具有絕對重要的意義。因此，向皇天上帝、祖先神靈進行祈禱的獻祭之歌均由周王親自唱頌，這些出自周王之口的祭祀樂歌不僅是他們某種祈願的表達，更重要的是，這種行為本身也反映了當時周人對天命、對祖靈堅定不移的崇信。但是，到了西周中期的穆王時代，祭祀頌歌的唱禱，則由周王與其他的「詩

---

❶❺　參見龔維英：〈周武王慘虐紂尸因由初探〉，《人文雜志》，1985 年第 4 期。

人」（「尸」、「祝」）共同完成（如〈雝〉），或由「詩人」獨自完成（如〈執
競〉、〈載見〉）。這種獻祭之歌唱頌者身分的轉變，反映了祭祀活動中周王作用
的下降與「尸」、「祝」地位的上升。而這種下降與上升，實質上源於祭祀活動至
高無上的神聖性在周王心目中的減弱，是整個司祭集團社會地位下降的一種表現。
這就是說，隨著西周時代社會歷史的變遷，尤其是經歷了昭王喪師殞命的家國之難
後，天命神權支配世界的觀念已在西周中期人們的意識中開始減弱。在繼續向上天
祈禱福壽的同時，周人原本發自內心的對天命的信崇與依賴隨著其行為的典禮化、
程式化而逐漸減弱。與此同時，通過這種程式化的典禮行為表現出來的現實社會的
尊卑秩序，亦即「禮」，卻逐漸成為祭祀活動中人們關注的中心。支持我們上述立
論的重要依據是西周金文所反映的職官制度中太史寮（由大史、大卜、大祝構成）
地位的逐漸下降與卿士寮作用的日益加強。張亞初、劉雨《西周金文官制研究》一
書在分析涉及西周官制的三百九十一件銅器銘文之後，分別構擬了西周早、中、晚
三期職官體系表，同時指出：「早期卿事寮的職司範圍及重要性就有超過大史寮的
傾向，中期這種傾向就更為強化。」❶❻「西周早期雖有卿事與大史兩寮，然周公所
主之卿事寮由於周初征戰不已，軍事行政事務繁多，顯然比召公所主的大史寮更重
要些。到西周中晚期，特別是晚期，大史寮地位更加下降，巫史卜祝的地位每況愈
下。」❶❼

　　周人天命觀念的衰變是與對人事社會的關注與思考的加深同時發生的。《逸周
書・祭公解》云：「汝無以戾□罪疾，喪時二王大功，汝無以嬖御固莊后，汝無以
小謀敗大作，汝無以家相亂王室而莫恤其外，尚皆以時中乂萬國。」在經歷昭王之
難、穆王復寧天下之後，萌芽於周初的「皇天無親，惟德是輔」的「德政」觀念進
一步深入人心。人們不再匍匐於上帝神靈絕對權威的盲目崇拜之中，關注現實社會
的理性之光開始顯露。在這樣的理性關注下，現實社會中現實的人的行為受到了詩
人們前所未有的重視，先公先王創業開國、保守天下的光輝業跡也在這樣的理性關
注下又一次煥發出了現實的意義，於是出現了創作和寫定紀祖頌功之歌的又一次高

---

❶❻　張亞初、劉雨：《西周金文官制研究》（北京：中華書局，1986 年），頁 107。

❶❼　同前註，頁 111。

潮。與周初樂歌注重歌頌祖先文德及其以德感天而受天命等內容不同，這一時期創作和寫定的頌功之歌，除了繼續頌揚文王受命的神話之外，祖先、時王實實在在的文功武略成爲其中最基本的內容。

經過我們的細緻考訂，《詩經》中可以繫屬於這一時期的頌功之歌大約有〈棫樸〉、〈文王有聲〉、〈靈臺〉、〈皇矣〉、〈生民〉等。

1. 《大雅·棫樸》：

> 芃芃棫樸，薪之槱之。濟濟辟王，左右趣之。
> 濟濟辟王，左右奉璋。奉璋峨峨，髦士攸宜。
> 淠彼涇舟，烝徒楫之。周王于邁，六師及之。
> 倬彼雲漢，爲章于天。周王壽考，遐不作人。
> 追琢其章，金玉其相。勉勉我王，綱紀四方。

《毛序》云：「〈棫樸〉，文王能官人也。」《春秋繁露·郊祭篇》云：「文王受天命而王天下，先郊，乃敢行事，而興師伐崇。其詩曰：『芃芃棫樸，薪之槱之……』此郊辭也。其下曰：『淠彼涇舟，烝徒楫之……』此伐辭也。」二者均以此爲文王之詩。此說與史實不合。詩云「淠彼涇舟」，涇水位於岐山、周、程之地以北。文王進行的一系列征伐戰爭，均發生在涇水之南，崇國更遠在河南洛陽之南，無需「淠涇」而伐之。且文王之時，雖「三分天下有其二」，但在名義上仍是商王朝的屬國，其時的詩歌中不可能出現「勉勉我王，綱紀四方」之語。由此可知文王之詩的說法是不能成立的。

詩中「周王壽考」一句，可爲考訂詩歌的作年提供一定的線索。由上下詩義來看，「周王壽考」不是祝福之語，而是對現實的讚美與歌頌。西周前期諸王，自文王歿後，以壽考聞名的僅周穆王。《史記·周本紀》云：「穆王即位，春秋已五十矣。……穆王立五十五年崩。」《尚書·呂刑》：「惟呂命，王享國百年，耄荒。」《論衡·氣壽》：「周穆王享國百年。」這些記載雖不完全可靠，但反映了穆王長壽的基本事實，與詩中「周王壽考」之讚語相合。

除此之外，詩所言與穆王時事相合者有如下幾點：

第一，《周禮·典瑞》云：「牙璋以起軍旅，以治兵守。」《白虎通義》云：「璋以發兵何？璋半珪，位在南方，南方陽極而陰始起，兵亦陰也，故以發兵也。」《穆天子傳》卷一云：

> 天子西征，鶩行。至于陽紆之山，河伯無夷之所都居，是惟河宗氏。河宗柏天逆天子燕然之山……癸丑，天子大朝于燕□之山，河水之阿。乃命井利、梁固聿將六師。天子命吉日戊午，天子大服冕褘、帗帶、搢曶、夾佩、奉璧南面立于寒下，曾祝佐之，官人陳牲全五□具，天子授河宗璧，河宗柏天受璧，西向沉璧于河……河伯號之帝曰：『穆滿，女當永致用時事。』……柏天既致河典、乃乘渠黃之乘爲天子先，以極西土。

這段文字詳細記載了周穆王率兵車之眾在西征途中舉行的一次祭祀活動。同書卷二又云：

> 天子西征，辛丑至于剞閭氏，天子乃命剞閭氏供食六師之人于鐵山之下。壬寅，天子祭于鐵山，祀于郊門，……天子已祭而行，乃遂西征。

由此可知，周天子出征途中多行祭祀之事，〈棫樸〉前三章所云祭祀出兵之事應屬此類。

第二，此詩以〈棫樸〉爲題，「棫」應即文獻、金文中的地名「棫林」。穆王時代銅器〈彧簋一〉銘文云：「彧率有司、師氏奔追禦戎于臧林。搏戎鈇。」「臧林」即「棫林」⑱，其地當在涇水之西南。《左傳·襄公十四年》載，諸侯之大夫從晉伐秦，「濟涇而次，……鄭司馬子蟜帥鄭師以進，師皆從之，至于棫林。」杜預注云：「棫林，秦地。」〈彧簋〉所記爲彧率師禦戎事。《穆天子傳》云：「天子北征于犬戎。」西周時期犬戎的活動區域主要在涇水以北，洛水上游一帶，勢力

---

⑱　從唐蘭之説。唐説見〈用青銅器銘文來研究西周史〉，《唐蘭先生金文論集》（北京：紫禁城出版社，1995 年）。

盛時甚至南濟涇水，侵及宗周腹地，如〈𢼸簋〉所載。由〈棫樸〉之詩可知，周王此次出征，先至棫林，行燎祭之禮，乃發兵濟涇而北。此或爲周穆王北征時的行軍路線之一。

第二，《穆天子傳》多有「六師」之名，除前文所引，卷三云「己酉，天子飲于溽水之上，乃發憲命，詔六師之人」，「己亥，天子東歸，六師□起，庚子至於□之山而休，以待六師之人」等等，是穆王周游天下之時，六師與之。此與詩「周王于邁，六師及之」相合。

另外，古本《竹書紀年》、《穆天子傳》多有穆王北征、西征、南征的記載，《楚辭·天問》云：「穆王巧梅，夫何爲周流？環理天下，夫何索求？」《穆天子傳注》引《紀年》云：「穆王西征，還里天下，億有九萬里。」「還里」即「環理」，指周行天下，安撫四方。〈棫樸〉詩末云：「勉勉我王，綱紀四方。」正是對周穆王「環理天下」之事的頌美之辭。

綜上數端可知，《大雅·棫樸》之作，宜在穆王之世。

2. 《大雅·文王有聲》：

> 文王有聲，遹駿有聲，遹求厥寧，遹觀厥成。文王烝哉！
> 文王受命，有此武功。既伐于崇，作邑于豐。文王烝哉！
> 築城伊淢，作豐伊匹。匪棘其欲，遹追來孝。王后烝哉！
> 王公伊濯，維豐之垣。四方攸同，王后維翰。王后烝哉！
> 豐水東注，維禹之績。四方攸同，皇王維辟。皇王烝哉！
> 鎬京辟廱，自西自東，自南自北，無思不服。皇王烝哉！
> 考卜維王，宅是鎬京。維龜正之，武王成之。武王烝哉！
> 豐水有芑，武王豈不仕，詒厥孫謀，以燕翼子。武王烝哉！

此詩中共出現了四種人物稱謂：文王、王后、皇王、武王。《毛傳》云：「后，君也。」鄭《箋》以「王后」指文王，以「皇王」指武王，將詩歌所述事件分割爲頌美文王伐崇而作豐、武王伐紂而宅鎬兩部分。由詩歌內容出發來分析，這種說法是不能成立的。此詩首、二兩章頌美文王受命伐崇而作豐邑；最後兩章頌美武王宅鎬

而定天下；中間四章記述、頌美的則是與文王作豐、武王宅鎬無關的第三件事：築
淢。其中第一章說明築淢的目的在於「作豐伊匹，匪棘其欲，遹追來孝」，其餘三
章則是對築淢之事的全力歌頌。由此可知，詩中的「王后」與「皇王」同為一人，
是文王、武王之外的另一位周王，即詩歌創作之時的在位時王。詩歌的結構來看，
對時王的歌頌是全詩的重點，文王作豐、武王宅鎬僅是對時王築淢之舉意義的一種
補充與印證。但同時也可以看出，這位築淢的周王是十分尊崇文王和武王的。那
麼，他是西周的哪一位君王呢？

　　解答這一問題的關鍵是弄清「淢」字在詩中的意義。《毛傳》云：「淢，成溝
也。」《魯詩》、《韓詩》二家「淢」字作「洫」，魯解作「城池」，韓解作「深
池」。釋義與《毛詩》相近。但是，古人築城必有護城之池，文王作豐，其城池不
應遲至後世方才築成。退一步來說，若詩中之「淢」確指「城池」，則「皇王」修
築城池的舉動無論如何是不能與文王作豐、武王宅鎬之事相提並論的。以「城池」
釋「淢」，於詩義扞格難通。「淢」字之義，須由他途求之。

　　《詩》云：「築城伊淢，作豐伊匹，匪棘其欲，遹追來孝。」築「淢」以為豐
都之「匹」，則「淢」的性質應與「豐」相同或相近，應是一個有特定指稱對象的
地點專名。幸運的是，西周時代的銅器銘文資料為我們提供了這方面的有力證明。
在已經出土的金文材料中，「淢」字最早出現在穆王後期銅器〈長囟盉〉上：「隹
二月初吉丁亥，穆王在下淢応，穆王饗醴，即井伯大祝射。」此後《師旋簋》又有
「王在淢応，甲寅，王各廟」的記載。金文「応」，即史籍之「居」，「居」有都
邑之義，如《尚書·盤庚》：「盤庚遷于殷，民不適有居。」〈大雅·公劉〉：
「度其夕陽，豳居允荒。」《史記·周本紀》：「營周居于雒邑而後去。」「淢
居」，猶豐邑、鎬京、洛邑，應為都邑之名。詩中之「淢」，即金文之「淢応」，
猶豐邑、鎬京、洛邑可簡稱豐、鎬、洛。另外，〈長囟盉〉等銘文所記載的周王在
「淢応」舉行的一系列活動，也與〈文王有聲〉所說的築淢以追孝的精神目的相符
合。由此可以斷定，〈文王有聲〉中的「淢」，與豐、鎬一樣，同為都邑之名。而
且，從詩歌的敘述可知其地應在豐水之畔，去豐、鎬二京不遠。因此詩人才把「皇
王」的築淢之舉與文王作豐、武王宅鎬相提並論而大加歌頌。

　　「淢」作為一個重要的地名出現於金文當中，應在〈文王有聲〉「築城伊淢」

事件發生之後。因此，由「減」字出現於金文的時間上限，可以推知築減的時間下限。最早出現「減」字的〈長囟盉〉爲穆王後期銅器，因此，築減的君王只可能是穆王或他之前的某一位周王。前文的討論已排除了文王、武王的可能。由史籍記載可知，成王之時，以向東發展、驅逐殷人殘餘勢力爲目的，故營東都洛邑、遷九鼎而居之；康王以「息民」稱世，且今本《竹書紀年》有「唐遷都於晉，做宮而美，王使人讓之」的記載。據上可知，築減之事不可能發生在成康二世。昭王之時，四國不寧，戰事日增。平定邊亂，征戰四方成爲昭王在位十九年的主要內容，昭王自己亦因南征荊楚而死於軍中，其世築減「追孝」的可能也不大。

　　在排除了周初五王的可能之後，我們的視線便自然落在了周穆王身上。《史記·周本紀》云：「王道衰微，穆王閔文武之道缺，乃命伯冏申誡太僕國之政，作〈冏命〉，復寧。」這裡有兩點需要注意，第一，穆王之時的「復寧」之勢與〈文王有聲〉之「四方攸同」、「自西自東，自南自北，無思不服」正相吻合。第二，「穆王閔文武之道缺」透露出了周穆王對文、武二王的尊崇。而這一點在《逸周書·祭公解》中體現得更加突出。〈祭公解〉一文反復出現如「予小子追學於文武之蔑」、「以予小子揚文武大勳」、「皇天改大殷之命，維文王受之，維武王大赳之，咸茂厥功」、「自三公上下，辟于文武，文武之子孫，大開方封于下土」、「汝無以戾□罪矣，喪時二王大功」等語。這些對文王、武王的頌讚與仰慕，和〈文王有聲〉之「文王烝哉」、「武王烝哉」如出一轍；仰慕文、武，追學文、武是穆王之政的特點。而〈文王有聲〉中的築減一事，除詩歌所云追孝文武二王的目的之外，還有追學文、武，自表其功的意義。這也是詩人把築減與文王作豐、武王宅鎬相提並論的原因。因此，〈文王有聲〉中這位築減的「皇王」應是周穆王，〈文王有聲〉的創作亦在周穆王之時。文王伐崇而作豐，武王伐紂而宅鎬，穆王伐叛國，定四方而築減，故《詩序》云：「〈文王有聲〉，繼伐也。」穆王築減的舉動既被當成一件可與文王作豐、武王宅鎬相媲美的大事在樂歌中唱頌，那麼，在減居舉行隆重典禮活動的記載出現於穆王後期的〈長囟盉〉中便不是一件偶然的事情了。

　　另外，詩中「鎬京辟雍」一章，也蘊含了許多屬於穆王時代的歷史內容，詳見下文。

3. 《大雅‧靈臺》：

> 經始靈臺，經之營之。庶民攻之，不日成之。經始勿亟，庶民子來。
> 王在靈囿，麀鹿攸伏。麀鹿濯濯，白鳥翯翯。王在靈沼，於牣魚躍。
> 虡業維樅，賁鼓維鏞。於論鼓鐘，於樂辟廱。
> 於論鼓鐘，於樂辟廱。鼉鼓逢逢，矇瞍奏公。

從《詩序》續序起，說詩者即將此詩的創作與文王聯繫起來：「文王受命，而民樂其有靈德，以及鳥獸昆蟲焉。」《孟子‧梁惠王上》云：「文王以民力爲臺爲沼，而民歡樂之，謂其臺曰靈臺，謂其沼曰靈沼。」《新序‧雜事》云：「周文王作靈臺及爲池沼。」今本《竹書紀年》亦云：「（帝辛）四十年，周作靈臺……四十一年春三月，西伯昌薨。」雖然「文王受命稱王」是周人津津樂道的一件大事，但是，在可信的周初文獻中，文王生前並未稱「王」。《逸周書‧世俘解》云：「五烈祖自太王、太伯、王季、虞公、文王、邑考以列升，維告殷罪。」此即《禮記‧大傳》所云：「牧之野，武王之大事也，既事而退……追王大王亶父、王季歷、文王昌，不以卑臨尊也。」這一記載說明文王的「王」號是武王克殷後追加的。《周本紀》云：「詩人道西伯蓋受命之年稱王。」一「蓋」字表明了太史公對文王稱王之說的懷疑。其實，太史公的眞正態度，已從他對歷史事件的敘述中表現出來：「明年，西伯崩，太子發立，是爲武王。」由此記載可知，周人的王號之稱，應是從武王揭開伐商大幕之後才有的。因此，〈靈臺〉中的「王」，絕不會指文王，此詩之作，更不會在文王之時。

　　詩中「於論鼓鐘」一語爲此詩的斷代提供了線索。由前文〈執競〉一詩的考訂之文可知，樂鐘是在西周中期的穆王時代才出現的。描寫鐘聲的〈執競〉不會作於穆王之前，「於論鼓鐘，於樂辟廱」的〈靈臺〉也不會作於穆王之前。雖然李山《詩經的文化精神》一書中以〈文王有聲〉之「築減」即營建辟雍的說法仍可討論，因而僅據此一點把〈靈臺〉的創作放在穆王時代的立論尚嫌證據不足。但並不能因此否認他將〈靈臺〉一詩斷於穆王之世的合理性，李山的斷代結果可以從另外的途徑獲得證明。

王先謙《詩三家義集疏》引焦循《學圖》云：「僖十五年《左傳》『秦伯舍晉侯於靈臺，大夫請以入』，杜注云：『在京兆鄠縣，周之故臺。』則此靈臺即文王之『靈臺』也。《三輔黃圖》云：『靈囿在長安西北四十二里，靈臺在長安西北四十里。』《長安志》云：『豐水出長安縣西南五十五里。』」豐水發源於長安縣西南，向北流經豐、鎬之地，至長安縣西北與渭水會合而東流。由〈文王有聲〉「豐水東注，維禹之績」推測，穆王所築之淢應在長安縣西北豐水、渭水會合東流之地。這就是說，穆王所築之淢與歷史上所傳靈臺之地應相去不遠。

由〈靈臺〉詩知靈臺、靈囿與辟雍應同處一地。除此之外，穆王時詩〈文王有聲〉中也出現了「辟雍」之名。那麼，「辟雍」是什麼？《毛傳》云：「水旋丘如璧曰辟廱。」漢以後人皆以周代大學視之。戴震《毛鄭詩考正》辨之云：

> 辟廱，經無明文，漢初說禮者規於故事，始援〈大雅〉、〈魯頌〉立說，謂天子曰辟廱，諸侯曰頖宮，如誠學校重典，不應《周禮》不一及之，而但言成均、瞽宗。孟子陳三代之學，亦不涉乎此，他國且不聞有所謂泮宮者。……趙歧注《孟子》「雪宮」云：「離宮之名也。」宮有苑囿臺池之飾、禽獸之饒，此詩「靈臺」、「靈沼」、「靈囿」與「辟雍」連稱，抑亦文王之離宮乎？閒燕則遊止肆樂於此，不必以為太學，於詩辭前後尤協矣。❶❾

儘管史籍缺載，但讓人興奮的是，西周金文材料中保存了一些有關「辟雍」的記載。康王時器〈麥尊〉銘文云：「雩若二月，侯見于宗周，亡述，迨王⋀𣏾京酌祀。若翌日，在璧雝，王乘于舟為大豊，王射大鴻，禽。」「璧雝」，即辟雍，在金文中又稱「大池」，〈靜簋〉銘云：「隹六月初吉，王在葊京……雩八月初吉庚寅，王以吳來、呂剛會□𦵹自、邦周射于大池。」〈遹簋〉銘云：「隹六月既生霸，穆穆王才葊京，乎漁于大池。」另外，〈井鼎〉也有類似的記載。以上述銘文內容與《周禮》記載不見辟雍之制一事相印證，可以直觀地得出這樣一個結論：辟

---

❶❾ 〔清〕阮元主編：《皇清經解》（上海：上海書店，1988 年影印本），冊 3，頁 852。

雍是周王游獵行射的專門場所，並非後人所言周代的學校重典。⑳

　　儘管如此，辟雍爲天子之學的說法並非無稽之談。上述諸銘，除〈麥尊〉之外，〈遹簋〉等均爲穆王時器。這一現象表明，作爲行射之所的辟雍曾是周穆王活動的中心，在當時周人的心目中具有相當重要的意義。這又應與當時流行的水射之禮直接相關。水射在西周早期屬正式射禮（參見前文關於〈周頌・潛〉的討論）。在周代，射禮具有相當明確而重要的政治目的，《禮記・射義》云：「古者天子以射選諸侯、卿大夫、士。……此天子所以養諸侯而兵不用，諸侯自爲正之具也。」「天子將祭，必先習射於澤。澤者，所以擇士也。已射於澤，而後射於射宮，射中者得與於祭，不中者不得與於祭。」「君子無所爭，必也射乎？」在人們關注射禮的舉行時，舉行射禮的場所也受到了普遍地關注，這應是在水射之禮流行的穆王時代爲什麼「辟雍」「大池」屢次出現於當時樂歌及銅器銘文的重要原因。射禮本身包含著習射講武、選拔人才的意義與目的，〈大雅・行葦〉即云：「舍矢既均，序賓以賢。」因此，舉行射禮的場所——辟雍，也在一定意義上具備了學校的功能。雖然終西周之世，辟雍始終沒有能夠與成均、瞽宗一道成爲周代的學校重典而進入《周禮》，但辟雍習射的傳統卻因人們的習慣而得到了保存，《禮記・射儀》「天子將祭，必先習射於澤」即指此而言，秦漢以後出現的辟雍爲周代大學的的說法，應因此而來。㉑

　　由〈靈臺〉詩知靈臺、辟雍應同處一地或相去不遠，但〈文王有聲〉又云：「鎬京辟雍」，古來學者多把「鎬京」當成「辟雍」的限定語來理解。這樣一來，在辟雍的方位問題上便產生了一個不可調和的矛盾：位於鎬京還是與靈臺相臨？上引金文材料提供了極有價值的一條線索：金文中的「辟雍」、「大池」，總是跟在

⑳　楊樹達《積微居金文說・靜簋跋》在比較〈麥尊〉、〈靜簋〉的銘文之後提出「彼云璧雍，此云學宮，名異而實同」。但是，筆者在比較兩銘時發現，〈靜簋〉所云「學宮」，爲靜教射之處，其中與〈麥尊〉「璧雍」對應的周王行射之地，應爲「大池」而非「學宮」。在〈靜簋〉中，「學宮」與「大池」明爲兩地，則〈麥尊〉之璧雍亦不能與〈靜簋〉之學宮混同。

㉑　《禮記・王制》云：「大學在郊，天子曰辟雍，諸侯曰頖宮。」《史記・封禪書》云：「（文帝）使博士諸生刺六經中作〈王制〉。」由此知〈王制〉爲漢初諸生所做。

「莽京」之後出現的。莽京是否即是鎬京，若不同，莽京位於何地？

　　筆者發現，雖然從王國維開始，「莽京」的地望問題已被許多學者專門討論過，但時至今日，這個問題仍然未被解決。郭沫若、楊樹達以爲莽京即豐京，❷楊寬《西周史》以爲「莽京當是鎬京東郊的一個小地名」，❸其他如陳夢家〈西周銅器斷代〉、劉雨〈西周金文中的射禮〉等則逕釋爲「鎬京」。但是，〈麥方尊〉「莽」寫作「」，〈德方鼎〉「鎬」寫作「」。此二器制作時代相近，但二字之形明顯不同，因此，以莽京爲鎬京的說法明顯是不能成立的。王國維《周京考》云：「其字從艸從旁，旁字雖不可識，然與〈旁鼎〉之旁、《旁尊》之旁皆極相似，當是從艸旁聲之字。莽京，蓋即《詩·小雅》『往城于方』及『侵鎬及方』之『方』。」❹其文所引《詩·小雅》二句，分別出自〈出車〉、〈六月〉。〈六月〉云：「玁狁匪茹，整居焦穫，侵鎬及方，至于涇陽。」鄭《箋》：「鎬也，方也，皆北方地名。」涇陽在周都鎬京北面，焦穫澤在涇陽西北，去涇陽不遠。由〈六月〉文義來看，鎬、方應處於焦穫、涇陽之間，其地應在今西安市西北一帶。這就是說，「方」之地望，與史籍記載中靈臺的地理位置大體相合。這又反過來證明了莽京即「方」一說的合理性，並坐實了辟雍的位置。正因爲莽京辟雍去靈臺不遠，周王才能遊於靈臺而作樂辟雍，出現〈靈臺〉所描述的熱鬧場面。

　　確定了辟雍的位置與性質，重新解釋〈文王有聲〉「鎬京辟雍」便成爲可能。詩中「鎬京辟雍，自西自東，自南自北，無思不服」一段所讚美的對象是築滅的「皇王」，由上文可知，「皇王」即周穆王。穆王之時，鎬京爲政治統治中心，辟雍爲遊射禮樂之地，若將詩意義理解爲無論周王身處王都還是遊於辟雍，天下諸侯均莫不歸服，則更能表現詩歌「四方攸同」的安寧之勢。而且，鎬京在南，辟雍在北，其地理位置亦與詩中「南」、「北」之言相合。那麼，〈靈臺〉之「於論鼓鐘，於樂辟雍」，便可作爲〈文王有聲〉「鎬京辟雍」、「皇王烝哉」意義的補

---

❷　《兩周金文辭大系圖錄考釋·參尊》（上海：上海書店，1999 年）。楊樹達：《積微居金文說·靜簋跋》（增訂本）（北京：中華書局，1997 年）。
❸　楊寬：《西周史》（上海：上海人民出版社，1999 年），頁 666。
❹　《觀堂集林》，卷 12。

足。除此之外，〈文王有聲〉云「王公伊濯」，（鄭《箋》：「公，事也。」）〈靈臺〉云「矇瞍奏公」，（《毛傳》：「公，事也。」）周王有功而矇瞍以歌樂頌之，二詩之意確可相互發明。將這兩首詩放在一起分析，同時之歌記同時之事的特點益加明白地顯露出來。

〈靈臺序〉云：「民始附也。」因史籍缺載而彌漫於昭穆時代的歷史煙塵隨著學者們的努力漸漸散去，昭穆之際四夷叛亂、民不附周的歷史真相開始在世人的面前顯現出來。〈周本紀〉「穆王閔文武之道缺，……復寧」的記載也因此有了著落。周人在穆王復寧之後創作歌頌「民始附也」的盛世之歌，不但符合歷史的邏輯，亦與〔　〕時其他樂歌反映出來的情緒相吻合。後儒將詩繫於文王，殆因誤讀《詩序》「〔　〕始附」之義所致。

綜上所述，將〈靈臺〉一詩繫於穆王之世理由有：

㈠樂鐘的使用由穆王時代開始。

㈡「辟雍」是周穆王時代的文化中心之一，頻繁地出現於當時的樂歌與銘文之中。

㈢〈靈臺〉與〈文王有聲〉語義相關聯。

㈣〈靈臺序〉與周穆王時代的史實相合。

除以上三詩之外，被當作周族生成史詩看待的〈大雅・生民〉與〈皇矣〉二詩，很可能是在穆王時代才被編入詩文本的。

〈生民〉一詩敘述了周人女祖先姜嫄無夫而孕、感天生子的故事以及其子后稷誕生後的神異之事。詩歌語言的古奧以及詩中濃厚的神話色彩表明，它應是一首起源很早、通過司掌祭祀的神職人員之口保存下來的原始祭歌。周人立國後以后稷配天的祭祀活動以及〈思文〉之歌的創作，均因〈生民〉的傳說而來。儘管如此，此詩的寫定，容在西周中期的穆王之世。首先，此詩在保留原始祭歌語言古奧特點的同時，西周中期以後才發生的語言新質在此詩中出現，即「其香始升」一句的「其」字被用為代詞，使這首原本非常古奧的樂歌露出了晚出的痕跡。第二，與〈下武序〉「繼文也」相類，〈生民序〉「尊祖也」亦表現了與穆王時代詩歌之序相同的特點。第三，在今本《詩經》中，〈生民〉列於穆王時詩〈文王有聲〉、〈行葦〉、〈既醉〉等詩之間，其編定的時代應當相同。穆王時代是周代禮樂制度

成熟化、細致化的發展階段，在禮樂相依、樂以節行的時代，禮儀的繁複也意味著樂的複雜化發展。因此，在穆王時代，周人寫定流傳已久的原始祭歌，與周初即有的〈思文〉之歌配合使用於祭祀后稷的儀式，不但為上述現象的出現提供了理由，而且與穆王時代周禮走向成熟、繁複的趨勢相吻合。因此，我們把〈生民〉一詩進入詩文本的時代放在穆王時代應是比較合適的。

〈皇矣〉一詩，除《詩序》「美周也」所反映出來的與穆王時代其他樂歌之《序》相同的特點之外，詩中的「其」字被用作代詞反復出現，如「其政不獲」、「憎其式廓」、「則友其兄」、「帝度其心」、「貊其德音」、「其德克明」等，是我們把它的創作或寫定年代定在穆王時代的主要原因。

三、燕享樂歌

《穆天子傳》中記述了許多穆天子征途之上燕飲歌樂之事，如卷五記「天子飲許男于洧上」而「用宴樂」，同卷又載穆天子與郊公飲酒歌詩之事云：

> 庚寅，天子西遊，乃宿于郊。壬辰，郊公飲天子酒，乃歌〈閟天〉之詩，天子命歌〈南山有虣〉，乃紹宴樂。

在這些記載中，以卷三記穆天子賓於西王母，與之歌詩酬唱之事最詳：

> 乙丑，天子觴西王母于瑤池之上，西王母為天子謠曰：「白雲在天，山陵自出，道里悠遠，山川間之，將子無死，尚能復來。」天子答之曰：「予歸東土，和治諸夏，萬民平均，吾顧見汝，比及三年，將復而野。」西王母又為天子吟曰：「徂彼西土，爰居其野，虎豹為群，於鵲與處，嘉命不遷，我惟帝女，彼何世民，又將去子，吹笙鼓簧，中心翔翔，世民之子，唯天之望。」天子遂驅升于弇山，乃紀名跡于弇山之石而樹之槐眉曰西王母之山。

在前文論及《穆天子傳》一書記事的真偽問題時已經說明，此書具有相當濃厚的神話色彩，在一些細節的描述上存在著很大的夸誕與不真實。而上文引述的穆天子賓

見西王母一事本身，即是一個流傳很廣的神話故事，因此，穆天子與西王母酬唱歌詩一事也不會是眞實的記錄。與此相似，此書中其他有關燕飲歌詩的記載，也不一定都是歷史的實錄。但退一步，就燕飲時歌詩奏樂這一件事而言，《穆天子傳》中的記載無疑是有相當眞實的歷史基礎的。穆王時代的銅器銘文中有許多關於穆王「鄉豊」（即饗禮）的記載，如〈遹簋〉、〈長囟簋〉等，這些記載說明，穆王時代，燕饗之禮已相當成熟。燕者，據《儀禮正義》引鄭《目錄》之文，指「與群臣燕飲以樂之禮」，本以合歡爲目的。但是，有樂不可以無禮，《禮記·樂記》云：「禮者，所以綴淫也。」「禮樂之情同，故明王以相沿也。」除卻燕末盡歡而至的「無算樂」之外，行燕禮時，獻酢往還、觥籌交錯之間用以節樂的歌樂配合必然表現出一種濃厚的禮儀意義。儀式樂歌中的燕享樂歌便是伴隨著燕饗之禮的成熟而產生出來的。反過來說，燕享之歌成爲儀式樂歌而進入詩文本，是燕饗之禮成熟的標志。《穆天子傳》中的燕樂歌詩，從一個側面折射出了當時燕飲文化的發達，也正是在這樣的文化背景下，產生了史籍記載中中國最早的燕享樂歌。這一時期的燕享樂歌，通過《詩經》保存下來的有三首：〈大雅·行葦〉、〈既醉〉和〈鳧鷖〉。

　　1.〈大雅·行葦〉：

　　　敦彼行葦，牛羊勿踐履。方苞方體，維葉泥泥。戚戚兄弟，莫遠具爾。
　　　或肆之筵，或授之几。肆筵設席，授几有緝御。或獻或酢，洗爵奠斝。
　　　醓醢以薦，或燔或炙。嘉殽脾臄，或歌或咢。
　　　敦弓既堅，四鍭既鈞，舍矢既均，序賓以賢。
　　　敦弓既句，既挾四鍭。四鍭如樹，序賓以不侮。
　　　曾孫維主，酒醴維醹，酌以大斗，以祈黃耇。　　　　．
　　　黃耇臺背，以引以翼。壽考維祺，以介景福。

此詩記錄了周王行燕射之禮的全過程：第一章起興，由仁及草木言及親於兄弟。《周禮·大宗伯》云：「以飲食之禮親宗族兄弟。」《禮記·大傳》云：「君有合族之道，族人不得以其戚戚君。」又云：「旁治昆弟，合族以食。」「戚戚兄弟，莫遠貝爾」，預示燕食之禮即將開始；二、三兩章記述燕禮場面，「或獻或酢」，

「或歌或咢」即賓主行獻酢之禮，樂工以歌樂配合之事；四、五兩章記述射禮經過；第六章，記述射後復燕、賓主互酌之禮；第七章，養老乞言以祈福壽。燕射活動的整個過程儀節有序，繁而不亂，與《儀禮·燕禮》所記大致相合。這一特點表明，〈行葦〉一詩，必然創作於燕射之禮相當成熟的時代。與此同時，〈行葦〉一詩注重描寫燕樂過程的特點，與西周後期燕樂歌辭注重描寫飲酒燕樂時的氣氛以及燕樂者的心情具有明顯的不同。據上判斷，〈行葦〉之作應在燕射之禮成熟並且流行於世的穆王時代。穆王器〈長囟盉〉銘文記載了一次儀節完備的燕射之禮。其銘云：「隹三月初吉丁亥，穆王才下淢应，穆王卿（饗）豊，即井白（伯）大祝射。穆王蔑長囟，以逨即井白氏，井白氏彌不姦。」穆王這次先饗後射的典禮活動，與〈行葦〉所載儀節基本一致，可爲〈行葦〉一詩作於穆王時代的旁證。

　　另外，根據前文對〈周頌·潛〉與〈周頌·載見〉的討論可知，此詩末章「壽考維祺，以介景福」等，是從西周中期開始流行的祈福套語。

　　2.〈大雅·既醉〉：

　　　　既醉以酒，既飽以德。君子萬年，介爾景福。
　　　　既醉以酒，爾殽既將。君子萬年，介爾昭明。
　　　　昭明有融，高朗令終。令終有俶，公尸嘉告。
　　　　其告維何？籩豆靜嘉。朋友攸攝，攝以威儀。
　　　　威儀孔時，君子有孝子。孝子不匱，永錫爾類。
　　　　其類維何？室家之壼。君子萬年，永錫祚胤。
　　　　其胤維何？天被爾祿。君子萬年，景命有僕。
　　　　其僕維何？釐爾女士，釐爾女士，從以孫子。

　　〈行葦〉記述的是因燕而射、射後復燕的過程與場面。〈既醉〉所記，則是祭畢燕饗、公尸祝福之事。鄭玄箋《詩序》云：「成王祭宗廟，旅酬下遍群臣，至于無算爵，故云醉焉。」自鄭玄之後，說詩者多以此爲成王祭畢燕群臣之辭。但是，從詩歌的語言特點來看，此詩與周初詩歌不類，相反，卻在很多方面表現出了西周中期詩歌的特點。

　　首先，在「其告維何」、「其類維何」、「其胤維何」、「其僕維何」等語中，「其」被作爲代詞使用。由本文第二章對〈有客〉一詩的考證可知，「其」被用作代詞，是西周中期以後的事情。

　　其次，語云「昭明有融，高朗令終。」此爲尸嘏主人之辭。「令終」即善終，即金文之「霝多」。㉕在金文中，「霝多」多與「眉壽」、「永命」等辭並列。如〈蔡姑簋〉：用「旂匄（介）眉壽縮綽，永命彌厈（厥）生，霝多。」〈追簋〉：「用旂匄眉壽永命，眈臣天子，霝多。」〈興鐘〉：「受余屯魯通彔永令，眉壽霝多，興其萬年永寶日鼓。」〈頌鼎〉：「用遣孝，旂匄（介）康兊屯右，通彔永命，頌其萬年眉壽，眈臣天子，霝多。」以上諸器均爲西周中後期銅器，〈頌鼎〉更晚至宣王之世。這就是說，「霝多」最早應是在西周中期才產生並逐漸流行起來的一種嘏辭。

　　另外，「介爾景福」等，亦爲西周中期產生的祈福套語。

　　此詩在語言上體現出了西周中期詩歌的特點，但是，我們如何判定它是在穆王時代創作出來的呢？

　　詩云：「既醉以酒，既飽以德，君子萬年，介爾景福。」與〈執競〉「既醉既飽，福祿來反」語義相近。除了考訂〈執競〉的時代時已經涉及的理由之外，《詩序》也提供了一些可資斷代的依據。《詩序》云：「〈既醉〉，大平也。」嚴粲《詩緝》：「太平無事，而後君臣可以燕飲相樂，故曰『大平』也。」據《史記・周本紀》的記載可知，西周初成康之世，「天下安寧，刑錯四十餘年不用」，至昭王之時，「王道微缺」，征戰不斷，「昭王南巡守不返，卒於江上」，穆王追學文、武，天下「復寧」，出現了〈文王有聲〉所描述的「四方攸同」、「自西自東，自南自北，無思不服」的太平盛世。〈既醉〉之燕樂賞賜以及「既醉」、「既飽」中所表現出來的從容與和樂，應是在這一背景下發生的，其序之「大平」，即是對這一時期社會狀況的描述與歌頌。

　　3.〈大雅・鳧鷖〉：

鳧鷖在涇，公尸來燕來宜。爾酒既多，爾殽既嘉。公尸燕飲，福祿來成。

鳧鷖在沙，公尸來燕來宜。爾酒既多，爾殽既嘉。公尸燕飲，福祿來爲。

鳧鷖在渚，公尸來燕來處。爾濟既湑，爾殽伊脯。公尸燕飲，福祿來下。

鳧鷖在潀，公尸來燕來宗。既燕于宗。福祿攸降。公尸燕飲，福祿來崇。

鳧鷖在亹，公尸來止熏熏。旨酒欣欣，燔炙芬芬。公尸燕飲，無有後艱。

〈既醉〉一詩爲祭畢燕時公尸告嘏以祈福禱頌，此詩則專美公尸來燕而福祿隨至之事。二詩在內容上前後關聯。又《詩序》云：「〈既醉〉，大平也。」「〈鳧鷖〉，守成也。」作序之口吻如出一轍。故從續序起，說詩之人即明確把此二詩當成一時之作，承〈既醉序〉之文而爲說：「大平之君子，能持盈守成，神祇祖考安樂之也。」孔《疏》云：「上篇言大平，此篇言守成，即守此太平之成功也。太師次篇，見有此意，敘者述其次意，故言太平之君子，亦乘上篇而爲勢也。」除了這些從詩句及《詩序》中所表現出來的與〈既醉〉之間的內在關聯可爲本詩的斷代提供一定的依據之外，〈鳧鷖〉本身也表現了一些能夠證明其時代的特點。

從詩歌的語言、句式來看，「福祿來成」、「福祿來爲」等祈福語句，爲西周中期詩歌所特有。在討論昭王時代的〈周頌·執競〉一詩時我們說過，在西周初年，「福」字大多單獨使用，如「自求多福」（〈文王〉）、「錫茲祉福」（〈烈文〉）等，「福祿」連言的用例是從西周中期才開始出現而流行於中期以後的。同時，西周中期的「福祿」之祈采用了「福祿來□」的語言格式，除此詩外，另如〈周頌·執競〉之「福祿來反」等。這與西周後期的「福祿如□」、「福祿□之」等句式有明顯的不同。

從詩歌的內容來看，詩歌在描寫太平之世的燕樂之歡與福祿之祈時，詩末「無有後艱」一語，表現了一種經歷災難之後猶存恐懼的複雜心情。這應是穆王時代周人特殊心態的一種反映。由前文可知，在成康盛世之後，從康王後期開始，西周社會進入了一個四夷頻反、國土不寧的混亂時期。周昭王爲平定荊楚叛亂，殞命南國，喪六師於漢。周穆王在一種「遭家不造，嬛嬛在疚」的悲哀心情中繼承了王位，他所面臨的，是「未堪家多難，予又集于蓼」的困境，〈閔予小子〉諸詩是對當時形勢的記錄與反映。爲「毖後患」，穆王追學文、武，整頓朝政，《史記·周

本紀》：「穆王閔文武之道缺，乃命伯冏申誡太僕國之政，作〈冏命〉。」又命毛班東征，三年靜東國，其事見〈班簋〉。穆王內修國政，外事武力，終於平定叛亂，天下復寧。這就是〈既醉序〉所說的「太平」之世。在經歷了一次喪師滅王的災難之後，周人重新獲得的安寧顯示了一種新的意義。如何保守成功，使不失墜必然成為理性的周人所應思考的問題，這就是《逸周書·祭公解》所云「三公監于夏商之既敗，丕則無遺後難，至于萬億年，守序終之」。〈鳧鷖序〉之「守成也」即這種反思的折射反映。詩中的「無有後艱」與〈周頌·小毖〉之「毖後患」表達禍亂未平時的決心不同，它所訴說的是禍亂既平之後周人的祈願，二者既有聯繫，又相區別。〈小毖〉是穆王繼位之初的樂歌，〈鳧鷖〉則是穆王復寧之後的作品。

《禮記·射義》云：「天子將祭，必先習射於澤……射中者得與於祭。」是周人在祭禮之先多行射禮，在祭祀儀式結束之後必有燕樂之事。穆王時器〈遹簋〉銘云：「佳六月既生霸，穆穆王在莽京，乎漁于大池，王鄉（饗）酒。遹御，亡遣。穆穆王親易遹䰯。」銘中「䰯」字，陳夢家《西周銅器斷代（六）》釋為「鳧」。㉖此銘記載了穆王「乎漁于大池」之後「鄉酒」，以「鳧」賜遹之事。「鳧鷖在涇，公尸來燕來宜」，祭畢燕尸之時，詩人以澤射所見起興，或無不可。〈遹簋〉銘文與〈鳧鷖〉之間的暗合，似可為此時的創作時代提供一個旁證。

根據以上論述，我們可以得出這樣一個結論：以描寫燕樂過程、場面為內容的〈大雅·行葦〉、〈既醉〉、〈鳧鷖〉都是穆王時代的作品。而這三首樂歌在今本《詩經》中恰恰是次第相連的，這一特點不僅說明它們在創作時代上的共同性，同時也說明，它們是以「類出現」的方式同時進入詩文本的。

上文討論了《詩經》中可考為穆王時代的儀式樂歌。除此之外，《左傳·昭公十二年》明確記載了一首祭公謀父進諫穆王的〈祈招〉之詩：楚靈王欲問鼎周室，子革述周穆王之事曰：「昔穆王欲肆其心，周行天下，將皆必有車轍馬跡焉。祭公謀父作〈祈招〉之詩以止王心，王是以獲沒於祇宮。……其詩曰：『祈招之愔愔，式昭德音。思我王度，式如玉，式如金，形民之力，而無醉飽之心。』」這是《尚書·金滕》有關周公作〈鴟鴞〉明志以喻成王的記載之後史籍當中時代最早的一首

㉖ 載《考古學報》，第 14 冊，1956 年。

諷諫之詩，其創作目的在於「止王心」而非儀式配樂。王師昆吾《詩六義原始》❷⑦的討論證明，詩文本是為儀式配樂的目的編定的。在「歌」與「詩」別類分立的西周中期，諷諫之詩不會進入為儀式歌奏目的編定的樂歌文本。❷⑧這應是〈祈招〉之詩雖做於穆王之時而未被錄入詩文本的根本原因。

四、結語和餘論

　　穆王時代是儀式樂歌創作的繁榮期，樂歌的性質與功能決定了它與禮樂儀式不可分割的密切聯繫。穆王時代是周代禮樂制度的分水嶺，與此相應，這一時期的儀式樂歌也出現了一些新的特點。

　　與西周初年的儀式樂歌相比，穆王時代儀式樂歌的內容及其性質、功能都得到了進一步的擴大。西周初年是郊廟祭祀樂歌繁榮發展的階段，保存於《詩經》當中屬於這一時期的樂歌，如〈清廟〉之三，〈我將〉、〈天作〉等，都是配合各種祀典使用的郊廟祭祀樂歌。而這一時期的紀祖頌功之歌，也均與相應的祭祀儀式相關聯，屬祭祀頌聖之歌，如〈文王〉、〈綿〉等。這些祭祀頌聖之歌在頌讚先公先王的文功武績時著重表達了天命佑周的主題。至穆王時代，昭王野死的災難使周人的天命觀念發生重大改變，人們不再匍匐於上帝神靈絕對權威的盲目崇拜之中，萌芽於周初的「皇天無親，惟德是鋪」的「德政」觀念進一步深入人心。在這樣的理性關注下，現實社會中現實的人的行為受到了前所未有的重視，先公先王創業開國、保守天下的光輝業跡也在這樣的理性關注下煥發了現實的意義。與周初樂歌注重歌頌祖先文德及其以德感天而受天命等內容不同，這一時期創作和寫定的頌功之歌，除了繼續頌揚文王受命的神話之外，祖先、時王實實在在的文功武略成為其最基本的內容。頌功之歌擺脫祭祀目的的束縛成為一種獨立的樂歌類型，儀式頌讚並提供歷史鑒戒成為其最主要的目的。

　　在儀式頌功之歌沿著頌神向頌人的現實化道路發展時，燕享樂歌的出現，則對

---

❷⑦　載《揚州大學中國文化研究所集刊》第 1 輯（南京：江蘇古籍出版社，1998 年）。

❷⑧　參見拙文〈從《詩經》看「歌」與「詩」的分立與合流〉，《文學評論叢刊》，第 3 卷第 1 期。

詩文本的形成乃至整個中國文化史的發展都發生了深遠的影響。燕享樂歌是隨著燕享之禮的發展而產生的。也可以說，燕享樂歌作為儀式樂歌進入詩文本，是燕禮成熟的標志。燕禮在五禮中屬嘉禮，燕者，燕飲以樂也，禮者，所以綴淫也。本以合歡為目的的燕飲活動，通過獻酢往還、觥籌交錯之間歌以節樂的儀式行為表現了濃厚的倫理政治意義。《禮記·燕義》云：「燕禮者，所以明君臣之義也。」燕禮最集中地體現了禮樂相須為用的文化精神。隨著歷史的發展，蘊含於燕禮儀式中的政治與文化意義日漸加強，燕飲不但成為西周後期周人禮儀行為的主要內容，而且更進一步構成了中華民族行為方式中以飲食為中心的文化基礎。與此相應，產生於穆王時代的燕享樂歌，在西周後期逐漸取代原祭祀樂歌曾經佔據的位置而成為儀式樂歌中最主要的內容，開後世酒筵文化繁榮發展之先河。

　　就詩文本的形成而言，穆王時代的意義不僅在於儀式樂歌的創作與新的樂歌類型的出現，它還通過編輯儀式樂歌，為後世提供進一步編輯的文本基礎一事表現出來。《管子·小匡》云：

　　　　昔吾先王昭王、穆王，世法文武之遠跡，合群國比校民之有道者，設象以為民紀，式美以相應，比綴以書，原本窮末，冀除其顛旄，賜予以鎮撫之，以為民終始。㉙

　　《國語·齊語》有一段與此相似的記載，韋昭注云：

　　　　設象，謂設教象之法於象魏也。《周禮》：「正月之吉，懸法於象魏，使萬民觀焉，挾日而斂之。」所以為民紀綱也。

這就是說，在戰國時代人們的記憶中，周昭王、穆王時代有一次大規模的文籍編纂活動。傳世文籍關於穆王時事的記載表明，整頓朝綱，建立與政治需要相適應的政權秩序以維護其統治是穆王朝政的顯著特點，《尚書·呂刑》與《周本紀》所載

㉙　郭沫若：〈管子集校〉，《郭沫若全集·歷史編》（北京：人民出版社，1984年）。

〈冏命〉等，均因此而作。《逸周書‧祭公解》、〈史記解〉等則是對穆王敬德、法祖、重禮、安民等統治思想最有說服力的注解。因此，我們認爲，《管子》所載文籍編纂活動的具體時間，應發生在穆王復寧天下之後；活動的實質，則是寫定各種禮制以提供行動的準則。作爲禮樂文化的重要組成，配合各種儀式使用的樂歌也必然得到編輯和整理。

　　穆王時代曾經編定儀式樂歌的另一個有力證據來自《詩序》。〈周頌〉中的〈閔予小子〉、〈訪落〉、〈敬之〉、〈小毖〉四詩之序分別爲「嗣王朝於廟也」，「嗣王謀於廟也」，「群臣進戒嗣王也」，「〈小毖〉，嗣王求助也」。嗣者，繼也。與他詩之序中作爲祭祀對象或被頌先王而出現的「文王」、「武王」等有定指的稱謂不同，「嗣王」一詞，是就當時繼嗣在位的周王而言的。由前文的考訂可知，〈閔予小子〉四詩，是應穆王繼位時特殊的儀式需要而產生的組歌，突出地表現了穆王在昭王野死之後倉促繼位時的悲憫之情、所面臨的艱難之境以及繼承先祖王業的果決之心。《詩序》中的「嗣王」，無疑是就當時繼承君位的周穆王而言的。換句話說，周穆王之世一定編輯過儀式樂歌。這是周代歷史上繼康王三年「定樂歌」的活動之後儀式樂歌的第二次結集，也是周宣王重修禮樂時進一步編輯詩文本的基礎。

經 學 研 究 論 叢
第 十 一 輯　頁173～194
臺灣學生書局　2003 年 6 月

鍾惺《詩經》評點的版本問題

侯美珍*

一、前言

鍾惺（1574－1625）是明末竟陵派的代表人物，其詩論與詩作，風靡一時，也頗受後人爭議。而在經學方面，評點《詩經》之作，則成爲後來研究者矚目的焦點。

關於鍾惺《詩經》評點的版本問題，以往的研究者大都略而不談，或簡單交代，未能深究。筆者僅見李先耕先生〈鍾惺《詩》學著書考〉❶及張淑惠《鍾惺的詩經學》❷論文中，有較多的討論，然因鍾惺的評點本大都是明代刊印的古書，散居各地，要檢尋、比較，煞費工夫，如李文之立論，主要憑藉前人所作的書目提要，似未親見鍾惺評點之作；張淑惠之論文雖參見了日本九州大學藏本及臺灣的國家圖書館藏本，可惜兩種版本近似，皆源出於初評本（詳後），未能將鍾惺《詩經》初評本、再評本的差異指出來。且所據資料有限，未能參考搜羅大陸古籍最爲詳備的《中國古籍善本書目（經部）》一書的著錄❸，尤爲可惜。是以文中所言，或語焉不詳或推論錯誤，也就在所難免。

---

*　侯美珍，臺南女子技術學院講師、政治大學中國文學系博士班研究生。

❶　此文載於日本《詩經研究》第 21 號（1997 年 2 月），頁 1－4。

❷　《鍾惺的詩經學》（東吳大學中國文學研究所碩士論文，2000 年 6 月），頁 107－111。

❸　見《中國古籍善本書目（經部）》（上海：上海古籍出版社，1989 年 10 月），頁 142。

　　要全面探討《詩經》評點的版本問題，委實不易，筆者僅就所見所知，論述於後，期能對前人關於此課題的論述，有所補充、修正和突破。

二、鍾惺《詩經》評點的版本

　　鍾惺評點《詩經》，據其自述，初次評本刊於吳興凌氏後，續有所得，又再重新批閱一過，〈詩論〉云：

> 予家世受《詩》，暇日，取《三百篇》正文流覽之。意有所得，間拈數語，大抵依考亭所注。稍爲之導其滯，醒其癡，補其疎，省其累，奧其膚，徑其迂。業已刻之吳興。再取披一過，而趣以境生，情由日徙，已覺有異於前者。友人沈雨若，今之敦《詩》者也，難予曰：「過此以往，子能更取而新之乎？」予曰：「能。」夫以予一人心目，而前後已不可強同矣。後之視今，猶今之視前，何不能新之有？

　　按：《隱秀軒集》收錄此文未署作成時間❹，復旦大學藏鍾評《詩經》三色套印本卷前所附〈詩論〉後署「明泰昌紀元歲庚申冬十一月竟陵鍾惺書」，庚申爲泰昌元年（1620）。據此，上述引文所謂「業已刻之吳興」者，即爲初評本，所謂「再取披一過，而趣以境生，情由日徙，已覺有異於前者」，所指當爲泰昌元年之際成書的再評本。而到底「異於前者」何在？先前的研究者由於未能目睹再評本，或未刻意做比較，是以對此問題未曾探究。

　　筆者在比較初評本、再評本差異時，先對初評本的問題加以梳理。

三、鍾惺《詩經》評點初評本

　　在初評本前所附凌濛初〈鍾伯敬批點《詩經》序〉云：「吾友鍾伯敬，以

---

❹　不管是天啓二年沈春澤刊《隱秀軒集》（北京：北京出版社，2000 年 1 月，《四庫禁燬書叢刊》集部第 48 冊），或今人李先耕、崔重慶標校本《隱秀軒集》（上海：上海古籍出版社，1992 年 9 月），所收〈詩論〉皆未署年月。

《詩》起家，在長安邸中，示余以所評本。……」凌杜若的識語又云：

> 仲父初成自燕中歸，示余以鍾伯敬先生所評點《詩經》本，受而卒業，玩其
> 微言精義，皆于文字外別闢玄機，足爲詞壇示法門，非僅僅有裨經生家已
> 也。因壽諸梨棗，以公之知《詩》者。

初成，爲凌濛初字。可知初評本爲鍾惺評畢交給凌濛初，凌濛初再轉交姪子凌杜若刊印而成。

以下就筆者目前所見的三種初評本，簡介如下。

㈠ **日本九州大學藏本**（以下簡稱「九大本」）

周彥文先生《日本九州大學文學部書庫明版圖錄》一書著錄九大本不分卷，「20.9×14.8，半葉 8 行，行 18 字。左右雙欄，白口，無魚尾。」卷首題「竟陵鍾惺伯敬父批點」❺；筆者要補充的是：此書的經文爲宋體字（硬體）墨色，而眉批、旁批爲楷體（軟體）朱色，且無界欄。卷前有凌濛初〈鍾伯敬批點詩經序〉、凌杜若識語、〈詩大序〉，並經文共四冊；而〈小序〉單獨二冊，但錄序文，並無鍾惺批語。

㈡ **臺北國家圖書館藏本**（以下簡稱「國圖本」）

據《國家圖書館善本書志初稿》著錄，國圖本分成四卷六冊，版框高 20.8 公分，寬 14.5 公分，左右雙邊，每半葉 8 行，行 18 字。左右雙欄，白口，卷首題「竟陵鍾惺伯敬父批點」。❻

又國圖本的經文亦爲宋體字墨色，而眉批、旁批爲楷體朱色，且無界欄。卷前有凌濛初〈鍾伯敬批點詩經序〉、凌杜若識語、〈詩大序〉，皆與九大本同。經筆者仔細核對，兩書之字體、批語位置、圈點情況皆極近似。

此本與九大本最爲相近，依上述資料看來，大都一致，版框高、寬差距甚微，

---

❺ 見《日本九州大學文學部書庫明版圖錄》（臺北：文史哲出版社，1996 年 6 月），頁 12。

❻ 國家圖書館特藏組編《國家圖書館善本書志初稿‧經部》（臺北：國家圖書館，1996 年 4 月），頁 83。

最大差別在此本未附〈小序〉及分冊不同。根據前引書志所述，九大本未分卷，而國圖本分成四卷似有不同，然經筆者仔細核對，國圖本不管是卷首、版心皆未明標卷數，而何以被定爲四卷呢？蓋因該書版心下方標頁次，〈國風〉、〈小雅〉、〈大雅〉、〈頌〉四部份的頁數自爲起迄❼，故定爲四卷。而九大本版心標識頁次的情況，完全與國圖本相同。也就是說，書志言九大本未分卷而國圖本分成四卷，並非二書分卷眞的有別，實爲著錄者認定差異所致，若依周彥文先生著錄九大本的標準來看，國圖本亦可云「不分卷」而非「四卷」；若依《國家圖書館善本書志初稿》著錄的標準，則九大本應云：「詩經四卷，小序一卷」❽。

㈢ **上海復旦大學藏本**（以下簡稱「盧本」）

　　復旦大學所藏鍾惺《詩經》評點共有二本，一爲再評的三色本（詳後），一爲初評本。雖同爲初評本，但復旦所藏初評本，與前二本在版刻上差異較大，此書分成上、中、下三卷，上卷爲〈國風〉，中卷爲〈小雅〉，下卷爲〈大雅〉、〈三頌〉，版框高 22 公分，寬 14.5 公分，半葉 9 行，行 20 字，白口，有單魚尾。卷首題「竟陵鍾惺伯敬評點　錢塘盧之頤訂正」，經文、序、批語皆爲墨色宋體字，且有烏絲欄。卷前有凌濛初〈鍾伯敬批點詩經序〉、〈詩大序〉，此本未附〈小序〉，不同於前二本初評本的還有此本無凌杜若識語。

　　按：《中國古籍善本書目（經部）》「詩經四卷小序一卷　明鍾惺評點 明凌杜若刻朱墨套印本」一條，注明共有復旦大學等二十三處有藏本，似有誤，復旦並無此朱墨套印本，似誤將盧本歸類於凌氏朱墨套印本，然其所云卷數與墨色均與盧本不符合。

　　考盧本卷前有「高氏吹萬所得善本書」章，村山吉廣先生作有〈高吹萬《詩經》蒐書軼事〉一文❾，介紹高吹萬其人及其《詩經》藏書，復旦大學所藏的兩本鍾惺《詩經》評點本，均爲高氏所捐贈。村山先生文中引及高氏寄贈《詩經》書

---

❼ 該書頁次標識如下：〈國風〉自〈周南・關雎〉頁 1 至〈豳風・狼跋〉頁 59；〈小雅〉自〈鹿鳴〉頁 1 至〈何草不黃〉頁 47；〈大雅〉自〈文王〉頁 1 至〈召旻〉頁 31；〈頌〉自〈周頌・清廟〉頁 1 至〈商頌・殷武〉頁 15。

❽ 九大本的〈小序〉，頁數亦自爲起迄，自〈周南・關雎〉頁 1，至〈商頌・殷武〉頁 52。

❾ 《詩經研究》第 21 號（1997 年 2 月），頁 5─11。

目，著錄此本爲：

　　詩經三卷　〔明〕鍾惺評點　明刻本朱墨批點三冊

　　觀其言「朱墨批點」，易使人誤以爲此本同於常見的「凌氏朱墨套印本」，經筆者考察，此乃後來持有此書的收藏者，用朱墨註記密密麻麻的批語，故云「朱墨批點」，其書印行時初爲單色，與九大本、國圖本印行時即爲朱墨二色不同。❿

　　《中國叢書綜錄》著錄鍾惺評點「詩經三卷」⓫，並註此本爲《合刻周秦經書十種》之一。李先耕〈鍾惺《詩》學著書考〉云：

　　鍾惺評點《詩經》另有一個《合刻周秦經書十種》中之三卷本。《中國叢書綜錄》言此爲錢唐（塘）盧之頤溪香書屋所刻。據《錢唐縣志》及杭世駿《道古堂集》所載盧傳，知盧字縣，號晉公，自稱盧中人。其父盧復隱于醫，他益精其術，博覽群書。其《合刻周秦經書十種》中有《廣成子校》、《黃石公素書》、《譚子化書》三種也被收入天啓中杭州印行的《合名家批點諸子全書》中。由此似可推論溪香書屋本鍾評《詩經》或亦刻于天啓中。⓬

---

❿　《中國古籍善本書目（經部）》又著錄了「詩經四卷　明鍾惺評點　明末刻本」一條，雖亦是單色刻本，但卷數四卷，此本與盧本亦不同。

⓫　見上海圖書館編《中國叢書綜錄》（上海：上海古籍出版社，1986 年 2 月）第二冊〈經部‧詩類〉。

⓬　關於盧本刻印時間，李先生之推論可採，然語有小誤。其言乃參《中國叢書綜錄》第一冊頁 51「合刻周秦經書十種」、頁 693「合諸名家批點諸子全書」二條立論，細核後，李文所言「《合刻周秦經書十種》中有《廣成子校》、《黃石公素書》、《譚子化書》三種也被收入天啓中杭州印行的《合名家批點諸子全書》中」一段有三處待斟酌：一《廣成子校》，原作《廣成子》或《廣成子註》；二、《合名家批點諸子全書》脫一「諸」字，應作《合諸名家批點諸子全書》；三、除所述三種書外，《合諸名家批點諸子全書》中又輯有《黃帝陰符經》一卷，云：唐李筌等注，明虞淳熙評點，「溪香館刊」。故盧之頤所刻《合刻周秦經書

據李文之推論，則復旦所藏的盧本，當爲盧之頤溪香書屋所刻，時間則約在天啓中。

四、三種初評本評語差異的考察

前一節所論，乃專對版式差異、卷數、墨色等做了大略的介紹和比較，以下將針對鍾惺評語的部份，來比較三本之差異。

在字體方面，三本之間常有簡俗字等用字的差異。如：「個」用「箇」、「个」；「體」用「体」、「骵」；「懼」用「惧」；「靈」用「灵」；「聽」用「听」；「辭」用「辞」；「妙」用「玅」；「憐」用「怜」；「厲」用「厉」；「禍」用「衬」；「幾」用「几」；「婦」用「婋」；「機」用「机」；「邇」用「迩」；「觀」用「观」；「難」用「难」等。雖字形不同，而於文義無礙。

相較之下，九大本、國圖本批語爲手寫軟體字，書寫較隨意，多用簡俗字，其中尤以國圖本所用簡俗字較多。張淑惠指出國圖本「多有行草簡體」，而九大本「則爲標準楷體」❸，有待商榷。以筆畫、字形而言，九大本較流動，趨於行草，國圖本反顯得較工整，但差別甚微；至於用簡俗字方面，國圖本雖稍多，但兩本相去不遠。而盧本批語用宋體（硬體字），較少用簡俗字的特徵則十分顯然。茲舉以下數例以明之。

九大本	國圖本	盧本
〈碩人〉眉批「不在形骵」	「不在形体」	「不在形體」
〈緇衣〉眉批「只是个眞」	同左	「只是個眞」
〈無羊〉眉批「几於相忘矣」	同左	「幾於相忘矣」
〈魯頌〉題下批「盡脫風体」	同左	「盡脫風體」
〈那〉眉批「先祖是听」	同左	「先祖是聽」

十種》收入《合諸名家批點諸子全書》中者，應有四種。

❸ 參《鍾惺的詩經學》，頁109。

除版式、墨色、簡俗字之差異外，在批語的內容上，因三本皆爲初評本，差異並不大。茲就以下數端分別言之。

㈠ 批語安放的位置不同

如〈摽有梅〉詩，九大本、國圖本篇題下批「三箇求字，急忙中甚有分寸」；盧本此段批語置於書眉。〈小星〉第一章批語「寔命句，非婦人語」，九大本、國圖本置於第一章末；盧本則置於書眉。

㈡ 因刻本錯字而相異

1.九大本字誤

⑴〈碩人〉眉批「洛神賦」，誤作「洛神試」。

⑵〈緇衣〉眉批「適館授粲」，誤作「適館將粲」。

⑶〈大叔于田〉眉批「不過媚子狎客從吏游戲者」，「吏」誤作「更」。

⑷〈匪風〉眉批「好音，動之以名也，清議存而主權亡矣」；誤作「主權正」。❹

⑸〈巷伯〉眉批「身罹其害，代爲之謀，似謔似呆，妙甚妙甚」，「謔」誤作「調」。

⑹〈巷伯〉「視彼驕人」眉批「視字妙，即俗所云：看他不過也，禍福意且後一步」，誤作「……衬福意日後一步」。

⑺〈采菽〉眉批「亦是戾矣」，誤作「亦是淚矣」。

⑻〈魯頌〉題下批「舂容大章」，誤作「舂容六章」。

2.國圖本字誤

⑴〈大叔于田〉眉批「不過媚子狎客從吏游戲者」，國圖本與九大本同，

---

❹ 明末清初之士人，對於「清議」有不同的評價，「主權正」、「主權亡」褒貶之意懸殊，一字之差攸關極大。此斷九大本作「主權正」爲誤字，乃因：⑴其他版本作「亡」。⑵萬時華與譚元春友善，所作《詩經偶箋》成書距鍾惺《詩經》評點成書之時不遠，《偶箋》卷5引作「清議存而主權亡矣」。⑶鍾惺〈邸報〉詩云：「……片字犯鱗甲，萬里縈魑魅。目前禍堪忱，身後名難計。邇者增諫員，韬鐸略已備。褒誅兩不聞，人人爭慕義。……耳目化齒牙，世成罵詈。嘵嘵自嘵嘵，憒憒自憒憒。……杞人彌憂畏。」（《隱秀軒集》卷2）萬曆年間諸多諫爭現象，深致憂慮。

「吏」誤作「更」。

(2)〈有客〉眉批「讀『有客有客』，周之待士何其特達懇至也」；國圖本「有客有客」誤作「有客有要」，「周之待士」誤作「用之待士」。

(3)〈小毖〉眉批「創鉅痛深，傷弓之鳥」，國圖本「鳥」誤作「鳴」。

3. 盧本字誤

(1)〈簡兮〉眉批「不可作忿怨看」，盧本空一格，脫「忿」字。

(2)〈唐風・揚之水〉眉批「蓄百叔段」，盧本誤作「蓄伯叔段」。

(3)〈白華〉眉批「景疏而澹」，盧本空一格，脫「澹」字。

(4)〈板〉眉批「『夸毗』二字分開成不得小人」；盧本「開」誤作「聞」。

(5)〈有客〉眉批「讀『有客有客』，周之待士何其特達懇至也」；盧本與國圖本同，「有客有客」誤作「有客有要」，「周之待士」誤作「用之待士」。

(6)〈小毖〉眉批「創鉅痛深，傷弓之鳥」，盧本與國圖本同，「鳥」誤作「鳴」。

㈢ 其它

1. 措辭雖略有差異，但難斷是非。如〈小雅・常棣〉「和樂且孺」句下評「孺字甚妙」；盧本作「孺字妙甚」。〈宛丘〉「畫出蕩子」，九大本作「畫出浪子」。此種差異難定是非，亦較無關緊要。

2. 九大本漏刻批語：〈大東〉眉批「糾糾二語，似亦古語，凡詩中重用者，類皆古語。如『立我蒸民』、『不識不知』、『毋逝我梁』等句是也」；九大本漏刻「糾糾二語，似亦古語，凡詩」兩行眉批，遂使語意不明。

3.〈狡童〉第一章，只有國圖本有眉批「酷肖」二字，另二本則無。

4.〈大明〉「俔天之妹」句，只有國圖本有旁批「奇語」二字，另二本則無。

以上三類，㈠、㈢之例少之又少，㈡例較多，多出於校對不謹嚴。綜合以上所論，可知此三種版本雖出自不同的版刻，但皆以初評本為藍本，故無太大的差異。

五、初評本與再評本的比較

筆者所見的再評本乃復旦大學所藏三色套印本（以下簡稱「三色本」或「再評本」），「三色」指朱、黛、墨三色，經文用墨，以朱、黛二色施之於圈評上。以

九州大學所藏朱墨套印初評本與此三色本比對，發現三色本乃據九大本加以剜刻、補充而成。

三色本的版式，如：版框高 20.9 公分，寬 14.8 公分，半葉 8 行，行 18 字。左右雙欄，白口，無魚尾、無界欄、卷首題「竟陵鍾惺伯敬父批點」等，全與九大本同。墨色經文、朱色批語和圈點，不論就字體、批語位置來看，大致是完全一樣的，可看出乃源於相同的刻版所印，朱評不同處多爲再評增補時所作的取捨。其大致情況如下：

㈠ 裁換書前的序

九大本等初評本卷首原有的凌濛初序、凌杜若識，乃針對初評本而發，三色本爲再評本，刪去不適用的舊序，改冠以鍾惺自作署爲泰昌元年的〈詩論〉，觀此論之內容，應是以論代序，乃針對此次再評本刊行而作。序的不同，是辨別初、再評本的重要依據。

㈡ 評語的修正及補充

所謂「再取披一過，而趣以境生，情由日徙，已覺有異於前者」（〈詩論〉），「異於前者」的心得，反映在再評本評語的修正、補充、新增上。茲將初評本、再評本評語異同比較、介紹如下。

在對初評本原有評點的處置方面，再評本大多將初評本原有的評語原式保留。其例頗多，所見三色本中，凡作朱色的評語、圈點者，皆爲初評本所有，三色本襲用。如以下四例，皆是初評本原式保存在再評本中之例。

1. 〈關雎〉朱色眉批：「看他『窈窕淑女』三章說四遍。」「左右流之」朱色旁批：「句法。」
2. 〈邶風‧柏舟〉朱色眉批：「『如匪澣衣』，形容工妙，後人累言不盡，此只四字了了，古人文字簡奧如此。」
3. 〈車攻〉「蕭蕭馬鳴，悠悠斾旌，徒御不驚，大庖不盈」，朱色眉批：「『蕭蕭馬鳴』四語，粧點太平光景殆盡。」
4. 〈沔水〉朱色眉批：「『誰無父母』四字，詞微意苦，可思可涕。」

或有刪去朱色評語的情形，但大都不是出於對初評的否定，而是再評時因有新意要補入，覺原評意有未盡，而以黛色新評加以修正、補充。修正幅度之大小，補

充字數之多寡，則各有不同。如以下所舉〈葛覃〉、〈芣苢〉兩例，新評所增不多，而〈君子偕老〉、〈氓〉二詩，新評則補入了較多的評語。

1. 〈葛覃〉朱色眉批：「家常話乃爾風雅。」再評本刪去此條，改黛色題下批：「不外家常恭勤語，說來風雅。」

2. 〈芣苢〉朱色題下批：「不添一語。」再評本刪去，改黛色題下批：「此篇作者不添一事，讀者亦不添一言，斯得之矣。」

3. 〈卷耳〉朱色眉批：「篇法甚妙。」「不盈頃筐」朱色旁批：「虛象實境」。再評本刪去此二條，而仍採其意加以綜合，改用黛色在題下批：「此詩妙在誦全篇，章章不斷；誦一章，句句不斷；虛象實境，章法甚妙。」

4. 〈君子偕老〉朱色眉批：「後二章只反覆歎咏其美，更不補出不淑，古人文章含蓄映帶之妙。」再評本刪去，用黛色眉批擴充如下：

　　後二章只反覆詠歎其美，更不補出不淑字義，固是古人文章含蓄映帶之妙。而一種傷心不忍言之事，作者自不欲說明，看「云如之何」四字，多少感歎在內，「猗嗟昌兮」一篇，立言之法亦如此。

5. 〈氓〉詩「匪我愆期，子無良媒，將子無怒，秋以爲期」句下，朱色初評：「子無良媒，譴之也。」評語簡略，再評本刪去，依然在句下以黛色再評：

　　奔豈有媒乎？「子無良媒」，譴之也。非惟此句，并「將子無怒，秋以爲期」，亦是譴之之詞。蓋「抱布貿絲」此春時事也，此時已身許之矣，故又以此戲之，古今男女狎昵情詞，不甚相遠，但口齒醞藉，後人不解，遂認真耳。

　　有時候對於初評的補充，並不以刪去舊評爲手段，而是另立一條黛色新評，仍保留原有的朱色評語，以新評來爲原評作註解、補充。如：

1. 〈凱風〉朱色題下批「立言最難，用心獨苦」。再評本另補黛色眉批以明何以「立言最難，用心獨苦」，云：「〈小弁〉，親之過大者也，然說得出；〈凱

風〉，親之過小者，然說不出，所以立言蓋苦。」⑮

2.〈燕燕〉「下上其音」朱色旁批：「句法。」再評本另補黛色旁批：「音字從飛字看出，故曰下上，妙手。」據原評只知句法佳，卻不知鍾惺何以賞此句。由於再評本點明，方知因上句言「燕燕于飛」，下句用「下上」點出鳥鳴因飛翔時忽上忽下而不定，甚為貼切，此乃妙處所在，讀者藉由再評的補充而知鍾惺嘉許此句之故。

又有一種情形是，原評只有朱色圈點符號，而無評語，讀者但知圈點之處常意味著此詩之關鍵、主旨所在，或是意涵佳，或是描寫出色、句法字法可取……，但在未有評語的情況之下，鍾惺所下圈點符號的用意、所指為何，常使讀者難以掌握，再評本在這方面也做了部份的補充。如：

1.〈日月〉「畜我不卒」句旁原只有朱色圈。再評本加上黛色評語：「語痴得妙，婦人口角。」可明其畫圈之因，乃因此句詩的口吻，和詩中婦人角色、情感契合無間。

2.〈君子于役〉詩第一章初評作：

　　君子于役，不知其期，曷至哉！雞棲于塒，日之夕矣，羊牛下來，君子于役，如之何勿思。

初評只在「曷至哉」旁加「、」及在「雞棲于塒」三句旁畫「○」，代表讚賞，而其佳處為何，則未有評語說明。再評黛色眉批云：「著此一語，節奏妙哉○無聊之極，物物相關。」藉此而知鍾惺賞此詩在四字句中，插入「曷至哉」三字句，句子的長短參差，使節奏有了變化。而畫圈三句，則寫出了一個思婦的心情，觸目所見諸物，皆能引發了思念遠人的情緒。

以上所引的再評，皆與初評略有相關，或修正、或加以補充，或予以點明，將初、再兩評本對照，有助於對原評的理解，對於詩篇的賞析也大有裨益。另外，再

⑮　鍾惺之論，本自《孟子·告子篇》云：「〈凱風〉，親之過小者也；〈小弁〉，親之過大者也。」

評本中有許多新增的評語，數量相當可觀，不亞於原評。

　　新增的評語，或短至是一、二字，如以下數例：

　1.〈小星〉「三五在東」句，黛色旁批「像」。

　2.〈出車〉「僕夫況瘁」句，黛色旁批：「妙」。

　3.〈碩鼠〉「三歲貫女」句，黛色旁批「妙語」。

　4.〈伐木〉「神之聽之」句，黛色旁批「怕人」。

亦有長篇大論者，如〈皇矣〉詩，再評不管是眉批、行批，皆增加了許多的評語，其中一條黛色眉批云：

> 古公傳季歷以及文王，經史中無如此詩說得明備婉至，而立言甚妙，不露嫌疑形迹，大要歸之天意，開口便言上帝、求民莫，作一篇主意。〔中略〕……「帝謂文王」以後四章，詳言文王，以終古公上承天意，立季傳昌之意，周之王業機緣，決于此矣。

長達一百五十三字。又〈雄雉篇〉黛色題下批語云：

> 此不是夫婦泛常離別之詩，蓋其君子在外，而又或履憂患，其室家非惟思之，且憂之，〔中略〕……大抵古人作者所處時地不同，胸中各有緣故，雖不可穿鑿強解，然玩文察義，亦自可想見其一二，無千篇一律之理，讀漢魏人亦然。

此條更長達一百五十七字之多。由於圈點等符號常是配合著評語而施，再評本評語的補充、增改，圈點符號也必須隨之調整，僅舉以下數例，以窺一斑。

　1.〈泉水〉「毖彼泉水，亦流于淇」，黛色旁批：「亦字悲甚。」經文原無任何符號，再評在「亦」字旁畫上「○」。

　2.〈靜女〉「說懌女美」，黛色眉批：「四字簡妙，可該篇末二語之義。」篇末二語，指「匪女之為美，美人之貽」二句，原經文「說懌女美」句旁無任何符號，再評在旁畫上「○」。

3. 〈頍弁〉「庶幾說懌」，黛色眉批：「庶幾二字，最得情。」再評在此詩句旁加上「○」。同詩「樂酒今夕」黛色眉批：「四字悲。」經文在此句旁加上「、」。

六、對舊説的檢討

以上幾節，對初評本間的出入，及初評、再評本間的不同做了討論、比較，本節主要在對以往關於鍾惺《詩經》評點版本的著錄和論述，加以檢討和商榷。

㈠ **關於初評本**

除筆者前述九大本、國圖本、盧本等親見三種版本外，《續修四庫全書總目提要（經部）》⑯著錄了「批點詩經不分卷　明鍾惺　吳興凌氏刊朱墨本」一條。因張壽林所撰提要中引及凌序，應為初評本，以其「不分卷」及朱墨二色套印，似與九大本、國圖本相近。

又，村山吉廣先生〈鍾伯敬《詩經鍾評》及其相關問題〉文中云：「筆者所見者有《鍾伯敬先生評點詩經》明刊二冊本（內閣文庫藏），但這書不載〈詩論〉，圈評也簡略。」⑰村山先生所論是和再評本相較而言，此亦應是初評本。觀此內閣文庫藏本題作「鍾伯敬先生評點詩經」、分二冊，與筆者所見三種版本皆不同，因未曾寓目，其間的異同，暫且存而不論。但至此，最少已知初評本有四種版本了。

《中國古籍善本書目（經部）》「詩經四卷小序一卷　明鍾惺評點 明凌杜若刻朱墨套印本」一條，注明共有復旦大學等二十三處有藏本，雖歸為一條，依本文前面所論盧本的情況，這二十三處歸為一類的藏本疑不完全一致，至於是否有出於以上所論版本以外的，尚待考察。

㈡ **關於再評本**

關於再評本，除筆者所見復旦三色本外，另有若干線索，以下一一討論。

---

⑯ 見《續修四庫全書總目提要（經部）》（北京：中國科學院圖書館，1993 年 7 月），頁 321，下欄。

⑰ 此文原載日本《詩經研究》第 6 號（1981 年 6 月〔昭和 56 年〕），頁 1—7，本文中所引參林慶彰先生譯文，載《中國文哲研究通訊》第 6 卷第 1 期（1996 年 3 月），頁 127—134。

1.內閣文庫藏《詩經鍾評》三冊本

　　在村山先生〈鍾伯敬《詩經鍾評》及其相關問題〉一文中又提到有「稱鍾惺選的《詩經鍾評》一書」，是「內閣文庫所藏，有杞堂藏版，明泰昌元年序刊的三冊本」，卷首載有〈詩論〉，「它的特色是在詩的本文施加圈評」云云。對此書版本說明不甚清楚，但由其言「泰昌元年序刊」，又有〈詩論〉的特徵，且以村山先生文中所引的五條評語與初、再評本核對，或有不見於初評本者，然皆可見於復旦大學所藏的三色本中⓲，可見《詩經鍾評》當爲再評本。

　　文中村山先生強調「《詩經鍾評》不是硃評」；在村山先生另一大作：〈竟陵派的詩經學——以鍾惺的評價爲中心〉中，亦註明了「《詩經鍾評》不是朱墨印本」⓳，不是硃評、朱墨印本，那是否爲三色套印本呢？疑此本爲墨色單印，故未特別提及其用色。而此本與復旦三色本同爲再評本，但略有差異，卻是可確定的。

2.美國國會圖書館藏本

　　據王重民《中國善本書提要》著錄，美國國會圖書館藏有二本鍾惺《詩經》評點本，以二本卷首皆有署爲泰昌元年所作的〈詩論〉，故應同爲再評本。《提要》所云如下⓴：

　　　　　　　【詩經四卷小序一卷】　　五冊（國會）
　　　　　明凌氏朱墨印本〔八行十八字（20.8 ×13.6）〕
　　　原題：「竟陵鍾惺伯敬父批點。」卷端有〈詩論〉，蓋即其自序，有云：
　　「予世家受詩，暇日取《三百篇》正文流覽之，意有所得，間拈數語，〔中略〕……何不能新之有？」評語有硃黛兩色，殆以分別前後兩次評語之不同

⓲ 舉村山先生所引〈茉苢〉一條爲例：「此篇作者不添一事，讀者不添一言得之。」初評本無此條，但作：「不添一語。」復旦三色本作：「此篇作者不添一事，讀者亦不添一言，斯得之矣。」略有小異，原因除可能是微引筆誤，亦有可能如不同的初評本彼此互有小異一樣，再評本間也略有出入，待考。

⓳ 村山吉廣著、林師慶彰譯：〈竟陵派的詩經學——以鍾惺的評價爲中心〉，《中國文哲研究通訊》第 5 卷第 1 期（1995 年 3 月），頁 79－92。

⓴ 引自《中國善本書提要》（上海：上海古籍出版社，1982 年），頁 10。

歟?美國有一本,卷内有「檋倉氏藏書」,「武因之印」兩印記,武因日本人,卷内日讀,蓋即武因手加者。余見另一本,有凌濛初序及凌杜若跋,並言評本從燕中得之陳氏。杜若因壽諸棗梨,以公之知《詩》者。

　　自序〔泰昌元年(一六二〇)〕

　　　　【詩經四卷】　　四冊(國會)

　　明朱墨印本〔八行十八字(20.8 ×13.6)〕

原題:「竟陵鍾惺伯敬父批點。」按此本後印,且缺《小序》一卷。

　　自序〔泰昌元年(一六二〇)〕

據以上《提要》所言,有幾點可以討論。

　　其一,「余見另一本,有凌濛初序及凌杜若跋,並言評本從燕中得之陳氏。杜若因壽諸棗梨,以公之知《詩》者。」此「另一本」有凌氏序、跋,當為初評本,然「言評本從燕中得之陳氏」一語甚為可疑,據筆者所見初評諸本前凌濛初〈序〉、凌杜若識所云,初評本為凌濛初在燕中時鍾惺親授。❷不知王重民所見「另一本」是何種版本,亦不知是該序原為如此,亦或是王氏筆誤。

　　其二,此本與復旦三色本雖同為再評本,半葉八行,行十八字亦同,但一為框高 20.9 公分,寬 14.8 公分;一為框高 20.8 公分,寬 13.6 公分,應為不同的版刻。

　　其三,「詩經四卷小序一卷」條,王氏《提要》言:「評語有硃黛兩色,殆以分別前後兩次評語之不同歟?」硃、黛兩色乃是為了分別前後兩次的評語,在本文前面的論述中,已可肯定。此條王氏雖標識為「明凌氏朱墨印本」,但據「評語有硃黛兩色」一語,確實一點應說:此本為朱、黛、墨三色本。經筆者考察,王氏在《中國善本書提要》中,或有以朱墨本概言三色本的現象❷,因此所著錄的兩本再

---

❷　凌濛初〈鍾伯敬批點《詩經》序〉云:「吾友鍾伯敬,以《詩》起家,在長安邸中,示余以所評本。」凌杜若識語云:「仲父初成自燕中歸,示余以鍾伯敬先生所評點《詩經》本,……因壽諸梨棗,以公之知《詩》者。」據此,則初評本為鍾惺評畢交給凌濛初,凌濛初再轉交姪子凌杜若刊印而成。

❷　《中國善本書提要》對於以朱黛墨三色印刷者,或明白標識為「三色印本」,如該書頁 20「春秋公羊傳十二卷」條及頁 114「戰國策十二卷附元本目錄一卷」條,皆著錄為「明閔氏

評本，除「「詩經四卷小序一卷」確定為三色本外，「詩經四卷」亦有可能是以朱墨本概言三色本。

3.明閔氏刊朱墨套印本「詩經評不分卷」

《續修四庫全書總目提要（經部）》著錄了兩本鍾惺《詩經》評點本，一為前面已論述過的卷首附有凌氏序、識語的初評本，一本則為以下所討論的再評本。在倫明為此本所撰提要中，云：「首有〈詩論〉，謂詩活物也，說詩者不必皆有當於詩，而皆可以說詩。又謂解經者從極愚立想，而明者聽之，不可以其立想之處，遂認為究極之地云云。」❷引及〈詩論〉，故此應為再評本。

倫明所撰提要甚簡，對版本的介紹著墨亦少，以其「不分卷」，似近於復旦的三色本。然可尋思者有二：

其一，其為朱墨本或三色本？是否如同王重民般，或以朱墨本概言三色本？

其二，再評本為閔氏刊或凌氏刊？凌、閔二氏皆以套印聞名，由於初評本有凌序，刊者明確，較無爭議。王重民《中國善本書提要》「詩經四卷小序一卷」條，定所見再評本為凌氏所刻，亦未詳論其故，見前所引王氏語云：「余見另一本，有凌濛初序及凌杜若跋」云云，恐亦因初評本為凌氏所刻推論而得。❷《中國古籍善本書目（經部）》將中國社會科學院文學研究所、北京故宮博物院圖書館、復旦大

三色印本」。然亦有雖三色印刷，但標識卻為「朱墨印本」之例，如：頁 40「孟子二卷」條，提要中有「此本加黛為三色」語；頁 114「國語九卷」條，有「用朱黛墨三色刷印」語，但皆著錄為「明朱墨印本」。「詩經四卷小序一卷」條，亦是其例，雖實為三色，但卻著錄為「朱墨印本」。又考頁 439「古詩歸十五卷唐詩歸」一條，著錄為「閔氏三色印本」，提要中亦言及硃色、黛色之分，但在考訂刊印年代時，卻有「非朱墨印書之年」語，似可據以上所述推論，王氏用「朱墨」的廣義定義，似涵蓋了「三色」在其中。

❷ 此條提要見《續修四庫全書總目提要（經部）》，頁 321、322。

❷ 筆者的推論並非無據，王重民輯錄、袁同禮重校《美國國會圖書館藏中國善本書目》（臺北：文海出版社，1972 年 6 月），成書較早，著錄大抵與前引《中國善本書提要》相同。最大差異在於「詩經四卷小序一卷」條，《美國國會圖書館藏中國善本書目》原標識為「明朱墨印本」，且無「余見另一本，有凌濛初序及凌杜若跋，並言評本從燕中得之陳氏。杜若因壽諸棗梨，以公之知《詩》者」一段，此段應為續有發現後加。《中國善本書提要》補入此段後，並且據所得的新線索，將原「明朱墨印本」改為「明凌氏朱墨印本」。

學圖書館等十一處收藏的三色本，歸爲「凌杜若刻三色套印本」。但筆者所見復旦再評三色本，卻未有明顯的證據足以說明何人所刻；鍾惺〈詩論〉但云初評本已刻於吳興，亦不言再評本囑託何人。而倫明以此爲閔氏刊，引發吾人思考另一種可能。

考閔氏曾以三色刊印了鍾、譚合選的《詩歸》，閔振業〈小引〉云：「去歲校讎《史抄》，習心未已，取鍾譚兩先生所評《詩歸》而讀之。」㉕王重民以爲《史鈔》指刻成於泰昌元年的《史記鈔》，則《詩歸》印成，當又略晚於泰昌元年。㉖

泰昌元年之際，鍾惺與閔氏的合作還不僅於以三色印《詩歸》而已，《中國善本書提要》頁 520 又著錄了「東坡文選二十卷」一條，署「明閔氏朱墨印本」，姓氏頁題：「鍾惺伯敬評選，徐亮元亮、閔振業士隆、閔振聲襄子參閱。」又有署爲

㉕ 《國立中央圖書館善本序跋集錄·集部（六）》（臺北：國立中央圖書館編印，1994 年 4 月），頁 198。

㉖ 見《中國善本書提要》頁 439。又可參同書頁 72「史記鈔九十一卷」條，《史記鈔》爲明閔氏朱墨印本，明茅坤選評，閔振業補輯。《史記鈔》有陳繼儒序，署泰昌元年，佐以正文所引閔振業之言，故王氏據以認爲《詩歸》卷首鍾、譚二序，所署萬曆四十五年爲選定之年，非印之年。《詩歸》成書當在《史記鈔》成書——泰昌元年之後。陳廣宏《鍾惺年譜》（上海：復旦大學出版社，1993 年 12 月）亦採錄王氏說，云：「王重民《中國善本書提要》據閔振業序，以爲《詩歸》刻成當在泰昌元年之後。」（頁 155）

按：王說有誤。《詩歸》閔氏三色本刻成於泰昌元年之後是可信的，但說《詩歸》至泰昌元年後才刻成則誤。其實在閔氏三色本前已另有初刻本流通，略舉數證：

一、《國家圖書館善本書志初稿·集部（三）》（臺北：國家圖書館編印，1999 年 6 月），頁 391，有「古詩歸十五卷唐詩歸三十六卷二十四冊」條，署「萬曆四十五年刊本」。

二、《詩歸》閔氏三色套印本書前吳德輿序云：「《古詩歸》凡十五卷，《唐詩歸》凡三十六卷，余友閔士隆所重校也。」〈凡例〉云：「鍾、譚原評舊本，不拘前後，俱用鍾云譚云。今鍾悉置前，用硃色；譚悉置後，用黛色，以觀覽，非敢有低昂也。」（引自《中國善本書提要》439 頁）「重校」、「原評舊本」云云，皆說明在閔本前已有其他刊本。

三、鍾惺萬曆四十五、四十六年左右所作〈與弟恮〉、〈與高孩之觀察〉、〈與井陘道朱無易兵備〉（參《鍾惺年譜》159、160、165）皆言及《詩歸》，〈與井陘道朱無易兵備〉信中更有「不肖以《詩歸》招尤」語，可見在此時《詩歸》已流傳於世。

萬曆庚申（48 年，1620）的鍾惺序。❷

　　而據鍾惺〈詩論〉末署時為「泰昌元年」，可知《詩經》再評本的刊印亦在泰昌元年或稍後，與《詩歸》三色本之刊印、《東坡文選》的出版時間重疊，則鍾惺《詩經》再評三色本與閔氏合作、由閔氏刊印也是非常有可能的。

　　在諸多三色本中，互有出入，或許亦有可能是由不同出版者刻印。在此僅提出以上的思考作為線索，要下定論則有待更多的證據來判斷。在萬曆末葉至泰昌、天啟、崇禎年間，套印本大盛，吳興閔、凌二家族，尤為最致力於套印者，版本學家指出，兩家居同邑、生同時，所刻之書版式、風格趨近❷，並且推論兩家從事套印的出版事業，有著既競爭、又合作的關係，相兼互採❷，如此一來，若無序跋、識語等充分的證據，要分辨孰為閔氏所刊，孰為凌氏所刊，實為不易。然經以上的辨析，對於王重民、《中國古籍善本書目（經部）》等的著錄，逕以三色本為凌氏所刊，宜略持保留的態度。

---

❷　鍾惺〈東坡文選序〉，見上海古籍版《隱秀軒集》，頁 240－241。萬曆四十八年後，緊接著為泰昌元年，二者皆為西元 1620 年。

❷　傅增湘：《藏園群書題記》（上海：上海古籍出版社，1989 年），〈附錄二〉頁 1102－1103〈涉園陶氏藏明季閔凌二家朱墨本書書後〉云凌氏與閔氏「居同邑，生同時，所刻之書格式亦相仿，第卷帙為略儉」。潘承弼、顧廷龍同纂：《明代版本圖錄初編》（臺北：文海出版社，1971 年 5 月），卷 10，言朱墨套印：「吳興望族閔氏、凌氏，其最著者也。……兩家居同里閈，風趣自近，所刻遂似。」戴南海：《版本學概論》（成都：巴蜀書社，1989 年 6月），頁 107 處，稍論及閔、凌二家套印本的特色及版本的小異，但仍云：「閔、凌兩家的雕印，不僅版式一樣，紙墨顏色也大致相同，正文一律用仿宋印刷體，規格工整；評語、旁注用手寫體，也很悅目。如無序跋、識語，很難把凌刻、閔刻區分清楚。」

❷　屈萬里、昌彼得：《圖書板本學要略》（臺北：華岡出版公司，1976 年 4 月），頁 66 云：「蓋編纂之事，出於凌氏者為多，而雕板之事，則皆屬閔氏也。」趙芹、戴南海〈淺述明末浙江閔、凌二氏的刻書情況〉（《西北大學學報》1996 年第 1 期，頁 80－83）文中云：「閔、凌二家在 20 多年的共同事業中，相兼互采，風氣習染。……閔、凌二家不僅相互影響，互相競爭，而且合作甚密。閔家與凌家就曾合刻過套印本書，如朱、墨本《湘煙錄》16卷，就是由閔元京與凌義渠共同刻印的。閔、凌二家處同時，居同邑，他們既互相獨立，又合作密切的關係由此可見一斑。」

經 學 研 究 論 叢
第 十 一 輯　　頁195～206
臺灣學生書局　　2003 年 6 月

《春秋》經義的失落與衍生
——以弒君之事爲例

趙生群*

　　《史記・十二諸侯年表》云：「（《春秋》）上記隱，下至哀之獲麟，約其辭文，去其繁重，以制義法，王道備，人事浹。七十子之徒口受其傳指，爲有所刺譏褒諱挹損之文辭不可以書見也。魯君子左丘明懼弟子人人異端，各安其意，失其眞，故因孔子史記具論其語，成《左氏春秋》。」

　　《漢書・藝文志》云：「（《春秋》）有所褒諱貶損，不可書見，口授弟子，弟子退而異言。丘明恐弟子各安其意，以失其眞，故論本事而作傳，明夫子不以空言說經也。《春秋》所貶損大人當世君臣，有威權勢力，其事實皆形于傳，是以隱其書而不宣，所以免時難也。及末世口說流行，故有《公羊》、《穀梁》、《鄒》、《夾》之傳。四家之中，《公羊》、《穀梁》立于學官，鄒氏無師，夾氏未有書。」

　　桓譚《新論》云：「《左氏傳》遭戰國寢廢。後百餘年，魯人穀梁赤爲《春秋》，殘略多所遺失。又有齊人公羊高緣經文作傳，彌離其本事矣。」❶

　　據以上引文可知，由於《春秋》口耳相傳，一開始就存在言人人殊的現象，傳之愈久，失眞愈甚。《春秋》原有的旨意部分地失落，一些經文本來沒有的意思反

---

*　趙生群，南京師範大學文獻學系教授。
❶　嚴可均：《全後漢文》，卷 14。

倒衍生出來了，這兩種現象必然導致一個結果：《春秋》之義晦而不明。研究《春秋》之義的失落與衍生，有助於認定《公》、《穀》與經文之間的距離，甄別傳文的具體解說是否符合經義，在一定程度上接近和恢復《春秋》本義，加深對三傳的認識並予以更加準確的定位。

《春秋繁露·盟會要》云：「弒君三十六，亡國五十二」。❷《漢書·楚元王傳》載劉向《封事》亦稱春秋二百四十二年之間「弒君三十六，亡國五十二」。《史記·太史公自序》云：「《春秋》之中，弒君三十六，亡國五十二，諸侯奔走不得保其社稷者不可勝數。察其所以，皆失其本已。故《易》曰『失之毫釐，差以千里』。故曰『臣弒君，子弒父，非一旦一夕之故也，其漸久矣』。故有國者不可以不知《春秋》，前有讒而弗見，後有賊而不知。為人臣者不可以不知《春秋》，守經事而不知其宜，遭變事而不知其權。為人君父而不通于《春秋》之義者，必蒙首惡之名。為人臣子而不通於《春秋》之義者，必陷篡弒之誅，死罪之名。其實皆以為善，為之不知其義，被之空言而不敢辭。夫不通禮義之旨，至於君不君，臣不臣，父不父，子不子。夫君不君則犯，臣不臣則誅，父不父則無道，子不子則不孝。此四行者，天下之大過也。以天下之大過予之，則受而弗敢辭。故《春秋》者，禮義之大宗也。」司馬遷的話，聞之董仲舒。《自序》概括《春秋》宗旨，特別提到弒君亡國之事，因為這些事件是極端的例子，也是孔子至為關注的內容，歷史事件的成敗得失，《春秋》的是非褒貶，多寓其中。本文探求《春秋》之義的失落與衍生，主要從弒君之事入手。至於亡國之事，擬另作專文討論。

一、經義失落例

宣公二年《經》：秋九月乙丑，晉趙盾弒其君夷皋。

《穀梁傳》：穿弒也。盾不弒而曰盾弒何也？以罪盾也。其以罪盾何也？

---

❷ 原本作「三十一」，梁玉繩等已指其謬。《說苑·建本》載公扈子之言云：「《春秋》之中，弒君三十六，亡國五十二，諸侯奔走不得保其社稷者甚眾，未有不先見而後從之者也。」與《太史公自序》略同，蓋同本於《公羊》家言。

曰：靈公朝諸大夫而暴彈之，觀其辟丸也。趙盾入諫，不聽。出亡，至於郊，趙穿弒公而後反趙盾。史狐書賊曰：「趙盾弒公。」盾曰：「天乎，天乎！予無罪。孰為盾而忍弒其君者乎？」史狐曰：「子為正卿，入諫不聽，出亡不遠，君弒，反不討賊，則志同，志同則書重，非子而誰？」故書之曰「晉趙盾弒其君夷皋」者，過在下也。曰：「於盾也，見忠臣之至，於許世子止，見孝子之至。」

《公羊傳》宣公六年：親弒君者，趙穿也。則曷為加之趙盾？不討賊也。何以謂之不討賊？晉史書賊曰：「晉趙盾弒其君夷獢。」趙盾曰：「天乎！無辜。吾不弒君，誰謂吾弒君者乎？」史曰：「爾為仁為義。人弒爾君，而復國不討賊，此非弒君而何？」❸

趙盾為古之良大夫，實不弒君而《春秋》加之弒名，用意極深，而《公羊》、《穀梁》似乎都未能將其中含義說清楚。《春秋繁露·玉杯》云：「今案盾事，而觀其心，願而不刑。合而信之，非篡弒之鄰也。案盾辭號乎天，苟內不誠，安能如是？故訓其終始，無弒之志，挂惡謀者，過在不遂去，罪在不討賊而已……問者曰：人弒其君，重卿在而弗能討者非一國也。靈公弒，趙盾不在。不在之與在，惡有薄厚。《春秋》責在而不討賊者，弗繫臣子爾也。責不在而不討賊者，乃加弒焉，何其責厚惡之薄、薄惡之厚也？曰：《春秋》之道，視人所惑，為立說以大明之。今趙盾賢而不遂於理，皆見其善，莫知其罪，故因其所賢而加之大惡，繫之重責，使人湛思而自省悟以反道。曰：吁！君臣之大義，父子之道，乃至乎此！此所由惡薄而責之厚也。他國不討賊者，諸斗筲之民，何足數哉！弗繫人數而已。此所由惡厚而責薄也。傳曰：輕為重，重為輕，非是之謂乎！」親弒其君與亡不出境、反不討賊是兩回事，不可混為一談。晉史書趙盾弒君，體現了他對這一史實的獨到理解。孔子書趙盾弒君，主要因為他是一位賢人，「皆見其善，莫知其惡」。《春秋》書法與董狐相同而寓意更為深刻。董仲舒的理解，不僅符合歷史事實，合於《穀梁傳》「于盾也，見忠臣之至」的解說，也為《春秋》「別嫌疑」、「定猶豫」的功

❸　見「六年春，晉趙盾、衛孫免侵陳」條。

效提供了切實的說明。《玉杯》又云：「公子比嫌可以立，趙盾嫌無臣責，許止嫌無子罪，《春秋》為人不知惡而恬行不備也，是故重累責之，以矯枉世而直之，矯者不過其正弗能直，知此而義畢矣。」這樣的理解應該是比較符合經文原意的。

宣公四年《經》：夏六月乙酉，鄭公子歸生弒其君夷。

鄭公子歸生弒君事，《公羊》、《穀梁》均無說。《說苑·復恩》云：「楚人獻黿于鄭靈公。公子家見公子宋之食指動，謂公子家曰：『他日我如是，必嘗異味。』及食大夫黿，召公子宋而不與。公子宋怒，染指于鼎，嘗之而出。公怒，欲殺之。公子宋與公子家謀先，遂弒靈公。子夏曰：『《春秋》者，記君不君，臣不臣，父不父、子不子者也，此非一日之事也，有漸以至焉。』」《韓非子·外儲說右上》云：「子夏曰：『《春秋》之記臣殺君、子殺父者，以十數矣。皆非一日之積也，有漸而以至矣。』凡奸者，行欠而成積，積成而力多，力多而能殺，故明主蚤絕之。」《易·坤·文言》云：「臣弒其君，子弒其父，非一朝一夕之故，其所由來者漸矣，由辯之不早辯也。」防微杜漸是孔子筆削精義之所在。《公羊》、《穀梁》不提這一層意思，當是經義失落所致。按諸史實，主弒靈公者為公子宋而公子歸生（子家）僅為脅從。《春秋》捨公子宋而獨書公子歸生弒其君，顯然不是一般史筆。經文與事實的殊異，《春秋》的微言大義，都有必要作出說明。《左傳》云：「楚人獻黿于鄭靈公。公子宋與子家將見，子公之食指動，以示子家，曰：『他日我如此，必嘗異味。』及入，宰夫將解黿，相視而笑。公問之，子家以告。及食大夫黿，召子公而弗與也。子公怒，染指於鼎，嘗之而出。公怒，欲殺子公。子公與子家謀先。子家曰：『畜老，猶憚殺之，而況君乎？』反譖子家，子家懼而從之。夏，殺鄭靈公。書曰：『鄭公子歸生弒其君夷。』權不足也。君子曰：『仁而不武，無能達也。』」《左傳》認為《春秋》特書公子歸生弒君，因其權不足以禦亂，懼譖而從弒君，故書以為首惡。《公羊》、《穀梁》未能作出類似的解釋，也應是流傳過程中經義失傳的結果。與此相關的，還有一個解經方法的問題。《史記·太史公自序》云：「《春秋》之中，弒君三十六，亡國五十二，諸侯奔走不得保其社稷者不可勝數。察其所以，皆失其本已。故《易》曰『失之毫釐，差以千

里』。故曰『臣弒君，子弒父，非一旦一夕之故也，其漸久矣』。」司馬遷的見解，淵源於董仲舒，故與子夏之言若合符節。弒君亡國，都有一個過程，有其具體原因。敘述此類事件的過程，揭示前因後果，以供後人借鑒，杜絕類似事件的發生，是發揮《春秋》功用的關鍵。但《公羊》、《穀梁》解說經書篡弒之事多不敘及具體過程。如隱公四年衛州吁弒其君完、十一年隱公被弒、莊公八年齊無知弒其君諸兒、文公元年楚世子商臣弒其君髡、十六年宋人弒其君杵臼、十八年子卒、莒弒其君庶其、宣公十年夏徵舒弒其君平國、襄公二十九年闔弒吳子余祭諸條。此外，《公羊傳》未涉及具體史實者有：襄公二十五年齊崔杼弒其君光、二十六年衛寧喜弒其君剽。《穀梁傳》未涉及具體史實者有：莊公十二年宋萬弒其君捷、三十二年子般卒、閔公二年魯君被弒、僖公十年晉里克弒其君卓子、昭公十三年楚公子比弒其君虔。其它如桓公七年苗沃伯誘晉小子侯殺之、十七年鄭高渠彌弒昭公、莊公十四年鄭傅瑕殺鄭子及其二子而納厲公、僖公二十四年晉公子重耳殺懷公於高梁，因《春秋》未書，兩傳更是隻字未提。《公羊》、《穀梁》一致認定「弒君三十六」是《春秋》的重要內容，而說清經文大義的要點在於揭示事件的「漸」、「萌」，以收杜漸銷萌之效。對此類事件，兩傳或以空言說經，或乾脆不能置辭，顯然不合孔門以事說經的家法。由此可見，事實的遺忘與經義的失落有著密切的聯繫。

　　　　文公十八年《經》：莒弒其君庶其。

　　　　《公羊傳》：稱國以弒何？稱國以弒者，眾弒君之辭。

　　　　成公十八年《經》：庚申，晉弒其君州蒲。

　　　　《穀梁傳》：稱國以弒其君，君惡甚矣。

《左傳》宣公四年釋鄭公子歸生弒君事云：「凡弒君：稱君，君無道也；稱臣，臣之罪也。」杜注：「稱君，謂唯書君名而稱國以弒，言眾所共絕也。」《春秋繁露·王道》云：「晉厲公行暴道，殺無罪人，一朝而殺大臣三人。明年，臣下畏恐，晉國殺之。」又云：「觀乎晉厲之妄殺無罪，知行暴之報。」可見《公羊傳》以「稱國以弒」爲「眾弒君之辭」，《穀梁傳》認爲稱國以弒，說明「君惡甚

矣」，都不錯，但又都不全面。將這兩方面的意思綜合起來，才能充分反映《春秋》之義。

　　昭公十三年《經》：夏四月，楚公子比自晉歸于楚，弒其君虔于乾溪。

　　《公羊傳》：此弒其君，其言歸何？歸無惡於弒立也。歸無惡於弒立者何？靈王爲無道，作乾溪之臺，三年不成。楚公子棄疾脅比而立之，然後令于乾溪之役曰：「比已立矣，後歸者不得復其田里。」眾罷而去之。靈王經而死。

　　《穀梁傳》：自晉，晉有奉焉爾。歸而弒，不言歸；言歸，非弒也。歸一事也，弒一事也，而遂言之，以比之歸弒，比不弒也。弒君者日。不日，比不弒也。

　　《公羊傳》強調公子比「無惡於弒立」，《穀梁傳》則反覆申言「比不弒」。那麼，《春秋》爲什麼要書公子比弒君？這一問題必須回答而兩傳均未涉及。《春秋繁露·玉杯》云：「《春秋》之道，視人所惑爲立說，以大明之。……公子比嫌可以立，趙盾嫌無臣責，許止嫌無子罪，《春秋》爲人不知惡而恬行不備也，是故重累責之，以矯枉世而直之，矯者不過其正弗能直，知此而義畢矣。」又《王道》云：「觀乎楚公子比，知臣子之道，效死之義。」據此知《春秋》特書公子比弒其君，也是爲了「別嫌疑」，示人以趨避，意蘊深刻，不可不知。

　　哀公六年《經》：齊陽生入于齊。齊陳乞弒其君舍。

　　《公羊傳》：弒而立者，不以當國之辭言之。此其以當國之辭言之何？爲諼也。此其爲諼奈何？景公謂陳乞曰：「吾欲立舍，何如？」陳乞曰：「所樂乎爲君者，欲立之則立之，不欲立則不立。君如欲立之，則臣請立之。……景公死而舍立，陳乞使人迎陽生于諸其家。……（省陳乞邀諸大夫至其家）陳乞曰：「此君也已。」諸大夫不得已，皆逡巡北面再拜稽首而君之爾。自此往弒舍。

　　《穀梁傳》：陽生入而弒其君，以陳乞主之，何也？不以陽生君荼也。此其

不以陽生君荼何也？陽生正，荼不正。不正則其曰君何也？荼雖不正，已受命矣。入者，內弗受也。荼不正，何用弗受？以其受命，可以言弗受也。陽生其以國氏何也？取國于荼也。

《左傳》云：「陳僖子使召公子陽生，……使子士之母養之，與饋者皆入。冬十月丁卯，立之。……公使朱毛告于陳子曰：『微子則不及此。然君異于器，不可以二。器二不匱，君二多難。敢布諸大夫。』僖子不對而泣曰：『君舉不信君臣乎？以齊國之困，困又有憂。少君不可以訪，是以求長君，庶亦能容群臣乎！不然，夫孺子何罪？』毛復命，公悔之。毛曰：『君大訪于陳子，而圖其小可也。』使毛遷孺子于駘，不至，殺諸夜幕之下，葬諸殳冒淳。」據《左傳》，陳乞雖立陽生，而無弒君之意，而且態度誠懇，至於泣下，似無弒君之嫌。但齊君之弒，實由陳乞立陽生而起。故杜預云：「弒荼者朱毛與陽生也，而書陳乞，所以明乞立陽生而荼見弒，則禍由乞始也。楚比劫立，陳乞流涕，子家憚老，皆疑于免罪，故《春秋》明而書之，以為弒主。」這也是《春秋》「視人所惑為立說」的例證。《穀梁傳》確認弒齊君者為公子陽生，而用「不以陽生君荼」來解釋《經》書陳乞為弒主，與《春秋》原意相去甚遠，《公羊傳》視陳乞弒君為實錄，揭示《春秋》之義更無從談起。

二、經義衍生例

隱公四年《經》：戊申，衛州吁弒其君完。

《公羊傳》：曷為以國氏？當國也。

《穀梁傳》：大夫弒君以國氏者，嫌也，弒而代之也。

《公羊傳》認為州吁「以國氏」因其「當國」，《穀梁傳》據「以國氏」推出州吁「弒而代之」的結論，均不可取。傅隸樸云：「自《公羊》有『國氏』之說，遂引起後世削族與氏種種褒貶之例的爭論，其實通《春秋》經文，凡書弒者皆外國之事，魯諱國惡，不書弒。既為外國之事，若不冠國名于人名上，怎能知其為何國之

事？故如齊無知、宋督、楚商臣、晉趙盾、鄭歸生、許止諸人，凡以弒書者，無不冠其國名，此不惟爲史例所當然，也是記事最起碼的常識。《公羊》之義，根本不是義。」❹《公羊傳》所發之「義」，顯然並非《春秋》本義，而是後人臆解經文的產物。《穀梁傳》認爲經文在州吁的名字前冠以國名，說明他有「弒而代之」之嫌，也是昧於古代史官記事體例的臆說。據《春秋》，桓公二年，宋督弒其君與夷；莊公十二年，宋萬弒其君捷；僖公十年，晉里克弒其君卓；宣公二年，晉趙盾弒其君夷皋；四年，鄭公子歸生弒其君夷；十年，陳夏徵舒弒其君平國；襄公二十五年，齊崔杼弒其君光；二十六年，衛寧喜弒其君剽；哀公六年，齊陳乞弒其君茶。《春秋》記載這九起弒君事件，也都在人名前冠其國名，行文與「衛州吁弒其君完」相同，而宋督等九人並沒有「弒而代之」，足證《穀梁》之說不可信。莊公八年《經》載：「冬十有一月癸未，齊無知弒其君諸兒。」《穀梁傳》云：「大夫弒其君以國氏者，嫌也，弒而代之也。」也將「以國氏」作爲解釋經義的依據，同樣是對《春秋》的曲解。

> 襄公七年《經》：十有二月，公會晉侯、宋公、陳侯、衛侯、曹伯、莒子、邾子于鄔。鄭伯髡原如會，未見諸侯，丙戌，卒于鄔。
>
> 《公羊傳》：操者何？鄭之邑也。諸侯卒其封內不地，此何以地？隱之也。何隱爾？弒也。孰弒之？其大夫弒之。曷爲不言其大夫弒之？爲中國諱也。曷爲爲中國諱？鄭伯將會諸侯于鄔，其大夫諫曰：「中國不足歸也，則不若與楚。」鄭伯曰：「不可。」其大夫曰：「以中國爲義，則伐我喪；以中國爲強，則不若楚。」于是弒之。
>
> 《穀梁傳》：鄭伯將會中國，其臣欲從楚，不勝其臣，弒而死。其不言殺何也？不使夷狄之民加乎中國之君也。

《公羊傳》說鄭伯實弒而書卒是「爲中國諱」，與《穀梁傳》「不使夷狄之民加乎中國之君」意思相近。《左傳》云：「鄭僖公之爲大子也，于成之十六年，與子罕

---

❹　傅隸樸：《春秋三傳比義》，隱公四年。

適晉，不禮焉。又與子豐適楚，亦不禮焉。及其元年，朝于晉。子豐欲愬諸晉而廢之，子罕止之。及將會于鄬，子駟相，又不禮焉。侍者諫，不聽。又諫，殺之。及鄬，子駟使賊夜弒僖公，而以瘧疾赴于諸侯。」《左傳》所載鄭伯被殺原因，與《公羊》、《穀梁》全異。《左傳》襄公七年前後記載相關事件頗多，其中有：襄公二年夏，鄭成公疾，子駟欲背楚從晉以息肩；成公卒後，「諸大夫欲從晉」，因故未能即行。其年冬，晉會諸侯於戚，城虎牢以逼鄭，鄭人乃成。據《春秋》，襄公三年諸侯盟於鷄澤，四年會於戚、救陳，鄭皆參與其事。僖公被弒之明年（襄公八年），鄭人侵蔡，公然與楚國爲敵，又與諸侯會於邢丘，故楚公子貞帥師伐鄭。綜觀《春秋》、《左傳》的記載，知鄭國從襄公二年開始就已決定背楚從晉，《公羊》、《穀梁》所言鄭伯欲從晉，其臣欲從楚云云，乃是據經文諸侯相會之事而作出的推測，並不符合實情。兩傳在偏離事實的基礎上詮釋經義，亦不可信。《左傳》云：「子駟使賊夜弒僖公，而以瘧疾赴于諸侯」，只是解釋了經文不書弒的原因，並沒有進一步說明其中的含義。《春秋繁露·王道》云：「鄭伯髡原卒于會諱殺，痛強臣專君，君不得爲善也。」鄭伯弒而書卒，是否因其「卒于會」而有所諱，有待進一步考證。《春秋繁露·觀德》云：「鄭僖公方來會我而道殺，《春秋》致其意，謂之如會。」似可說明《春秋》對諸侯與會期間發生的事件處理方法確實較爲特殊。

　　襄公二十六年《經》二十有六年王二月辛卯，衛寧喜弒其君剽。
　　《穀梁傳》：此不正，其日何也？殖也立之，喜也君之，正也。

《穀梁傳》認爲諸侯承嫡繼位者（即所謂「正」）卒，《春秋》書其日，若非合法繼承人（也即所謂「不正」）則不書日。襄公十四年，寧喜之父寧殖出獻公而立公子剽（穆公之孫），故衛侯剽之立不得爲正。經文爲什麼書其卒日？《穀梁傳》的解釋是：剽爲寧喜之父所立，寧喜事父所立之君，剽也就成了合法的君主，所以《春秋》書卒書日，以見其正。劉敞云：「《穀梁》曰：『諸侯日卒，正也。』非也，齊小白、晉重耳，皆可謂正乎！……苟正者日，不正者不日，則其義可信而無疑。今正者日，篡明者亦日。……又曹伯使世子射姑來朝，則曹伯之嫡也。莊二十

三年冬十有一月曹伯射姑卒，有月無日，此復何耶？」❺《穀梁傳》有關月日之例，失之穿鑿附會，前人多有論及。《穀梁傳》又認爲「殖也立之，喜也事之」，衛侯剽便取得了合法地位，更是荒唐。如果眞是這樣，那麼《春秋》豈不是在獎勵那些弒逐君主、擅行廢立的亂臣賊子了嗎？《左傳》云：「書曰：『寧喜弒其君剽。』言罪之在寧氏也。」也即是宣公四年「稱臣，臣之罪」的意思。

　　襄公二十九年《經》：閽弒吳子餘祭。
　　《穀梁傳》：閽，門者也，寺人也。不稱名姓，閽不得齊於人。不稱其君，閽不得君其君也。禮，君不使無恥，不近刑人，不狎敵，不邇怨。賤人非所貴也，貴人非所刑也，刑人非所近也。舉至賤而加之吳子，吳子近刑人也。閽弒吳子餘祭，仇之也。

《左傳》云：「吳人伐越，獲俘焉，以爲閽，使守舟。吳子余祭觀舟，閽以刀弒之。」《穀梁傳》認爲「閽不得君其君」，故經文「不稱其君」，這種解釋純屬多餘，因爲閽乃越俘而非吳人。《穀梁傳》不能確指閽之來歷，也使下文「不狎敵，不邇怨」的解說失去了依托。《公羊傳》云：「閽者何？門人也，刑人也。刑人則曷爲謂之閽？刑人非其人也。君子不近刑人。近刑人則輕死之道也。」雖然也沒有明確交代閽爲越人，解說稍嫌含混，尚不至離題太遠。

　　襄公三十年《經》：夏四月，蔡世子般弒其君固。
　　《穀梁傳》：其不日，子奪父政，是謂夷之。

文公元年《經》云：「冬十月丁末，楚世子商臣弒其君頵。」同樣是子奪父政，楚世子商臣弒君書日而蔡世子般弒君不日，可見日與不日，與「子奪父政」無關。《穀梁傳》對蔡世子弒君「不日」的解說，當非經義。

---

❺　劉敞：《春秋權衡》，卷 14。

昭公十九年《經》：夏五月戊辰，許世子止弒其君買。

《穀梁傳》：日弒，正卒也。正卒則止不弒也。不弒而日弒，責止也。止曰：「我與夫弒者，不立乎其位。」以與其弟虺，哭泣歠飦粥，嗌不容粒，未逾年而死。故君子即止自責而責之也。

《左傳》云：「夏，許悼公瘧。五月戊辰，飲大子止之藥，卒。大子奔晉。書曰：『弒其君。』君子曰：『盡心力以事君，捨藥物可也。』」許世子並未弒君，《春秋》為什麼要書以弒？此年《經》載：「冬，葬許悼公。」《公羊傳》云：「賊未討，何以書葬？不成于弒也。曷為不成于弒？止進藥而藥殺也。止進藥而藥殺，則曷為加弒焉爾？譏子道之不盡也。……止進藥而藥殺，是以君子加弒焉爾。曰：『許世子止弒其君買。』是君子之聽止也。葬許悼公，是君子之赦止也。赦止者，免止之罪辭也。」《春秋繁露·玉杯》云：「公子比嫌可以立，趙盾嫌無臣責，許止嫌無子罪，《春秋》為人不知惡而恬行不備也，是故重累責之，以矯枉世而直之。」許世子事，也是《春秋》「視人所惑為立說」的一個例子，並非如《穀梁傳》所言「君子即止自責而責之」。

經 學 研 究 論 叢
第 十 一 輯　頁207～224
臺灣學生書局　2003 年 6 月

董仲舒春秋學之歷史理論
——三統與四法的建構及其內涵

陳明恩*

壹、前言

　　「三統」與「四法」，是董仲舒春秋學的核心內容之一。透過三統與四法理論的建構，董仲舒試圖重塑歷史發展之理想模式，並賦予不同之歷史階段以相應的政治體制與禮樂節儀；此外，藉由三統與四法說的提出，董仲舒更試圖在現實政治層面上，爲漢帝國之王命來源與體制改革，尋求法典上之根據。然歷來對於董仲舒歷史理論（學界或稱「歷史觀」、「歷史哲學」）之探討，或僅略述三統說之循環史觀的形式架構及改制作科之相關內容❶，或將焦點置於三統說之循環史觀是否僅是形式上的改變，以及改制作科有無「變道」之實等層面上❷；對於三統說在制度層

---

*　陳明恩，國立臺灣師範大學國文研究所博士生。

❶　例如：⑴楊憲邦主編：《中國哲學通史》（北京：中國人民大學出版社，1990 年），頁 99－
　　100；⑵丁禎彥、臧宏主編：《中國哲學史教程》（上海：華東師範大學出版社，1991
　　年），頁 149－151；⑶肖萐父、李錦全主編：《中國哲學史》上卷（北京：人民出版社，
　　1993 年），頁 314－315；⑷孫廣德：《先秦兩漢陰陽五行說的政治思想》（臺北：臺灣商務
　　印書館，1993 年），頁 129－131。

❷　學界對於三統說之循環史觀，歷來存在著兩種截然不同之見解。或認爲三統說之循環史觀僅
　　是形式上的改變，沒有任何實質的意義。例如：⑴于首奎：〈董仲舒評傳〉，《兩漢哲學新
　　探》（成都：四川人民出版社，1988 年），頁 122；⑵馮友蘭：《中國哲學史新編》第 3 冊

面的具體建置及其現實意義，則缺乏系統性、整合性的分析。❸至於四法之說，其文雖見於今本《春秋繁露》〈三代改制質文篇〉，然學界對於此一論題，或缺而不論、或所論未詳❹，就董仲舒歷史理論之整體架構及禮樂節文之具體建置的理解而言，實有未周之處。本文所論，擬從漢初德位之爭的角度切入，略述董仲舒之所以提出三統說的可能原因，同時就董仲舒歷史理論之形式架構、改制作科之實質內涵及三統與四法之整合等問題，予以系統性的闡述，盼能揭示董仲舒歷史理論之組織架構及其具體內涵。

（北京：人民出版社，1992 年），頁 81－84；(3)侯外廬等著：《中國思想通史》第 2 卷（北京：人民出版社，1992 年），頁 108－109；(4)北京大學哲學系中國哲學史教研室編：《中國哲學史》上冊（北京：中華書局，1992 年），頁 211；(5)姜林祥、苗潤田：《中國哲學史》（天津：天津社會科學院出版，1992 年），頁 158－160；(6)任繼愈主編：《中國哲學史》第二冊（北京：中華書局，1996 年），頁 88－90；(7)張秋升：〈董仲舒歷史哲學初探〉，《南開學報》1997 年第 6 期（1997 年 11 月），頁 9－15。或認為三統說之循環史觀在原則上肯定了歷史的進步或進化，就本質上來說不是靜止不變的。例如：(1)王永祥：《董仲舒評傳》（南京：南京大學出版社，1995 年），頁 329－330；(2)汪高鑫：〈試析董仲舒的社會更化思想〉，《安慶師院社會科學學報》第 16 卷第 4 期（1997 年 11 月），頁 25－26。

❸　學界論及三統說之制度層面者，約有以下數種：(1)顧頡剛：〈五德終始說下的政治和歷史〉，《古史辨》第 5 冊（臺北：藍燈文化事業有限公司，1987 年），頁 435－446；(2)賴慶鴻：《董仲舒政治思想之研究》（臺北：國立政治大學政治研究所博士論文，1980 年），頁 175－184；(3)林麗雪：《董仲舒》（臺北：臺灣商務印書館，1987 年，中華文化復興運動推行委員會主編：《中國歷代思想家》第 2 冊），頁 62－73；(4)華友根：《董仲舒思想研究》（上海：上海社會科學院出版社，1992 年），頁 134－139；(5)蔣慶：《公羊學引論——儒家的政治智慧與歷史信仰》（瀋陽：遼寧教育出版社，1995 年），頁 302－304；(6)宋榮培：〈董仲舒的歷史哲學：董氏春秋學的歷史哲學意義及其侷限〉，《哲學與文化》第 22 卷第 10 期（1995 年 10 月），頁 890－903。惟相關說法僅止於敘述性質，有必要進一步加以分析。

❹　上引相關著作，除孫廣德、張秋升、顧頡剛、賴慶鴻、林麗雪、華友根、宋榮培之說外，其餘均未論及四法之說。除此之外，韋政通亦曾論及四法之問題，說見《董仲舒》（臺北：東大圖書公司，1986 年），頁 179－180。然此數家之說，除賴說曾觸及四法說之禮樂節文的具體建置外，餘皆只著重四法說所提出之歷史轉化模式，且鮮少就三統與四法之整合問題加以探討。

貳、漢初德位之爭與董仲舒歷史理論的提出

　　如眾所周知，漢高祖建國之初，基本上是以「秦制」爲立國基礎❺；然漢初學者論及漢帝國之王命繼承問題時，卻存在著否認秦政權之合法性的傾向❻，而在文帝即位之初引發「漢德」之爭。《史記·秦始皇本紀》云：

> 始皇推終始五德之傳，以爲周得火德，秦代周德，從所不勝。方今水德之始，改年始，朝賀皆自十月朔，衣服旄旌節旗皆上黑。❼

《漢書·律歷志上》則云：

> 戰國擾攘，秦兼天下，未皇暇也，亦頗推五勝，而自以爲獲水德，乃以十月爲正，色上黑。❽

如史書所載，秦始皇統一中國後，即依鄒衍「土（黃帝）→木（夏禹）→金（商湯）→火（周）→水（？）」之五德終始理論而自居「水德」❾；秦以水德自居，

---

❺　此觀《史記》、《漢書》有關漢代各種制度之記載必首標沿襲「秦制」，即可知其端倪。其文俱在，茲不具引。至於漢承秦制之原因，可參見李偉泰：〈漢初沿用秦制原因舊說辨正〉，《漢初學術及王充論衡述論稿》（臺北：長安出版社，1985 年），頁 23－39。

❻　說詳王夢鷗：《鄒衍遺說考》（臺北：臺灣商務印書館，1966 年），頁 114；孫廣德：《先秦兩漢陰陽五行說的政治思想》，頁 127。

❼　司馬遷：《史記》（北京：中華書局，1989 年），頁 237。凡本文所引古籍文字，均於首次引用時詳細注出使用版本、出版地、出版年及頁碼，餘則僅注頁碼於引文之末，以簡省篇幅。

❽　班固：《漢書》（北京：中華書局，1987 年），頁 973。

❾　鄒衍之相關著述已佚，至今保存鄒衍學說最完整者，一般都認爲是《呂氏春秋·應同篇》。〈應同篇〉云：「凡帝王者之將興也，天必先見祥乎下民。黃帝之時，天先見大螾大螻。黃帝曰：『土氣勝！』土氣勝，故其色尚黃，其事則土。及禹之時，天先見草木，秋冬不殺，禹曰：『木氣勝！』。木氣勝，故其色尚青，其事則木。及湯之時，天先見金刃生於水，湯曰：『金氣勝！』金氣勝，故其色尚白，其事則金。及文王之時，天先見火，赤鳥銜丹書，

若依此理論往下推衍，則漢繼秦而起，自應屬「土德」。然《史記》云：

> （沛公）祠黃帝，祭蚩尤於沛庭，而釁鼓旗，幟皆赤。由所殺蛇白帝子，殺
> 者赤帝子，故上赤。（〈高祖本紀〉；頁 350）
>
> 二年，東擊項籍而還入關。問：「故秦時上帝祠何帝也？」對曰：「四帝，
> 有白、青、黃、赤帝之祠。」高祖曰：「吾聞天有五帝，而有四，何也？」
> 莫知其說。於是高祖曰：「吾知之矣，乃待我而具五也。」乃立黑帝祠，命
> 曰北畤。（〈封禪書〉；頁 1378）

依《史記》所述觀之，高祖建國之初對於漢德仍未有定論❿；直至高祖六年（公元
前 201 年），張蒼才提出漢爲水德的主張。《史記‧張丞相列傳》云：

> 張蒼爲計相時，緒正律曆。以高祖十月始至霸上，因故秦時本以十月爲歲
> 首，弗革。推五德之運，以爲漢當水德之時，尚黑如故。（頁 2681）

張蒼「推五德之運」，以爲漢當水德；衡諸前文所論，則張蒼之說顯然認爲漢直承
於周，而將秦朝排除在外。此後廿五年間，未聞其他說法；直至文帝即位初年（公

集於周社，文王曰：『火氣勝！』火氣勝，故其色尚赤，其事則火。伐火者必將水，天先見
水氣勝。水氣勝，故其色尚黑，其事則水。」陳奇猷：《呂氏春秋校釋》（上海：學林出版
社，1990 年），頁 677。

❿ 《漢書‧高帝紀下》云：「漢承堯運，德祚已盛，斷蛇著符，旗幟上赤，協于火德，自然之
應，得天統矣。」（頁 82）若依《漢書》所述，則高祖建國之初即以火德自居。然所謂「漢
承堯運」，實本於昭帝時眭弘「漢家堯後」（《漢書‧眭兩夏侯京翼李傳》；頁 3154）之
論；直至光武帝時，竇融、賈逵等，才正式提出「漢承堯運」之主張。《漢書‧竇融列傳》
載融等遠聞光武即位，乃與諸豪傑及太守計議，其中智者曰：「漢承堯運，歷數延長。……
今稱帝者數人，而洛陽土地最廣，甲兵最彊，號令最明。觀符命而察人事，它姓殆未能當
也。」（頁 798）其後賈逵倡左氏之說，以爲：「五經家皆無以證圖讖明劉氏爲堯後者，而
左氏獨有明文。」范曄：《後漢書》（北京：中華書局，1987 年），頁 1237。足見「漢承堯
運」之說乃後起之事，非高帝本意。今從《史記》之說。

元前 179），賈誼才正式提出漢爲土德的主張。《史記‧屈原賈生列傳》云：

> 賈生以爲漢興至孝文二十餘年，天下和洽，而固當改正朔，易服色，法制
> 度，定官名，興禮樂。乃悉草具其事儀法，色尚黃，數用五，爲官名，悉更
> 秦之法。（頁 2492）

《史記》所載，雖未明言賈生「推五德之運」，然觀文中「色尚黃，數用五」之
論，可知賈誼之說仍以五德終始理論爲基礎，而以漢當土德。就五德終始理論而
言，漢之德位屬土若要成立，其前提必須是漢之前一代屬水；換言之，秦之統位必
須予以承認，否則漢之德位屬土即無法成立。以此觀之，賈誼顯然承認秦政權之合
法性，故其所得結論與張蒼明顯不同。然而，賈誼之說因文帝「謙讓未遑」，未獲
施行。其後，魯人公孫臣又於文帝十四年（公元前 166 年），提出漢爲土德之說。
《史記‧孝文本紀》云：

> （文帝十四年）魯人公孫臣上書陳終始傳五德事，言方今土德時，土德應黃龍
> 見，當改正朔服色制度。天子下其事與丞相議。丞相推以爲今水德，始明正
> 十月上黑事，以爲其言非是，請罷之。十五年，黃龍見成紀，天子乃復召魯
> 公孫臣，以爲博士，申明土德事。（頁 429－430）

漢文帝雖然令公孫臣「申明土德事」，但卻因新垣平事件而擱置⓫；且十八年親郊
渭陽五帝廟時，又「色尚赤」（《史記‧孝文本紀》；頁 430），足見漢德之爭在
文帝時仍未獲得解決。漢定於土德，乃在武帝之時。《漢書‧郊祀志下》云：

> 漢興之初，庶事草創，唯一叔孫生略定朝廷之儀。若乃正朔、服色、郊望之
> 事，數世猶未章焉。至於孝文，始以夏郊，而張倉據水德，公孫臣、賈誼更
> 以爲土德，卒不能明。孝武之世，文章爲盛，太初改制，而兒寬、司馬遷等

⓫　事詳《史記‧孝文本紀》、〈曆書〉、〈封禪書〉；其文俱在，茲不具引。

猶從臣、誼之言，服色數度，遂順黃德。彼以五德之傳從所不勝，秦在水德，故謂漢據土而克之。（頁 1270）

綜上所述，漢初對於王命來源及改制之問題，基本上是採用五德終始理論加以論證；之所以會出現「水德」與「土德」之爭，關鍵在於是否承認秦政權的合法性——若承認秦政權之合法性，則漢代秦而起，自屬土德；若否認秦政權之合法性，則漢應代周而立，自屬水德。董仲舒之說異於此。在王命來源與改制問題上，董仲舒基本上已脫離五德終始說之論述架構，轉從儒家之主要經典——《春秋》——尋求立論根據。

　　《漢書・董仲舒傳》云：「武帝即位，舉賢良文學之士前後百數，而仲舒以賢良對策焉。制曰：『……蓋聞五帝三王之道，改制作樂而天下洽和，百王同之。……三代受命，其符安在？』」（頁 2495－2496）在第一策中，董仲舒雖未對此問題明確加以回應，然於第二策對曰：「臣聞制度文采玄黃之飾，所以明尊卑，異貴賤，而勸有德也。故《春秋》受命所先制者，改正朔，易服色，所以應天也。」（頁 2510）可見董仲舒之所以提出「改正朔，易服色」之說，實與漢武帝希望「改制作樂」有關❷；而董仲舒用以回應漢武帝者，則是以《春秋》爲依據，闡述其改制作樂之初步構想。至於完整之理論建構，則見於《春秋繁露・三代改制質文篇》。〈三代改制質文篇〉原文頗長，然其要旨，則可歸結爲兩個方面：㈠闡述董仲舒對於歷史發展的思考，並建構一理想的歷史發展模式；㈡賦予不同之歷史階段以相應的政治體制與禮樂節文。以下即以這兩方面爲主，略述董仲舒歷史理論

---

❷　《史記・禮書》云：「今上即位，招致儒術之士，令共定儀，十餘年不就。或言古者太平，萬民和喜，瑞應辨至，乃采風俗，定制作。上聞之，制詔御史曰：『蓋受命而王，各有所由興，殊路而同歸，謂因民而作，追俗爲制也。議者咸稱太古，百姓何望？漢亦一家之事，典法不傳，謂子孫何？化隆者閎博，治淺者褊狹，可不勉與！』乃以太初之元改正朔，易服色，封太山，定宗廟百官之儀，以爲典常，垂之於後云。」（頁 1160－1161）〈孝武本紀〉則云：「夏，漢改曆，以正月爲歲首，而色上黃，官名更印章以五字，因爲太初元年。」（頁 483）武帝於即位之初即「招致儒術之士，令共定儀」，董仲舒以賢良對策，乃所召「儒術之士」之一；其後武帝改制雖採土德之說而未依董仲舒三統之論，然三統之說的提出與武帝立定「典法」之訴求，實有密切之關係。

之形式架構及改制作科之實質內涵。

參、董仲舒歷史理論之形式架構及其相關問題

《春秋繁露・三代改制質文篇》云：

> 《春秋》曰：「王正月。」《傳》曰：「王者孰謂？謂文王也。曷爲先言王而後言正月？王正月也。」何以謂之王正月？曰：「王者必受命而後王。王者必改正朔，易服色，制禮樂，一統於天下，所以明易姓非繼人，通以己受之於天也。王者受命而王，制此月以應變，故作科以奉天地，故謂之王正月也。」王者改制作科奈何？曰：「當十二色，歷各法而（其）正色。逆數三而復，紤三之前曰五帝，帝迭首一色；順數五而相復，禮樂各以其法象其宜；順數四而相復，咸作國號，遷宮邑，易官名，制禮作樂。故湯受命而王，應天變夏，作殷號，時正白統。親夏、故虞，紤唐謂之帝堯，以神農爲赤帝。……文王受命而王，應天變殷，作周號，時正赤統。親殷、故夏，紤虞謂之帝舜，以軒轅爲黃帝，推神農以爲九皇。

> 《春秋》應天作新王之事，時正黑統。王魯，尚黑，紤夏、親周、故宋。」……然則其略說奈何？曰：「三正以黑統初。」正黑統奈何？曰：「正黑統者，歷（以上十一字據俞樾說補）正日月朔於營室，斗建寅。天統氣始通化萬物，物見萌達，其色黑。」……正白統奈何？曰：「正白統者，歷正日月朔于虛，斗建丑。天統氣始蛻化物，物始芽，其色白。」……正赤統奈何？曰：「正赤統者，歷正日月朔于牽牛，斗建子。天統氣始施化物，物始動，其色赤。」

> 《春秋》當新王者奈何？曰：「王者之法，必正號，紤王謂之帝，封其後以小國，使奉祀之。下存二王之後以大國，使服其服，行其禮樂，稱客而朝。……《春秋》作新王之事，變周之制，當正黑統。而殷周爲王者之後，紤夏改號禹謂之帝，錄其後以小國，故曰紤夏、存周，以《春秋》當新王。」……故王者有不易者，有再而復者，有三而復者，有四而復者，有五而復者，有九而復者。……王者以制，一商一夏，一質一文。商質者主天，

夏文者主地，《春秋》者主人。……四法如四時然，終而復始，窮則反
本。……天將授舜，主天法商而王，……天將授禹，主地法夏而王，……天
將授湯，主天法質而王，……天將授文王，主地法文而王。⓭

此段論述，含攝董仲舒歷史理論之形式架構、改制作科之相關內涵（有關改制作科
之詳細內容及其相關問題，說詳下文），以及《春秋》當新王等多項重要命題。就
歷史發展之形式架構而言，董仲舒雖提出「再而復」（質文）；「三而復」（正
朔；即三統說）、「四而復」（一商一夏、一質一文；即四法說）、「五而復」
（五帝）及「九而復」（九皇）等多重歷史架構；然其理論核心，則以「三統」與
「四法」說爲主。以下即以「三統」與「四法」爲例，略述董仲舒歷史理論之形式
架構及其相關問題。

　　如〈三代改制質文篇〉所述，三統說就其表層架構而言實甚爲簡單，蓋謂朝代
更迭之序次爲「黑→白→赤」，而其相應之朝代分別爲「夏→商→周」。然如前所
述，董仲舒歷史理論的提出與漢武帝希望改制作樂有關；換言之，董仲舒之所以提
出三統說，最主要的目的在於論證漢帝國之王命來源，以及改制作科之理論基礎等
問題。那麼，董仲舒對於漢帝國之王命來源的看法爲何呢？依三統理論之朝代更迭
序次，代周而起者必屬黑統；而當此統位者，董仲舒並未依客觀歷史之發展加以論
定，而是依其公羊學理論，認爲是《春秋》。故前引文云：「王魯」、「《春秋》
應天作新王之事」、「《春秋》當新王」、「《春秋》作新王之事」。⓮然而，
《春秋》並非歷史上的「一代」，又如何能當一統之位？且如〈三代改制質文篇〉
所述，王者必「受命」而後王，那麼，《春秋》受命而王之根據爲何呢？《春秋繁
露・符瑞篇》云：「有非力之所能致而自至者，西狩獲麟，受命之符是也。然後托
乎《春秋》正與不正之間，而明改制之義，統乎天子，而加憂於天下之憂也，務除

⓭　蘇與：《春秋繁露義證》（北京：中華書局，1992年），頁184－212。

⓮　案：《春秋》當新王之義，在孟子的相關說法中已略見其端倪。《孟子・滕文公下》云：
　　「世衰道微，邪說暴行有作。臣弒其君者有之，子弒其父者有之。孔子懼，作《春秋》。
　　《春秋》，天子之事也。故孔子曰：『知我者其惟《春秋》乎？罪我者其惟《春秋》乎？』」
　　《孟子注疏》（臺北：藝文印書館，1989年，《十三經注疏》本），頁117。而發揮《春
　　秋》當新王之義最詳者，即是董仲舒。

天下所患。」（頁 157）《春秋》既有受命之符，則《春秋》當新王之義即可獲得確認。《春秋》屬黑統，則依此理論往下推衍，代《春秋》而起者必屬白統；然《漢書·董仲舒傳》明云：「夏上忠，殷上敬，周上文者，所繼之捄當周此也。……今漢繼大亂之後，若宜少損周之文致，用夏之忠者。」（頁 2518－2519）可見董仲舒認為漢應屬黑統。❶問題是，《春秋》與漢同屬黑統，則夾在兩代中間之秦應屬何統？

就客觀歷史發展的角度來說，秦代周而立，應屬三統說之黑統；同理，漢代秦而立，自應屬白統。但是，這樣的統序顯然與董仲舒所主張的漢屬黑統不合。由此觀之，董仲舒三統說並非以客觀歷史為準據，而是依照己身之世界觀與價值觀重新觀照歷史，並以《春秋》取代秦之歷史地位；在三統說中，秦是被排除在外的（此一情況與前述主漢為水德者必否認秦政權之合法性頗為類似）。❶秦之統位既被排除在外，則漢乃繼《春秋》而立；然而，三統說既將秦排除在外，且又認為《春秋》與漢同屬黑統，這樣的安排方式，顯然與「黑→白→赤」之朝代更迭序次不合，此一現象又應如何解釋？

事實上，董仲舒對於朝代更迭，並非透過五行生克的角度加以立論。依五行理論，五行相克之次序為：水克火，人克金，金克木，木克土，土克水；而五行相生之次序為：木生火，火生土，土生金，金生水，水生木。今觀董仲舒「夏黑（相應於五行則為「水」，下同）→商白（金）→周赤（火）→《春秋》黑（水）」之轉換程序，從殷商至《春秋》為相克關係（水克火，火克金），頗合於五行相克之論；然夏與商之間既非相克關係、也非相生關係（水不能克金，亦不能生金），顯非五行生克理論所能解釋。由此可見，三統說與五德終始理論，在結構上存在著相當大的差異。❶既然三統說之朝代更迭無法用相克或相生的角度加以說明，則《春

---

❶ 另參王永祥：《董仲舒評傳》，頁 331。

❶ 《春秋繁露·郊語篇》云：「今秦與周俱得為天子，而所以事天者異於周。」（頁 399）是董仲舒一方面以《春秋》取代秦之歷史地位，另一方面又不得不承認秦為天子此一歷史事實。就理論層面而言，董生之說實有未周之處。

❶ 前引諸家之說，除馮友蘭外，大抵採取顧頡剛之說，認為三統說之理論架構承襲自五德終始理論（如任繼愈、侯外廬、肖萐父、楊憲邦、王永祥、韋政通等）。有關三統與五德終始理

秋》與漢之關係就只能是「相承」關係；換言之，漢之統位是直接「接收」《春秋》之統位而來的。如此說來，《春秋》之統位乃是「過渡（或預備）性質」，並非「實然存在」。那麼，要如何解釋《春秋》此種「非實然」的存在呢？公羊學者所提出的解決方式是：《春秋》爲漢制法。

在今本《春秋繁露》之相關論述中，董仲舒並未明確提出《春秋》爲漢制法之理論。然《漢書·董仲舒傳》云：「故《春秋》受命所先制者，改正朔，易服色，所以應天也。」（頁 2510）《春秋繁露·俞序篇》則云：「仲尼之作《春秋》也，上援天瑞，王公之始，下明得失，起賢才，以待後聖。」（頁 158－159）既云《春秋》「先制」、「待後聖」，則在董仲舒的觀念中，實已隱含《春秋》爲漢制法之雛形。此一理論的出現，確實彌縫了三統說的理論缺陷。其說蓋以爲，孔子雖立王者之法，但因無王者之位而未及施行，故存之以待後聖；其後漢興，在公羊家的看法中，漢自爲孔子所待之後聖，而孔子所立之法即爲漢所承繼。如此一來，漢非代《春秋》而立，而是承繼《春秋》代周而立；既然漢代周而立，則漢爲黑統

論之關係，顧頡剛曾表列說明如下：

代次	五德說	三統說		附記
夏前一代	土德（尚黃）	赤統	法商	此一代，五德說爲黃帝，三統說爲帝嚳
夏	木德（尚青）	黑統	法夏	
商	金德（尚白）	白統	法質	
周	火德（尚赤）	赤統	法文	
周後一代	水德（尚黑）	黑統	法商	此一代，五德說爲秦，三統說爲春秋
周後二代	土德（尚黃）	白統	法夏	此一代，漢文帝以下之五德說爲漢，三統說無文

根據此表，顧頡剛認爲三統說與五德終始說最大的相同點，在於商、周及周後一代，顏色完全一樣；並進一步推斷三統說可能是「割取了五德終始說的五分之三而造成的。」〈五德終始說下的政治和歷史〉，頁 443－444。本文認爲，三統說受到五德終始說之影響，此乃不爭之事實；然三統說與五德終始說在商、周及周後一代統位完全一樣，並不足以證明三統說割取五德終始說。其因有二：(1)如前表所示，三統說與五德終始說在夏前一代、夏以及周後二代之統位明顯有異；既然二者在朝代統位的安排上有半數不同，如何能依此證明三統說割取五德終始說？(2)五行理論乃一不可分割之整體，是不能「割取」的；一經割取（無論所割取之行位爲何），五行理論即喪失其相克與相生之功能，又如何能解釋朝代之更迭？可見割取之說，在理論上是不能成立的。

明矣！漢之統位既獲得確認，則漢帝國之王命來源與體制改革就有其來自於天的合法性基礎，此即董仲舒何以精心構作三統說之主要原因。除此之外，董仲舒尚有「四法」之論。前引〈三代改制質文篇〉云：

> 故王者有不易者，有再而復者，有三而復者，有四而復者，有五而復者，有九而復者。……王者以制，一商一夏，一質一文。商質者主天，夏文者主地，《春秋》者主人。……四法如四時然，終而復始，窮則反本。……天將授舜，主天法商而王，…天將授禹，主地法夏而王，……天將授湯，主天法質而王，……天將授文王，主地法文而王。（頁200－204）

如董仲舒所述，所謂「四法」，實由「一商一夏，一質一文」配合「商質者主天，夏文者主地」所組構而成。就歷史發展之形式架構而言，四法說之循環順序為「商→夏→質→文」，而其對應之朝代分別為「舜→夏→商→周」；依此理論往下推衍，則繼周而起之《春秋》（或漢）應「主天法商」而王。很明顯的，四法說所持之朝代更迭理論與三統說不同；然董仲舒既將二者置於同一論述架構底下，則就理論上而言，三統與四法應有其內在的邏輯關係。今將二者統合觀之，則董仲舒歷史理論之形式架構可表列如下：

代次	朝代	三統	四法	備　　　註
一	夏前一代	赤統	主天法商	此一代四法說為舜
二	夏	黑統	主地法夏	
三	商	白統	主天法質	
四	周	赤統	主地法文	
五	周後一代	黑統	主天法商	此一代三統說為《春秋》，四法說無明文
六	周後二代	白統	主地法夏	
七	周後三代	赤統	主天法質	
八	周後四代	黑統	主地法文	
九	周後五代	白統	主天法商	

十	周後六代	赤統	主地法夏	
十一	周後七代	黑統	主天法質	
十二	周後八代	白統	主地法文	

如上表所示，董仲舒歷史理論之形式架構實以「十二代」爲一循環。❸依此理論，朝代更迭除依「黑→白→赤」之序依次遞嬗外，又必須配合「商→夏→質→文」之轉換程序。根據此一模式，則朝代更迭之順序及其相應之法統應爲：

　　　夏主地法夏而王當黑統，商主天法質而王當白統，周主地法文而王當赤統，
　　　《春秋》主天法商而王當黑統。

此即董仲舒理想中之歷史轉化模式。然而，這只是董仲舒歷史理論的表層架構而已；就其深層結構而言，董仲舒更試圖賦予不同之歷史階段以相應的政治制體與禮樂節儀，由此而建構出一理想的存在秩序。此一理想之存在秩序，才是董仲舒建構其歷史理論的最終目的。以下試就董仲舒理想中之秩序形態加以闡述，以明董仲舒歷史理論之實質內涵。

肆、董仲舒歷史理論之實質內涵及其意義

　　如前所述，董仲舒認爲歷史發展除依「黑→白→赤」之順序依序更迭外，尚必須配合「商→夏→質→文」之轉換程序；而其有關不同歷史階段之秩序形態的相關論述，亦均相對於此一歷史架構。爲便於下文分析，茲依〈三代改制質文篇〉所

---

❸ 孫廣德《先秦兩漢陰陽五行說的政治思想》亦有類似之看法（見頁 131）。然其說以爲十二代之循環序次爲：

黑統	白統	赤統	黑統	白統	赤統	黑統	白統	赤統	黑統	白統	赤統
法商	法夏	法質	法文	法商	法夏	法質	法文	法商	法夏	法質	法文

今觀董仲舒「（舜）主天法商而王」、「（禹）主地法夏而王」、「（湯）主天法質而王」、「（文王）主地法文而王」之論，夏黑統應「主地法夏」而王，不應「主天法商」而王（其餘各統亦然），孫說顯然不符董生立論之旨。

述，將其相關論點條列整理如下，兼明三統與四法說之理論架構。❶

表一：三統說制度表

制度＼三統	黑統	白統	赤統
朝代	夏《春秋》漢	商	周
正日月朔	營室	虛	牽牛
歲首	建寅	建丑	建子
物色	尚黑	尚白	尚赤
朝正	平明	鳴晨	夜半
服制	朝正服黑，首服藻黑，大節綏幘尚黑	朝正服白，首服藻白，大節綏幘尚白	朝正服赤，首服藻赤，大節綏幘尚赤
輿制	正路與質黑，馬黑，旗黑	正路與質白，馬白，旗白	正路與質赤，馬赤，旗赤
郊制	郊牲黑，犧牲角卵	郊牲白，犧牲角繭	郊牲赤，犧牲角栗
冠制	冠於阼	冠於堂	冠於房
婚制	禮逆於庭	禮逆於堂	禮逆於戶
喪制	殯於東階之上	殯於盈柱之間	殯於西階之上
祭制	祭牲黑牡，薦尚肝	祭牲白牡，薦尚肺	祭牲騂牡，薦尚心
樂制	樂器黑質	樂器白質	樂器赤質
刑制	法不刑有懷任新產者	法不刑有懷任	法不刑有身，重懷藏以養微

---

❶ 以下所列圖表，酌參王永祥：《董仲舒評傳》，頁330；林麗雪：《董仲舒》，頁63；蔣慶：《公羊學引論》，頁304；賴慶鴻：《董仲舒政治思想研究》，頁180。

表二：四法說制度表

四法 制度		主天法商	主地法夏	主天法質	主地法文
朝代		舜	夏	商	周
其道		佚陽 親親而多仁樸	進陰 尊尊而多節義	佚陽 親親而多質愛	進陰 尊尊而多禮文
行事		立嗣以子 篤母弟 妾以子貴	立嗣以孫 篤世子 妾不以子稱貴號	立嗣以子 篤母弟 妾以子貴	立嗣以孫 篤世子 妾不以子稱貴號
冠禮		字子以父	字子以母	字子以父	字子以母
夫婦		對坐而食 喪禮別葬 祭禮先臊 昭穆別位	同坐而食 喪禮合葬 祭禮先烹 婦從夫爲昭穆	對坐而食 喪禮別葬 祭禮先嘉疏 昭穆別位	同坐而食 喪禮合葬 祭禮先秬鬯 婦從夫爲昭穆
官 制	制爵	三等	五等	三等	五等
	祿士	二品	三品	二品	三品
郊 制	明堂	員	方	內員外橢	內方外衡
	屋形	高儼侈員	卑污方	如倚靡員橢	習而衡
祭 制	祭器	員	方	橢	衡同
	玉厚	九分	八分	七分	六分
	白藻	五絲	四絲	三絲	三絲
	程序	先毛血而後用聲	先烹而後用聲	先用玉聲而後烹	先烹而後用樂
服 制	衣制	大上	大下	衣長前衽	衣長後衽
	首服	儼員	卑退	員轉	習而垂流
輿制		尊蓋法天列象垂 四鸞	卑蓋法地周象垂 四鸞	尊蓋法天列象垂 四鸞	卑蓋備地周象垂 四鸞
樂制		戴鼓	設鼓	桯鼓	縣鼓
舞制		錫舞，舞溢員	纖施舞，舞溢方	羽籥舞，舞溢橢	萬舞，舞溢衡

刑制	正刑多隱	正刑天法	正刑多隱	正刑天法
封禪	於上位	於下位	於左位	於右位

如上表所示，董仲舒認為不同之統位除了有其相應的政治體制外，還必須配合相應的禮樂節文；其所涉及之範圍含攝王權象徵之「改正朔」、「易服色」，以及人倫世界之種種禮儀規範。此種依序循環的制度變革，若僅就三代而言，當然有明顯的變化；然若依此不斷推衍，則相同統位之政治體制與禮樂節文，就僅是「照例」變更，又如何能因應不同的歷史變化及其需求？且董仲舒明云：「今所謂新王必改制者，非改其道，非變其理；受命於天，易姓更王，非繼前王而王也。若一因前制，修故業，而無有所改，是與繼前王而王者無以別。……若夫大綱、人倫、道理、政治、教化、習俗、文義盡如故，亦何改哉？」（〈楚莊王篇〉；頁 17－18）「故王者有改制之名，亡變道之實。」（《漢書‧董仲舒傳》；頁 2518）以此觀之，董仲舒三統理論所強調的改制作科，似乎僅具形式意義，而沒有任何實質的改變。然而，董仲舒之所以特別凸顯「王者有改制之名，亡變道之實」，最重要的關鍵並不在於道之實質內涵有無改變。誠如董仲舒所述：「樂而不亂復而不厭者謂之道，道者萬世亡弊，弊者道之失也。」（《漢書‧董仲舒傳》；頁 2518）道既可反復行之而萬世無弊，顯示道具有「整全」及「互古不變」之特質；就此而言，道之實質內涵本就無須改變。問題是，道之實質內涵無所改變，是否意味著改制作科僅具形式意義呢？

　　本文認為，歷來之所以將焦點置於改制作科有無變道之實此一層面，並對董仲舒「王者有改制之名，亡變道之實」多所非議，究其原因，實出於忽略歷史發展有其不變之文化基礎。就一般對於歷史發展的理解而言，「改朝換代」似乎是歷史「發展」最明確的標誌；藉由此一標誌，人們可以深切地感受到歷史的變遷。然而，歷史發展並非僅是形式上的改朝換代而已；在一家一姓的轉換背後，人類歷史的發展尚有其不變之內在要素。此一不變之內在要素，用董仲舒的話來說，即是「大綱、人倫、道理、政治、教化、習俗、文義」之「道」，也就是維繫人類永續存在的整體文化建構及其根本價值。從此一角度來說，董仲舒認為王者「亡變道之實」，確實掌握了歷史發展的主軸核心；缺乏此一軸心，人類即無任何「歷史」可

言。然而，在不變的歷史軸心底下，人類歷史之發展尚有其「變化」的一面；如何因應不同的歷史情境而予以適當的處置，更是人類所不能忽略的重要課題。對此，董仲舒明確指出：

> 先王之道必有偏而不起之處，故政有眊而不行，舉其偏者以補其弊而已矣。三王之道所祖不同，非其相反，將以捄溢扶衰，所遭之變然也。……然夏上忠，殷上敬，周上文者，所繼之捄，當用此也。孔子曰：「殷因於夏禮，所損益可知也；周因於殷禮，所損益可知也。其或繼周者，雖百世可知也。」此言百王之用，以此三者矣。（《漢書·董仲舒傳》；頁2518）

「道」必須有所「損益」以因應「所遭之變」，則在董仲舒對於歷史的理解中，道之基本原則雖說不可改易，然道之具體呈現則可因時制宜而略作「調整」，以達致「補其弊」與「捄溢扶衰」之效果。很顯然的，董仲舒並未一味強調道之基本原則，就道落實於人間世而言，如何因應不同的時代需求而予以適當的調整，並藉由此一調整，進而使歷史發展回歸常道，才是董仲舒歷史理論之主要內涵所在。由此觀之，董仲舒對於「歷史」的理解實有其深刻的體認，忽略「常道」在歷史發展過程中所扮演的積極角色，恐難儘符董生立說之旨趣。

伍、結論

如上所述，董仲舒對於歷史的理解並非以客觀歷史發展為準據，而是以己身之世界觀與價值觀重新觀照歷史，並進而建構出一理想的歷史模型及其應有之內涵，企圖藉此建構出理想的秩序形式及其對應方針，由此而形成一穩定的秩序轉換模式與內容架構。其說之重點有三：

一、就歷史發展之形式架構而言：董仲舒認為歷史發展除依「黑→白→赤」之順序依序更迭外，尚須配合「商→夏→質→文」之轉換程序，由此而構成十二代一循環之歷史轉換模式。

二、就改制作科之實質內涵而言：董仲舒認為歷史發展有其不變之道，故「王者有改制之名，亡變道之實」；在此一基本原則底下，董仲舒又認為道必須因應不

同的歷史變化而予以適當的「損益」，並藉由此一調整，使歷史發展回歸常道。

　　三、就現實政治之具體層面而言：董仲舒提出《春秋》爲漢制法之理論，嘗試爲漢帝國之王命來源與體制改革尋求「法典」上之根據。

經　學　研　究　論　叢
第　十　一　輯　　頁225〜248
臺灣學生書局　　2003 年 6 月

張伯行對程朱學的傳布及其影響

楊　菁*

一、前言

　　清初是程朱理學極盛的時期，尤其是康熙一朝，由於康熙帝對理學的喜好，並有諸理學大臣如魏裔介、熊賜履、李光地等人的極力推廣，使理學成為官方的學術代表。程朱理學的推崇，掃除了明末以來王陽明學說造成的虛浮學風，對於學問、人心的醇篤，皆甚有助益。❶朝廷對理學的推崇，也造成上行下效之風，帶動了朝野士子研究理學的風氣。無論在讀書、講學，或書籍的刊刻，皆有可觀的成就。

　　張伯行也是清初理學家之一，但他本人在理學方面的著作及講述並不多，只能由他的著作《正誼堂文集、續集》中的一些篇章見出他的理學思想；但是他對理學

---

*　楊菁，萬能技術學院通識教育中心助理教授。

❶　如清人昭槤説：「仁皇帝夙好程朱，深談性理。雖宿儒者學，莫能窺測。嘗出《理學真偽論》以試詞林。又刊定《性理大全》、《朱子全書》等書。特命朱子配祀十哲之列。故當時宋學昌明，世多醇儒，非後世所能及也。」（《嘯亭雜錄》，臺北：文海出版社，1966 年，卷 1，〈崇理學條〉，頁 23）説明朱子學的推行影響學風的醇正。又楊向奎先生也説：「道學一脈，歷雍、乾兩朝，不絕如縷，但影響已微。蓋在朝者以理學張其幟，而在野者則拔其幟而事樸學。理學張，則朝野風氣較明世為謹嚴，樸學興則空疏之學風變而為乾嘉之考證。嚴謹與空疏，乃明清兩代士大夫間之最大區別，影響及于一時治學趨向。」（《清儒學案新編》，濟南：齊魯書社，1988 年 6 月，〈孝感安溪學案〉，頁 692－693）亦説清代理學的興盛帶動學風的謹嚴務實，對於當代的治學趨向皆有所影響。

的傳布仍是有貢獻的，因為他的一生「居鄉居官，在在都以表章正學為先務。」❷
尤其是任福建巡撫時，創建了鰲峰書院，培育了一批人才，並刊行了一系列和理學
有關的書籍，至今仍廣為流傳，所以他對於理學的推廣之功，主要是對理學人才的
獎掖提拔，及其所刊刻的一批書。

二、講學鰲峰書院與化育人才

　　張伯行（1651－1725），字孝先，號敬庵，河南儀封人。康熙二十四年
（1685）進士。三十九年（1700）八月，總河張鵬翮疏薦堪理河務，督修黃河南岸
堤二百餘里，及馬家港東埧高家堰石工。四十五年（1706）遷江蘇按察使，康熙南
巡蘇州，曾諭從臣曰：朕訪知張伯行居官甚清，最不易得。又諭曰：張伯行為人篤
實，即置之行閒亦非退縮者。於是拔擢為福建巡撫；他在閩地賑旱災、清海盜、糾
墨吏、禁淫祠，風化大行。四十八年（1709）調任江蘇巡撫。五十年（1711）十月
發生交通關節的科場弊案，張伯行與總督噶禮互參，其事沸沸揚揚，張伯行幾被誣
告奪官，後由康熙裁定張伯行居官清正，天下共知，命革噶禮職，伯行官復原職
❸，朝野懽聲雷動。雍正元年（1723）擢禮部尚書，先後進所輯《濂洛關閩書集
解》，世宗特御書「禮樂名臣」四字褒之。二年（1724），旨議從祀文廟。三年
（1725）卒於官。諡曰清恪。

　　張伯行未到福建時，就曾在康熙三十七年（1698），於儀封建請建書院；四十
三年（1704）在山東臨清建清源書院、夏鎮書院；四十四年（1705），於山東建濟
陽書院；皆致力於教化士子。❹康熙四十六年（1707）年撫閩，雖只有兩年多的時
間，但卻是他推廣閩學的重要時期。

　　閩中素有「海濱鄒魯」之稱，自從楊龜山載道而南，三傳至朱子，濂洛關閩之
學盛於東南。自宋迄於清，閩士蔚興，與中州相捋。張伯行在《道南源委・序》亦

---

❷　雷銨：〈張清恪公年譜序〉，見〔清〕張師栻、張師載撰：《張清恪公年譜》（以下簡稱
　　《年譜》）（上海：上海古籍出版社，1998年，《續修四庫全書》本）。

❸　這件事牽扯到江南地區滿漢人的衝突，詳見羅麗達：〈清初江南地方行政上的滿漢政治衝突
　　——張伯行噶禮互參案研究〉，《新史學》第7卷第3期（1996年9月）。

❹　又康熙五十二年（1713）於蘇州建紫陽書院。

稱讚閩地學風之盛：「理學名區獨盛於閩，不惟比擬伊洛，直與並稱鄒魯，而程子道南之一語，遂符合如左券。」清朝初年，康熙皇帝在閩地表彰楊時、羅從彥、李侗、朱熹等人，對於閩士的鼓舞極大，且對於風俗教化也甚有裨益。❺張伯行自云受到受到皇帝的影響❻，所以一到閩地，即以表彰道學，玉成人才爲先務。他「惟思以廣教化爲先務」❼，以講學方式來提振人心的天理，「況聖賢之學一日不講，則人欲潛滋，天理漸滅，有淪於不肖之歸而不自知者，尤不可緩。」❽所以他的理想是爲閩地立下一個傳授道業的典範：

> 噫嘻！閩濱東海，屹立武彝諸名勝，元氣融液，人與地會，當吾世復有興者，烏知後之視今，不猶今之視昔也。爾諸生景行前哲，能自振拔以斯道爲己任。吾見閩學之盛行，且自南而北，而迄於東西，不局於一方，不限於一時，源遠流長，汪洋澎湃，道之所謂流動而充滿，彌綸而布濩者，於是統貫於載道之人矣。（《道南源委·序》）

張伯行基於傳道及教化的理念，創建了鼇峰書院，捐俸購屋於九僊之麓，爲鼇峰書院，前建正誼堂，中祠周、程、張、朱五夫子；後爲藏書樓，置經史子集若干櫥。樓東有園亭、池塘、花卉、竹木之勝，計書舍一百二十五間，明窗淨几，幽闐弘

---

❺ 張伯行云：「聖天子崇儒重道，於龜山、豫章、延平三君子，及考亭夫子，皆親製御書區聯，表揚祠宇，雲章爛然，輝映日月，務俾閩士瞻仰興起，益勵所學，以無負先儒之教，於以育人才，厚風俗，意甚盛也。」（《正誼堂文集》，臺北：臺灣商務印書館，1966 年 3 月，卷 9，〈鼇峰書院記〉，頁 111）

❻ 張伯行曾說：「我皇上崇儒重道，又命儒臣纂修各書，以垂教萬世，洵所謂治臻堯舜，學並孔孟者。至鄉會命題，尤重性理，使四氏之書，直與孔曾思孟同不朽焉。兹叨撫九閩，承流宣化，實有未逮。」（《濂洛關閩書·序》）又說：「予自丁亥歲奉命撫閩，仰體聖天子養育人才至意，建鼇峰書院，以延英俊之士，作藏書樓，貯經、傳、史、集數千卷，命書生課業之暇，日纂錄古聖賢嘉言、善行，予總其成，簡擇裁汰之。」（《正誼堂文集》，卷 8，〈小學衍義序〉，頁 98）故知他提倡閩學，受康熙帝影響甚深。

❼ 張伯行：《正誼堂文集》，卷 9，〈鼇峰書院記〉，頁 111。

❽ 同上。

敝。對於來學的士子，日給廩餼，歲供衣服，使其無耳目紛營之累，而有朋友講習之樂。此外，對於諸生也時加考課，「當是時，上者醇茂敏達，出爲名公卿；次亦化其鄉人，⋯⋯士習人心於是大醇，其以學化人如此。」❾閩地經他所教化的人才甚多，當時以名諸生、名孝廉執經侍側的有漳浦的蔡世遠、海澄的鄭亦鄒❿、長汀的黎致遠、莆田的鄭文炳⓫、南平的余祖訓，「彬彬然實有以振閩學之傳也。」⓬其中蔡世遠（1682－1733）後來執講鼇峰書院，接續閩學的傳播之業，事功甚著。張伯行對他嘉獎有加：

> 余撫閩時，得士誠多，若漳浦蔡宮聞者，家學淵源所由來者舊矣。居恆讀書窮理，殫心著述，遇事躬行實踐，勇於有爲，雖在諸生，而其經術閎深，直可補政教所未逮。且復親師取友，虛懷善下，嘗欿然不自安者。（《正誼堂續集》，卷4，〈漳浦蔡氏家矩序〉，頁219－220）

雍正皇帝也曾經親自爲蔡世遠的《二希堂文集》作序，稱其「講學鼇峰，教人以忠信孝弟仁義，發明濂洛關閩淵源有自也。及立朝而風采議論，嘉言讜議，足以爲千百世治世之良規，則又國家棟梁之任也。」⓭對他讚譽有加。

---

❾　〈鼇峰書院志摘略〉（《正誼堂全書》，《百部叢書集成》本，卷首），葉41左。

❿　鄭亦鄒，康熙四十五年（1706）年進士，官內閣中書，澹於仕進，結廬白雪洞之麓，倡南屏文社，從學甚眾。張伯行聘爲鼇峰書院學正，見蔡世遠，折筆行與之爲友。著述十餘種，曰白麓藏書，又有詩文若干卷。時侯官鄭任鑰同登第齊名，號閩中二鄭。

⓫　鄭文炳，少有志操，長探性命之學，作《正學論要》，以洛閩爲歸。張伯行重其學行，選入鼇峰書院。及張移撫江蘇，招至講業，年餘而歸。雍正、乾隆兩朝鼇峰書院舉爲孝廉方正，皆不就徵，主洞橋書院，卒年八十六。著有《周易要義》、《正學論要》、《性理廣義》、《省心堂集》、《明倫初集、續集》。

⓬　〈鼇峰書院志摘略〉云：「清恪公開鼇峰，延致各屬俊乂，又躬爲之師，時則贈禮部尚書。文勤公自漳浦、鄭進士亦鄒自海澄、黎少司寇致遠自長汀、鄭孝廉文炳自莆田、余少司寇祖訓自南平，皆以名孝廉、名諸生執經侍側，彬彬然實有以振閩學之傳也。」（《正誼堂全書》，〈鼇峰書院志摘略〉，卷首，葉43右）

⓭　《四庫全書總目提要》，卷137，集部別集類廿六。

其後鼇峰書院理學人才輩出，如童能靈（1683－1745），曾游學於鼇峰書院，精於經術性理，尤嗜朱子學，唐鑑稱他「守程朱家法不踰尺寸」❹。著有《朱子爲學次第考》、《理學疑問》等。

活躍在雍乾以後的閩地朱子學者，有蔡世遠的門生雷鋐（1697－1760），繼蔡世遠之後，亦爲振興閩學的佼佼者。他平日讀書窮理，一以程朱爲宗，謹守規矩繩墨，克治嚴密，踐履篤實。他也曾請業於張伯行，曾在〈聞見偶錄〉回憶當時的情形：

> 余幼承祖父訓，然志在科名，未知返身切己之要。丁酉年二十一歲矣，就學鼇峰書院，得見梁村師（蔡世遠）學約，爽然自失；繼得湯潛庵、陸稼書二先生文集，讀之日有警覺，手鈔《性理精義》中，總論爲學之方，立志存養省察，致知力行數冊，始知用力途徑。……師每言安溪先生（李光地）之淵邃，儀封先生之切實，前輩中最推服江陰楊賓實先生（楊名時）。……余癸卯秋公車入京，得見儀封張公，公聞鼇峰書院有志正學人，喜動顏色，引拔不倦，授余以《居業錄》、《斯文正宗》、《道南源委》、《續近思錄》、《廣近思錄》等書。曰明儒薛、胡二先生最純正，初學尤宜從《居業錄》入手。又云：余老矣，倦酬應，與人論學則精力不衰，子無事可常來。然余落第後即歸，每念荷公教言，惟恐有負也。（《正誼堂全書》，卷首，〈鼇峰書院志摘略〉，葉41右－葉42左）

由這一段記載，可見張伯行離開閩地後，鼇峰書院繼起有人，後生士子仍受其惠。且他晚年在京師，對於後生仍引拔不倦，不改其以程朱學教化學人的態度。

又孟超然（1730－1797）亦曾主講鼇峰書院。他在書院終日與門人談經論藝，立教以誠，從學者眾，清代著名的經學家陳壽祺即爲他的門人。陳壽祺曾說：「蔡文勤倡正學于鼇峰，學士靡然向風，高足寧化雷翠庭先生得其傳，……先生乃誠比

---

❹　唐鑑：《清學案小識》（臺北：臺灣商務印書館，1895年8月臺二版），卷9，〈連城童先生〉，頁291。

肩文勤諸賢無愧色也。」⓯陳壽祺（1771－1834）也曾以鼇峰書院爲據點，登台授徒，著書立說，以治經而聞名。

張伯行之後，閩地人才輩起，蔡世遠〈送張又渠出守揚州序〉說：

> 蓋昔者吾師儀封張清恪公之撫閩也，清操正己以率屬，推誠心與之共治，懲其不率者而警勸之，視民之利病若己隱憂，不爲不去不止，其有沐浴詩書，敦善行者，賓禮之以養以晦，比及三年，治效蒸蒸，官無貪刻之習，士有恥不爲君子之心，流風餘韻，至今歌思不置。……蓋眞儒之澤遠矣。（《正誼堂全書》，卷首，〈鼇峰書院志摘略〉，葉56左）

此段評語正可以概括張伯行在閩地能以身作則，教化士子，影響學風，流風餘韻不絕。

三、張伯行的理學思想

張伯行的理學思想，略見於《正誼堂文集、續集》，大都遵循程朱之說，並無新意，如他論心性，說：

> 自孟子論性善，後漢唐諸儒未有能闡發性字之義者。至二程夫子而性學始大明於天下，……二夫子之言性曰性即理也；又曰，人生氣稟，理有善惡，然不是性中元有此兩物，相對而生也，合理與氣而附麗剖析之，至精至密，不獨以闢諸家之似是而非，并足以補孟子之所未備。故橫渠曰，論性不論氣不備，論氣不論性不明，正謂此也。……二夫子之文，皆本性之理而究極之，以措之應事接物之際，使當時大用，實足以教養斯民而治，幾三代不徒託諸空言，垂遺編於來世而已。（《二程文集·序》）

他以二程的「性即理」之說，最足以闡發孟子的性善之意；又理氣之說，是至精至

⓯ 陳壽祺：《孟氏八錄·跋》。

密的，不單可以闢諸家之似是而非，並可以補孟子之所未備。且二程的性理之說，措之於應物之際，則可以教養斯民而治，並不只是託之空言而已。故可以說，二程的性理之說，是可以由體達之於用的。此外，朱熹的格物、窮理、主敬之說，更是體用兼備之學，他說：

> 朱子論爲學工夫曰，主敬以立其本，窮理以致其知，反躬以踐其實。此三者，乃爲學之切要工夫。今以格物爲宗旨，予意若不主敬以立其本，是無本之學，而學爲雜學矣；若不反躬以踐其實，是無用之體，而體爲虛體矣。聖賢之學，由本以及末，明體以達用，内聖外王，備於一身，用行舍藏，運於一心，而謂一格物遂足盡聖賢之工夫乎，而謂一格物遂足滿聖賢之分量乎。程子曰，涵養須用敬，進學則在致知。是格物之前，尚在主敬之功。又曰，學之道，必先明諸心所在，然後力行以求至。薛文清公曰，讀書不體貼向自己身心上做工夫，雖讀盡古今天下之書，亦無益也。是格物也，又有實踐之功，安得以一格物盡之哉！主敬以立其本，窮理以致其知，反躬以踐其實，聖人復起，不易其言，別立宗旨奚爲也。（《正誼堂文集》，卷 6，〈與毛心易〉，頁 78）

朱子論爲學工夫主要有三：主敬以立其本、窮理以致其知、反躬以踐其實。「主敬」是本；「反躬以踐其實」是用；足見聖賢之學由本以及末，明體以達用的。而格物之前的主敬之功，也就是明諸心之學，是如薛文清所說的體貼向自己身心上做工夫；而格物是實踐之功，所以朱子的學問以此三者爲宗旨，也正涵蓋了體與用。

此外，程朱之學重視下學上達之序，主張在人倫日用之間體會道之所在，張伯行也說：「夫所謂道者，在人倫日用之間，體之以心，踐之以身，蘊之爲德行，發之爲事業，非徒以爲工文辭取科第之資已也。」[16]他又說：

> 世之不知學者無論矣，稍知學者，率皆求之高遠，或且索之幽深，探奇搜

---

[16] 張伯行：《正誼堂文集》，卷9，〈紫陽書院碑記〉，頁 112—113。

異，日從事於不可究極之域，以炫耀於人，其爲學也愈難，而其去聖也愈
遠。……蓋聖之所以爲聖，祇在倫理之克盡而已，天下同此倫理，根於性爲
仁、義、禮、智之德，發於情爲惻隱、羞惡、辭讓、是非之端，見於事爲君
臣、父子、夫婦、兄弟、朋友之常，此人之所以異於禽獸，而聖之所以與我
同類者也。（《正誼堂文集》，卷9，〈聖人可學而至論〉，頁116）

他認爲當時有些學者務求高遠、索之幽深、探奇搜異，從事於不可究極之域，皆不
是爲聖之方；聖人之所以爲聖，只在克盡倫理而已；此倫理是以仁、義、禮、智之
性爲根，發爲惻隱、羞惡、辭讓、是非之端，見於君臣、父子、夫婦、兄弟、朋友
之常。因此聖學是可學而至，而非杳冥難知的。

以上爲張伯行論理學之大要。

四、張伯行的刊刻叢書

張伯行撫閩時，於鼇峰書院除了講學之外，並興建藏書樓，積書數萬卷。此外
又搜求先儒遺書，手自校刊，凡理學、名臣節義、經濟之書共五十五種。張伯行在
其《正誼堂文集》有序言，分刊刻之書爲立德部、立功部、立言部、氣節部、名儒
粹語、名儒文集六種；而其纂輯集解者，別在各部外。但後來他所刊刻的書多所散
佚，直至同治五年六月，左宗棠班師旋閩，重振文教，設正誼堂書局，搜羅張伯行
所刊書籍得四十九種，及張伯行著作十四種，共六十三種，合爲《正誼堂全書》，
其書卷首有左宗棠示語，記載《全書》的刊刻之由：

曩者儀封張清恪公孝先先生之撫閩也，與漳浦蔡文勤公聞之先生講明正學，
閩學大興，清恪彙刻儒先遺書五十五種，埽異學之氣霧，入宋儒之堂奧。本
爵部堂鄉舉以後即得是刻殘編讀之，以未睹全書爲歉。茲來清恪舊治，亟詢
是書，僅存四十四種，而鼇峰書院所藏版片，則蠹蝕無存矣。爰設正誼堂書
局，飭司道籌款就所存本先付手民開雕，餘俟訪尋刻，書成散之各府縣書
院，俾吾閩人士得以日對儒先商量舊學，以求清恪文勤遺緒。（《正誼堂全
書》，卷首，〈左宮保示〉）

此重刊《正誼堂全書》總目如下：

書　名	卷數	著作者	張伯行分部	分類	總　目
周濂溪集	13	宋・周敦頤	立德	文學類	詩文別集
二程文集	12	宋・程頤、程顥	立德	文學類	文總集
張橫渠集	12	宋・張載	立德	文學類	文別集
朱子文集	18	宋・朱熹	立德	文學類	文別集
楊龜山集	6	宋・楊時	立德	文學類	文別集
尹和靖集	1	宋・尹焞	立德	文學類	文別集
羅豫章集	10	宋・羅從彥	立德	文學類	文別集
李延平集	4	宋・李侗	立德	文學類	詩文別集
張南軒集	7	宋・張栻	立德	文學類	文別集
黃勉齋集	8	宋・黃榦	立德	文學類	文別集
陳克齋集	5	宋・陳文蔚	立德	文學類	詩文別集
許魯齋集	6	元・許衡	立德	文學類	文別集
薛敬軒集	10	明・薛瑄	立德	文學類	文別集
胡敬齋集	3	明・胡居仁	立德	文學類	詩文別集
諸葛武侯文集	4	蜀漢・諸葛亮	立功	文學類	文別集
陸宣公集	4	唐・陸贄	立功	文學類	文別集
韓魏公集	20	宋・韓琦	立功	文學類	文別集
司馬溫公集	14	宋・司馬光	立功	文學類	詩文別集
文文山集	2	宋・文天祥	氣節	文學類	詩文別集
謝疊山集	2	宋・謝枋得	氣節	文學類	文別集
方正學集	7	明・方孝孺	氣節	文學類	文別集
楊椒山集	2	明・楊繼盛	氣節	文學類	文別集
二程粹言	2	宋・楊時編	名儒粹言	哲學類	理　學
伊洛淵源錄	14	宋・朱熹	名儒粹言	史地類	傳記之部理學家總傳
上蔡先生語錄	3	宋・謝良佐	名儒粹言	哲學類	理　學

書　名	卷數	著作者	張伯行分部	分類	總　目
程氏家塾讀書分年日程	3	元・程端禮	名儒粹言	總　類	讀書指南
朱子學的	2	明・丘濬編	名儒粹言	哲學類	理　學
學蔀通辨	12	明・陳建	名儒粹言	哲學類	理　學
讀書錄	8	明・薛瑄	名儒粹言	哲學類	理　學
居業錄	8	明・胡居仁	名儒粹言	哲學類	理　學
道南源委	6	明・朱衡	名儒粹言	史地類	傳記之部 理學家總傳
困知記、續記	4	明・羅欽順	名儒粹言	哲學類	理　學
思辨錄輯要	22	清・陸世儀	名儒粹言	哲學類	理　學
王學質疑附錄	6	清・張烈	名儒粹言	哲學類	理　學
讀禮志疑	6	清・陸隴其輯	名儒粹言	總　類	群經總義
讀朱隨筆	4	清・陸隴其輯	名儒粹言	哲學類	理　學
問學錄	4	清・陸隴其	名儒粹言	哲學類	理　學
松陽鈔存	1	清・陸隴其	名儒粹言	哲學類	理　學
石徂徠集	2	宋・石介	名儒文集	文學類	文別集
高東溪集	2	宋・高登	名儒文集	文學類	詩文別集
眞西山集	8	宋・眞德秀	名儒文集	文學類	文別集
熊勿軒集	6	宋・熊禾	名儒文集	文學類	文別集
聞過齋集	4	元・吳海	名儒文集	文學類	文別集
魏莊渠集	2	明・魏校	名儒文集	文學類	文別集
羅整庵集存稿	2	明・羅欽順	名儒文集	文學類	文別集
陳剩夫集	3	明・陳眞晟	名儒文集	文學類	文別集
張陽和集	3	明・張元忭	名儒文集	文學類	詩文別集
湯潛庵集	2	清・湯斌	名儒文集	文學類	文別集
陸稼書集	2	清・陸隴其	名儒文集	文學類	文別集
道統錄附錄	3	清・張伯行		史地類	傳記之部 哲學家總傳
二程語錄	18	清・張伯行訂		哲學類	理　學

書　名	卷數	著作者	張伯行分部	分類	總　目
朱子語類	8	清・張伯行訂		哲學類	理　學
濂洛關閩書	19	清・張伯行集解		哲學類	理　學
近思錄	14	清・張伯行編		哲學類	理　學
廣近思錄	14	清・張伯行		哲學類	理　學
困學錄集粹	8	清・張伯行		哲學類	理　學
小學集解	6	清・張伯行		社會科學類	兒童教育
濂洛風雅	9	清・張伯行編		文學類	詩總集
學規類編	27	清・張伯行		哲學類	理　學
養正類編	13	清・張伯行		社會科學類	兒童教育
居濟一得	8	清・張伯行		應用科學類	河海工程
正誼堂文集	12	清・張伯行		文學類	文別集
正誼堂續集	8	清・張伯行		文學類	文別集

　　以上重刊書目，缺立功部《范文正公集》❶、立言部《八大家文鈔》❸，及氣節部《大洪集》❹，前二書列於採訪書目，後書列於採訪書存目。民國五十七年藝文印書館影印《正誼堂全書》（收於《百部叢書集成》之 26）則收進張伯行輯《唐宋八大家文鈔》19 卷、宋・范仲淹撰《范文正公文集》9 卷、明・楊漣撰《楊

❶　〔清〕楊浚：〈正誼堂全書跋〉曰：「案茲部惟范集未見，原本世多別刊者。」（《正誼堂全書》，卷末，葉 2 左）

❸　〔清〕：楊浚〈正誼堂全書跋〉曰：「案茲部名曰《八大家文鈔》，院藏書目載韓文三卷、柳文一卷、歐陽文二卷、三蘇文四卷、曾文七卷、王文二卷，共一十九卷，爲公所選。〈書院記略〉云已遺失，陳太史壽祺家有藏本，近向假之已不可得。」（《正誼堂全書》，卷末，葉 2 左）

❹　〔清〕楊浚〈正誼堂全書跋〉曰：「《大洪集》行世多其裔孫大令祖憲道光閒所刊者，公原刊本裏在都門曾一見之，近亦不可得。」（《正誼堂全書》，卷末，葉 2 右）

大洪先生文集》2卷；另收張伯行集解《續近思錄》14卷（此書左宗棠重刊《正誼堂全書》列於採訪書存目），及明·海瑞撰《海剛峰先生集》2卷。

　　除了在福建正誼堂所刻的書外，張伯行另有未付梓的書籍如：

康熙四十年（1701）輯《閨中寶鑑》，輯古今女訓女誡共二卷，未刻。

四十三年（1704）輯《白鹿洞學規衍義》，「以朱子所定學規爲綱，而集經史及諸
　　儒之論以實之，後於福建刻《學規類編》，此書未授梓。」❷⓿

五十一年（1712）輯《三朝名臣言行錄》，因朱子輯本朝名臣言行錄，分前後二
　　輯。後李幼武又自靖康建炎下及南宋纂而錄之，分續集別集並傳於世。張伯行
　　以卷帙分散，乃約而爲一集。起於趙忠獻王普，迄於王文憲公柏合一百五十三
　　人，爲《宋朝名臣言行錄》。又纂元一代名臣起於木忠武王華黎，迄於杜處士
　　瑛，合一百六人，爲《元名臣言行錄》。又纂明一代名臣起於徐武寧王達，迄
　　於劉新樂侯文炳，合二百八十人，爲《明名臣言行錄》，總題曰：《三朝名臣
　　言行錄》。是時已有定本，以卷帙浩繁，未即授梓，後散失，宋明兩朝各存四
　　卷，元錄竟無。❷⓵

五十三年（1714），輯《小學衍義》，以朱子小學之目爲綱，而下另爲之目，取經
　　史中之嘉言善行以實之，與《大學衍義》及《衍義補》互相發明。始於閩，成
　　於吳，未付梓。❷⓶

五十四年（1715），著《四書講義纂輯》、《四書正宗輯學易編》，未詳定。

六十年（1721），訂《斯文正宗》，未知是否刊行。

　　此外，另有刊刻之書不在《正誼堂全書》之內者，或爲張伯行在他地所刻，如：

四十五年（1706），刻《北河續記》，爲治河之書。

四十七年（1708），《家規類編》。

四十九年（1710），編刻《歷朝文集》，包括石守道、呂東萊、崔後渠、魏莊渠、
　　海剛峰、汪仁峰、蔡洨濱、陳確菴、陸桴亭、張楊園、魏貞菴、施誠齋、吳徽

❷⓿ 見〔清〕張師栻、張師載撰：《年譜》，卷上，頁22。
❷⓵ 見〔清〕張師栻、張師載撰：《年譜》，卷上，頁67。
❷⓶ 見〔清〕張師栻、張師載撰：《年譜》，卷下，頁8。

仲、汪黙菴、應潛齋、魏環溪文集。

《古文載道》，選宋元迄清儒者之文，與道相發明者。

五十年（1711），刻《諸儒講義》，彙宋元及清諸儒講義而刻之。

五十二年（1713），刻程啓瞰著《閑闢錄》，因其專攻陸學，衛道有功。

五十三年（1714），刻《陳北溪集》、諸莊甫《勤齋考道日錄》、李微之《道命錄》。

五十四年（1715），刻《養正先資訓蒙詩選》。

　　張伯行藉由叢書的刊刻，來推廣他的理念，這些理念，也可以說是《正誼堂全書》及諸書刊行的特色，茲將此特色歸納如下：

㈠表彰程朱學

　　可以說，張伯行刊刻叢書的最大用意在於表彰程朱之道。他曾說：「弟撫閩兩載……乃日以聖賢之道告人，而人不吾信，又刻先儒遺書，使九閩之士，知吾之所言者，乃程朱之道，程朱之道即孔孟之道，非予一人之私言也。」[23]張伯行於鼇峰書院，宣講聖賢之道，此聖賢之道即程朱之道，爲了證明他所說並非一人之私言，故刻先儒遺書，以俾士子有所遵循。他將所刊書分爲立德部、立言部、立功部，氣節部，實則以「立德」統之，他在〈立德總序〉提挈了主旨所在，說：「古稱不朽者三，首曰立德，而功與言次之」[24]，他又說：人自形生神發以來，得天地之氣以爲體，得天地之理以爲性，而吾心之明德乃能具焉。然因氣不能無拘，物不能無蔽，故須藉由格物窮理，返躬實踐，吾心之明德乃能全於我而無所虧。人心之德，是先乎天地而存，不與形氣俱盡的。因他認同程朱的理氣及格物窮理說，因此推崇程朱之統：

　　以予觀洙泗閒，吾夫子以盛德之至，集群聖之大成，一時親炙若顏、曾；私淑若思、孟，均所稱見而知之者也。自漢迄唐，其閒非無一二厚自濯磨，擔當世道之士，而不醇不備，識者不無遺憾。宋興，而濂溪周子出，發太極之

---

[23] 張伯行：《正誼堂文集》，卷6，〈答同年陳宮詹〉，頁67。

[24] 張伯行：《正誼堂文集》，卷7，〈立德總序〉，頁81。

奧，得不傳之緒於遺文，嗣是而伯子、叔子、橫渠，力肩斯道，闡明絕學，
至朱子而復集其大成。是數君子之立德，幾與孔孟並。外此而程氏之門，若
龜山、和靖、上蔡，再傳、三傳，而有豫章、延平，與朱子相師友者，若張
南軒、黃勉齋、陳克齋，皆直接程朱之統。而元之許，明之薛、胡，聞風繼
起，皆踐履篤實，而醇乎其醇，其於立德之科，均可以不愧者也。予因裒集
前後諸刻，凡數十家，分立德、立功、立言，並氣節，為四部，茲部彙編立
德，以五君子立之宗，其他皆可從此統焉。（《正誼堂文集》，卷 7，〈立德總
序〉，頁 81）

這一段話，說明了「明德」之統的傳續，由孔子具盛德之至，顏、曾、思、孟之
後，一直到宋周濂溪、二程、張載（橫渠）方闡明絕學，而由朱子集大成。其他程
氏之門如楊時（龜山）、尹焞（和靖）、謝良佐（上蔡）、羅從彥（豫章）、李侗
（延平）；朱子之師友如張栻（南軒）、黃榦（勉齋）、陳文蔚（克齋）；乃至元
代的許衡；明代的薛瑄、胡居仁皆能接續程朱之統，亦即能於立德之科，有所卓
立，因此刊刻這些人的著作，編立德部，以周程張朱五人為宗，其他則皆可統於其
中。

　　張伯行刊刻叢書多以表彰程朱學為主，如輯《道統源流》、《道統錄》以明聖
賢之宗傳；輯《伊洛淵源錄續錄》以明諸儒之統續。輯《學規類編》、《學規衍
義》、《程氏家塾分年日程》、《近思錄集解》、《續近思錄》、《廣近思錄》、
《性理正宗》，以垂正學之型。輯《家規類編》，以示修齊之範。輯《濂洛關閩書
集解》以配《學》、《庸》、《語》、《孟》，名曰《後四書》。選刻的人物亦是
學行精純的理學家，如明代的薛瑄，張伯行明言道：

有明一代人物，首推河東薛敬軒先生，先生之學，根柢周、程、張、朱，以
復性為宗，居敬窮理為要，其措之事業，莫非本平日讀書自得者出之，信道
直行，窮達一致，極患難生死而不失其常。（《正誼堂文集》，卷 7，〈薛文清
公讀書錄序〉，頁 88）

薛瑄的學問是以周、程、張、朱爲根柢，以復性爲宗，以窮理爲要，故爲他所推崇。另有羅欽順力排釋老、力扶正學，也是他所推重的：

> 羅整庵先生痛排釋老，力扶正學，齒髮甫壯時，亦嘗馳縱於釋氏，探討其旨歸，苟非識見超拔，出汨沒而師聖賢，鮮不爲彼之所誘而去者。先生乃一返諸程朱，鑽研體究，隨所尋繹，輒書於篇，是《困知記》之所爲作也。其於邪正之幾，是非之介，析之精於毫髮。晚歲，用功愈堅，自知愈審，推先王之心，邪正不並存，是非不兩立，有盡心知性之辨，而後明心見性之説不得亂於儒宗；有格物致知之功，而後凌虛駕空之弊不至貽誤後學。迄於今，誦讀遺編，猶見嚴嚴之概，後之屏絕思慮、簸弄神奇者，寧不知所自返耶！
> （《正誼堂續集》，卷3，〈羅整庵困知記序〉，頁205－206）

羅欽順早年亦馳心於禪，年幾四十才追悔前非，始志於道。晚年益以盡心知性之辨以闢佛教明心見性之非；並以程朱的格物致知之功，批陽明凌虛駕空之弊，成爲護翼程朱學的大家，所以張伯行也刻他的著作行世。又清代理學家中，他最服膺陸隴其，對他推獎有加，他說：

> 自本朝以來，文教既盛，理學輩出，其篤信朱子之道而力行之者，尤莫如陸稼書先生。先生之爲學也，主敬以立其本，窮理以致其知，返躬以踐其實，一以朱子爲準繩，教人必循乎下學上達之次第，其好高躐等，師心自用，爲陽儒陰釋之學以貽誤後人者，審擇詳辨，毫髮無所遁其情，埽迷空之大霧，還白日於中天。先生之於正學，其功豈淺鮮哉！……余素景慕先生，既從其家得《問學錄》、《讀禮志疑》、《讀朱隨筆》等書，刻於鼇峰書院。
> （《正誼堂文集》，卷7，〈陸稼書文集序〉，頁94－95）

陸隴其是清代第一位從祀孔廟的理學家，他一生學術以力闢陸、王，尊崇程朱爲要；所學皆以朱子爲宗，講主敬、窮理。著有《學術辨》一書，旨在闢王學之誣枉，是程朱學派的衛道者。他和張伯行是同時代的人，當代理學家中，張伯行對他

也嚮往最深，並深服他尊朱闢王的用心❷，所以刊刻的書籍中，以陸隴其的著作最多。

　　以上這些書的刊刻，可見張伯行表彰的正學，是以程朱學爲主，其他雖也有諸儒文集的刊刻，如刻立功部文集，「欲有志於事功者，知所景仰也。」❷立言部文集，也是由於「因文以求道，猶與道爲二，故僅傳以文，欲學者學其文，更求其上也。」❷又刻氣節部文集，因「節義之士，其氣配乎道義，讀其文可頑廉儒立，有功世道人心。」❷刻名儒粹語部，以「先儒語類記錄，尤爲身心性命切要之言，而人生日用所不容斯須置者。」❷故知這些文集的刊刻，都是爲了輔助教化，其目的仍在使士子於身心性命的修持有所依循。

(二)端正學風

　　張伯行推崇程朱，其用意也在於力矯當時虛浮的學風，他曾說：「嘗慨今時之士，喜圓而惡方，好異而厭常，卑者趨於利祿，高者樂爲頓悟，計功謀利之心日勝，正誼明道之訓不聞，士惟務外，學不知本。」❸所謂卑者趨於利祿，是指讀書人多陷溺於功利之習中，只以讀書作爲求取利祿的工具；而高者樂爲頓悟，以良知爲現成可得，而不加以學問、踐履之功，指出陽明學風仍普遍影響當時的讀書人。對於學風的不正，張伯行便慨然以力矯時風爲己任，他說「當今之世，非吾直上，其誰任之，吾輩不出而擔當天下事則已，苟出而得行其志，得爲其事，不大爲整頓一番，救陷溺、扶正道，使一世咸歸一道同風之上理，則平生之所學謂何？」❸可見他挽救陷溺、扶植正道的決心之堅定。

---

❷　張伯行又說：「正學不明，大道久晦，欲尊程朱，黜陽明，使天下已讀陽明之書者，不至迷溺其中而不返；而未讀陽明之書者，亦不至誤入其中而不覺。此亦稼書先生不得已之苦心也。」（《正誼堂續集》（臺北：臺灣商務印書館，1966 年 3 月），卷 5，〈與友人〉，頁236－237。

❷　〔清〕張師栻、張師載撰：《年譜》，卷上，頁40。

❷　〔清〕張師栻、張師載撰：《年譜》，卷上，頁40。

❷　〔清〕張師栻、張師載撰：《年譜》，卷上，頁40。

❷　〔清〕張師栻、張師載撰：《年譜》，卷上，頁41。

❸　張伯行：《正誼堂文集》，卷6，〈答浙江彭學院〉，頁68。

❸　同上。

　　要端正學風，必先力闢造成學風浮靡的陽明學，故張伯行也是極力斥逐陽明學說之人，認爲陽明學的致良知之說是造成明代中葉以後學風敗壞的原因，他說：

> 姚江王氏祖述金谿，而以朱子之學爲支離影響，倡立致良知之新說，盡變其成規，知其不足以服天下，則又爲《晚年定論》之書，附會牽合，以墨亂儒，天下之談心學者，靡然響應，皆放佚準繩，不知名教中有何事。至啓禎末年，而世道風俗頹敗極矣。蓋比諸金谿之爲禍殆有甚焉。（《正誼堂續集》，卷4，〈性理正宗序〉，頁216－217）

陽明以朱子的格物致知之學爲支離影響，難以見道，因此創了「致良知」之說，主張「心即理」，致吾之良知於事事物物，以求直接抉發本心之明。又作《朱子晚年定論》，謂朱子晚年之說與己說並無不異。陽明心學有直截簡易之功，當時讀書人靡然響應者甚多。然至王學末流，多放佚禮法，不拘名教，聰明材辨者，簸弄神奇，以此自雄一世，使得世道風俗爲之敗壞。對於陽明學說之弊，引以爲深惡痛絕者所在多是，自明末以迄清初，攻撻者皆將王學視爲洪水猛獸，張伯行不過是其中之一。張伯行力持程朱學，以爲不知窮理持敬，即是不識心性；而王學者不識心性，於默坐澄心時，偶見西來面目，即驚爲獨得之祕，遂至挾此以凌駕古今，莫之能禦，此即是以學術亂天下也。朱子學說則能力矯此弊，他說：

> 夫虛靈知覺，氣之妙也，周子所謂人得其秀而最靈，當即指此。至聖人定之以中正、仁義，便是以義理爲知覺之主，吾儒義理不明，虛靈便易爲累，所以必要學問思辨，躬行實踐，涵養省察，擴充克治，凡此工夫，無非是踏著實地，不使此心曠曠蕩蕩，毫無把捉。昔賢教人之法具在，並不曾說因其靈以返乎虛，自異學作用之興，曰明心見性，曰淨智妙圓，曰神通妙用，曰光明寂照，總不離虛靈者近是。陸象山之收拾精神，楊慈湖之鑑中萬象，陳白沙謂一點虛靈萬象存，王陽明謂心之良知是謂聖，皆是以知覺言心，欲守此虛靈，以任其所爲，流毒迄今，靡有底止。（《正誼堂文集》，卷6，〈復原元功〉，頁76－79）

他認為程朱學以義理為知覺之主,且又加以學問思辨、躬行實踐、涵養省察,擴充克治等踏實工夫,不使此心曠曠蕩蕩,毫無把捉。而佛教所說的明心見性、淨智妙圓、神通妙用、光明寂照;陸象山說收拾精神;楊慈湖說鑑中萬象;陳白沙說一點虛靈萬象存;王陽明說心之良知是謂聖,都是以知覺言心,所守的是虛靈之心,是虛而非實,且是難以把捉的心,所以只有程朱學派所言的義理之心才是最實在的。

因此他極力主張欲尊朱必須力闢王學,他說「今日尊朱而不闢王,是何異欲親正人賢士而復任淫聲美色之日濡染於耳目之前,謂可以不拒者拒之也,有是理乎。」❷且闢王時絕不可存有調停之意,因為初入陽明之學者,「其始不過存一調停兩可之見,不能勇於抉擇,久知其不便於己,卒至決然捨去,縱恣自適,其勢不中立,而又轉移之速如此,甚可懼也。」❸所以張伯行主張,若欲尊朱,絕不可對陽明學存著模稜兩可之見,他重刊張烈的《王學質疑》,即是讚賞他勇於摧破陽明之說。故知張伯行對於詆排異說,廓清學術,是絲毫不留餘地的。

為了廓清學術,端正學風,張伯行除了講學時一以程朱學為宗,更注意到童蒙教育的學習。因猶恐後生知識未定,狃於虛華習尚,若積成風俗,為時已晚;因此為了杜漸防微,他倣效朱熹編《小學》之書,輯古昔嘉言,成《養正類編》,俾使童蒙得所長養,「觀其所養與所自養惟正則吉,推之天地養萬物,聖人養賢及萬民,皆於屯蒙正其始基。……願學者童而服習,為身心立性命之正,為國家豫德藝之選,庶幾天德王道一以貫之,何至早壞心術,終愧科名哉!」❹另有《小學衍義》之作,也是冀由童稚的教育,由純正的學習,奠立良好基礎。

五、張伯行道統與治統合一的主張

張伯行推崇程朱,拒排異說,自然也接受程朱學派的道統之說,他曾著《道統錄》一書,表明他尊道統的用心,他說:

---

❷　張伯行:《正誼堂續集》,卷4,〈王學質疑序〉,頁222-223。

❸　同上。

❹　張伯行:《養正類編·序》。

余在戊子春業成《道統錄》一書，故於茲編雖溯厥統系，而惟是概舉大凡，取循源竟委之意，未備者補之，涉於異學者刪之，且以二程冠其首，爲道南之發端。名固仍舊，義亦有合焉。輯成爰進諸生而詔之曰，道之有源有委也。（《道南源委·序》）

他所作的《道統錄》，是爲了「循源竟委」，追溯道統的源流，故上推伏羲、神農、黃帝、虞舜、夏禹、商湯、文王、武王、周公、孔子、顏子、曾子、子思、孟子；下迄周、程、張、朱，凡涉異學的皆刪除之，以明「大道之在天下，如日月之經天，江河之行地，原無日不昭著流布於兩閒。」[35]然道賴人以行，須有力肩斯道的人，才能使道統相續不墜，故斯書之作，用以表彰傳道之人。他又因鑑於《性理大全》一書，雖引據詳贍，然其中天文地志，律歷兵機，讖緯術數之學援引甚繁，未免失之駁雜；又其爲書於儒、釋、參同等語及縱橫家議論，概有取焉，似乎擇之不精。因此著《性理正宗》一書，刪其繁蕪，補其缺略：

尊道統以清其源，述師傳以別其派。凡靜存動察，下學人事之實功，有切於心性者，無不盡其節目次第之詳，於宋則取周程張朱五子之言爲的，於元明則以許薛胡羅四君子繼之，其餘諸子，間有採錄，不敢濫爲掇拾，惟於異學之邪僻足以惑世誣民，而後之人能抉其樊籬，披其根株者，衛道之功不可泯，爲之三致意焉。……尤願後之學者，循途守轍，崇實黜虛，不致誤認知覺運動爲性，而默守其虛靈不昧之心，則窮理持敬，下學可以上達，盡性即以至命，於以上接濂洛關閩之傳無難焉。此固學術之幸也，亦世道風俗之大幸也夫。（《正誼堂續集》，卷4，〈性理正宗序〉，頁216-217）

在《性理正宗》中，他取宋朝周、程、張、朱五子之言爲的，元明則取許衡、薛瑄、胡居仁、羅欽順四人，以這些人爲眞能傳續「性理」之學，其他駁雜異說則剔除之。此外，足以闢異端，於衛道有功的，也是他所致意者，這些皆可由他在叢書

---

[35] 張伯行：《道統錄·序》。

的選刻上見之。故知張伯行的道統之傳，是極純粹的。

張伯行尊傳道之統，上推黃帝、神農、伏羲，認爲三代而上，上而爲君爲相，故其道以位而行；三代而下，下而爲師爲儒，故其道以言而傳，「傳於上而統在上，堯舜禹湯、文王、皋夔稷契、伊傅周召，事業炳然。傳於下而統在下，孔孟、周程張朱，源流秩然，則不得不謂行道爲統而傳道非統也。」❸他對於上古君相能傳道統之緒，極爲肯定與嚮慕，因此對當時康熙皇帝推尊程朱之學，也極以讚揚之，他說「惟我皇上……周程張朱之學，復加意以表章，御賜匾聯，輝映先儒宅里，尊崇性理，式端選士章程，定紫陽之全書，斯文攸賴，升考亭於十哲，特典昭垂，皆由皇上道德淵涵，事事本躬行心得，故令當世風聲丕振，人人知正學儒宗。」❸他甚至認爲康熙就如上古時君相傳道的典範：

> 溯自皇古以來，道統相承在君相；而迄素王以降，心傳代嬗於師儒，何幸天運循環，復睹聖皇建極，由洛閩而溯鄒魯，遠接千餘年未續之傳；自宋代以至今茲，正際五百歲昌期之會，我皇上應運而興，乘乾以御，本心法爲治法，統古今天地之道而咸宜，以作君兼作師，合帝王聖賢之傳而爲一。
> （《正誼堂續集》，卷1，〈恭進濂洛關閩書表〉，頁174）

他以康熙帝能本心法爲治法，作君兼作師，能合帝王與聖賢之道爲一，也就是將治統與道統合而爲一。他所作《道統錄》的最大用意，更是藉由歷聖相傳之道的闡明，爲康熙帝的治統、道統合一找到根據，故他說：

> 我皇上崇儒重道，文教聿興，御製《四書》、《孝經》、《易經》講義，頒行天下，披覽周、程、張、朱之書，時書其詩文，以賜群臣，又命儒臣纂修諸書，次第告成，斯固正學光昌之會，大儒興起之日也。天下其必有能闡明歷聖相傳之道，出而佐我皇上成五登三之治者。然則余之增訂是書也，又豈

---

❸ 張伯行：《正誼堂續集》，卷8，〈題道統錄〉，頁274。
❸ 張伯行：《正誼堂續集》，卷1，〈恭進濂洛關閩書表〉，頁173-174。

特爲學者之備觀云爾已乎。（《道統錄·序》）

他明言《道統錄》之作，並非只是爲學者所備觀，更重要的是爲康熙的推崇理學，以君相行道，推溯源流，並輔助他「咸五登三之治」，重現三皇五帝時的理想治世。

六、結論

由以上所論，可知張伯行在閩地對於閩學的提倡不遺餘力。他所創建的鰲峰書院，以講授程朱學爲主，不僅培育出不少人才，且對於學風的端正，風俗的淳篤也甚有幫助。他所刊刻的《正誼堂叢書》，清同治六年由左宗棠重刊，集爲《正誼堂全書》，收集有與理學相關的書目、文集，至今仍廣爲流傳，且爲學習理學的重要書目。這些都可說是他傳佈閩學的功績。但是因爲他本人在理學方面的著作不多，且無新意，因此張舜徽曾批評他刊刻的叢書「惟在搜羅遺書，修葺補綴而已」❸。對於他的因循墨守有所批評。

又張伯行在閩地致力於程朱學的提倡，並強調道統，嚴厲地拒斥陽明學、佛老等「異學」，由此可見他堅守程朱學統的純粹性；但從另一方面來說，也可以說他固守在程朱的封閉系統之中，對於明末清初以來的經學學風，及西方科學等知識並不加以吸納因應。這種現象亦可見於當時的程朱學者，如張履祥（1611－1674）、呂留良（1629－1683）、陸隴其（1630－1692）等，這種保守性格，使得程朱學日益走向封閉與拘執；乾嘉以後，學風轉向經學考據，理學的光芒遂日漸暗淡。

又張伯行盛讚康熙帝合道統與治統爲一，並作《道統錄》爲康熙的治道找到歷史的根據與合法性，這正可以見出傳統知識份子對於聖主出現的期待與嚮慕之心。如同時代的李光地（1642－1718）也曾說：「道統與治統古者出於一，後世出於二。……自朱子而來，至我皇上又五百歲，應王者之期，躬聖賢之學，天其殆將復

---

❸ 張舜徽：《清人文集別錄》（北京：中華書局，1963 年第一版，1980 年二刷），卷 3，〈正誼堂文集〉，頁 91。

啓堯舜之運而道與治之統復合乎？」㊴他和張伯行一樣，都將康熙之治喻爲五百年的應運之期，是道統與治統又將合一的表徵。李光地的門生李紱（1673－1750），對於康熙的文治武功也極爲讚歎，曾說：「我皇上功德至隆，咸五帝，登三王，告宗廟而名正，質臣民而言順，用垂鴻號，向多讓焉。」㊵認爲康熙的功業足以媲美三皇五帝，並言「道統、治統萃於一人。」㊶。清中葉焦循（1763－1820）曾對明人呂坤的「理」與「勢」之說評論道：

> 明人呂坤有《語錄》一書，論理云：「天地間唯理與勢最尊，理又尊之尊也。廟堂之上言理，則天子不得以勢相奪。即相奪，而理則常伸於天下萬世。」此眞邪說也。孔子自言事君盡禮，未聞持理以要君者。呂氏此言，亂臣賊子之萌也。㊷

呂坤認爲「理」應具有批判政治權威的功能，天子不得以「勢」奪「理」。但焦循則持相反意見，認爲持理要君，是亂臣賊子之萌。可見「理」與「勢」的合一，即「道統」與「治統」的合一在清代不僅被實踐，且影響也極爲深遠。㊸這種「道統」與「治統」合一的觀點，一方面固然可以藉著皇帝的支持，將儒家的文化教育徹底地實踐於政治，下行於民間；但是「道統」與「治統」合一的結果，使得二者在意識型態的區分更爲模糊；「政治勢力」延伸到「文化領域」的結果，致使「皇權」變成「政治」與「文化」的運作核心，而統治者遂成爲兩項傳統的最終權威。此意味著君權的高漲，君權也因此更持有「理」的依據，統治者擁有了政治與文化

㊴　〔清〕李光地：《榕村全集》（大西洋圖書公司，出版地、年不詳），卷 10，〈進讀書筆錄及論說序記雜文序〉，頁 525。

㊵　〔清〕李紱：《穆堂別稿》（清道光十一年珊城阜祺堂重刻本），卷 40，頁 4 上－4 下。

㊶　〔清〕李紱：《穆堂別稿》，卷 46，頁 33 上。吳澄復祀孔廟時，李紱亦稱乾隆「躬承道統」。見《穆堂別稿》，卷 25，頁 11 下。李紱亦稱雍正「躬備道統之全」，見《雍正硃批諭旨》，頁 867。

㊷　〔清〕焦循：《雕菰集》（臺北：臺灣商務印書館，1937 年），卷 10，〈理說〉，頁 151。

㊸　章學誠以「理」與「勢」合一來評史。詳見黃進興：〈清初政權意識型態之探究——政治化的「道統觀」〉，《中央研究院歷史語言研究所集刊》，第 58 本第 1 分（1987 年 3 月）。

的無上權威，加強了統治者制心的權力，「道統」的自主性可能就此被犧牲；亦即，傳統裡「道統」批判政治的超越立足點也被消解了。如張伯行等人在欣逢聖主聖治的同時，可能都無法看到其學說可能產生的反面影響；我們也可以說，這些正是當時代程朱學被推尊，輔以康熙朝的盛治下所呈現的特色吧！

因此，由張伯行對閩學的傳佈，同時也可以見出清初程朱學的風貌及其侷限之一端。

又張伯行，他在學生的教育上，也主張讓學生學習兵刑、錢穀、農桑、水利、民生、日用之務等用世之學，認為在學期間要先能留心世務，淹貫博通，等到一旦入仕方知道如何治國，他說：

> 凡四子、五經，內聖外王之道備焉，朝廷所以特重明經之學者，非沾沾為士子取科名計，惟欲漸摩陶淑於其中，則氣質自化，德性自堅，粹然為一代名儒爾。凡用世之學，學者所宜深究。……今之學者，時藝之外，茫然無知，徼倖一第，出宰民社，凡兵刑、錢穀、農桑、水利、民生、日用之務，可修可舉者，毫無定見，不得不聽命於奸胥、猾吏。……今諸生未第時，乘此閒餘，即當留心世務，淹貫博通，務在有裨實學，可以坐言起行。（《正誼堂文集》，卷12，〈紫陽書院示書生〉，頁159）

此外，他認為經書乃義理之淵源，應仔細加以思索體認，說：

> 經書為義理之淵源，其至當不易者，固百慮同歸，至於隨人體驗，隨時觸發，意趣正自不窮，所謂一番提起一番新，不妨自家門前各為景致耳。若拘文牽義，無所會心，則味同嚼蠟矣，此程子所歎飯從脊梁過者是也。諸生每日看某經、某書，自某處起，必潛思玩索，身體力行，凡有所得，即記於是日課程之內。（《正誼堂文集》，卷12，〈經書發明〉，頁161）

不但強調經書學習的重要，更認為看經書不應只是拘牽文義，無所會心，而須不斷地潛思玩索，身體力行以有所得。他曾著有《居濟一得》，是他任河道總督時所

作，是一部治河之書，書中所記，皆得之親身閱歷，亦是「切於實用」❹之書。

　　另外，又如學程朱之學者，「邃於性理之學」的冉覲祖，除了著有《四書詳說》外，五經亦各有專書，李光地曾將他的《五經詳說》推薦給朝廷。陸隴其所著《三魚堂賸言》，「於名物訓詁典章度數，一一精核乃如此，凡漢注唐疏為講學諸家所不道者，亦皆研思探索，多所取裁」❺，他的持論有本有末，必不空言，亦頗務實。又方苞是古文學家、程朱學者，同時也深邃經學，尤致力於《春秋》、《三禮》。足見他們都能在學宗理學的同時，留心經學及日用實務，以避免空談心性、高蹈不實之弊。

---

❹　《四庫全書總目提要》，卷69，〈居濟一得〉，史部地理類二，頁614。
❺　《四庫全書總目提要》，卷94，〈三魚堂賸言〉，子部儒家類四，頁799上。

經 學 研 究 論 叢
第 十 一 輯　　頁249～264
臺灣學生書局　　2003 年 6 月

日本儒學史(六之二)
——江戶時代之儒學(二)

張文朝*

林羅山（天正十一年－明曆三年，1583－1657）

略傳

　　生於京都，名忠，又名信勝，字子信，通稱又三郎，羅山爲其號，薙髮後稱道春。信時之子，八歲時聽一次《太平記》而能諳誦數十張，十三歲隨古澗受古註學，十八歲傾倒於朱子《集註》，遂集徒講朱《註》。時博士清原秀賢以自古無勅許不得講書爲由，欲治其罪，但家康黜博士之議而稱讚羅山，故羅山修學益勤。時聞藤原惺窩講性命之學，於慶長九年（1604）經由吉田玄之之介紹而入藤原之門，一六〇七年經惺窩之推薦而成家康之顧問，歷任秀忠、家光、家綱四代而參與政治、文教。寬永七年（1630）由幕府賜上野忍岡之地及學問所、文庫的營造費二百兩，一六三二年又由尾張藩德川義直在忍岡學問所建先聖殿，行釋典，是爲昌平黌之始，又於一六四三年在紅葉山設立文庫。羅山所出版的書籍，舊記的校訂整理，講書之廣泛，藏書之豐富，無人能及。

---

*　　張文朝，蘭陽技術學院應用外語學系專任講師。

學風

1.**尊崇程朱**：林羅山以發揚朱子學爲其宗旨，他十八歲起就開始聚徒講授朱子學，對朱子尊崇有加，謂「夫子之道在六經，解經莫粹於紫陽氏。」（《林羅山文集》，卷 2，頁 14）❶又謂：「……朱夫子者出焉而繼往聖之絕學，集諸儒之大成，於是我道粲然復明於天下，故朱子之功不在孟子之下。」（《林羅山文集》，卷 2，頁 17）。

2.**排斥異端**：由於他至爲尊崇程朱，所以與程朱之學有異的都加以排斥。

(1)批評陸九淵，謂：「陸氏之於朱子，如薰蕕冰炭之枉反，豈同器乎同爐乎。」（《林羅山文集》，卷 2，頁 13）又以爲如果信奉陸氏之學才是惑人「舍紫陽弗之從，而唯區區象山之是信，不幾於似惑歟。」（《林羅山文集》，卷 2，頁 14）而若信其「六經註我，我註六經」之言則其弊至於廢書。（《林羅山文集》，卷 69，隨筆五，頁 860）

(2)批評王陽明：評王陽明取孫武之法以諭士卒，而「其言多奇計譎詭則有害於心術者是亦不可不察。」（《林羅山文集》，卷 70，隨筆六，頁 878）

(3)批評老莊所言之道非聖人之道，是指清淨無爲，天地未分而言，人生在今世不可爲上古之無事，而況何以置此身於天地未判之先呢？人本是一活物，豈能以槁木死灰等說立言？（《林羅山文集》，卷 68，隨筆四，頁 852）

(4)論儒佛而評之曰：「夫儒者實而佛氏虛」（《林羅山文集》，卷 3，頁 32），釋氏以彼五戒比此五常，此不藉彼，彼不能不藉此，蓋彼無本故也，其餘彼此相似者皆然」。（《林羅山文集》，卷 68，隨筆四，頁 850）「彼云出世間雲遊方外，然則捨人倫而求虛無寂滅，實是無此理」。（《林羅山文集》，卷 56，雜著一，頁 670）「要之，浮屠氏畢竟以山河大地爲假，人倫爲幻妄，遂絕滅義理有罪於我道」。（《林羅山文集》，卷 56，雜著一，頁 672）

(5)排斥基督教：以爲「耶穌變爲異學猶如妖狐之食姐已而化姐已也可畏哉……

---

❶　本文所徵引《林羅山文集》文字，皆以京都史蹟會編《林羅山文集》（大阪：弘文社，昭和5 年〔1930〕7 月）爲準，以下僅隨文標注卷頁，不另做說明。

近歲禁最嚴矣。賊蠻雖革其面然姦其心，其共謀者叨唱異學、竊儒說天道而吐糟粕。其心密謂本於天主，天至者彼所崇也，掠佛說性空而誣心理，亦密謂傳其天教，將奪之先與之，亦盜老聃也。無善無惡，有善有惡，爲善除惡，亦剽王陽明也。非儒非老非釋，謂之三腳貓兒……不可不戒也。彼不知隻字，自稱爲人師；不經一宿，自稱曰大悟；不知烏之雌雄，自稱曰予聖。民之蠢蠢傾耳雷同；眾之昏昏異口淵默。吁，耶穌之變至於此，極也。誰起太公於九原，斬姐已懸其首於白旗者有之乎。舉世怖狐之惑人是可惡焉，唯懼人中之狐是誠最可憎也」。（《林羅山文集》，卷 7，頁 93－94）他在文祿三年（1594）季春寫這封信給石川丈文。不久，又在慶長年間（1596－1614）寫了〈排耶穌〉三文（《林羅山文集》，卷 56，雜著一，頁 672）來排斥基督教，但以今觀之不免有不當之處。又於寬永十七年（1640）代加仰爪民部少輔藤原忠證及代井上筑後守寫了兩通告諭，分別給阿媽港（即今之澳門）和大明商船表明不要私運基督徒到日本，否則將處以極刑。由此可見其排斥基督教態度頗爲堅決。

3.**調和神儒**：林羅山尊崇程朱而排斥異端，對於神道則採取較溫和而且肯定的態度，而想把神道與儒道結合爲一，謂：「本朝之神道是王道，王道是儒道，固無差等，所謂唯一宗源，所謂理當心地，最可盡意。」❷又說：「我朝神國也，神道乃王道也，一自佛法興行後，王道神道都擺卻去。」（《林羅山文集》，卷 70，隨筆六，頁 804）說明了神儒同道而又同因佛法興起而道衰。他也爲時人之問神道與儒道的區別法而回答說：「自我觀之，理一而已矣……嗚呼，王道一變至於神道，神道一變至於道。道吾所謂儒道也，非所謂外道也，外道也者佛道也，佛者充塞乎仁義之路，悲哉天下之久無夫道也」。（《林羅山文集》，卷 70，隨筆六，頁 804－805）

學說

林羅山所學範圍極爲廣泛，而在朱子學中尤以「理氣」論的演變及由此論所產生的「善惡」問題最值得一提，而這一切又都根源於人之一心，則是羅山學問的中

---

❷ 京都史蹟會編《林羅山詩集》（大阪：弘文社，昭和 5 年 7 月），附錄卷 3，頁 51。

心吧！

　　1.**理氣論**：林羅山原本也是主張「理氣二元論」，但是他在慶長九年二月（時二十二歲）寄吉田玄之的信中提出「太極理也，陰陽氣也，太極之中本有陰陽，陰陽之中亦未嘗不有太極。五常理也，五行氣也，亦然，是以或有理氣不可分之論。勝（林羅山之名）雖知其戾朱子之意，而或強言之，不知足下以爲如何」（《林羅山文集》，卷 2，頁 18）的問題來。他認爲由「理中本有氣，氣中亦未嘗不有理」這種說法推斷或許有「理氣不可分之論」的意味，而這種「理氣不可分」的說法與朱子之說有異，故產生疑問而提出來與吉田玄之討論，但吉田玄之有無回應不得而知。

　　主張「理氣不可分」之論的在中國有羅整庵的《困知記》和王陽明等學者，而林羅山在寫此信之前應該已讀過他們的作品，至少《困知記》可以確定已讀過。在《年譜》中，二十二歲那年親筆錄有讀過之四百四十多部書之目錄，其中就有《困知記》和《陽明詩集》，所以在看過《困知記》的「理氣不可分」論後對朱子之說起了疑問。

　　但是這個疑問直到同年秋（閏 8 月 24 日）初見惺窩而得以詢問。他在〈惺窩答問〉中問及理氣之辯，惺窩回答說：「設使宋元之名儒在於今日之座，不若書之所記精而詳也，我之所言者如汝之所見」，又問所見是不是指《性理大全》等書，惺窩回答說：「然」。由此可知惺窩認爲就算有中國之宋元名儒在座來辯理氣，恐怕不如讀《性理大全》等書來的精詳。是間接地回答了林羅山的問題，要他就《性理大全》等程朱之著玩味即可。這樣的回答在林羅山來說當然不能滿足。

　　到了慶長十二年三月，朝鮮信使來日，林羅山與之筆談，其中問及：「理氣以爲一耶，以爲二耶」，對方答曰：「理有一而已，氣有清濁」。他又以朝鮮理學大家李退溪之〈四端七情分理氣辨〉中的「四端出於理，七情出於氣」來問對方如何，對方所答者羅山以爲都是儒生常談不足爲多，而且是他都已在書上看過了，並不是問了他們之後才知道的。（《林羅山文集》，卷 68，隨筆四，頁 840）儘管如此，羅山還是對理氣問題抱持疑問。

　　到了他五十四歲，寬永十三年（1636）朝鮮信使再來，與之筆談間又問及：「貴國先儒退溪李滉專依程張朱子說作〈四端七情分理氣辨〉以答奇大升（退溪門

人），其意謂：四端出於理，七情出於氣，此乃朱子所云四端理之發，七情氣之發也。末學膚淺豈容喙于其間哉，退溪辯尤可嘉也，我曾見其答未見其問。是以思之：其分理氣則曰太極理也，陰陽氣也，而不能合一則其弊至於支離歟。合理氣則曰理者氣之條理也，氣者理之運用也，而不擇善惡則其弊至於蕩莽（疑爲蕩之誤）歟。方寸之內所當明辨也，大升所問果如何。」（《林羅山文集》，卷14，頁157－158）在這一問中羅山指出因爲他沒有看到奇大升的問題，只看到李退溪的回答，所以他以自己的理氣觀來推演奇大升的問題，他以爲若分理氣而不能合一則有支離之弊，若合理氣爲一而不擇善惡則有無度之弊。更進一步說：羅山認爲理氣若主爲二如宋理學者，則不能統一，不免有支離之弊，若主爲一如陽明學者，則不別善惡，不免有無度之弊。這是個難題，所以羅山註其書後曰：「雖示三使然不能答。」（《林羅山文集》，卷14，頁158）

　　在他五十八歲時出了「百問」，讓兒子恕和靖來對，其中有一問題爲「理氣」：「童子出自互論來問曰：四端出于理，七情出于氣，然喜怒發中節者，何不出于理乎？非禮之禮，非義之義，何不出于氣乎？果是理本善而氣本有清濁乎？天下無理外之物是先儒之格言也，清與濁果是理內歟？理外歟？又曰：心統性情，元是一心也，若果是四端發自理，七情發自氣，還是二心也歟？請聞理氣之辯，近代儒者云：『理者氣之條理也，氣者理之運用也』，果是可乎？不可乎？」（《林羅山文集》，卷34，問對四，頁380）對此羅山的兒子都有作答而載於別記。（《林羅山文集》，卷35，問對五，頁402）可惜所謂的「別記」何指，不得而知，而羅山有無批改或加注也不可知。又《文集》卷68、隨筆四中有「理氣一而二，二而一，是宋儒之意也，然陽明子曰：『理者氣之條理，氣者理之運用』，由之思焉，則彼有支離之弊，由後學起，則右之二語不可捨此而取彼也，要之，歸乎一而已矣，惟心之謂乎。」（《林羅山文集》，卷68，隨筆四，頁844）在這段隨筆中，可以看出羅山主張理氣應該歸於一，但如何使理氣歸於一呢？他自己在想：會是「心」嗎？他這一個自問提示了一件事，那就是在此羅山把理氣置於心性論上來思考而不是以本體論來思考，由此再回頭看看羅山言論中涉及理氣的時候，大多與心性情理等心性論有關，因此，筆者以爲羅山在理氣觀念上是以心性論爲重，由此發展出他的「善惡」思想，而他會想到歸於一是不是「惟心之謂乎」的問題，可見

「心」的問題在他的意識中佔有絕對的地位，他在仮名啓蒙書《三德抄》中提到：
「合理氣爲心則能動也，譬如一人難舉重物時，若合二人之力而舉則物必爲輕，此
合理氣而爲一，由心用氣時，心強自無僻事」❸。由此可知羅山有意把理氣合於一
心，而由此心來統合一切「善惡」問題，蓋「心強自無僻事」一語已可見其端倪
了。

　　2.**善惡論**：羅山把朱子的理氣論統合於一心來思考問題時，他所面臨最大的難
題就是惡是何來的問題，因爲朱子學中明白指出性是理、是善，情是氣、是惡，心
有善惡，性無不善，而羅山把這二種分明的出路合而爲一而歸於心，很明顯他要以
「心統性情」「心合理氣」來建立「心」的重要地位。但是既然以心爲重則可以明
白善惡皆自心來，又何須一再問思從何來呢？他曾在公務之餘寫給其兒靖的文章中
提及：「此心此理準於東西南北海之遠而皆同皆然，如熱而有焰，縱不曰火而果火
也，寒而潤下者縱不曰水而果水也，推一而知萬，誰人無此心，此心即是理之所寓
也。故千里之相去，千歲之相先，後有聖人出則皆莫不協于一」。（《林羅山文
集》，卷 73，隨筆九，頁 915）這種「心即是理之所寓」的觀念正是說明了他對
「心」的重視，也提示了他對陽明「心即理」的傾向。

　　他認爲宋儒以「性」來說明人的「善惡」只能解決善的一面，而無法交代惡之
所來。我們從他對「性」的解釋過程中可以清晰地看出其間的變化。在他十四歲至
三十二歲間所寫成的隨筆二中有：「性善稱堯舜者孟子也，性惡言桀紂者荀子也，
人性善惡混者楊子也，譬諸龐蘊曰：難，龐婆曰：易，靈照女曰：不難不易。吾何
執？嘻！吾執孟子矣。」（《林羅山文集》，卷 66，隨筆二，頁 812）由此可見此
階段的林羅山是堅信「性善」的。但是到了他壯年時代，這種思考已有了轉變，他
說：「性即理也，天下無性外之物，理無不善，故孟子稱性善是也。然則所謂惡則
性外乎？性內乎？曰性外則性外無物，曰內則性本無惡，惡之所自出之本原，果其
何處乎？是先儒之所未言也，豈易言哉。」（《林羅山文集》，卷 67，隨筆三，
頁 834）這一「然則」確實提出了問題的核心：「惡」從哪裡來？這個問題如果依

---

❸　三枝博音編：《日本哲學全書》，第三冊（東京：第一書房，昭和 11 年），儒教篇，《三德
　　抄》，頁 18。

照字面上來看的確是個無解的難題，而朱子對這個問題的處理就比較巧妙了，他推出二程的「氣質之性」來說明惡之所出。羅山對這個問題一直到了他五十八歲似乎仍有存疑，在他的〈問對〉中問及性的問題，他說：「子襟與弱冠相語曰：韋編之翼不云平，一陰一陽謂之道，繼之者善也，成之者性也。故子思曰：天命之謂性。孟子曰：性善。又曰：其情則可以為善矣。宋儒解之云，性即理也。要之善之至則理也，理之極則善也，推廣而說之謂天下無理外之物，由是言之則善而已矣，何有惡乎，吉而已矣，何有凶乎，若本有惡則不可謂性善也，性本善而不有理外之物則所謂惡出自何處哉？果理內歟？理外歟？吾儕小人也，請共行以就學校主人而正之。」（《林羅山文集》，卷34，問對四，頁380）這雖是他對兒子的示問，但也是他本身的問題。直到他六十多歲時對這問題才有一較確定的見解出現。「天地萬物自理出，然則惡亦自理中出來乎？理者善而已矣曷嘗有惡來？然則惡之所出果何哉！我心既知所謂惡是何心哉，於是性善誠可見也，然非大賢者即不能共語此。」（《林羅山文集》，卷68，隨筆四，頁852）這種「我心既知所謂惡是何心哉」的結論，正是表明了羅山把惡之所出的來源認定是心。

　　3.心論：羅山對心的重視，除了上面所論及之外，他在晚年（66歲）時更指出「書，心畫也，畫出聖心者書也，六經論語是也，知其心則百世竢聖人而不疑，嗚呼，未之思也，夫何遠之有。」（《林羅山文集》，卷75，隨筆十一，頁949）「六經皆心學也，古人詩曰：易在胸中不在書。胡文定曰：《春秋》者史外傳心之要典也。詩序云；詩者志之所之也。又云：發於性情，止於禮義。《論語》云：人而不仁如禮何。仁者心之德也，揔皆湊泊於一。」（《林羅山文集》，卷75，隨筆十一，頁943）又說：「會得理一不易，會得分殊亦最難，事事物物歸諸心，千言萬語約諸心，唯一箇心而已可也。」（《林羅山文集》，卷75，隨筆十一，頁949）足見其對「心」的重視。

影　響

　　綜觀林羅山的哲思雖然無所新見，但是對日本朱子學的發展有其不可抹滅的功勞。羅山自從被家康重用之後，林家代代為幕府的儒官，而羅山之孫鳳岡以後世襲大學頭，家勢強盛。

著作

四書集註抄三十八卷，四書序考一卷，論語解四卷，大學解二卷，大學抄一卷，中庸解三卷，周易題說（一名周易抄）六卷，孝經見聞抄三卷，古文孝經抄一卷，春秋劈頭論說四卷，小學私考一卷，老子經抄三卷，老子經首書二卷，吳子抄六卷，吳子諺解一卷，孫吳摘語一卷，孫子諺解一卷，尉繚子抄九卷，司馬法抄五卷，二禮諺解二卷，古文眞寶抄（未完）十卷，三略諺解一卷，陽明攅眉五卷，經籍倭字考一卷，經典題說一卷（漢書解題集成），經典問答一卷，儒佛問答一卷，儒仙一卷，儒門思問錄四卷（刊《日本儒林叢書》），無極大極說一卷，蒙求鼇頭（未完）三卷，蒙求官職考二卷，職原抄神祇官太政官注十二卷，本朝神社考六卷（刊《大日本風教叢書》），神社考詳節一卷，神社考詳節私考一卷，神代系圖一卷，神道傳授抄二卷（刊《神道叢說》，神道秘訣二卷，神道秘傳折中俗解一卷，七書講義私考八卷，群書治要補二卷，聖蹟圖諺解一卷，性理字義諺解八卷，白氏文集首卷注一卷，百川學海抄十一卷，明人集略抄三十卷，百將傳抄二卷，百戰奇法諺解一卷，武家十九條法度注一卷，武仙一卷，武仙讚抄二卷，武門姓氏考一卷，皇代系圖大綱一卷，軍書題說一卷，劍術諺解一卷，寬永諸家系圖傳百八十六卷，寬永私記十二卷（一名夕顏巷夜話），歷代一覽一卷，歷代三十六名臣圖贊一卷，慶長以來法度一卷，中朝帝王譜十三卷，駿府政事錄八卷，貞觀政要諺解十卷，朝鮮來貢記（元和）一卷，御參內記一卷，日本大唐往來一卷，本朝編年錄（神武－宇多）三十三卷，本朝書籍考一卷，六韜抄六卷，三德抄二卷（刊《續續群書類從》，五山文編一卷，公言抄一卷，後素說一卷（日本畫談大觀），增上寺法會記一卷，大樹寺法會記一卷，東照宮三十三回記二卷，東照新廟記一卷，東照二十五年御忌記一卷，東照二十五年御忌和字記一卷，東照神君年譜略（未完）一卷，筑波緣起一卷，豐臣秀吉譜三卷，道統小傳二卷，武州王子權現緣起一卷，宇多天皇實錄三卷（史籍集覽），織田信長譜一卷，大阪多の陣記一卷，鎌倉京都將軍家譜二卷，河越天神緣起一卷，寬永庚午御即位記略一卷，寬永戊辰日光山齋會記一卷，清麿公傳記一卷，關ケ原始末記二卷，草賊前後記（激芳閣叢書），東鑑綱要二卷，怪談二卷，怪談全書五卷，源氏物語諸抄年月考一卷，御元服記一卷，

寬永甲戌御入洛記一卷，寬永甲戌御入洛和字記（稱御參內記）一卷，寸鐵錄二卷，折獄抄一卷，仙鬼狐談三卷，太宗問答抄三卷，棠陰比事抄六卷，鐸恤錄（幷）摘語三卷，多識編五卷，陳法抄一卷，童觀抄二卷，野槌十三卷（國文註釋全書），惺窩集（一名北肉稿）五卷，惺窩問答一卷，長恨琵琶抄二卷，貞女和字記二卷，南人言稿二卷，攻堅從容錄三卷，聯珠詩格抄五卷，和漢詩歌合一卷，有馬溫湯記一卷（堀杏庵共著），一人一首（自初唐至萬曆）一卷，謠抄二十卷，漢魏六朝唐宋百人一首一卷，韓使贈答聯句一卷，癸未紀行一卷，乙巳日光紀行詩一卷，近代雜記一卷，袖裡唐絕一卷，巵言抄二卷，寺社證文三卷，詩仙一卷，詩文機緣一卷，春鑑抄一卷（續續群書類從），鐘銘纂一卷，梅村載筆三卷（日本隨筆大成），庖丁書錄一卷（日本隨筆大成），丙辰紀行一卷（日本儒林叢書），本朝一人一首一卷，本草綱目序注一卷，本草序例注一卷（未完），漫畫一卷，格言隨筆一卷，格物端緒一卷，和漢軍談一卷，羅山涉獵抄：硯北抄、蝶洞隨筆、盤遊飯、武陵雜種、倭漢骨董，孝經一卷（點），儀禮三卷（點），五經十一卷（點），五經大全（點），國語十卷（點），穀梁傳七卷（點），古文眞寶三卷（點），戰國策十五卷（點），書經集注六卷（點），老子口義二卷（點），周易本義七卷（點），周禮三卷（點），四書集注十卷（點），羅山詩文集百五十卷。

門人

有人見元德、人見卜幽軒、人見竹洞、向井靈蘭、深尾認亭、菊池耕齋、石森正榮、黑澤石齋、山鹿素行、田中傳齋、田中止邱、後藤養庵、和田靜觀窩、杉野子山、一井鳳梧、小川俊政、大原武清、清水友閑、宮木春意、里見重時、黑川壽閑、松野保高、遠藤素齋、內藤閑齋、橫山謙益、谷逝水子、山岡梅橋、坂井漸齋、林鵞峯、林讀耕齋、林叔勝、林襷等人。

略年譜

| 天正11 | 1583 | 1 | 八月生於京洛四條新町，父信時，母田中氏，出生不久即爲伯父理齋之養子，小名菊松麻呂。 |
| 14 | 1586 | 4 | 八月二十三日，母喪。 |

18	1590	8	有浪人名德本常來家裡讀《太平記》，羅山傍聞諳誦，人皆稱奇。
文祿3	1594	12	既通國字，讀演史小說，粗見中華之書，有過目不忘之本領，時人嘆曰：「此兒之耳如囊，其所入不旨漏脫」。
4	1595	13	元服，號又三郎信勝。上東山入建仁禪寺大統庵古澗慈稽長老室讀書，時有誦《蒙求》者，傍聞而通習。讀唐宋詩文，求《東坡全集》於市，而自加朱句（其本今藏於恕也文庫）。大統庵旁有十如院，長老永雄藏書頗多，羅山時往閱讀。永雄與慈稽在五岳有強記之名，而於故事故語未得其典時則問羅山，得之者數矣，故世人稱曰：「又三（郎）多知如文殊」。用功過度而患眼疾，回家保養踰月，又入東山。
慶長1	1596	14	永雄講《南華口義》，白氏〈長恨歌〉、〈琵琶記〉，多由羅山校之。
2	1597	15	山東眾僧勸羅山出家，羅山不喜，離寺歸家，誓曰：「余何人，釋氏棄父母之思哉，且無後者不孝之大也，必不爲之。」
3	1598	16	曾讀《元亨釋書》而嘆師練之才，今在家再讀之，曰：「彼哉彼哉」。偶求《事文類聚》讀之而博識故事，該通詩文。
4	1599	17	借《文選六臣註》於永雄，閱畢又借前後漢書。時有吉田玄之者祈刻《史記》於嵯峨，羅山求一部而就舊點本於東福寺，而僧深秘之，只許一次一冊，如此數十回，期月而終。曾謂：「常覽群書，其言皆有所由來，唯五經不然，則歷代載籍無不本於五經者，當世學者窺其末不知其本也。初余在東山讀唐宋詩文，歸家讀三史、《文選》而後知其皆本於五經也，自是專志於經學。」
5	1600	18	學業大進，以宋儒之書授徒。日本道學之興，權輿於此。
6	1601	19	八月二十九日，養母小篠氏喪。
7	1602	20	秋，泛舟西海到肥前、長崎，經月而歸。
8	1603	21	聚徒講《論語集註》來聞者滿席。外史清原秀賢忘其才奏曰：

「自古無勅許則不能講書，廷臣猶然，況於俗士乎，請罪之。」而後德川家康聞之莞爾曰：「講者可謂奇也，訴者其志隘矣。」自是羅山講書不休，加訓點於《四書章句集註》，專以程朱之說爲主。

9　1604　22　二月與吉田玄之談明友交際之事，論朱陸異同並《大學》三綱領。三月朔日作書寄玄之，玄之請惺窩作答書，既而又揭經說數條就玄之問惺窩。秋，初謁惺窩，論道學，評文章，應其求作陸舟說。惺窩寄深衣道服，羅山自是著深衣講書而錄疑問條件呈之，惺窩爲之批答，所謂〈惺窩答問〉是也。惺窩嘗語人曰：「伶俐者世多有面，立志者寡矣，我非翅嘉信勝利智，只嘉其志而已。近時皆驢鳴犬吠也，故久廢筆硯，彼夫起予者乎。」自是往返不絕。

10　1605　23　春，屢見惺窩，講習討論，尺牘來往頻繁，惺窩呼羅山稱林秀才，名之曰忠，字之曰子信，四月讀《春秋傳》，故惺窩稱其爲羅浮山人，書簡表題曰羅浮洞。徒弟等皆推崇稱之爲羅浮先生。故羅山所做詩文記其名稱羅山子、羅洞、浮山、胡蝶洞、梅花村等。德川家康召見於伏見城，秀賢、僧承兌、元佶三人旁侍，家康發問而三人不能答，羅山應答如流。家康讓征夷大將軍於台德院殿（秀忠），移居駿府（今靜岡市）。

11　1606　24　於伏見城與朝鮮傳僧惟政，松雲筆語問答，松雲歎其聰明。見家康而決定前往江戶。惺窩赴南紀，執《延平答問》以授羅山曰：「此延平工夫之心法，紫陽傳習之門戶也，今我示之，非無意也。」

12　1607　25　三月出發至駿府停留逾月，四月中旬至江戶謁見台德院殿，侍讀《黃石兵法》、《漢書·高祖紀、項籍、韓信、張良、陳平傳》，而後又回駿府作〈東行日錄〉。時朝鮮使者呂祐吉、慶暹、丁好寬來日欲前往江戶而路過駿府，羅山與之筆談。依家康之命薙髮，改號道春。另有領旨而前往長崎，而後歸京。

13	1608	26	赴駿府侍讀《論語》、《三略》、《四書》、《貞觀政要》、《群書治要》、《東鑑》，家康賜其宅地、土木料、年俸，且掌御書庫之管鑰。
14	1609	27	在洛娶荒川氏之女。秋又赴駿府，冬歸洛。
15	1610	28	一月作〈長崎逸事〉。又赴駿府，十二月有明朝周性如來告海上賊船之事，因是議之及勘合事。家康使執事本多正純贈書明朝福建道總督陳子貞，使羅山作之。其後正純又受旨遣書南蠻船主及阿媽諸父老，皆由羅山擬稿。
16	1611	29	家康入洛，使列國侯伯獻誓辭，羅山草之，而後皆赴駿府，有賜地之榮。
17	1612	30	承命攜宜人荒川氏移住駿府常侍營中。論道、中、權、湯武放伐之事，受命撰《東鑑綱要》。
18	1613	31	五月朔，長子叔勝生於駿府。
19	1614	32	冬，大阪之役起，羅山奉從於軍旅之間。
元和1	1615	33	一月二十九日養父理齋亡。赴駿府奉旨監《群書治要》、《大藏一覽》開板之事。承命補《群書治要》闕卷。家康於東歸途中，羅山侍講《論語・學而篇》。
2	1616	34	家康崩，羅山陪侍在旁。送宜人及兒叔勝回京。將駿府所藏希世官本送至江戶而後歸京，作〈丙辰紀行〉。十月次男長吉生於京師。
3	1617	35	春，至江戶。四月家康移葬下野國之日光山，羅山奉從，陟中禪寺，經歷古跡，見舊記，作〈三荒山神傳〉，既而歸京。冬，又赴江戶。
4	1618	36	在江戶賜宅地。五月二十九日三男春勝生於京師，幼名吉松麻呂（後改春恕，號春齋）。十一月歸京。屢見惺窩，且教授諸生，講學無怠。
5	1619	37	定別號為顏巷、瓢巷。九月惺窩卒，羅山作哀詩弔之，且編輯遺文倭歌。講《春秋傳》、《書傳》。冬，赴江戶。

6	1620	38	十一月二十一日次男長吉患痘疹而夭。加訓點於朱子《詩傳》未畢，十二月微疾，告暇返京，完成朱子《詩傳》之訓點工作。
7	1621	39	四月周覽攝州、紀州，浴於有馬溫泉，踰月歸京，作〈西南行日錄〉。閱吉田兼好《徒然草》，抄解其所引用，且廣演其說，作十四卷，號《野槌》（一說13卷）。十月赴江戶。
8	1622	40	新加訓點於《春秋胡氏傳》、《禮記陳氏集說》。
9	1623	41	從台德院殿入洛。大猷院殿（家光）為征夷大將軍。點《漢書》加朱句於其紀傳，檢舊點，而八志并表新點之。且求數本以考顏註，訂異同詳略，加補宋祁三劉之說，又加朱句於《周禮、儀禮註疏》。
寬永1	1624	42	正月遊八瀨采地，三月赴江戶，有紀行詩卷。四月十三日起侍讀《論語》、《貞觀政要》等。十一月四男守勝生於京師（後改春德，一名靖）。十二月與來日朝鮮使團成員李誠國等筆語唱和。《通鑑綱目》加朱句已畢。
2	1625	43	二月，家光遊獵河越，羅山獻詩。十一月再遊獵牟禮野城，羅山獻詩。點訓《周易傳義》、《蔡氏書傳》。
3	1626	44	春，奉從御獵於河越，五月奉撰《孫子諺解》，六月撰《三略諺解》，作《大學倭字抄》，標出四書五經之要語奉上。十一月赴江戶。
4	1627	45	在江戶加訓點於《周禮》、《儀禮》、《公羊傳》、《穀梁傳》、《爾雅》、《楚辭》、《國語》，又詠月雪五十題。
5	1628	46	二月奉從御獵於河越，四月奉從台駕於日光。十月叔勝來江戶。
6	1629	47	六月叔勝病故，年十七。
7	1630	48	九月使畫工狩野守信畫即位之圖，且作倭字記獻給幕府。家光賜忍岡之地五千三百餘坪以為羅山之別墅，而賜黃金二百兩，將開庠序。

8	1631	49	

9　1632　50　一月秀忠薨。冬，得德川義直之助於忍岡置孔子及顏、曾、思、孟四子之像，義直親筆先聖殿三大字以爲堂額，又稱爲大成殿，且納祭器若干。羅山搆文庫藏群書數千卷，又令畫工狩野山雪畫伏羲、神農、黃帝、堯、舜、禹、湯、文、武、周公、孔、顏、曾、思、孟、周、張、二程、邵、朱等二十一像。十二月加俸三百俵。

10　1633　51　二月，初行釋奠。四月家光詣先聖殿，羅山講〈堯典〉，爲將軍首詣孔廟之例。

11　1634　52　六月，幕府入洛，奉撰《御參內記》、《御入洛記》。十月攜妻兒移居於江戶，十一月春勝（鵞峯）初謁將軍。

12　1635　53　一月奉旨抄出倭漢法制輯爲三卷，獻之。二月，釋奠，羅山講《論語》首章，於先聖殿釋奠講經者始於此。六月奉旨作「武家法度十九條」並「麾下諸士法度二十三條」。秋多之際，再覽《十三經註疏》，加點朱於註文。

13　1636　54　二月奉撰《和漢荒政恤民法制》二卷。四月隨將軍登日光山，作《新廟記》。十二月，與朝鮮通書由羅山草之。此外交文書起草權從此由五山轉入林家。

14　1637　55　七月，幕府令舉經書之語以爲論題徵儒士之問答，然因公務繁多，未果，且今多島原耶穌蜂起，而其事不行。

15　1638　56　十月，於品川、牛込開藥園，羅山獻倭漢勘文。

16　1639　57　七月奉命作《無極大極倭字抄》，獻之。

17　1640　58　四月，作《日光御參御齋會記》。

18　1641　59　二月羅山父子奉命編集《寬永系圖》，九月奉命撰《本朝神代帝王系圖》。

19　1642　60　奉命撰《中朝帝王譜》十三卷獻上。應石川丈山之請，選出中國詩人三十六人貼於詩仙堂。

20　1643　61　七月，朝鮮來使，羅山與之詩筒贈答數回，且筆語唱和。九月

　　　　　　　　《寬永系圖》完成。

正保1　　1644　62　十月編《本朝編年錄》獻上。

　　2　　1645　63　四月奉命撰《德川家綱元服記》。

　　3　　1646　64　自去年多有疾以來，至今秋始瘉。

　　4　　1647　65　春，恕也修造新宅，羅山授之倭漢群書千餘部，其中朱墨手澤
　　　　　　　　　者甚多。而以副本同類之書七百餘部，分與靖也。其餘自藏數
　　　　　　　　　百部，而後又多求書。

慶安1　　1648　66　從將軍上日光山，奉旨作記。

　　2　　1649　67　覽溫公通鑑及胡氏註，悉加朱句。

　　3　　1650　68　德川義直逝世，羅山作挽詞奉悼之。

　　4　　1651　69　家光薨。阿部豐後守忠秋令羅山作《大學和字抄》、《貞觀政
　　　　　　　　　要諺解》獻給幼君。

承應1　　1652　70　羅山口授四書句讀於春信。

　　2　　1653　71　九月羅山攜靖也登日光山拜新廟，歸路過其采地，有往還紀
　　　　　　　　　行。訪足利學校舊跡，借前代上杉憲實父子所寄納之五經註疏
　　　　　　　　　舊唐本，自今多至來年與家本一校之，改正文字而後《十三經
　　　　　　　　　註疏》全部加朱句。往年所考之本，既付恕也，今所考者，晚
　　　　　　　　　年所求白紙善本也。

　　3　　1654　72　口授五經句讀於春信，其後教之以《左傳》、《文選》等。

明曆1　　1655　73　春，奉命擇中華歷代名臣三十六人爲之作贊，又撰述《漢魏六
　　　　　　　　　朝唐宋百人一詩》。夏，執事阿部忠秋奉旨賜銅瓦庫一宇，移
　　　　　　　　　建於家塾，工匠皆曰：「不有風雨之懼，可無火災之害」，羅
　　　　　　　　　山甚喜，將所藏之書萬餘卷悉藏於此。後獻白紙五經註本於幕
　　　　　　　　　府。十月朝鮮使者來日，羅山寄詩贈答數回。

　　2　　1656　74　三月二日荒川氏逝世，葬之以儒禮。羅山曾於二三年前求得二
　　　　　　　　　十一史善本，今藏於銅庫。謂人曰：「吾自少壯既知歷代始末
　　　　　　　　　而廣覽數千萬卷，唯二十一史全部從頭至尾未遍滴朱露，今雖
　　　　　　　　　暮齡既迫，猶有一周覽之志，若幸保三年之命，則可以遂素

　　　　　　　　志。」既而覽《晉書》、《宋書》、《南齊書》，共點朱句。
　　　　　　　　十二月十二日應召講《大學》首章。

3　1657　75　一月十七日依例詣紅葉山拜神廟畢事，歸家而微恙，十九日大
　　　　　　　　火，住宅、銅文庫皆燬，唯靖也文庫無恙。羅山赴別墅時輿中
　　　　　　　　所攜唯所朱點之《梁書》一冊而已。羅山曰：「多年之精力盡
　　　　　　　　於一時，嗚呼，命也！」終夜嘆息，胸塞氣鬱，明日遂臥病，
　　　　　　　　二十三日逝世。

經　學　研　究　論　叢
第　十　一　輯　　頁265～284
臺灣學生書局　　2003 年 6 月

連橫《臺灣語典》淺介

周美華*

前　　言

　　臺灣的族群，主要由閩、客、原住民及民國三十八年以後陸續自大陸播遷來臺的新移民（俗稱外省族群）構成；四大族群之中，以閩方言族群最爲龐大。平日吾人除了以國語作主要的溝通工具外，臺語也是臺灣最普遍使用的語言。只是多數人使用臺語作交談，卻不知臺語也和國語一樣，有其本字可尋。就算知道，也多不知來歷，當然也不清楚，臺語中其實有許多雅言。這些雅言在經籍中時常可見，解經時若能參考這個線索，對研究古籍也是一大助益。連雅堂先生在七十多年前，就已察覺臺語具備了如此深厚的內涵，便利用新聞工作之便，爲臺語作記錄及整理，完成了《臺灣語典》和《雅言》。本文擬對連雅堂先生的生平、《臺灣語典》的成書經過、內容和體例，作簡要介紹。並由語言學以外的角度，探索《語典》所蘊藏的深厚內涵。

一、作者

　　連橫，字武公❶，號雅堂（棠），又號劍花，別署慕秦，又作慕眞。其名號雖

---

*　周美華，玄奘人文社會學院中國語文學系兼任講師。

❶　林文月云：「他（連雅堂）後來自號『武公』。爲什麼要叫『武公』呢？據他日後對長女夏甸
　　私下說：『那　孫中山先生，他叫「孫文」；我連橫便叫做「武公」。一文一武，各在南北。』」，
　　見《青山青史──連雅堂傳》（臺北：近代中國出版社，1977 年 10 月 25 日），頁 39。

多，惟最常用者為「雅堂」（棠），故世人都稱他作「雅堂先生」。❷連氏生於清光緒四年（1878），卒於民國二十五年（1936），年五十九。其祖籍為福建省漳州府龍溪縣，渡臺始祖連興位氏，於清康熙年間渡海來臺，定居於臺灣府臺灣縣寧南坊馬兵營❸，傳至連橫已是第七代。

連氏「少受庭訓，長而好學，秉性聰明，過眼成誦」，十三歲拜師就讀，其父購得《臺灣府志》，以為「身為臺灣人，不可不知臺灣事」，便要他仔細研讀。光緒二十一年（1895）三月二十三日，中日雙方簽定馬關條約，清廷將臺灣和澎湖割讓給日本，五月一日，臺灣宣布獨立，成立「臺灣民主國」。當時臺灣因清廷不能保護，不得已宣布獨立，但終告失敗。臺灣在日本的統治下，淪為次等國民，連氏深感恥辱。六月，連氏年十八，其父永昌公去世，守制在家其間，便手抄《杜甫詩集》，和蒐集臺灣民主國文告。這些文獻，也為日後撰寫《臺灣通史》，累積了豐富而珍貴的史料。

光緒二十三年（1897），連氏二十歲，赴上海聖約翰大學攻讀俄文，後承母命自上海返臺，與沈璈氏女士結婚。二十一歲入主「臺澎日報」，主編漢文部，次年（1898）於廈門辦《福建日日新報》。福建日日新報是以鼓吹排滿為主，這份刊物，遂遭到清廷飭吏，向駐廈日本領事館抗議：「日本『籍民』反對清政府，難以允許。」《福建日日新報》，因遭封閉。光緒三十一年（1905），連氏舉家遷返臺南，主持《臺南新報》漢文部。光緒三十四年（1908）連氏三十一歲，定居臺中，加入《臺灣新聞》漢文部，開始撰寫《臺灣通史》。同時，他也和林痴仙等人，共

---

❷ 黃得時於〈研究歷史　振興文學　考據語源——連雅堂先生對臺灣文化三大貢獻〉一文中指出，連氏名號相當多：「初名為『允斌』、乳名為『神送』、譜名為『重送』、家人呼曰『老送官仔』；字雅堂，號『慕陶』。及長改名為『橫』，字『天縱』，一字『武公』，又號『劍花』」。見《連雅堂先生相關論著選輯（下）》（南投：臺灣省文獻委員會，1992 年 3 月 31 日），頁 65。

❸ 鄭喜夫：「馬兵營者，明鄭駐師故地。……，據先生友人林申生先生口碑：馬兵營乃今臺南市自南門路以西至新生路以東總地名，先生故居在新生路臺南監獄以東、臺灣電力公司服務處以北空地。」見鄭氏著：〈連雅堂先生年譜初稿〉，《臺灣風物》第 24 卷 4 期（1975 年 1 月），頁 178。

同創辦臺灣三大詩社之一的「櫟社」，以發表詩作。❹

　　民國元年，海外華僑於上海設立「華僑聯合會」，作爲聯絡海內外的樞紐，同時也發行「華僑雜誌」，由連氏擔任主編。❺任職主編期間，「與當世豪傑名士美人相晉接，抵掌譚天下事，縱筆爲文，以譏當時得失」。❻

　　民國三年春，連氏應清史館館長趙爾巽先生邀請，入館共事。於此期間，充分閱覽館中所珍藏的臺灣檔案，並大事蒐集有關撰寫《臺灣通史》的資料。是年冬，連氏回居臺南，復任職於《臺灣新報》，於該報發表《大陸遊記》和《大陸詩草》。❼

　　民國五年，連氏完成《臺灣贅談》，七年，連氏四十一歲，《臺灣通史》編竣。九年十一月十四日、十二月、以及隔年的四月，《臺灣通史》上、中、下三冊相繼問世。十年六月，《大陸詩草》出版。連氏也輯錄古今諸家，有關臺灣史事及山川風物之詩篇——《臺灣詩乘》初稿。❽

　　民國十三年二月，連氏創辦《臺灣詩薈》月刊，並發表《臺灣漫錄》、《臺南古蹟志》等，十四年出版《閩海紀要》，爲今日記錄臺灣鄭氏事蹟最重要的文獻之

---

❹ 黃得時：「二年後先生三十一歲，即移居臺中。入臺灣新聞社漢文部，跟與臺北之『瀛社』、臺南之『南社』，被稱爲臺灣三大詩社之一的『櫟社』詩友，相從特密，不斷發表觴詠之作。」見〈研究歷史 振興文學 考據語源——連雅堂先生對臺灣文化三大貢獻〉，頁65。盧修一：「宣統元年（1909）加入『櫟社』。」見〈連雅堂民族思想之研究〉，《連雅堂先生相關論著選輯（上）》（南投：臺灣省文獻委員會，1992年3月31日），頁106。

❺ 盧嘉興：「民國元年（1912）……與當世豪傑名士相晉接，抵掌談天下事，並遊南京、杭州等地，主編華僑聯合會發行的『華僑雜誌』」，見〈臺灣的偉大史學家連雅堂〉，《連雅堂先生相關論著選集（下）》，頁10。

❻ 連橫：〈大陸詩草自序〉，《臺灣先賢集》，頁4595。

❼ 連震東：「《大陸詩草》此集爲壬子至甲寅年先生遊大陸時之作，凡一百二十六首，曾於民國十年出版。」見《臺灣先賢集（八）》（臺北：臺灣中華書局，1971年10月），頁4591。

❽ 曾迺碩：「《臺灣詩乘》者，乃選古今諸家，有關臺灣史事及山川風物之詩篇，編而次之。民國十三年二月二十五日起，刊登於《臺灣詩薈》連載十三次，止於卷二。三十九年臺灣文獻委員會首次刊行，全書六卷。四十九年一月，臺灣銀行經濟研究室分兩冊再版。」見〈連橫的生平思想與事業〉，《連雅堂先生相當論著選輯（下）》，頁106。

一。此外，連氏也陸續輯成臺灣叢刊三十八種。

民國十七年，連氏與黃春成先生合辦雅堂書局，專售中國書籍、文具。次年書局結束，連氏有鑑於日本對臺語的殘害與禁止，遂潛心於文字學和臺灣語的研究，因而編撰《臺灣語典》，以保存臺語文化。

民國二十年，連氏返回臺南，輯《劍花室文集》❾，又於《三六九文藝小報》闢專欄發表〈臺灣語講座〉，二十一年又闢〈雅言〉專欄。民國二十二年，連氏完成《臺灣語典》，除《臺灣通史》外，《臺灣語典》為連氏最得意的著作。

民國二十四年春，連氏偕夫人遠遊關中、終南、渭水，作〈關中紀遊詩〉二十七首。二十五年孟春，連氏於上海罹患肝病，經中西名醫診治，藥石罔效，六月二十八日土午八時病逝，年五十九歲。

二、《臺灣語典》成書經過及撰述動機

㈠ 成書經過

連氏晚年，對臺語研究有濃厚興趣，為保存臺語，開始著手整理臺語的資料。民國十八年完成《臺語考釋》，民國二十年一月，連氏又於臺南發行的《三六九小報》第三十五號，連載「臺灣語講座」一年。除第一百〇八號（9月9日發行）刊登一條外，其餘都是每號三條，多者四至五條。內容為探討臺語詞彙的語源，並參酌《說文》、《爾雅》，及諸史書相關之語詞，以闡釋語彙，考證淵源。二十二年十月，連氏五十六歲，《臺灣語典》四卷編竣完成。❿

一說《臺灣語典》初名《臺語考釋》⓫，或為《臺灣語典》底稿，今所見《臺

---

❾ 《劍花室文集》有二：（一）《劍花室外集之一》，此為連氏自乙未（1895）割臺以後，至辛亥（1911）遊大陸之前青年時之作，凡四百六十五首。（二）《劍花室外集之二》，此為連氏自癸酉（1935）至乙亥晚年之詩，間有缺字或缺句者，為連氏未完成之作，凡四十九首。見連震東：〈劍花詩集弁言〉，《臺灣先賢集（八）》，頁4591。

❿ 見黃得時：〈研究歷史 振興文學 考據語源──連雅堂先生對臺灣文化三大貢獻〉，頁75。曾迺碩：〈連橫的生平思想與事業〉，頁107。

⓫ 曾迺碩：「此書（《臺灣語典》）初名《臺語考釋》。」見〈連橫的生平思想與事業〉，頁107。

語考釋〉，爲連震東先生所藏稿本⓬，由鄭喜夫先生收錄於《雅堂先生集外集》。⓭《臺語考釋》約收二百三十一例，體例與《臺灣語典》近似，詞彙以臺南地區爲主。因臺南爲全臺開發之所，也是臺灣文化發祥地，「其語較多，其音較正，故用爲標準」。⓮《臺語考釋》因是《臺灣語典》底稿，故說解及內容，多較《臺灣語典》簡單。如：

> 草地：（謂）[則]鄉村（也）。臺爲新建之土，[文物日進，]前時草萊未闢，故曰草地。（《臺語考釋》，頁 55）
>
> 草地：謂鄉村也。臺灣初啓，草萊未闢，耕者錯居其間，插竹爲籬、編茅爲屋，故謂郊野爲草地。（《臺灣語典》，卷 3，頁 107）

《臺灣語典》所增多的描述，除可令語彙內涵更深入，也記下臺灣先民的開闢史。

民國二十一年一月三日，連氏於《三六九小報》停載「臺灣語講座」，復著手纂錄〈雅言〉。〈雅言〉爲連氏與《三六九小報》社同人座談的筆錄⓯，於該報第一百四十二號起連載，至二十二年十二月六日第二百四十一號結束。民國四十六年，連震東先生將《臺灣語典》重新整理，由陳漢光先生校訂，並與《雅言》合併，於四十八年八月，由中華叢書委員會印行，列爲《雅堂全書》第二種。當時所見《雅言》，與今日板本不同，並無標明號數。五十二年，臺銀經濟研究室也印行此書，列爲《臺灣文獻叢刊》第一六一種。八十一年三月，臺灣省文獻委員會，亦將《臺灣語典》與《雅言》合併，收入在《連雅堂先生全集》。八十八年四月，姚

⓬ 鄭喜夫：「〈臺語整理之頭緒〉及〈臺語整理之責任〉二文，在《臺語考釋》稿本中題考〈序一〉及〈序二〉。據此二文，《臺語考釋》似曾刊行，而實未果梓行。……據連震東先生珍藏之《臺語考釋》稿本。本書蓋即《臺灣語典》之底稿。」見《連雅堂先生年譜》，頁 133。

⓭ 連橫著、鄭喜夫輯：《雅堂先生集外集・臺語考釋》（臺中：鄭喜夫發行，1976 年 10 月），頁 19－56。

⓮ 同前注，〈凡例二〉，頁 20。

⓯ 見黃得時：〈研究歷史 振興文學 考據語源──連雅堂先生對臺灣文化三大貢獻〉，頁 75。鄭喜夫：《連雅堂先生年譜》，頁 149－151。

榮松先生爲《臺灣語典》作二十七頁〈導讀〉，並收《雅言》三百零三則，由金楓出版社發行。❶姚先生所作〈臺灣語典導讀〉，對後學研讀《臺灣語典》助益匪淺，本文所引，即以此爲底本。

㈡ **撰述動機**

　　連氏撰寫《臺灣語典》動機ˌ，由《臺灣語典》兩篇〈自序〉❶，及《雅言》一至四則，皆有詳盡記載。筆者依其內容，粗略歸納幾點如下：

　1. **強烈的民族意識**

　　連氏撰寫《臺灣語典》，除了本身對臺語研究的興致外，日本據臺期間，嚴禁臺語，妄圖消滅臺語，也是一個重要原因。有關此段史實，連氏於〈自序二〉中，有詳盡說明：

> 余既整理臺語，復懼其日就消滅，……今之搢紳上士乃至里胥小吏，遨遊官府，附勢趨權，趾高氣揚，自命時彥；而交際之間，已不屑復臺灣語矣。……余以僑民躬逢此阨，既見臺語之日就消滅，不得不起而整理；……曩者余懼文獻之亡，撰述《臺灣通史》；今復刻此書，雖不足以資貢獻，苟從此而整理之、演繹之、發揚之，民族精神賴以不墜，則此書也，其猶玉山之一雲，甲溪之一水也歟！❶

連氏作《臺灣語典》，既爲保存母語，也爲發揚民族精神，故連氏視撰述《臺灣語典》，也和《臺灣通史》一般重要。連氏如此勞心勞力，整理、美化及發揚臺灣語，無非是期盼國人勿妄自菲薄，誤蹈日人奸計，唾棄本族語文。本族語言只要不

---

❶　連橫著、姚榮松導讀：《臺灣語典》（臺北：金楓出版社，1999 年 4 月）。

❶　鄭喜夫：「（民國十八年己巳（1929），先生五十二歲）十一月二十四日，《臺灣民報》第二百八十八號載先生所撰〈臺語整理之頭緒〉。……，十二月一日，《臺灣民報》第二百八十九號，載先生所撰〈臺語整理之責任〉一文。……，〈臺語整理之頭緒〉及〈臺語整理之責任〉二文，在《臺語考釋》稿本中題爲〈序一〉、〈序二〉。」見《連雅堂先生年譜》，頁 132－133。

❶　連橫著、姚榮松導讀：《臺灣語典》，〈自序二〉，頁 32。

亡，民族精神便可長存；民族精神鞏固，國家才不致被消滅。日本統治臺灣五十年間，挖空心思，企圖消滅臺語，摧殘我民族精神的根本，使得國人在日本的威權下，由「禁其臺語」，而「忘其臺語」，甚至「不屑復語臺語」。連氏對此情勢憂憤至極，遂於〈臺灣民報〉（民國十八年十二月一日，《臺灣民報》第二十八號）發表〈臺語整理之責任〉，抨擊統治當局、縉紳和知識青年，深怕母語及民族精神，遭受日本摧毀。故臺語雖歷經日本嚴屬摧殘，卻不被消滅，連氏鼓吹，及《臺灣語典》的撰述，應是功不可沒。

2.倡導鄉土文學

　　連氏於《雅言》第一則，談到鄉土語言和鄉土文學的密切性：

　　　　比年以來，我臺人士輒唱鄉土文學，且有臺灣語改造之議；此余平素之計劃也。……夫欲提唱鄉土文學，必先整理鄉土語言。……故自歸里以後，撰述《臺灣語典》，閉戶潛修，孜孜矻矻。爲臺灣計、爲臺灣前途計，余之責任不得不從事於此。此書苟成，傳之世上，不特可以保存臺灣語，而於鄉土文學亦不無少補也。⓳

連氏整理鄉土語言，也是爲了倡導鄉土文學。鄉土文學得以彰顯，鄉土語言即可普遍。「語言、文字、藝術、風俗，則文化之要素」，若「文化而在，則民族之精神不泯」⓴，故無論是爲保存臺灣語，或保存鄉土文學，臺語的整理，皆勢在必行。

3.提昇臺語地位

　　連氏指出，臺灣語「其中既多古義，又有古音、有正音、有變音、有轉音」㉑，「臺灣之語，無一語無字，則無一字無來歷」㉒，惟「淺人不察，以爲有音無字，隨便亂書，致多爽實」。㉓爲了證明「臺灣之語高尚優雅，有非庸俗之所能

⓳　連橫著、姚榮松導讀：《臺灣語典》，頁153。

⓴　《雅言》第二則，頁153。

㉑　《雅言》第三則，頁153。

㉒　同前注，頁154。

㉓　《雅言》第四十五則，頁175。

知」❷，故最先著手研究者，便始於「查甫」二字：

> 余之研究臺灣語，始於「查甫」二字。臺人謂男子爲「查甫」，呼「查
> 埔」，余頗疑之；詢諸故老，亦不能明。及讀錢大昕氏《恆言錄》，謂「古
> 無輕唇音，讀甫爲圃。」《詩・車攻》：「東有甫草。」《箋》：「甫草，
> 甫田也；則圃田。」因悟「埔」字爲「甫」之轉音。《說文》：「甫爲男子
> 之美稱。」《儀禮》：「伯某甫、仲、叔、季以次進。」是「甫」之爲男子
> 也明矣。……查，此也，爲「者」之轉音；「者個」則此個。所謂「查
> 甫」，猶言「此男子」也。❷

由連氏考證，說明臺語確有相當內容，時於經典中出現，顯示臺語就是雅言。此
外，連氏於《雅言》第三百則，也敘述《臺灣語典》選詞依據：

> 余之《語典》，將以保存高尚典雅之言，俾傳久遠；而粗獷者、淫穢者，俱
> 在屏棄之列。……臺灣語之高尚典雅，無人知之；而余爲之表明，是余之志
> 也。豈可以侮人之言而自侮哉！❷

連氏於《三六九小報》完成「臺灣語講座」，緊接著又闢「雅言」。以「雅言」定
名，不僅使臺語得以重新定位，也爲文獻研究，另闢治學途徑。

　　4. 追比前賢

　　李騰嶽〈連雅堂先生的臺灣語研究〉：「連氏對於臺灣語研究的一部動機，是
受了章、莊兩位著作的影響。」❷李氏之說，主要得自《雅言》第十三及十四則所
啓示：

---

❷　連橫著、姚榮松導讀：《臺灣語典》，〈自序一〉，頁 30。

❷　《雅言》第十五則，頁 159。

❷　同前注，頁 304。

❷　李騰嶽：〈連雅堂先生的臺灣語研究〉，《臺灣風物》第 1 卷第 1 期（1951 年 12 月），頁
　　17。

晉江莊俊元氏有《里言徵》二卷，可爲閩南方言之書。

章太炎先生爲現代通儒，博聞強識，著述極多；而《新方言》一書尤爲傑作。㉘

由此兩則內容，可知連氏對章、莊二氏甚爲推崇，故所著《臺灣語典》，除了保存臺語，倡導民族意識，也自許追比二人作書典範。

三、《臺灣語典》內容與體例

㈠ 內容

　　《臺灣語典》共四卷，卷前收連氏兩篇〈自序〉。正文之後，附錄三百零三則《雅言》。正文部分：卷一收四百三十五條，多單詞，複詞僅零星幾條，如五十四頁所收「啥人、啥載、啥貨、咕哩、箍落」五則。卷二至卷四收複詞，卷二有二百六十五條，卷三有二百三十八條，卷四則有二百四十四條，總計一千一百八十二條。每條之下，多注明音讀、辭義、經典出處、用法……。排列次序無一定系統，多以性質近者相比。內容上，李騰嶽〈連雅堂先生的臺灣語研究〉，有詳細探討：

> 《語典》卷一，是就單字的解釋，略同於《新方言》和《客方言》的〈釋詞〉。其中所收的計有四百餘字，連氏皆一一指其出處，註明讀音與語音，併舉其用例。《語典》卷二以下，均係雙字句的解釋，而卷二的大部分則略同於《新方言》和《客方言》的〈釋言〉，卷三的一部份是同於《新方言》和《客方言》的〈釋親屬〉、〈釋形體〉、〈釋飲食〉、〈釋器用〉等。《語典》第四冊無註明卷數，應該是可以看作卷四或者是卷三的續篇，其中所收的，也有一部份是屬於釋音的，有一部是釋其他的。㉙

李氏所見《臺灣語典》，只註明三卷，第四冊不註卷數。今所見卷四文本，多脫

㉘　連橫著、姚榮松導讀：《臺灣語典》，頁158，159。

㉙　同前注。

文、訛字，應是尚未完稿所致。故李氏曰：「可以看作卷四或者卷三的續篇。」

㈡ 體例

　　《臺灣語典》是對臺語語彙所做的訓詁專著，次第雖無一定，體例卻可歸納出若干規則：

　　1.每句詞彙必先釋本義，次引舊籍證明，如：

　　　斟：飲也。呼忍，平聲。《説文》：「斟，勺也。」（卷1，頁58）

《説文》：「勺：科也，所以挹取也。」段注：「〈考工記〉：『勺一升。』注曰：『勺，尊斗也。』斗同科謂挹以注於尊之科也。〈士冠禮〉注：「亦云尊斗，所以斟酒也。」❸❶」「勺」爲斟酒之器，連氏作「飲也」，爲引申義。

　　2.多引例句，說明語詞運用，如：

　　　者：此也。或呼平聲。按古人言者番、者個，後人多用這番。《集韻》：這音彥、迎也，音義具失；而臺語猶存其眞。又按者，古音諸；凡從者之字：如諸、渚、楮、奄、都、屠、箸、暑等。皆從者得聲。〔例〕：置者、繫者、企者、帶者。（卷1，頁34）

　　　者：此也。猶言若此。〔例〕：者大、者小、者寒、者熱。（卷1，頁34）

　　　者久：則許久。猶言此頃者。《增韻》：者、此也。如者般、者番之辭。按者字語源甚古，今中國多用「這」字。《增韻》：這、魚戰切；迎也。而臺語如者大、者細、者近、者遠，所用甚廣。是臺灣猶保存古語，不爲俗字所混也。（卷2，頁77）

　　　者久：猶言此時。亦作若此之久。者，此也；說見前。（卷2，頁80）

「者」臺語作「此也」例有二，語法卻不相同。如「置者」，「者」讀作（chia⁸）

---

❸❶　〔東漢〕許慎著，〔清〕段玉裁注：《說文解字》（臺北：萬卷樓圖書公司，1997 年 8 月），〈勺部〉，頁722。

❸，屬第八調；「者久」之「者」，則唸（chia⁷），第七調，兩者除語調不同，內涵也差之千里。「置者」，「者」爲地方副詞；「者久」，「者」作程度副詞，字義雖皆可作「此也」，但此「此」非彼「此」。臺語中，同字異義常見，如「阮兮」、「即兮」，「食酒」，「食虧」❸等亦是。

　　3.多明音讀，如：

　　吞忍：猶含忍也；吞有不茹不吐之意。忍呼倫，上聲。《説文》：忍，能
　　也。徐鍇曰：能音耐。（卷4，頁139）

《説文》「忍」作「而軫切」❸，日母、十三部。連氏注「忍」音「呼倫切」、上聲，曉母、十三部，二者疊韻。又「倫」爲來母，據黃季剛〈古聲十九紐〉，「來母」古歸舌音，「日母」古歸定紐舌音，二字雙聲，則連氏所注與《説文》同音。《彙音寶鑑》「忍」音「金二入」❸，知「忍」音爲上聲，與連氏所注相同。由連氏標音，說明臺語確爲上溯古音之重要憑據。連氏除用反切標音，也用直音，如卷一：「教，使令也，呼如甲」❸；或擬其調者，如卷一：「濟，多也，呼爲下聲」❸；或明其古音，如卷一：「無，呼毛，古音也」❸；或明其正音者，如卷二：

---

❸　據沈富進《彙音寶鑑》，者爲「迦二曾」，但「者」又由第二調而變聲成第七、八調。（嘉
　　義：文藝學社出版社，1994年11月），頁47。
❸　連橫著、姚榮松導讀：《臺灣語典》：「兮：語助也。……〔例〕：阮兮（則我的）、恁兮
　　（則爾的）。」又：「兮：個也。疑介字之譌。〔例〕：即兮（則此個）、或兮（則彼
　　個）。」（卷1，頁36）又：「食：食也，又飲也。……〔例〕：食酒、食茶。」（卷1，
　　頁58）又：「食：受也。……〔例〕：食虧（則受虧）、食侾（則受愚）、食氣（則受
　　氣）。」（卷1，頁59）。
❸　《説文解字》，〈心部〉，頁516。
❸　沈富進：《彙音寶鑑》，頁55。
❸　連橫著、姚榮松導讀：《臺灣語典》，卷1，頁42。
❸　同前注，頁38。
❸　同前注，頁37。

「厚皮，謂無恥者，厚呼緊，正音也」❸；或說明轉音，如卷二：「椓居，亦曰著居，著椓，一聲之轉。」❸等。

　　4.以「本音」示音讀差異，如：

　　　世事：謂世間之事，如交際慶弔之類。按臺語呼事爲戴，惟人事、世事、多事之事呼本音。此係文言。（卷3，頁117）

　　　多事：謂好事也。按臺語呼多爲濟，唯多謝、多事之多呼本音。（同上，頁118）

　　　載志：載事也。……《左傳》謂之鄭志、謂之宋志，猶言鄭事、宋事也。《漢書·賈誼傳》：故曰聖人有金城者，比物此志也。此志猶言此事。按章太言《新方言》：詩書皆以載爲事，事、載本一聲之一轉，今福州猶謂事載，讀如戴，古音載，本如戴也。又按《說文》：事、職也，從史之志意也，从心。之二字音近。（卷4，頁128）

案：連氏於「載志」下引經傳，證「事」古多作「志」，故「載事」臺語作「載志」。「世事」、「多事」不作「志」，爲本音問題，且連氏又於「世事」下注：「此係文言。」說明發本音者，與文言有關。

　　5.或引義近字，以助釋義，如：

　　　晫：本粗而末銳也。《說文》：楔也。本作櫼。（卷1，頁40）

案：《廣韻·五十琰韻》：「晫：上大下小。」❹，連氏釋義與之相近。又《說文》「櫼：楔也」，段注：「木工於鑿柄相入處，有不固，則斫木札楔入固之，謂

---

❸　同前注，頁89。

❸　同前注，頁82。

❹　〔宋〕陳彭年等編注：《校正宋本廣韻》（臺北縣：藝文印書館，1991年3月），頁333。

之楔。」❹依段注，知「欟」用途就同螺絲釘，專作固定之用。凡作固定之具，定本粗末銳，今連氏舉質性相近之「楔」字，訓釋不僅合理，技巧也很高妙。

　　6.凡語意淺明通俗，可不注例句，如：

　　外家：爲女子謂其母家。婦人嫁曰歸；故歸寧謂之作客，猶言以客禮待之也。（卷3，頁105）

我國自古爲父系傳統，古時女子許嫁後才提取字號，提取後於姓字上，標上夫家國名或氏，以說明女子已成年，且爲夫家成員。❹又我國族譜，僅記錄男丁，女人僅在許嫁後，方可登上族譜，這也是農業體系所形成之特色。《詩經‧國風》〈桃夭〉：「宜其室家。」說明無論制度或經典，皆以夫家爲女人本家，則娘家當然稱作「外家」。《臺灣語典》「內家」：「爲女子謂其夫家。《左傳》：男有室，女有家。《孟子》：往女之家，必敬必戒。是女子以夫家爲家也」。❹今臺語以「外家」稱呼娘家，就是繼承古代的社會體制。又「外家」在經籍中時而可見，如《史記》〈外戚世家〉：「及孝惠帝崩，天下初家未久，繼嗣不明，於是貴外家」清‧畢沅《續通鑑》：「戊申，太后幸劉美第，……，宋祁作〈劉隨墓誌銘〉云：『太后不宜數幸外家。』。」❹娘家稱爲外家，女子回娘家，就稱爲「作客」。❹

　　7.蒐羅外來語，並作考證，如：

　　蟒甲：爲獨木舟；土番語。或作艋舺。（卷3，頁115）
　　啥人：謂何人也。與上海語同。《上海縣志》謂：啥爲《甚麼》二字之切音。（卷1，頁54）

---

❹　《說文解字》，頁259。

❹　楊寬：《西周史》（臺北：臺灣商務印書館，1999年4月）〈「冠禮」新探〉，頁744。

❹　連橫著、姚榮松導讀：《臺灣語典》，卷3，頁105。

❹　瀧川龜太郎：《史記會注考證》（臺北：萬卷樓圖書公司，1993年8月），頁774。〔清〕畢沅編著：《續資治通鑑》（北京：中華書局，1957年）〈北宋紀〉，卷37，頁849。

❹　連橫：「作客：出嫁曰作客，謂女子既嫁則以客禮待之也。」見《臺灣語典》，卷3，頁106。

咕哩：馬來語。謂勞動者。自廈門傳入。（同上）

「蟒甲」一語，《雅言》第一九五則也有說解：

> 「蟒甲」則獨木舟，番語也。臺北之「艋舺」，其語源實出於此。乾隆間，大佳臘漸次開拓，華人設肆河畔；擺接番每駕獨木舟至此交易，因呼其地爲「蟒甲」。後書「艋舺」，尚文也；「艋舺書院」稱曰「文甲」。❹

萬華古語作「艋舺」，原由番語「蟒甲」而來，惟語文宜求典雅，遂將「蟒甲」改成「艋舺」。由連氏所記，知乾隆年間，萬華即設「艋舺書院」，海上交易也非常頻繁。顯示《臺灣語典》除了爲臺語作考釋，也爲臺灣史記下許多珍貴史料。

　　8.說解「新造語」由來，如：

> 覺羅：犬曰覺羅、豕曰胡亞。聞之故老：覺羅氏以東胡之族入主中國，我平郡王起而逐之，視如犬豕；民族精神是乎在。（卷3，頁117）
> 猙生：清生則畜生，鄭氏時語；今呼猙生。蓋自滿人猾夏，穢德彰聞；忠義之士，憤其無道，至以禽獸比之，所謂不與同中國也。（同上）

《臺灣通史》卷二十三〈風俗志·衣服〉：「歸清以後，悉遵清制，而有三年不降之約。則官降吏不降，男降女不降，生降死不降也。」又：「入殮之時，男女皆用明服，唯有功名者始從清制，故國之思，悠然遠矣。」❹臺民視滿清爲異族，明亡，依舊遵從明制，加之抗清名將鄭成功曾駐守臺灣，百姓的反清意識，就特別強烈。《雅言》第一百六十七則，也記下了這些情境：

> 男子成婚，皆用清代章服；女子則鳳冠、蟒襖、紅裙、繡鞾，儼然明代官

---

❹ 同前注，頁255。
❹ 連橫：《臺灣通史》（上海：上海書店，1947年3月），頁412。

裝：則「男降女不降」也。❹

《臺灣語典》標榜只收雅言，卻也收這般罵人詞彙，無非是藉此漫罵，一些著和服、操東夷鴃舌之音、為虎作倀，鄙視臺語的士紳。同時，連氏對清廷枉顧臺灣生計，輕易將臺灣割給日本，徹底心寒。藉著對「覺羅」、「猙生」等語詞訓釋，既可抒發故國之思，對淪為次等國民之事，也發出強烈的抗議。

　　9.《臺灣語典》所錄，可與《雅言》互證，如：

落溜：則落濚；謂人之落入圈套也。《瀛涯勝覽》：弱水三千，舟行遇風，一失入溜，則水弱而沒溺；此則《吾學編》之所謂落濚者也。（《臺灣語典》卷3，頁108）

同一則，《雅言》則記載：

「落溜」則「落濚」，以喻人之落入圈套也。《瀛涯勝覽》謂：「弱水三千，舟行遇風，一失入溜，則水弱而沒溺。」《吾學編》：「澎湖島海水漸低，謂之落濚。舟行誤入者，百無一反。」《臺灣志略》載：「康熙二十三年，福建陸路提督萬正色有海舟將之日本，行至雞籠山後，為東流所牽，抵一山漸息。迨後水轉西流，其舟仍回至廈門。此則所謂萬水朝東者也。」（《雅言》，第二六五則，頁287）

《雅言》較《臺灣語典》敘述詳盡，兩者相互參照，更可明語調旨意。
　　10.以「某字見前」、「說見前」互見，如：

小可：謂事之子者。可為助辭；呼夸，上聲。《禮·中庸》：體物而不可遺。註：可，所也。（卷3，頁116）

---

❹　連橫著、姚榮松導讀：《臺灣語典》，頁243。

　　輕可：謂事之輕者。「可」字見前。（同上）

「小可」、「輕可」義可相通，前文已釋，後文便可不必重述。故連氏於「輕可」下，注：「『可』字見前。」。

　　11.兼錄異文，如：

　　　愛困：則要睡也。《易》困于石。傳曰：非所困而困焉。則困有居止之義。
　　　俗呼作睏，《字書》無。按章太炎《新方言》：謂古文困作㘅，從止也。今
　　　直隸、淮西、江南、浙江皆謂寢曰困，亦取從止之義。（卷2，頁82）

《說文》「困：故廬也」[49]，「困」爲居止之所，「愛困」以「困」作本字，應無誤。連氏引章氏《新方言》，與《說文》徵引經文以證字義相同。[50]連氏曰「困」俗呼作「睏」，明「睏」爲「困」之後起俗字。「困」多借作困難、困惑……，本義多不再使用，爲明本義，後人於「困」字偏旁加「目」，說明睡眠與眼睛閉合相關，此爲轉注例之「義轉而注」。[51]

　　12.兼明特定用字，如：

　　　撲：打也。《廣雅》：撲，擊也。《書·盤庚》：若火之燎於原，不可嚮
　　　邇，其猶可撲滅。按臺語不用打字，唯打絮一語；餘皆用撲，如撲人、撲鐵
　　　等。（卷1，頁47）

---

[49]　《說文·口部》，頁281。

[50]　《說文·川部》：「州：水中可居者曰州。……《詩》曰：『在河之州。』」許慎於「州」
　　下引《詩》，意在證明州之義。頁574。

[51]　轉注之內涵，許師錟輝〈文字學導論〉，依魯實先先生〈轉注釋義〉，析轉注有「音轉而
　　注」和「義轉而注」。並說：「如『老』字從人毛匕會意，『老』字音轉如『丂幺ˇ』，因
　　此據『老』字而另加『丂』聲調適造『考』字。……除了音轉而注之外，還有義轉而注的轉
　　注。如『然』字本義爲燃燒，《說文》云：『然，燒也。從火肰聲。』後來假借而轉變爲語
　　詞之義，因此據母字『然』，另加形符『火』而造出『燃』字。」見《國學導讀》（臺北：
　　三民書局，1998年8月），頁346。

「撲」，《彙音寶鑑》作「公四頗」，屬滂母；《廣韻》作「普木切」，亦屬滂母，二者雙聲。「打」《廣韻》作「都冷切」，為端母舌頭音，與「撲」發音部位不同。今臺語「撲人」、「撲鐵」，皆作重唇，可證「撲」「臺語不用打字」。

五、《臺灣語典》之不足

　　《臺灣語典》為連氏初稿，尚未修飭完成，不足處在所難免。儘管如此，《臺灣語典》對臺語所做保存及整理，亦功不可沒。《臺灣語典》因是《三六九小報》上登刊的小文章，為顧及讀者普及和宣導功效，篇幅當然不能太大，考證也不宜太詳盡。後人評價《臺灣語典》，自然不可以學術論文視之。連氏既以宣揚和保存臺語為目標，說解則以淺近易解為要。關於《語典》不足處，筆者僅略舉數例，淺述如下：

　　㈠未全面徵引例句，難免造成後學認知上困擾，如：

　　　嶄然：為讚美辭。則超然也。《集韻》：嶄，山峻貌。（卷2，頁78）
　　　猗歟：亦讚美辭。兒童多用之。《詩・商頌》：猗歟、那歟！（同上）
　　　澆誂：為好笑之轉音。謂虛偽也。（卷2，頁90）
　　　邀疑：則生疑。《集韻》：邀，招也。（卷2，頁92）
　　　效偶：謂作事之拙，以其如偶象也。《玉篇》：效，法也。《增韻》：倣也。偶呼平聲。《說文》：俑也。（卷3，頁113）
　　　雷推：為磊砧之轉音。謂人。（卷4，頁142）

凡意義淺明之詞彙，連氏多不注例句；惟所收語彙，若已逐漸失落，不注例句，後學不免一知半解，對臺語的研究及傳承，極易形成阻礙。

　　㈡自許保存高尚典雅之言，卻偶夾雜粗獷語，如：

　　　手鎗：謂好弄也。俗謂手淫曰打手鎗。（卷3，頁113）
　　　契兄：謂姦夫也。契、合也；謂為一時之契合。（卷3，頁111）

除「猙生」、「覺羅」，具有特殊含意，此二例句，著實稱不上高尙典雅，連氏卻
予收入，或爲記實。

　　㈢偶有釋文脫落與錯字之失。如：

　　穢稅：猶汙涗；謂其人品行爲污穢。《□□》：穢，污也。《爾雅》：稅，
　　舍也。註：舍放置也。　（卷4，頁138）
　　連迴：謂事之□□，猶拖泥帶水之意。（同上）
　　歆羨：□□也。《詩·皇矣》：無然歆羨。《□□》：歆，欣也；羨，願
　　也。　（卷4，頁150）
　　攪擾：猶搗亂也。《詩·□□》：祇攪我心。《箋》：攪，亂也。《書·胤
　　征》：奴俶擾天紀。《傳》：擾，亂也。　（同上）

釋文脫落，如「穢稅」之《□□》、「連迴」之□□、「歆羨」之《□□》、
《詩·□□》等，或因《臺灣語典》原本保存失當所致，或爲連氏一時漏察。總
之，未可全視爲連氏之失。然而，引證典籍之增字、錯字，則不免爲其疏漏處，如
上述所引《詩經》「祇攪我心」之「祇」，當作「祇」，此爲訛字之失。

　　㈣詞彙編排無定規則，又無索引，查閱諸多不便，如：

　　《臺灣語典》共四卷，除第一卷爲單詞，其餘三卷皆複詞。查詢時，雖可依
單、複詞區別卷數，惟複詞即佔三卷，況《臺灣語典》列詞次第，並未分類，只以
質性相近爲比，若無索引，查詢著實不便。當然，時人可能並無今人索引之觀念，
故不能以此苛責連氏，但若能加以分類，使人得按類求索，查閱將更爲便利。所幸
劉建仁先生，已將《臺灣語典》逐條逐字，以臺北附近的漳州系臺語注其讀音，再
依韻目分成七十一類，編成〈連氏臺灣語典音讀索引〉。❷劉氏的努力，不僅使後
學可簡易地檢索《臺灣語典》，其所記下的漳州系讀音，也爲研究臺語之重要文
獻。

---

❷　劉建仁：〈連氏臺灣語典音讀索引〉，見《連雅堂先生相關論著選輯（上）》，頁 69－
　　102。。

㈤論述詞源，偶夾牽強附會，如：

關於此點，姚榮松先生《臺灣語典·導讀》，即有詳盡描述：

> 再看連氏比較拿手的假借引申之說，連氏爲臺語「阮兜」（我家），恁兜
> （你家），字應作「兜」，今臺語音 tau，理由是兜本訓圍，（若究其形義，本
> 是兜鍪，即頭盔。）可以引申爲聚，如動詞的「挽」，是把東西聚起來。逗留
> 也可以作兜留（見《語典》，卷 1）又引申爲家。最後這個引申文獻無徵，也
> 許是方言的用字習慣在先，連氏用字義引申的方式加以訓詁，似乎找到語
> 源，但嚴格地說，兜鍪的「兜」可以引申爲聚，但能否引申爲「家」，就是
> 一個疑問。㊓

六、結語

　　本文撰述，並非以語言學角度，考覈《臺灣語典》得失，僅期盼藉由對該書淺
介，看到一部語典，除了記實語言外，尚能呈現那些特質？藉由對《臺灣語典》之
成書經過、內容和體例的概述，亦可發現，《臺灣語典》除了爲語言學著作，更蘊
藏相當豐厚內涵：

㈠記錄語言演繹：

關於此點，姚榮松先生於〈導讀〉中，已有深入說明：

> ……「臺灣閩南話」，視同閩南話的一個分支，因爲它已非漳非泉，更不是
> 廈門話，要探討臺灣三百年蛻變的軌跡，臺灣閩南話的研究，是一個重要線
> 索，不但要研究，而且要保存並延續這個語言。㊔

臺語爲閩南話一支，先民來臺開墾，以漳、泉二州爲主，隨著生活習慣及生存條件

㊓　連橫著、姚榮松導讀：《臺灣語典》，卷前，頁 13。
㊔　同前注，頁 2。

的需要，這支閩南語逐漸注入不同生命。於是，它既流著閩南血統，但又不全屬於閩南話，而有著新的特質。這支新閩南語（俗稱臺語），不僅承襲中國千年來的文化傳統，也寫下臺灣三百多年蛻變的軌跡。於是《臺灣語典》，除了語言史外，也可作爲社會史、民俗史、文化史等重要研究文獻。

㈡臺語不僅爲雅言，且字字有來歷，顯然臺語實可不必額外造字，縱須增字，也爲語言孳乳的結果。關於造字之法，可比照「睏」字例，增益形符，以初文記音。如此不僅可記其音讀，也更能凸顯字義。

㈢方言雖不若官話，爲全國通行之語。然方言爲一區域之母語，流傳彌久，故可作爲研究古語之重要憑據。

㈣方言既可研究古語，古書又爲古人所記，則方言當然可作爲通經參攷。況連氏詮釋語彙，多徵引經籍，則方言與治經之關連，也顯明可見。黃師敬安著《閩南話考證——古書例證》❺❺，將臺語語詞，由《荀子》、《史記》、《漢書》，及東漢以後，晉朝以前史書等文獻，旁徵博引，以臺語貫通群經，正是發揚連氏《臺灣語典》精神，也使語言與經籍之關聯，愈發顯著。

㈤方言除了爲個別區域之溝通工具，也蘊藏著濃厚的民族意識。因此，研讀《臺灣語典》，也可作爲認知臺灣族群思維之參考依據。

每一種方言，皆蘊藏著豐碩的文化遺產，若每一方言，皆能有如連雅堂先生，爲母語編撰一部語典，不僅可保存文化，也可透過這些語典，認識其他不同族群的特質和意識。透過彼此地相互瞭解，每一族群不僅注意到母語的精萃，也學習尊重其他族群的母語。因此，過去臺灣曾經發生的漳泉拚、閩客拚，及後來本省外省的衝突對立，將可逐漸避免，使臺灣成爲一個眞正祥和樂利的美麗寶島。

---

❺❺　黃師敬安：《閩南話考證——古書例證》，（臺北：文史哲出版社，1990 年 4 月），頁522。

經 學 研 究 論 叢
第 十 一 輯　　頁285～316
臺灣學生書局　　2003 年 6 月

錢大昕王鳴盛阮元三家遺文續輯

陳鴻森*

　　錢大昕（1728－1804）、王鳴盛（1722－1797）、阮元（1764－1849）爲清代代表性學者。向披覽群書，於三家遺文佚篇有不見本集者，輒手錄之，積久漸富，因加詮次，寫錄成篇。凡輯得錢竹汀集外遺文百二十四篇，釐爲三卷，爲《錢大昕潛研堂遺文輯存》（刊於《經學研究論叢》第 6 輯，1999 年）；另集王西莊遺文五十三篇，爲《王鳴盛西莊遺文輯存》二卷（《大陸雜誌》第 100 卷 1－3 期，2000 年）；又阮芸臺遺文百三十六篇，爲《阮元揅經室遺文輯存》三卷（《大陸雜誌》第 103 卷 1－6 期，2001 年）。其中頗多外間不經見之文，有關學術、足資考證者不少。比復從群籍、墨跡采獲迻寫，各得若干首，今合寫成篇，以補前輯之遺闕焉。

二〇〇二年元月二十八日

錢大昕遺文

《醫譜》序

跋《太平寰宇記》

跋《隸續》

跋衢本《郡齋讀書志》

跋《歐邏巴西鏡錄》

跋《梅花喜神譜》

跋吳彩鸞書《切韻》

與李南澗書（十通）

與邢侙山書

與友人書

李耘圃先生家傳

*　陳鴻森，中央研究院歷史語言研究所研究員。

《醫譜》序

沈子丹彩，吾邑世族，少時棄去舉業，獨究心醫方，五行壬遁之術，皆有神解。又以爲占筮之失，止于不諗；唯方藥主于對病，病之名同也，而或感于外，或傷于內，或實而宜瀉，或虛而宜補，疑似之間，豪釐千里，學醫費人，爲禍尤烈。乃博涉古今方書，分類采輯，辨受病之源，而得製方之用，爲《醫譜》凡若干卷。既成，將付之剞劂，而屬予一言序之。予復于丹彩曰：子亦知相馬之說乎？昔者伯樂言九方皋于秦穆公，公使行求馬，三月而反，報曰：「得之矣，其馬牝而黃。」公使人往取之，牡而驪。召伯樂而讓之曰：「子所使求馬者，色物牝牡尚弗能知，又何馬之能知也？」伯樂喟然太息，曰：「技一至于此乎！皋之所觀者，天機也，得其精而忘其粗，在其內而忘其外，見其所見，而不見其所不見，是乃所以千萬臣而無數者也。漢馬文淵，少師事楊子阿，受相馬骨法。及征交阯，得駱越銅鼓，鑄爲馬式，以爲傳聞不如親見，視景不如察形，乃依儀氏䩭中、帛氏口齒、謝氏唇鬐、丁氏身中，備此數家骨相以爲法。夫伯樂之于馬，觀其天機而已，色物牝牡，且不暇辨；而伏波乃斤斤于口齒唇鬐支節分寸，一一取其相肖，此與皮相者何異？然伯樂世不常有，而相馬之法不可不傳，將欲使物盡其才，人藉其用，驊騮毋困于鹽車，駑蹇勿參乎上駟，舍伏波銅馬之式，將奚觀哉？古人本草石之寒溫，量疾病之深淺，辨五苦六辛，致水火之齊，以通閉解結，于是乎有十一家之經方，此猶伏波相馬之有式也。而善醫者又云：上醫要在視脈，脈之妙處，不可得傳；虛著方劑，無益于世，此伯樂所云「觀其天機，不見其所不見者也」。今子既精于察脈，洞見垣一方，而復集古今證治之法爲譜，以示後人，其有合于伏波之意乎！雖然，按寸不及尺，握手不及足，相對斯須，便處湯藥，昔賢所譏，于今爲甚。以是求識病之眞，而不謬于豪釐千里之介，抑又難矣。予將舉以告讀子之書者。（錄自沈彤本書卷首）

跋《太平寰宇記》

此本寶山朱寄園所贈，與竹垞所藏闕卷相同。宋時刻本既不可得，好事家展轉迻寫，訛錯甚多，校正匪易。其書雖因李吉甫《元和志》而作，而援引更爲詳審，間

采稗官，亦多信而可徵，較之王存、歐陽忞，實爲勝之。竹垞有意貶抑，非其實也。丁未臘月，錢大昕題。（據北京國家圖書館藏本手跋迻錄）

　　森按：竹垞之說，見《曝書亭集》卷四十四〈太平寰宇記跋〉。

跋《隸續》

《寶刻叢編》今亦無足本，其所引《隸續》跋語，可以補此本之闕者凡七條，〈韓敕後碑〉兩側題名也，〈文範先生陳仲弓碑〉也，〈孝子董蒲闕〉也，〈馮君開道碑〉也，〈頻陽令宋君殘碑〉也，〈雍邱令殘畫象〉也，〈成王周公畫象〉也。但陳氏所引多刪節，於全文什存六七耳。公在紹興任刻《隸續》十卷，此乾道四年事也。厥後淳熙丁酉范致能帥蜀，復爲刊四卷；己亥李秀叔知紹興，增刻五卷，合成都所刻計之，則爲九卷。庚子歲尤延之又刻二卷於江東倉臺，輦其板歸之越，由是《隸續》有二十一卷。竹垞欲以《韻》、《圖》二種足二十一之數，殊不然。嘉定錢大昕。（據北京國家圖書館藏本墨跡迻錄）

　　森按：《潛研堂文集》卷三十亦有一跋，與此文字頗有異同，今錄存之，以並觀焉。文中所言竹垞之說，見《曝書亭集》卷四十三〈隸續跋〉。

跋衢本《郡齋讀書志》

此書有衢、袁二本，世所傳趙希弁校本即袁刻，蓋子止初稿，又雜以趙氏書，益非其舊。吾婿所藏乃眞衢本，與《文獻通考》所引多合，安得好事梓而行之，以還晁氏面目邪！乾隆乙卯十二月既望，竹汀叟錢大昕，時年六十有九。（據北京國家圖書館藏本墨跡迻錄）

跋《歐邏巴西鏡錄》

尚之文學於吳市得此冊，中有「鼎按」數條，蓋梅勿菴先生手跡也。《西鏡錄》不見於《天學初函》，亦無撰人名氏，唯梅氏書中屢見之。梅所著書目中有《西鏡錄訂注》一卷，今已失傳，此殆其初稿與。嘉慶庚申十月七日丙辰錢大昕記。（北京國家圖書館藏焦循鈔本《歐邏巴西鏡錄》卷末過錄竹汀跋文）

　　森按：此跋承香港大學中文系馮錦榮教授檢示，書此敬致謝忱。

跋《梅花喜神譜》

譜梅花而標題繫以「喜神」者，宋時俗語謂寫像爲喜神也。嘉慶辛酉十一月五日，竹汀居士錢大昕假觀于紫陽書院之春風亭，時南枝已有蓓蕾矣，未知今生當看幾度梅花否。（錄自 1928 年中華書局《宋雪岩梅花喜神譜》卷末）

跋吳彩鸞書《切韻》

焦達卿有吳彩鸞書《切韻》一卷，其書一先爲二十三先、二十四仙。相傳彩鸞所書韻散落人間者甚多，予從延陵季子後曾睹其眞蹟。甲寅三月八日竹汀居士書於屏守齋。（錄自《中國美術全集》書法篆刻編冊六）

與李南澗書一

久不得年兄書，私心竊有過慮，屢向諸城、壽光、日照諸友人訪問年兄近況，伊等亦無確耗。頃尊使至，接讀手教，始知年兄于六月內奉太夫人之諱，悲哀懇至。而生以路遙，未獲具生芻絮酒之敬，展拜帷堂，抱歉奚似。承示所撰〈行狀〉，並委生爲〈表〉、〈誌〉之文，展讀數過，文筆古雅，至性肫摯，流露行墨間，洵爲必傳之作。昔河東、盧陵皆嘗表其先人之墓，今年兄之文，自能不朽其親矣，曷不仿此例爲之？若生之文平淺，恐未能傳世，而有盧年兄之盛意也。但交好有年，不敢固辭，謹撰次尊甫太翁〈墓表〉、太夫人〈墓誌〉各一道，皆撮取〈行狀〉中語，掠美之誚，諒所不免。〈行狀〉內所述懿行，可載者甚多，因篇幅無取太長，故割愛置之，然即此已足不朽矣。〈表〉、〈誌〉既出一手，故篇中載三代子姓及墓地各條，互有詳略，意取互見之義，未識於體製有合否也？書、撰人銜名，或在文後，或在文前，古人初無定式，可以不拘。結銜止署本官及階，今人多有書進士及第出身者，雖似無妨，但宋元碑卻未見，恐明人始有之耳。至稱呼「弟、姪、侍、晚」之類，起于近日，最爲陋惡，好古者當不效之矣。戴君東原現在京師，館于侍郎裘公邸。連日因生公務冗沓，不能多出門，曾往訪一次未值，故不曾得其篆書；而使者又亟欲東歸，擬于半月內託其寫就，於提塘內轉寄，至遲亦不出歲內也。泰安轟劍光所著《泰山道里記》，去年屬生作序，今已脫稿，並原書一併送年兄所，

便中幸爲轉達。其書内所載近代人題刻大字，纖悉不遺，鄙意可汰其大半，俗書惡札，徒費楮墨，甚無謂也。太夫人祔葬在邇，不得在執紼之列，謹附輓額乙件，乞查收。潤筆之説，所不敢聞，恐失孝子之意，暫留以圖他報，並謝。天寒，哀戚之中，惟以道自重爲幸，不備。南澗年兄大孝，友生錢大昕拜手。十一月廿四日。

外〈墓表〉、〈墓誌〉二篇，輓額乙幅。《泰山道里記》一本，寄轟劍光信一件。生於九月初二日得一男，今將及三月，頗能笑矣。并聞。

　　森按：此以下十通，據竹汀墨跡寫錄。此信「尊使至」以下，至「好古者當不
　　效之矣」一段，亦見《文集》卷三十三，今仍依原信錄存之。

與李南澗書二

來教言七月内從鄒進士寄書，尚未接到，不知何時可抵京也？江氏韻書三種，從前秦文恭公面奏，得旨交軍機寄安徽巡撫索取。其時僕預聞之，然未見有摺稿，蓋造膝面陳，不曾具摺，當求徽州官牒爲據耳。翁學使閑居無事，惟以賦詩、考古爲事，宦情恬憺，可敬殊甚。曉嵐因世兄多負，家中屢生閑氣，故心緒不甚佳。未堂太常札亦已致去。溫生主廣現委惠倅，匆匆不能具札，晤時幸道意。張生成勳，此時諒已入粵矣。餘不備。南澗年兄文壇，大昕頓首。十二月初二日。

　　前跋〈唐梁師亮墓誌〉，未詳隱陵爲何人所葬；後考《唐六典》，隱、章懷、懿
　　德、節愍、惠莊、惠文、惠宣七太子陵署，各令一人，丞一人。又《唐書·儒學
　　傳》亦云：「隱、章懷、懿德、節愍四太子，並建陵廟，分八署，置官列吏
　　卒。」乃知「隱陵」者，隱太子建成之陵，太子陵不別立名，以諡爲名也。此冊
　　如蒙付剞劂，希爲增改此條，此胡氏注《通鑑》所闕也。秋間無事，又續跋五十
　　通，則俟它時增益爲續刻可耳。

與李南澗書三

前尊使來，得年兄書，屬僕爲〈表〉、〈誌〉文，自媿文筆屛弱，有虛表揚先德之盛意。然義不可辭，已屬稿令來使帶回，想久登記室矣。篆蓋今求戴孝廉東原揮就，謹於提塘處轉達。明歲爲太夫人營葬之期，未與執紼，深爲抱歉。年兄舉此大事，哀慟自必過人，尚希少節哀思，以道自愛耳。

轟劍光《泰山道里記》前已送至尊所，望覓便寄去爲感。丙戌臘月十九日，大昕白，茝畹年兄大孝。

與李南澗書四

去冬仵來，得年兄手書，知奉諱家居，恪守古禮，誠孝之行，良足矜式。今春營治丙舍，想極勞瘁。所擬〈表〉、〈誌〉，諒俱收到，未識可用否？僕於三月間傷寒，臥床展轉五十餘日，至五月內始得痊，然精神大減於昔。六月二十九日，先妻奄逝，中年失偶，心緒益覺無憀。因念亡妻之賢，在閨閫內實爲罕有。貧賤夫妻，一旦永訣，營齋奠皆無益之舉，當思所以不朽之者。伏惟年兄有道而文，相愛有素，或能諒鰥夫之苦，而俾懿淑之行得藉佳文以傳也。所撰〈行述〉，文思枯澀，又當傷感之餘，殊無可採。今特呈上，求年兄爲撰墓誌一篇，擇其應銘法者書之，非敢求多也。古人碑誌之文，皆取質實簡當；爲婦人作誌，尤無取詞費，僕所望於足下者以此。僕服官以來，十有六年，久疏溫凊之禮。惟乙酉秋典試湔西，得乞假省觀，越今又屆三載，停雲之思，時縈寐寐。今擬於中秋後請假南旋，大約八月底即挂帆潞河矣。急流勇退，夫豈易言，但得息肩一兩載，稍修潔白之養。而吳中山水可遊者，皆近在數百里內，束晳近遊，亦足藉以破岑寂之悶耳。宦游雖久，歸裝全無長物，惟書一二萬卷，金石刻幾及千卷，亦足云富。去秋始得一子，望其長成，可免伯道之憾矣。相去千里而遙，不得一敘別悰，瞻望青社，情何能已？所懇大文，如一時即能脫稿，則於九月望間寄〔至〕濟寧李年兄紹沆所最妙；否則須覓便寄至蘇州貴同年吳舍人竹嶼處（諱泰來）。王禮堂光祿現住蘇之勾闌巷，亦可寄也。《泰山金石考》已脫稿否？轟布衣劍光囑僕序其《太山道里記》，前已寄至尊處，想當郵寄付彼矣。岱宗石刻，內有數種僕已爲題跋，道遠，又無寫手，未得寄呈爲悵。秋涼，惟以道自重，臨紙不盡覼縷。茝畹年兄侍史，期生錢大昕頓首。亡妻之變，凡京外諸戚友俱未及訃。如晤諸同年，乞爲致意，又及。八月初九日。

與李南澗書五

昨於郵遞得手教，并讀所作〈遊南海廟記〉，文既古雅，而搜剔古刻，補翁《錄》之所未備，尤快意也。昨晤番禺宰張君，借得南海廟所拓碑文廿餘通，皆翁公所著

錄者，擬先抄其全文，碑刻皆未見及。年兄所見治平、熙寧諸刻，容俟它日自募搨手逐件開單付之，方無遺漏耳。尊札欲寄至京者，已交張孝廉帶去。茲因尊伻回潮之便附復，不備。南澗年丈，大昕拜白。十一月初九申刻。

與李南澗書六

春間金海住宗伯使旋，接得手翰，知已榮蒞潮陽，諸凡想俱順適。嗣因湖南溫生主廣及順德胡孝廉亦常之便，兩附小札，未審俱達記室否？僕本擬今秋南旋，養親著書，兼尋山水友朋之娛；而春間偶有章學士外出之缺，遂復承乏舊巢。江淹才盡於承明之地，殊非所長，且轉增旅食之累；公私酬應，亦減著述之功。夙昔親故，風〔流〕雲散，殊難爲懷。潮陽金石見於翁學使著錄者殊寥寥，不識更有出翁錄之外者否？足下方調劇邑，公事諒少暇日，然文字之好由於結習，倘有製述，幸賜示一二。拙製《金石跋尾》聞將付梓，不審何時可以告竣？茲因李觀察赴任來粵之便，草草道候，不戩。南澗年兄文從，大昕頓首。七月十□。

與李南澗書七

獻歲令弟及翁學士先後入都，得年兄兩次所賜手翰，並新刊《三事忠告》、《石刻鋪敍》、《鳳墅帖釋文》、《山左明詩鈔》諸種，具見嗜古闡幽之盛心，迴非仕途齷齪者□所能窺見其萬一。聞拙製題跋，誤愛欲爲付梓，感荷難以言喻，但恐徒費梨棗，不堪問世耳。粵中刻價頗廉，所示近刻諸種亦甚精工，較之江南刻〔價〕多費而不工者，相去逕廷矣。翁公《粵東金石略》，精審勝黃氏《中州金石考》。僕十餘年前得南山寒翠耳〔石〕刻題名十餘種，係宣城張君汝□宦粵時所搨，頗有出於翁《錄》〔之外〕者，乃知搜訪之難徧，抑或昔所有而今失之歟。僕去冬病目，入春已愈，而夜臥不寐之疾又時作。去冬十月生第四子，甚秀惠，兩日前忽以微疾殤，心緒亦殊不佳。江右羅孝廉臺山尚未見到，所賜手教從曹庶子、胡孝廉處寄來者俱未接到。年兄榮調潮陽，想已任事。大縣繁劇，酬應非易，諒高才當游刃有餘耳。匆匆，不多及。南澗年兄知己，大昕頓首。二月廿日。

與李南澗書八

久未得書問，想念之忱，有如饑渴。春間，番禺張明府南回，曾附寸函。拙著《金石文跋尾》，承年兄付工刊刻，其中尚有應修改數十處，俱用紅字標出，亦附張君轉寄，想俱登記室矣。張之誥軸，亦經交明無誤。嶺南山水奇秀，古稱瘴鄉，今爲樂土，而士大夫亦尚有讀書好古者。年兄在彼數載，所識拔奇士，諒不一而足，惟胡生同謙奄爲異物，良可悼惜。意欲訪其軼事，并家世、生卒年月，撰〈墓誌〉以遺其家，僕文雖未必傳，亦稍慰此子於地下。張明經錦芳與胡至好，或可囑張述其事狀，寄至都中，何如？僕所藏金石文，項料簡其目，實有壹千八十餘種，以時代爲次，識其撰、書人姓名及碑石所在，疑則闕之，撰爲四卷。雖不欲即付之剞劂，暇日時一繙閱，顧謂陋室中不少長物也。此次典試，編修王春甫先生與僕同直內廷，性情最爲相契。未識年兄復預分校否？僕兩年來戴星趨直，寅入申出，率以爲常，精神衰耗，髭鬚幾白十分之二，而終竇之憂，日深一日。今秋當有木蘭扈從之役，資裝一無所出，家具無可付質庫者，惟有束手而已。年兄清宦，不名阿堵物，素不欲以俗事相恩，然此時實在無策，或可得假百金，以濡東海之鮒乎！若適有意外之幸，得一近省試差，則此事又可緩矣。南海廟中宋碑數種尚未得，便中乞募人搨以見惠爲幸。《石刻鋪敍》、《鳳墅釋文》希更寄數冊。《潛研堂金石跋尾》務乞刷印幾十部寄來，因索觀者甚眾，無以應之故也；即有一二錯字亦不妨。聞江愼修韻書亦已刻成，僕尚未得見；此外更有新刻，並望賜示。年兄蒞劇縣，聲績甚著，當有邊擢之信，企俟德音。珍重，不宣。南澗年兄，大昕頓首。五月卅日。

溫、張兩年兄已得缺否？並望致意。項閱《搢紳簿》，則溫年兄名已鐫去。僕近來無暇，邸鈔久未寓目，未審以何故去？並乞示知。

與李南澗書九

昨萊陽張年兄赴粵，已有一信奉候。邇惟溽暑方屆，想神相惠和，動止如意。僕托庇無恙，惟髭鬚白者已有十五、六莖，此亦早衰之驗。而記憶亦多遺忘，大非昔比。補官以來，公事較多，一日之中得親翰墨者無多時，而雜以人事酬應，益就荒落，著述恐終無成，如何如何。胡孝廉同謙詩文甚佳，而性情亦與古爲徒，眞東南

之竹箭。禮闈雖暫躓，然此等人物固不徒以科名重也。《鳳墅帖》校出脫誤數處，今另紙錄呈，或可命梓人改正，尤爲完善。厲太鴻《宋詩紀事》頗稱博洽，然未收余端禮詩，可見其未見此帖矣。草草，不多及。大昕拜白，素伯年兄執事。

與李南澗書十

三月初，潮陽黃生鉞到蘇，得去冬兩次所賜手書，並蒙谷憲所致先人祭幛，祗領之餘，存沒均感。僕回里以來，百務俱灰，精神亦衰憊，年未盈五十，而諄諄如八、九十人，杜門終日，束書不觀。改歲以後，稍檢點家中書籍碑刻，間作題跋數十篇，合之前數年所作，計未刻金石跋尾又有二百篇矣。去歲年兄查辦諸案，閒晨夕不暇，勤苦殊甚。頃見邸抄，知粵中官吏應處分者，俱得蒙恩原宥，況年兄於此案有功而無過，自當無礙也。江先生今歲尚未會面，俟與商量酌擬脩脯，并爲謀終歲之計，庶□起身。所寄《九經古義》、《左傳補注》、《石刻鋪敘》、《聲韻考》等書，俱已收到。濟寧新得〈膠東令王君廟門〉殘碑，昨翁覃溪札中曾言及；茲得年兄遠寄一紙，甚妙，恐世間如此埋沒者尚不少爾。吳中少唐以前碑刻，若宋元石刻則所在有之，恨此間士夫絕少同志者，惟吾邑王鶴谿，係光祿之胞弟，及舍弟頗能相從搜訪也。谷憲俱擬作札申謝，因黃生亟欲得回信，先繕數行奉復。即日另具束帖、〈行述〉彙寄尊處，求轉致谷上臺也。邵二雲丁艱南回，尚未及晤。張藥房祈致候；溫年兄被劾去官，此時不識尚在粵否？便中亦祈致意，餘不盡。南澗年兄，制大昕叩首。三月初五日。

　　森按：〈與李南澗書〉十通，原件臺北林永裕先生所藏，友人祝平一教授攝爲照片見詒，書此誌謝。各信先後，依原冊順序。其諸信年月及相關故實，余別有〈錢大昕與李文藻尺牘考證〉一文詳之。

與邢佺山書

大昕頓首：前讀大製題跋，于束晳論曲水流觴事，以爲出於吳均《續齊諧記》，且引沈約、蕭子顯〈禮志〉，證晉時無此事，洵所謂「觀書眼如月，辨漏靡不照」者也。大昕嘗病《晉史》蕪雜挂漏，甚於它史，蓋由唐初史官多詞華之士，昧於學識，兼之時代隔遠，所采多稗官曲說，以實事求之，疵病百出，於鄙著《考異》中

多所駁正。茲讀大製,知有《晉書辨惑》之擧,竊幸先得我心。即以〈束晳傳〉言之,云「東海疏廣之後,避難改姓」,此事之可信者也。《漢書》疏廣字本不作「疎」,《說文》有「疏」無「疎」,疏从㐬,从疋得聲;匹,古「胥」字。「疏」改爲「束」,取其聲相近,若「耿」之爲「簡」、「奐」之爲「嵇」、「韓」之爲「何」耳。〈傳〉所云「去疏之足」,則不通六書者之妄談,豈足據乎?又如〈戴洋傳〉謂「元帝將登祚,洋以爲宜用三月二十四日丙午。」以〈元帝紀〉校之,殊相矛盾。又謂「吳伐關羽,天雷在前,周瑜拜賀。」考呂蒙襲荊州時,瑜死已久,豈非無稽之談乎?〈地理〉一志,尤爲乖謬,典午南渡,僑置州郡,皆不系以「南」字。義熙恢復故土,乃有「北徐」、「北青」、「北琅琊」、「北東海」之稱。及宋武受禪,始詔去「北」加「南」,《宋書·本紀》班班可考。而唐初史臣,但采休文〈州郡志〉文,竟不檢照〈本紀〉,遂謂東晉已有「南徐」、「南豫」、「南青」、「南兗」、「南東海」、「南蘭陵」諸名。沿訛踵謬者千有餘年,至大昭始表而正之,此尤可長太息者也。將來《辨惑》書成,如曹子建所云「助我張目」,眞大快事!大昕雖衰朽,猶冀先睹以廣固陋之見聞也。賤體日稍平復,尚覺怕風,懶于出門。蒲柳之姿,不能耐久,如何如何!《古文苑》九卷之本聞已付梓,夢華當知其詳,苑圃本亦無異同,并奉聞。兼候近禧,不盡馳切。　(錄自馮國瑞輯邢澍《守雅堂稿輯存》卷一)

　　森按:此文承北京大學中文系漆永祥教授檢示,書此敬表謝忱。

與友人書

蒙示新詩,語近情深,眞得唐賢三昧,欽佩之至。七律係贈別之作,宜另換一題;第三首「盡」字,恐是「畫」字。外有拙刻二種奉求教正。順請日安,不戩。大昕載拜。　(錄自《名人翰札墨蹟》第二十四冊)

李耘圃先生家傳

李君諱繩,字勉百,晚年自號耘圃。先世出自莊渠,移居吳中之葑谿,代爲衣冠望族。君生而穎異,髫齡能誦唐人萬首絕句。年十二,受業沈文愨公門下,習制擧業,兼聞詩家宗旨。弱冠,補博士弟子,文名藉甚。歸安吳牧園編修掌教紫陽,讀

其文，許爲國士。乾隆六年，中江南鄉試，出臨川李穆堂先生之門。屢上公車不第，而詩格益高。節鎮諸公聞其名，延致幕府，課其子弟，或請掌教書院。於是之齊魯燕趙，之歐越，之譙亳，之豫章，之汴洛。所過與其賢豪長者游，凡山川奇勝，懷古感遇，一寓於詩。年六十餘，循例謁選，得雲南之恩樂縣。縣處極邊，所轄多夷人猓玀之屬，君因其俗而勸導之，俾各安業。九龍江蠻官貢象入都，所過州縣，募夫導送，吏役藉端需索，多爲民累。君按舊牘，先期戒徒儲芻，及期畢集，民不擾而事亦辦。普洱戌兵得代，回過縣境，將校索馬，君以無例不予；其士卒病者，添夫護送之。在任一載餘，以疾乞歸。至會城，行橐蕭然，大吏重其學行，留主五華書院，積修脯所入，始得歸里。仍以課徒爲業，家四壁立，依然寒士也。晚年好讀《易》與《春秋》，而於《易》尤深，博覽漢、魏、唐、宋，及近代諸家，不專守一先生之言。其大旨在以〈十翼〉解義、文之《易》，謂離〈十翼〉而求《易》者，非《易》也。元、亨、利、貞，易之四德，不當以爲占辭，「元者，善之長也」以下十句，皆文王之言，而孔子述之。其稱「子曰」者，孔子之言也；坤之「文言曰」三字，王輔嗣所加。其引證精確，爲前賢所未及。乾隆五十七年十一月二十六日卒，春秋八十有一。所著《耘圃詩集》十二卷，已刊行。《芸業齋古文》二卷、《周易宗翼匯解》、《玩易質言》、《春秋左傳闡指》、《詩經析解》、《周禮條貫》、《杜詩箋注訂疑》，各若干卷，皆藏於家。君之門弟子，著錄者數百人，同邑彭進士紹升其尤也。君之葬，彭進士紹升爲之銘，述其家世甚備，故不復及云。

論曰：昔沈文愨公以詩主東南壇坫，一時聞其緒論者，非漢、魏、三唐，弗道也。比年詩人各自標榜，漸入於輕佻浮艷之途，獨耘圃風格峻整，不改其舊，可謂有特操者矣。予與耘圃訂交四十餘年，南北往還，合并不易。逮晚年先後歸田，予適主紫陽講席，里閈相望，過從甚樂。而耘圃遽歸道山，吁！可痛也。乃者其子曾祜以遺書數種出示，又知耘圃治經有心得，爰次其生平，俾後來有考焉。嘉慶丁巳臘月，嘉定錢大昕撰。（錄自李繩《耘圃詩鈔》卷首）

王鳴盛遺文

《重校聖濟總錄》序　　　　　《續古印式》序

《宋詩略》序　　　　　　　　《婧雅堂詩集》序

《訒葊詩存》序　　　　　　　《聽雨齋詩集》序

《李魯一詩集》序　　　　　　《立厓詩鈔》序

《種竹軒詩選》序　　　　　　《戒亭詩草》序

《在璞堂吟稿》序　　　　　　跋《經學要義》

跋明鈔本《孔子家語》　　　　跋《海叟詩集》

《重校聖濟總錄》序

學問之事，必以讀書爲根本，子路曰：「何必讀書，然後爲學。」夫子斥其佞。然則不讀書而可以言學者，未之有也，若醫蓋其一矣。《禮記·曲禮篇》云：「醫不三世，不服其藥。」說者以爲三世者，一曰黃帝針灸，二曰神農本草，三曰素女脈訣。若不習此三世之書，不得服食其藥，醫之貴讀書也如是。予所見醫學古書，若王氏肯堂所彙刻之《醫統正脈》，亦云備矣，然皆取零碎小部合而刻之，非會通眾家而編成巨帙者。是以詳於論病，未必兼及處方；詳於品藥，未必兼及切脈，又況鍼灸及祝由、符禁、按摩等科，多未旁及邪！此外，若巢氏之《諸病源候論》，詳病略方者也；孫氏之《千金方》，詳方略病者也。求其融洽貫串，排比鋪陳，使人一覽而盡在目前，其惟《聖濟總錄》乎！汪子瑤圃，自少通敏善讀書，詩文並擅勝場，來從予游，藝業益精進，旁及醫事，遂以此名於時。購得是板，中多殘闕，因偕其友程子懋哉多方訪覓，匯爲全部。懋哉博學，性亦好古，雅稱同志，遂相與捐貲補刊行世，屬予序其端。考是書爲宋政和中所纂，凡二百卷，二百萬言。所載方幾二萬，以病分門，每門之首冠以論，其尾附以統敘，洵病與方兼詳而集醫學之大成者也。系之以腧穴經絡，參之以祝由、符禁、按摩諸法，旁通於服食、修養、導引，以及內丹鉛汞之術，靡所不該，靡所不貫，誠足與《醫統正脈》並行，而補巢氏、孫氏之不足矣。乃自政和以後，再刻於金大定，三刻於元大德，四五百年以來，舊板已漫滅，印本之流傳者日少。世之習醫者，目未窺此編，僅撅拾里俗短淺

之書三四種，輒爲人治療，學醫人費，豈不犯〈曲禮〉之所訶與？瑤圃、懋哉皆今之讀書人，故於醫理亦必以讀書爲要。他日者是編流播醫林，拯危扶困，胥有賴焉。兩君之利益於世者爲甚溥，且使後人知學必以讀書爲貴。醫雖方術，亦斷難以白腹從事，矧欲登著作之堂，而可以空疏媕陋、束書不觀、游談無根者當之哉？即謂是刻爲大有功於藝苑也可。進士及第，通議大夫、光祿卿、前史官練川王鳴盛西莊氏譔。（錄自乾隆五十年汪氏燕遠堂刊本卷首）

《續古印式》序

予曩譔《十七史商榷》，據〈漢百官公卿表〉，吏秩比二千石以上皆銀印，比二百石以上皆銅印，以辨僞爲銅印者非眞漢印。又據洪邁《容齋四筆》，以辨「漢壽亭侯印」非漢時物，頗自謂考據之得矣。若吳中有得漢衛青玉印者，以玉爲之，旣與〈百官公卿表〉不合，而其文直云衛青，亦恐難信；《明史》一百七十五有衛青，疑此是也。大抵一藝之微，必求其原本，非深心汲古者，殆難以語此。丙辰夏日，海鹽黃君晉康見過，出所著《續古印式》屬爲之序。予以年將大耋，景迫崦嵫，於時賢著述，每未能遍覽，茲編亦然；然而窺其大略，洵可謂深心汲古者矣。晉康自跋云：「吾丘衍著《古印式》，以秦、漢官私印爲式也，其書雖不得見，而《學古編》、〈三十五舉〉已詳言之。夫《學古編》未舉古今圖印譜式凡七種，今似無一存。然則晉康之書名以「續印式」者，其實功已逾於作矣，豈若世之作者動欲凌駕古人，自樹赤幟也哉！以晉康之深心汲古，而兢兢焉奉古人爲圭臬，不敢言作，惟居於述，彼世之欲特樹赤幟者亦可以返矣。予慨夫經學中漢人家法蕩廢，幸吾朝文教大昌，學者駮駮非古不道，乃深有取於續古之義，即印其一也。夫續古人之慧命，即啓來學之深思，惟不妄乃不庸。不勝欣喜，於是乎言。丙辰初夏，吳郡西沚居士王鳴盛題，維時瞽目重開，行年七十有五。（錄自黃錫蕃本書卷首）

《宋詩略》序

宋承唐後，其詩始沿五季之餘習，至太平興國以後，風格日超，氣勢日廓，迨蘇、黃輩出而極盛焉。乃其所以盛者，師法李、杜而不襲李、杜之面貌，宗仰漢魏而不取漢魏之形模，此其卓然成一朝之詩而不悖於正風者矣。顧後之學詩者，率奉所謂

唐音以抹煞後代，故有稱宋詩者，則群譏之曰庸、曰腐、曰纖。夫五帝不相襲禮，三王不相沿樂。詩者，樂之章，而心之聲也，《書》曰：「詩言志，歌永言。」蓋詩與樂同源而一途，宋之禮樂政治，固自有與唐異者，獨於詩而曰不唐之若，則其謬說而無當也，何足與言詩？且規仿聲調之不足為詩也，如《三百篇》為詩之祖，倘欲揣摩於形似之際，則必襲虞之賡歌、夏之五子矣。況周以〈二南〉為風始，而何以風之詩不必同於南，雅之音不必同於頌也？惟宋人早見於此，而氣勢所到，力量所及，又足以別異於唐，卓然能自樹立，成一代之風雅，而為一世之元音也。若並為唐音，必不能自勝於唐，則亦祇可為唐之附庸，而何以成其為宋詩也哉？予向有《南宋文鑑》之編，以文為主，而不專于詩，顧未嘗於宋詩有專選也。會同里汪子絅青，暨予婿姚子和伯共訂定宋詩，名之曰「略」者，蓋謂宋一代之風格流變，已可得其大略已耳。既刻成，和伯請予序其端，予讀之竟而喜曰：此固予未發之志也，而能引而伸之，觸類而通之。是書也，可使天下後世考見宋人之真詩。學西崑者，承唐末之餘瀋，而非宋也；師擊壤者，開道學之流派，而非詩也。輕滑率易者，係晚宋之末流，而非宋之真也。若宋之詩，則沈雄博大者其氣，鏤肝刻髓者其思，新異巧妙者其才，若僅以派別論之，猶拘於墟也。且宋人之集浩如煙海，竟歲不能窺其全，得此集之甄綜而條貫焉，亦可以為學詩者之指南矣夫。乾隆三十五年二月，西莊居士王鳴盛書。（錄自汪炤、姚壎同輯《宋詩略》卷首）

《婞雅堂詩集》序

今日江左詩人，當以趙損之為第一手，予與吳企晉、王琴德、曹來殷皆弗如。此論蓋自予發之，惟三君亦以為然，而世之人或未之知也。世人之論詩，或誇唐調，或持宋體，依門傍徑，各仞其說而不能相下。夫詩則何唐宋之有哉？唐人集其成，宋人極其變，異流而同源，其精神標格各有千古者存焉。吾生乎古人之後，俯仰生世，哆口而言之，信筆而書之，擬諸唐宋，離歟？合歟？吾弗知也。夫然，故可以追配古人。吾觀損之之胸，無唐無宋；損之之筆，有唐有宋；求損之于詩之中，可唐可宋；想損之于詩之外，非唐非宋。損之之詩，則何唐宋之有哉？夫損之則何遽若是！蓋其天才亮特，骨氣超邁，憂喜哀樂，逈與俗殊。又且廓情尚志，屏絕聲利，多讀書而好深思，故其鑪□入妙，可學而不可能也；絲桐相引，可聽而不可尋

也。語曰：「勝棋所用，低棋之著；拙庖所用，良庖之刀也。」損之之詩，與夫依傍唐宋門徑者之所爲，其工拙死活蓋自有在矣。曩壬申歲予歸自三楚，與琴德、來殷同客臨頓里，損之假館于企晉之昌亭舊宅，酬和談讌無虛日，如是幾一年。默數半生，惟此事最樂。近與琴德、來殷相繼官京師，而企晉亦哀然爲舉首，攜損之集以來春明寓邸，呼酒挑鐙共讀之。企晉逸氣勝矣，稍遜其道；琴德秀氣勝矣，稍遜其雄；來殷華貴氣勝矣，稍遜其清快；而旋觀鄙作，益不足覆醬瓿矣。讀竟，因相與佇立徘徊，側身南望，三千里外，吳淞之東，黃歇浦之上，菰蘆煙水中，荒溝斷塹，委巷席門，歌聲隱隱欲出金石者，則我損之在焉。噫嘻！損之其將葆眞抱素，永爲盛世之逸人乎？抑將養根沃實，函伏演迤，俾其聲光鬱郁不可終閟，然後徐出而發聞于世乎？予固莫得而測也，是則我損之也耶！乾隆二十五年庚辰正月，西莊居士王鳴盛謹書于京師青棠老屋。（錄自趙文哲本書卷首）

《訒菴詩存》序

予交當代詩人多矣，或風調合而意趣則岐，或形模近而指歸反遠；惟訒菴七兄投契者二十餘年，至今訢合靡間，所云「白頭如新」者，非耶？訒菴遇愈困，而汲古之力愈深；境愈窮，而著述之志愈銳。山樵水泛，煙琱雪琢，名滿江湖間。其所至，必成一集，尚已，讀其〈永嘉〉、〈蘭谿〉諸游稿而心賞之。今歲偶至邗上歸，倒篋又復裒集成帙，何其富且工歟！大約筋力在皮、陸、蘇、黃之間，而偶出入于元遺山、楊升庵諸家，移步換形，節短味永，詩家逸品也。較近之屬樊榭，有其精雅而化其鬱轖矣。訒菴故與樊榭角逐，後世之論者，豈能軒樊榭而輕訒菴哉！古來才士之不遇而以詩傳世者，代必有人，試屈指數今代作者，則訒菴其人也，訒菴固足以豪矣。乾隆辛卯春日，同學弟王鳴盛西莊氏題。（錄自汪啓淑本書卷首）

《聽雨齋詩集》序

今之稱詩者，皆務極其才之所到，不爲限制。夫豈特不爲限制而已，且若惟恐其才之瑟縮而不得騁焉，故必拍張叫號、揮霍凌暴，以自爲雄，旁睨者驟震駭以爲奇，爭相與稱之。而好學沈思之士頗不然之，何也？爲其意盡也，詞熟也，味短也，調雷同也，徑直而無回曲也，繁殺嘈雜而感人淺也。予三十餘年以來，閉戶一室，苦

吟獨賞，不與人相酬和，人以爲予用意在窮經考史，而不知所深好者惟詩。南城吳君照南，天才亮拔，賦才傑驁，初投予詩，予即驚嘆。復乃彌自歛抑，熟精小學，譔《說文偏旁考》，後又刻《說文字原考略》，卓然一善著書人也。善著書者，未必善吟，而茲乃彙其前後所爲詩，併付諸梓，曰《聽雨齋集》。以予相知有素，仍屬以一言。夫照南初投予詩，其風格直逼盛唐；今乃撤盡藩籬，不規規仿傚。然轄束其奇氣於尺幅中，短言之，不見其促；長言之，不見其賸；深言之，不見其奧；淺言之，不見其俚，蓋自有君形者存，而豈拍張叫號，揮霍凌暴以自爲雄者所可同日語哉！夫當其涵濡浸漬於唐賢之中，若惟恐其才之盡者然；而偶然放筆，才驅氣駕，怪怪奇奇，祗以自嬉。及其絃外有音，一語耐百思，此非用力數十年之久，未敢以爲必得之者。而照南之詩乃與予不謀而合，信乎自有君形者存，而妙處環生，不可端睨矣。蓋予於唐人最賞會者，前則少陵也，中間則昌黎、長吉也，後則義山、飛卿也。其〈送別〉云：「柳條本是無情物，折與多情但益愁。」照南亦云：「三十六灣明月好，晚風楊柳奈愁何。」予與照南相視而笑，莫逆于心。斯集名「聽雨」，司空表聖《詩品》云：「玉壺買春，賞雨茅屋。」夫雨可聽亦可賞，噫！照南其自此遠矣。嘉定王鳴盛敘。（錄自吳照本書卷首）

《李魯一詩集》序

予中年後不好爲詩，且厭薄人之爲詩者；然如李子之詩，不特不厭薄而已，亦未嘗不好之。「詩」有三訓，承也，志也，持也。承君政，述己志而爲詩，可以持人之行，使不失墜，此惟《三百篇詩》爲然。今日爲詩，而必兼三訓以求之則妄矣。古詩三千，夫子取其三百，足以立教示懲勸而止，不求備也。自漢、唐以下，如杜甫之爲詩，深得爲承、爲持之義者，夫子復生，正不必取以附益三百也。況生長太平極盛之時，閉戶安坐而讀古人之書，又何政之當言哉？無所爲承也，亦不必有持也，惟自言己志而已矣。《三百篇》之詩人所志者，政也；今之人所當志者，道而已矣。是故拈花弄草，批風抹雪，模山範水，以寓其志。不知者以爲閒適之辭，而後之人誦其詩，論其世，則曰彼蓋幸生太平極盛時，故其言如此，於政非不欲言也，無可言也。非所謂「治世之音安以樂，其政和」者乎？則其詩之爲效，雖未必經夫婦，成孝敬，厚人倫，美教化，移風俗，然而亦可以觀政矣。乃今之爲詩者，

吾惑焉。其於政也，既無可言，於是以小旱潦爲憂喜，曰吾閔時也，霆則不病而呻吟也。無已，則取古邊塞遊俠之詞而擬之，虛憙懸揣，而竟無所指。又無已，則取史冊中之興亡賢佞而詠之，致哀於無情之地，而歡弔於不慼之人，是奚爲耶？予嘗笑王新城於丹徒弔宋武帝，於睢陽弔南霽雲，此等何與王新城事而詠之耶？蓋無所見於道，故其胸中本無所爲志，而強欲爲詩，宜其徘徊於爲承、爲持之間，而不自覺其無聊如此也。李子之詩所言者，不越乎花草、風雪、山水之間，而志見焉，而道存焉，何必《三百》？亦何必杜甫？適成其爲今日之好詩而已矣。夫士苟志於道德，原不必屑屑於功名，舍政事何必無詩也？李子日不舉火，歌聲出金石，蓋自寫其童冠箪瓢之樂，而旁溢爲馬蹄、秋水之趣，詩而如此，予敢厭薄之耶？不特不厭薄而已，甲掘得土中千年玉合底，乙掘得土中千年玉合蓋，甲乙相遇，底蓋忽合。今者予居吳，李子居建寧，而論詩之旨趣不約而同，奚以異於是！喜極而序之如此。乾隆三十五年庚寅中秋，東吳友人王鳴盛題於金閶門外桐涇草堂。 （錄自李大儒《愚菴詩集》卷首）

《立厓詩鈔》序

蔣子立厓，偉士也，其胸次抱負，在扶道教、濟民物，不肯隨俗頫仰，而端緒則於詩見之。詩亦如其人，語語從心苗發露，掃盡塗澤摹倣陋習，即古大家門戶，猶不肯依傍，況俗調之規規者哉！曩游秦中，刻游稿一冊，既爲藝苑眉目矣。自作吏楚北，又成楚吟百餘篇，郵寄示予。予老而退閑，郊扉晝閉，讀立厓詩，躍然以興，嘆立厓之能起予也。夫詩之爲道，與政事通，若少陵、香山新樂府，固動關民瘼矣；而元次山〈舂陵行〉、聶夷中〈田家詩〉，數陳疾苦，言者無罪，聞者足戒，詩如此乃不爲苟作。本朝百數十年來，深仁淪浹，所以摩煦斯民者至矣。而宣上德，達下情，爲民興利除弊，尤莫切於守令，然則寓撫字於催科之中，慎平反於聽斷之際，非賢守令責與？立厓健於筆，人競以館閣相期；乃由乙科起家爲令，無識者或以不得展素蘊爲疑，豈知親民之吏，尚得隨事自效，以見所設施，較之偃息閑曹者，得失相去何如也？今試觀其詩，託物寓興，即景抒懷，靡不有守道守官、先憂後樂之意隱隱流露，若人者，豈肯置民事於隔膜，而徒爲隨俗頫仰之官與？不肯爲隨俗頫仰之官，而尚肯爲塗澤摹倣之詩與？然則立厓詩格之高，其將與爲政之美

並進而未可量矣。若乃景仰前哲，憑弔古蹟，凡山川風月、煙雲草樹之奇，咸驅染毫墨間，此固才人本色，而在立厓則又爲餘事矣。是故立厓之詩亮而能沉，瘦而能厚，自成一種風骨。予嘗取而擬之，譬如秋日懸光，霜高氣清，百物皆肅；又如黃山松在石上生，鳳攫龍拏，天矯特立，所謂詩如其人者，非耶？回憶予館於蔣氏，立厓偕弟升枚輩悉從予游，歲月如流，忽忽已二紀矣。升枚雋才蚤逝，予甚痛之；幸立厓克自振奮，爲通儒，爲良吏，蔚然有所樹立，此編者猶其虎之一斑也夫。時乾隆庚寅仲冬，友人西莊舊史王鳴盛撰。（錄自蔣業晉本書卷首）

《種竹軒詩選》序

丹徒家柳村氏，以《種竹軒詩鈔》求序。余觀其詩，蓋長於用短者也。予嘗論詩，於近代竊深有取於袁海叟之作。海叟同時，青田、青邱，才氣橫溢者甚眾，而何大復獨推海叟爲明初第一，豈非以其善于用短乎？高子業、徐昌穀二家，篇什無多，而王敬美以爲二君詩有不同，而皆巧於用短，徐以高韻勝，有蟬蛻軒舉之風；高以深情勝，有秋閨怨婦之態。更于□□□□□時廢興，高、徐必無絕響，甚矣用短者之足以□□。本朝名家輩出，惟丹徒冷士嵋先生《江泠閣集》孤兀迥特，清婉秀折。今觀柳村，壹何神似鄉先生哉！柳村年甫逾冠，讀書修潔自好，所居大江孤嶼中，在金、焦之間，曰翠屏，蘇詩云：「焦山何有有修竹，采薪汲水僧兩三。」柳村蒔花藝竹，日出其孤兀迥特、清婉秀折者，倚檻長吟，與江聲相和答。又有好事者，西則金陵，北則邗溝，東則吳越，諸好古士相應，吾知必有如大復、敬美其人者出而論定，以爲絕倫也。譬諸寸轄制輪，尺棰不竭，寧非用短之效歟？柳村有妹名瓊，亦工吟詠，著《愛蘭集》行世，論者以爲殆不減鮑照之有令嫻云。甲寅夏日，東吳西沚老史王鳴盛題，維時瞖目重開，行年七十有三。（錄自王豫本書卷首）

《戒亭詩草》序

三秦詩派，本朝稱盛，以予所知，如李天生、王幼華、王山史、孫豹人，蓋未易更僕數。予宦游南北，於洮陽得吳子信辰，嘆其絕倫。歸田後，復得劉子源深，遙相應和，益知三秦詩派之盛也。源深與予未識面，而聞聲相思者已久。今年冬，雷子長善見過，攜其《戒亭集》屬爲印可。予方選輯時賢詩爲《苔岑集》行世，因錄其

尤者入選；乃復重吟細把，雒誦移日。吁！何源深之詩能移吾情若是哉！杜詩云「爲人性癖耽佳句」，又云「清詞麗句必爲鄰」。夫杜詩蒼老，以氣格勝，乃獨斷斷致意于佳句、麗句者如是，蓋詩無佳句、麗句，則樸儳嫦陋，便成傖父面目。昔人謂學杜，須從李義山入，良爲此也。又聞王摩詰詩中有畫，所云佳句、麗句者，即詩中有畫之謂也。唐人爲元結《篋中集》，宋人爲西江派及永嘉四靈，不善效之，遂爲枴枒枯梗，非以佳句、麗句挽之，奚可哉？源深詩佳句紛來，目不給賞，麗句麈集，燦如列繡。神韻之妙，獨步一時。究之，神韻所以助其氣格，而非相爲病者也。以視李天生輩，覺于鄉先生外，別成一種風致，洵善學老杜而脫盡傖父氣者矣。予僻居東吳，未獲攬太華、終南之勝，他日筋力未倦，得一至焉，與源深刻燭分題，其爲樂當何如？姑識此以俟。乾隆三十有八年癸巳臘月，吳趨王鳴盛西莊氏題于涉趣園。（錄自劉源深本書卷首）

《在璞堂吟稿》序

庚午春，薄遊吳門，以詩就霽堂翁先生是正焉，辱先生有知己之言，過從甚歡。一日，出名媛方芷齋詩垂示，且謂曰：「吾與方氏通家世講，今芷齋年方待字，性耽佳句，有床下風。吾將鋟諸木，子其刪定而序之。」予不敏，何足定芷齋詩。然以先生憐才若渴，搜遺剔隱，旁及閨閫，何敢藏其固陋，虛先生之盛心？遂以意爲決擇，得尤雅者百十餘篇，都爲一卷，而復於先生曰：聞之詩靡於陳、隋，唐諸公力振之，然李翰林有云：「聖代復元古，垂衣貴清眞。」蓋詩本性情，眞則性情見，詩尚風骨，清則風骨猶；反是而吞腥啄腐，塗澤襲積以爲工，雖富豔，弗善也。故唐賢復古之功，以清眞爲至，而子求之流罕，罕遇其人，若得諸閨閫中則尤難。今芷齋之詩，翦刻明淨，欲以幽好避群。言志之篇，宛轉而纏綿；體物之作，秀發而瀏亮，譬則秋蘭叢菊，嫣然風露之外。雖卷帙無多，性情、風骨俱見焉，信乎其可傳已。西陵向多女士，近代如柴氏靜嫺、顧氏若璞尤著，芷齋堪與後先輝映，而又得先生以廣其傳，非藝林勝事乎！予所錄，未得爲知言，聊述區區別裁之意，未識先生以爲何如也。嘉定王鳴盛。（錄自方芳佩本書卷首）

跋《經學要義》

是書係義門先生收藏舊物，後爲好事者得去。茲經友人案頭見之，愛不忍釋手，友人亦有嗜古之癖，因將舊榻〈蘭亭〉易得之，結此一重翰墨緣，其欣幸爲何如也。西莊王鳴盛識。（據北京國家圖書館藏本手跋迻錄）

跋明鈔本《孔子家語》

此陸包山先生（名治，字叔平）所手錄也。錄成于前明嘉靖甲子，及今乾隆壬辰，凡二百有九年，予始得而重加裝裪完好。披讀之下，知爲王肅注足本未經刪削者，包山以七十之年猶手自蠅頭細書，先哲之好學如此。其中批評圈點，皆亡友惠松崖筆（名棟，字定宇），尤堪玩味。予子孫其永永寶之毋失。西莊王鳴盛識于金閶桐涇家塾，時中元日。

讀後跋，則包山曾有刻本，予未之見。癸巳五月廿八日又識。（據《中國古籍稿鈔校本圖錄》稿本頁二十王氏手跋迻錄）

　　森按：陸包山嘉靖丙寅九月跋云：「余初考定王注，惟正其傳寫之訛謬，其文雖有繁而不要者皆仍其舊。及登梓之時，重加考訂，間有不合經傳而義不相蒙及辭之繁衍者，據而易之，則此本之所未備也。觀者又當以刻本爲正。」《圖錄》謂「跋語所云『刻本』，即隆慶壬申徐炸錫刻本。」今錄存之，以備覽者考索焉。

跋《海叟詩集》

詩至南宋之末而盡矣，已無復有詩矣。元人欲趨唐調而未能也，其去古最遠者，尤在五言古風一體。觀海叟于此體，何其平易疏淡，樸實簡老也。爲之甚不難，而自是可傳者，何哉？當舉世久不爲此體之後，而獨爲之，故足重耳。須是細心靜氣讀之，若腸肥腦滿者，何由識得其中趣味？庚子七月，病中不能讀書，因看此。王鳴盛記。

　　森按：《海叟詩集》四卷，元末袁凱著。王氏手跋現藏昆明師院圖書館，茲據范傳賢君〈新發現王鳴盛圈點校評《海叟詩集》珍本〉一文迻錄。其文承友人陳光祖教授檢示，書此致謝。

阮元遺文

審山東嶽廟碑　　　　　　　　《儀禮集編》序

《石經補考》序　　　　　　　《退菴隨筆》序

《東皋詩存》序　　　　　　　《餘蔭堂詩稿》序

《雲臥山房集》序　　　　　　《山靜居遺稿》序

《洗桐軒文集》序　　　　　　《掃垢山房詩鈔》序

《摩墨亭稿》序　　　　　　　《鐵船詩鈔》序

《菽原堂初集》序　　　　　　《雅安書屋詩集》序

《何氏叢書》序　　　　　　　《嘉樹山房詩集》題辭

《天府廣記》跋　　　　　　　懷素草書千字文跋

與友人書　　　　　　　　　　與蔣秋吟書

審山東嶽廟碑

古五嶽之祀，以望縣牲於林，沈玉於淵，未有升高祭者。其後易壇壝為廟貌，往往不越山之近地。惟泰山之神，靈爽赫奕，而生民之奔走尊崇，視嵩、華、恒、霍之廟食一方者不同，由是山椒岳頂，金碧焜煌，泰山之神祠遍天下矣。五嶽秩視三公，今神之以帝稱也，或曰起宋眞宗時；然《周禮》有兆五帝之文，則稱之曰帝亦宜。海寧硤石審山上有東嶽帝君廟，元至正間，羽士陳道寧重建；明成化中，羽士宋宗堯等；嘉靖中，羽士顏孟暘等，相繼修葺。至隆、萬間，里人沈比部友儒復揄揚神功，勒於碑記。國朝乾隆五十五年三月，不戒於火，大殿、寢宮俱付祝融，即沈碑亦燬焉。羽士曹漢濟、陳通應、葉景瀾、宋懷忱、周松筠等，冒風雨、觸寒暑，謀于善士，告之通都，協恭一心，共勤盛事。或出史晨之家穀，或率乙瑛之王錢，聚粒米而成山，截鈞金而輸庫，積年二十餘，得銀約萬計。爰於嘉慶四年仲冬鳩工庀材，營成大殿；六年季秋，又建寢宮。層簷隆棟，密戶疏櫺，規制煥然一新。并以其餘資甃石步，築石壁，遠近來觀，小大稽首，特礱貞石，以書歲月。里人朱兆熊請文於予。伏念岱宗之神，傳於載籍，海邦人民，惟神是依。今神之靈爽既妥，百物以和，四時以序，不特協乎古聖人望祀之義，而於聖天子觀民設教之

經，亦庶幾無戾矣。用敢書其顛末，而兼系之以詩曰：

嚴嚴泰山，群嶽之長。豈止齊魯，四方之仰。自昔帝王，以祀以饗。

正直聰明，尊無與兩。萬彙之生，孰柄其權。陰陽造化，隱為推遷。

赫赫岱宗，是曰天仙。眾人役役，莫知其然。降妻之驪，珠輝璧彩。

惟神職司，克配眞宰。膚寸之雲，遍雨四海。玉策金書，其靈斯在。

陳書於虞，考禮于周。魯公三望，紀于春秋。明明祀典，夫豈謬悠。

帝出乎震，可鎭九州。鬱鬱審山，鍾靈毓秀。九十九峰，無出其右。

作廟奕奕，岡陵彌厚。神之格思，以妥以侑。有蒼者壁，帝眸其容。

百靈來會，爾侯爾公。夾門左右，鬼物青紅。九九松柏，惟帝之宮。

保有海邦，百里之地。億萬生靈，惟神是庇。樹以豐碑，功德永紀。

小大率從，受帝之賜。聖人馭宇，懷柔百神。泰岱之靈，永佑海濱。

報祀不忒，降福無垠。年豐物阜，閭里風淳。嘉慶十三年歲次戊辰。　（錄自王簡可

《硤川續志》卷十四）

《儀禮集編》序

《儀禮》一書，於諸經中，通習者固少，而流傳者尤不多。自《漢書・藝文志》之
外，《隋書・經籍志》著錄，得三十餘家，今存者唯鄭氏一《注》而已。新、舊
《唐書・藝文志》著錄二十餘家，今存者唯賈公彥一《疏》而已。《宋史・藝文
志》著錄亦二十餘家，今存者唯陸德明《釋文》、李如圭《釋宮集釋》、張淳《識
誤》、朱子《經傳通解》、黃榦《續通解》、楊復《儀禮圖》、魏了翁《要義》而
已。其他如《七錄》、《中興館閣錄》、《崇文總目》、《通典》、《通考》、
《玉海》之所岐出者，更無有也。《元史》不列志，今所存者，亦止敖繼公《集
說》、吳澄《逸經傳》、汪克寬《禮經補逸》三者。至于明人經訓尤鹵莽，今傳者
無一人，則甚矣學者難而傳者之不易也。我朝經學昌明，從事於此者頂踵相望，然
開榛薙草之功，實以張氏爾岐為之首。秀水盛君世佐，繼張氏草創之後，纂元鉤
要，耽思旁訊，聚古今說禮之人一百九十七家而折衷之，積袟二千餘翻。其意將欲
與李氏《周易集解》、衛氏《小戴記集說》爭為雄長，而不自憚其難也。然未及刊
行而卒；辛酉春，其子婦之昆弟馮君鷺庭，哀其志，取稿於其家，謀之同志，以付

剞劂，越一年甲子夏落成，以印本來乞敍。憶余於壬子年在祕府校勘石經，曾分得是書，因先取古人「離經辨志」之義，字續而句櫛之，不僭不濫，未嘗敢以難而輕掉之也，閱數月而後粗有端緒，成《校勘記》一書，用是不敢以不知爲辭。乃受而讀之，然後知其決擇之嚴、裁斷之精。如〈士昏禮〉「贊不用死」，則辨敖氏議《記》之非；〈鄉射禮〉「射於州序」，則辨郝氏據《孟子》之過；〈冠禮〉「筵於廟門」，則辨賈氏不筵月之謬；〈大射禮〉「笙磬西面」，則辨陳氏應笙磬之妄；〈特牲饋食禮〉「乃食食舉」，則辨姜氏分屬上下之惑。蓋其不敢輕以從同者，正其不敢輕以立異也。昔朱子嘗病賈《疏》不甚分明，後之儒者又欲取其所本而刪削之。今余之言雖不足張大此書，然得其說而存之，即以爲賈《疏》之諍臣，非過也。讀是書者，其亦知通習之難歟！嘉慶十年，揚州阮元序。（錄自盛世佐本書卷首）

《石經補考》序

古今之言石經者，自宋洪景伯、黃伯思倡其端。本朝如顧氏炎武、萬氏斯同、朱氏彝尊、杭氏世駿、翁氏方綱、王氏昶，並有著述，其論說詳矣，而於古今文異同之辨俱略焉。惠氏棟《九經古義》間有證釋，亦約舉數事而已。嘉興馮雲伯翰林，究心媚古，精於叔重之學，其所著《論語異文》、《三家詩異文》等書，向爲孫淵如通奉推服。茲復檢漢、魏、唐、蜀、兩宋及國朝石經，詳加校勘，間採予撰《十三經校勘記》，晰其古今通借之原，著《補考》十二卷，洵能補所未備，爲世之言石經者不可少之書，其功在微學不鮮矣。昔余充石經館纂修，欲參考同異，勒成一書而未果，雲伯可謂先得我心矣。壬午冬，書將刊成，介余弟亨郵寄嶺南節署，余故重嘉之而樂爲之序。道光二年十二月望日，揚州阮元書于廣東節署。（錄自馮登府本書卷首）

《退菴隨筆》序

《隨筆》一書，較桂林相國五種，有其過之，眞名臣言論也。執事以心得之學筆之於書，可坐而言，起而行，於世道人心所裨不淺。時賢著作如此，可貴耳。前贈《樞垣紀略》，掌故所繫，是樞廷不可少之書，至今繙讀不倦。今復得此編，耳目

又爲之一新。所論皆平允通達之至，兄之拙著亦有與尊説暗合者，中間並無刺謬，可傳之書也。其參酌先儒語錄，議論正大和平，實有益於身心性命之學。願執事蒞治後，即以廣示吏民。兄讀之起敬起畏，想他人讀之亦然。成就多少好官，成就多少好人，此豈尋常著作之比哉！謹當日置座右，以爲晚節之助云。道光十六年夏六月，愚兄阮元識。（錄自梁章鉅本書卷首）

《東皋詩存》序

《東皋詩存》者，如皋汪君璞莊所編如皋一邑之詩也，於宋得胡瑗以下七人詩十三首；於元得陳應雷、郭通甫二人詩六首；於明得許鵬以下八十二人，詩千四百三十九首；於本朝得丁日乾等三百二十三人，詩四千三百一十年。附名媛二十一人，詩三百二十首；方外十二人，詩二百七十七首；流寓邵潛等二十二人，詩八百一十五首，共十六卷。詩餘四卷，共四十九人，四百九十三首。編成而汪君卒，同人傷之，因錄汪君詩二百六十九首、詞十一首殿其末，共成五十二卷，誠洋洋乎大觀矣哉！如皋縣始於晉安帝義熙中，先是，在兩漢爲東陽縣地；既僑置東陽於南徐，乃於其地立海陵郡，如皋屬焉。晉宋以來，以及於唐，登摩訶之山，望海門之濤，臨風嘯詠，不知凡幾。趙宋三百年，亦詎止六七人之寥寥而已？而所以湮沒不彰者，則以採而集之無汪君其人耳。吾聞汪君之編是集也，聘四方知名士助董之，家有文圃，下榻幾滿。梓刻未成，頓傷殂喪，彌留之夕，諄諄屬不可廢此事，故是集得成也。然君沒之後，君之子方四齡，母且老，閭里傾險之士，日攪釁端，而是書遂呈於官。及察核無礙，而板歸胥隸之手，零落殘毀，不可復整。君之子春田觀察官部郎時，嘗呈此書於朝，得列入《四庫全書》之存目；今又重刻於江寧，陽湖孫淵如觀察爲之校，凡兩歲，克復舊觀。嗚呼！如皋一邑耳，唐以前無採而即之者，則無一人以詩傳；宋元以來，得汪君編之，所賴之傳者遂數百十人之多，汪君所係，豈淺鮮哉！余慕汪君之爲人，尤善觀察之能繼先人之志，爰序其本末，以鼓舞天下之能學汪君者。嘉慶十年春，揚州阮元書於杭州節署。（錄自汪之珩本書卷首）

《餘蔭堂詩稿》序

達齋中丞巡撫山左、兩浙，元之視學皆同時，雖官轍偶共一途，亦若事理之有豫定

者。中丞天性仁而才識大，勤於爲政，元見其擘畫禦水、弭盜諸大事，及纖細無不舉，案頭卷牘日百束，無隻字不覽。然其餘事常爲詩，詩本性情，性情之中正而寬大者，其爲詩乃造乎醇雅健壯，所蘊者眞，而所包者廣，若此者，吾於中丞詩見之。祈雨、祝年、治兵、修禮，吾知政教爲詩之原也；楚江、塞垣、岱宗、越海，吾知遊覽爲詩之所發也。元少於中丞二十餘年，每就中丞問政事，以習世務；清游雅會，亦言及於詩。得中丞是編，輒吟諷累日，蓋元雖拙於詩，而實心好之也。中丞及門江子德地以詩付梓人，囑元紀其略。此後揚歷大而篇什富，願江子續錄之。嘉慶二年八月辛亥，內閣學士兼禮部侍郎、文淵閣直閣事、南書房行走、提督浙江全省學政，儀徵阮元識於院署之再到亭。（錄自玉德本書卷首）

《雲臥山房集》序

海昌周公慕藹，即松靄周公題其墓所謂「忠孝全歸」者也，事蹟載年譜中。余與公初不相知，惟乾隆五十五年被御選文冊，同受高廟知；公卒後，余選《兩浙輶軒錄》，得公詩二十餘首，此兩事足徵文字緣。公子樂清，以蔭得官，請援官生例應鄉試，余時撫浙，嘉其少年有志，而又憫爲藎臣後，爲咨部奏請刊入則例，惜科第限人，竟不遂其志。從事湘南，嘉慶丁丑，余閱兵永州，時樂清補春陵判，余檄令捕江華盜，事竣而不以功自居。道光戊子，余過黔陽，樂清攝邑篆，以公全集來舟中。閱竟，乃知其渡海至臺灣，及在苗疆軍營勤王事而死之，可謂文行克副者矣。天佑善人，必昌其後，今樂清屢權繁劇，所至有聲，足以補公志之未逮。且詩學深遠，克溯淵源，吾知五谿煙月中，必有譜新聲而懷舊德者，樂清勉乎哉！賜進士出身，誥授光祿大夫、太子少保，賜紫禁城騎馬兵部尚書兼都察院右都御史、雲貴總督，揚州阮元書於沅江舟次。（錄自周嘉猷本書卷首）

《山靜居遺稿》序

《山靜居遺稿》四卷，石門方布衣薰作。布衣先世安徽人，自其高祖始遷石門。父雪屛先生，志行高抗，遍游五岳，且登峨眉、五臺諸山，詩文多奇氣，著《雪屛詩存》二卷，盧抱經學士序行之。布衣少多病，九歲始入塾，讀書不少輟，輒曰此中有至味也。稍長，耽繪事。家故儲書畫，慮父知，輒篝燈帷帳中，擇古人名繪臨摹

之，久而燈焰之氣灼于衾枕如潑墨然，藝乃益進。性至孝，幼失母，事繼母如所生，善撫諸弟。家中落，未弱冠即假館當湖、婁江間，以脩脯所入贍一家，家庭中雍睦無間，里鄰稱其有古君子風。中年贅于梅里王氏，復移寓桐鄉，以書畫自給，不欲少累人。每戒同志曰：吾曹當不受人間作孽錢。居恒足不出里閈，名不入官府，唯與當湖朱文學仲嘉、歙鮑文學以文、桐鄉金比部鄂嚴爲素心交，終其身不相狎。嘗謂其子曰：「交友之道，因不失親。比之匪人，雖悔奚及？」其植品可知矣。晚歲客西湖，與奚鐵生、朱青湖評論詩畫，所學益粹，卒以貧病故，踰年歸里，遘疾卒。所著詩蘊藉深厚，無志微噍殺之音，與劍南、遺山諸體爲近，予《定香亭筆談》及《輶軒錄》中皆採入。歲癸亥，其嗣廷瑚將謀專集之刻，因乞予刪定且敘之。揚州阮元。（錄自方薰本書卷首）

《洗桐軒文集》序

余與冠三秋曹爲鄉社交，自爲秀才時，同遊於庠，以性情、學術相敦勵，蓋篤行深中，醇雅人也。自余驅馳四方，書問往返，語不及它，多以經事相商榷。君通籍，與余又有淵源之雅。以太夫人年高，甫典刑西部，即乞養，杜門卻埽，洗桐澆花，以爲康娛，其肆力於學也益深。今年寄所爲文如干，屬爲之序。余於公餘循覽之，凡表、頌、碑、傳、論、說、賦、序及儗古諸作，類皆淵雅鴻懿，詞有倫次，陸洗馬所謂：博約溫潤，優游彬蔚，精微朗暢，頓挫瀏亮，殆於各臻其妙。噫！君之於學，可云醇矣。君以英敏絕特之才，稟承於庭訓者有素。出而與賢士大夫切磋琢磨，又閱覽寫書之官，取古太常博士所遺，旁推而交貫之，故其沉浸釀郁，固足以潤色鴻業也。然且覽止足之分，亟色養之義，築室種樹，灌園藝蔬，以供朝夕之膳。《書》不云乎：「孝乎惟孝，施于有政。」宜乎以至性發爲文章，而一種溫良之氣，開卷襲人，挹之愈遠，吾有以知其學之日益深而未有已也。爰跋數語而歸之。嘉慶二十五年阮元序。（錄自李周南本書卷首）

《掃垢山房詩鈔》序

談者謂秋平爲詩人，不知秋平者也。秋平研窮六經，融貫諸史，以修其身。蓄而通之，得其經緯，可以治繁劇，決疑惑；既無知者，老於橫舍，閉戶著書。嘗苦古來

正統之說，紛然莫定，撰《正統通志》若干卷，吾友凌次仲好之而爲之敍。善爲論說、辨難、箴銘、贊頌之文；又好審辨金石文字，有《古泉考》八卷。長於制義，格韻在嘉、隆而上；善詞曲，入東籬、漢卿之室。時而適其性情，詠歌其志，發而爲詩，其餘事也。然其醞釀者深，爲有本之流，取諸左右，適逢其原，不徒以風雲月露之詞，浮慕成篇，即謂秋平爲詩人，固亦可耳。秋平之年，長元幾三十歲，自幼里巷間爲忘年交。迨元入仕以來，碌碌簿書，雖偶相握手，不終日而別，蓋疏於言笑十餘年矣。近年秋平在曲阜，衍聖公尚幼，秋平爲之師。觀於魯國山川，孔庭禮器，以博物之衷，好古之志，形而爲詩，其所攄寫，當更有進。昔史克爲僖公作頌，魯人歌之至今，編諸《三百》。觀秋平之詩，其亦風雅之正聲也哉！今春三月，元外舅如川封公爲之刊板，元因爲之敍如此。嘉慶七年秋八月，揚州阮元撰。

（錄自黃文暘本書卷首）

《摩墨亭稿》序

元於乾隆癸丑、壬子奉旨督山左學政，予年尚輕，於地方政事是非、人材賢否，不甚與聞。惟教職是予所屬，予所當知。彼時得二人而薦之，一曰曲阜桂未谷馥，一曰四氏顏運生崇槼，皆年大長於予，雖屬員也，而予皆以老友待之，脫略使節，常同說經、文酒之讌，知其學問、性情、文翰在山左爲出眾之才。嗣未谷以薦出選雲南知縣，運生以薦選江蘇知縣，皆已爲古人矣。未谷書得有好學人刻之；運生無著作，而遺詩數卷，今猶得曲阜令尹王君大淮命其子鴻搜羅而刻之爲小集。詩格清高，卓然成家，道光甲辰得見於揚州，如見故人爲幸。王君令曲阜表表者，予昔在山左，如此等讀書人不多覯也。頤性老人阮元，時年八十有一。（錄自顏崇槼本書卷首）

《鐵船詩鈔》序

庚午秋，金華童孝廉珖起以其鄉工部主事方君所爲《鐵船詩鈔》一袟示元，曰：「鐵船初選貢於鄉，舉主爲朱少傅文正公，文正甚器之。年幾五十，始成進士。然性孤潔，往往戾於俗，又不耐官事，將有買田西湖之志。暇則扃戶長吟，寄興於詩，詩成亦不以示人。以夫子居兩浙久，采浙之風詩，故請擇之。」余受而讀之，

歎曰：鐵船蓋能讀書守道者也。其詩博取典籍而約之以性靈，其朗雋如李白，其質直如元結，其奔瀉如任華，其怪迂如劉叉，其幽阻如李賀，其修潔如姚合，其孤往如方干。非徒其詩相似，以孝廉之言驗之，則性靈亦與古人相近，詩固不可不求人以居之也，夫而後知吾師文正公之所賞者早矣。余既讀其詩，異其人，命車徑造之，至則城隅老屋，門徑蕭然，瓜架豆棚，接于繩樞，清言久之，忘其為京曹官矣。非此人，不居此境；非此境，安能有此詩哉？阮元序。（錄自方元鵾本書卷首）

《菽原堂初集》序

海寧查子伯葵，余西湖詁經精舍翹材也。伯葵家貧養親，讀書抗志，文筆雄秀，欲冠一時。其在精舍也，每賦一篇，必為傑搆，令人歎賞不已。行省祈禱、祭祝之文，嚮皆縣吏為之，余加敬焉，必出伯葵手而後用之。其文宏麗雅健，不行俗黥；古今體詩，以學輔才，以文飾情，由是充之，卓然名家矣。甲子秋，伯葵舉於鄉，錢辛楣宮詹、法時帆學士，皆寓書於元，望其入京師，喜其得中式也。春風將來，公車發軔，都中士大夫好文重士者，莫不願得伯葵。此集先睹以為快，豈與昔人行卷寒溫同論哉！撫浙使者揚州阮元序。（錄自查揆本書卷首）

《雅安書屋詩集》序

《雅安書屋詩》四卷，程節母汪太宜人著。令子鎮北，余癸巳禮闈所取士也。曩曾奉節母〈秋鐙課子圖〉，請余為記，得知節母為余友汪君損之長女，工詩能文。禹穌贈君蚤世，時鎮北甫十一歲，節母守志撫孤，日以鍼黹易薪水，夜猶一鐙課讀不休；既察其子學將有成，則命負笈四方。煢煢獨居，所處皆生人至艱。迨鎮北成進士，母心稍慰，然亦清貧不能自給，而顧于治家之暇，酷嗜吟詠。意者節母之詩，殆藉以發其抑鬱愁苦之氣云耳。前年秋，節母歿。今鎮北親以詩來，啟帙讀之竟日。其五言古、近體，風格大抵與有唐初、盛為近，辭氣溫厚穌平，質而不陋，清而不纖，粹然幾于儒者之言。至于七言長句，及詠史諸律，則放筆為之，雄豪跌宕，迥非寒儉家所能望見。其共傳誦者，如〈論詩〉六首，洞見本原；〈示兒〉八首，可銘座右，為立身居官之鏡。〈論陶詩〉一首，尤為至論。然後知節母之詩品、人品，俱侗乎遠矣。揚州當乾隆、嘉慶間，言詩學者有春谷、秋平兩黃君；閨

秀則張淨因孺人。余撫浙時，亡室孔夫人曾延淨因孺人，余亦延秋平同住西湖。余以是深知淨因，春谷尤余素好。今觀詩中，知節母爲春谷表姪女，蚤受學于秋平，又從游于淨因，此其淵原，固有自矣。道光二十有四年歲次甲辰秋九月，儀徵阮元序。（錄自汪鋆本書卷首）

森按：張淨音，黃秋平妻也，《揅經室二集》卷六有〈淨因道人傳〉。此序言「余撫浙時，亡室孔夫人曾延淨因孺人，余亦延秋平同住西湖」者，按〈傳〉，此癸亥歲嘉慶六年事也。

《何氏叢書》序

彙刻四部之書以成一書，蓋昉於宋左圭之《百川學海》。凡書之卷帙少者，孤行爲難，得此法行之，則可以相輔而長存。而人之學問、嗜好不能一轍，亦可各就其性之所近，於中取資焉，此法之善者也。明季，放其例者，有若商氏之《稗海》、陳氏之《秘笈》，不一家，然所擇之書未必盡善本，又好以己意刪節卷次，改竄文字，其書僅可以飾插架之觀；一遇好古者爬梳而抉摘之，求其一卷之無疵者，蓋亦鮮矣。我朝列聖稽古右文，至純皇帝編纂《四庫全書》之時，命儒臣抄輯《永樂大典》所載唐宋人遺書，擇近世之失傳者，制爲聚珍板印行，嘉惠海內人士，盛德大業，實千古未有之僅事也。嗣後，民間刊本，則以歙縣鮑廷博所刊《知不足齋叢書》爲最，所刻皆考訂精審，無割裂改竄之病。錢唐何君夢華，自少篤志金石之學，藏度最多。既而移其好以好書，窮年累月，舟車跋涉，惟以搜訪圖籍爲事。家延鈔胥數輩，有不可以力致者，則借錄副本。比年所致之繁富，往往有出於四庫外者。凡予所進御之書，采訪悉出於君。君嘗欲取其篇幅稍約之本，刊爲叢書，公諸同好。以其先成若干種示予，凡所遴擇，皆爲盡善，其識之高，固有不可及者。異日袞集之廣，當不亞於鮑氏。以之羽翼文治，未必無涓埃之助，予故嘉其意而爲之序云。時嘉慶二十一年歲在丙子秋七月，儀徵阮元書於豫章撫署。（錄自何元錫刊本《讀四書叢說》卷首）

《嘉樹山房詩集》題辭

元嘗謂古人之法，忌虛矯而務眞摯。虛矯者皆客氣，眞摯者乃性情也。嘉樹堂此

帙，庶其近之。學弟阮元拜讀。（錄自張士元本書卷首，道光六年刊本）

《天府廣記》跋

《天府廣記》四十四卷，大興孫氏承澤晚年所纂，世未有刻本。祜子寓京，在琉璃廠書肆見有舊鈔本，即以紋銀五十兩購之寄歸。余展閱完全，以便校梓行世，廣其後學，俾資考證焉。道光十九年己亥九月，七十六老人揚州阮元記。（錄自繆荃孫等撰《嘉業堂藏書志》卷二）

懷素草書千字文跋

懷素草書千文唐絹本久為名跡，今為六舟開士所寶。今細審宣和內府諸印，皆甚精確；趙孟頫印亦極完好，文氏二跋亦皆真跡。懷素此本乃用集〈聖教序〉法為謹嚴之小草。余昔曾到綠天庵，今又見此卷于小綠天庵金石僧處，則尤相宜也。己亥五月十九日，雨中邀六舟與仲嘉舍弟同放綠野小舟過雙樹庵看竹喫蔬，晚晴又過桃花庵始返。節性齋老人阮元識。（據臺灣商務印書館影印林氏蘭千館藏本卷末墨跡迻錄）

與友人書

接手諭，敬悉一切，老前輩持論宏通，迴非近人拘牽者所能窺測，曷勝欽服。孫觀察《問字堂集》本極聰穎特達，至如論歲差等字，誠如尊識，未能盡善。蕉札所言明堂，實為鑿空之論，別有〈明堂論〉一篇在散集中，并以求教。又有〈封泰山論〉一篇，未經付刻，以其更屬鑿空，未敢遽定，請以就正有道，以為何如。今附呈《經籍纂詁》一部、《定香亭筆談》、《廣陵詩事》三種求教。初三日午正時，有船在湧金門，奉邀老前輩，暨菊溪前輩、佩循同年，往詁經精舍之第一樓聚談。精舍者，即纂《經詁》之處（有〈記〉一篇在文集中），內堂孫觀察新奉許、鄭兩先師木主，藉可瞻仰也。臨□再為馳請，不具。館　阮元頓首。（據臺北甄藏國際藝術公司 2001 年中國書畫春季拍賣會 Lot.149 芸臺原墨迻錄）

　　森按：信中所言「蕉札所言明堂」云云，見孫星衍《問字堂集》卷首所附阮氏書。芸臺〈明堂論〉，見《揅經室一集》卷三；〈封泰山論〉、〈西湖詁經精舍記〉，並見《二集》卷七。

與蔣秋吟書

來函領悉，所商易者甚確。又此外復刪改廿餘字，可爲定矣。抄本奉上，原本存弟處，以爲留稿也。後數日皆有俗事，未敢勞駕，少暇當走晤也。此致秋吟大兄，館弟阮元頓首。（據臺北甄藏國際藝術公司 2001 年中國書畫春季拍賣會 Lot.149 芸臺原墨迻錄）

經 學 研 究 論 叢
第 十 一 輯　　頁317～332
臺灣學生書局　　2003 年 6 月

劉殿爵等點校《汲冢紀年存眞》
辨誤舉例

邵東方*

　　近來因英譯「古本」《竹書紀年》的緣故，翻檢了香港中文大學劉殿爵教授和陳方正博士主編、何志華博士執行編輯的《竹書紀年逐字索引》（香港：商務印書館，1998 年版。以下省稱《逐字索引》）。《逐字索引》編者以清人朱右曾《汲冢紀年存眞》（以下省稱《存眞》）爲「古本」《竹書紀年》之底本，加以標點，爲研究者提供了很大的便利。

　　朱右曾，清道光戊戌（1838 年）進士，長于古史考訂。由于《竹書紀年》一書久已散失，朱氏廣輯古籍所引佚文，成《汲冢紀年存眞》兩卷，實開「古本」《竹書紀年》輯佚之先聲。然而限于當時的條件，朱氏搜羅未備，僅得 360 餘條。爾後王國維、范祥雍和方詩銘等人踵武朱氏，不但增補若干《紀年》佚文並刪除不當輯文，而且在《紀年》的文字校勘上極其工力。因此，他們的輯本乃治《竹書紀年》的學者所必須參考的。可是《逐字索引》正文收錄《存眞》，僅以王氏之書校勘，竟未利用范氏、方氏等後出轉精的訂補輯證，實令讀者殊不可解。

　　查閱之餘，筆者發現《逐字索引》編者對《存眞》的斷句標點多有可議者，而校勘方面的疏失漏略亦不在少。如果學者不加詳考，論學著書引以爲據，難免有以訛傳訛之虞。楊樹達先生撰《古書句讀釋例》，專門討論古書誤讀的類型、貽害和

---
*　邵東方，史丹福大學東亞圖書館館長。

原因。他指出：「句讀之事，視之若甚淺，而實則頗難。」（中華書局，1954 年版，頁 3）這說明古書斷句誠屬不易。筆者現不自量，茲據前賢研究「古本」《竹書紀年》的成就，如王國維《古本竹書紀年輯校》（成書于 1917 年，收于《王國維遺書》第 7 冊，上海書店，1981 年影印本。以下省稱《輯校》。）、范祥雍《古本竹書紀年輯校訂補》（上海人民出版社，1956 年版。以下省稱《訂補》）和方詩銘、王修齡《古本竹書紀年輯證》（上海古籍出版社，1981 年版。以下省稱《輯證》），特拈舉《逐字索引》斷句標點《存眞》之誤以及編輯體例之謬者，以質正于編者。是否有當，尚乞鑒定是幸。

　　順便要指出的是，《逐字索引》所據版本爲台北新興書局 1959 年所影印清代歸硯齋藏本。台灣影印版年代已久，現已不易尋覓，故本文所引乃據上海辭書出版社圖書館藏清代歸硯齋刻本影印本，收于《續修四庫全書》第 336 冊（上海古籍出版社，1996 年版）。兩家出版社重印《存眞》，皆據歸硯齋本影印，想本篇所引不會與《逐字索引》之文有出入也。

《逐字索引》頁 51：「夏禹未遇夢乘舟月中過而後受虞室之禪。」

按：《逐字索引》將全句連讀，此屬于當讀而失讀。原文本當云：「夏禹未遇，夢乘舟月中過。而後受虞室之禪。」按《尙書・舜典》記，禹是經過四岳推荐給舜才作官的。「未遇」指禹尚未得機會發跡（換言之，他還在民間默默無聞），而發跡遠不等于登上君位（作了官就算發跡，就算已遇）。所以「未遇」可以解爲「尙在民間」。

《逐字索引》頁 52：「王亥托于有易、河伯僕牛。」

按：王國維〈殷卜辭中所見先王先公考〉（《觀堂集林》第二冊，中華書局 1959 年版，頁 416−421）以僕牛即服牛，考辨審實。所以此句的標點應爲：「王亥托于有易，〔爲〕河伯服牛。」意思是，王亥寄居（托）有易，爲河伯僕（服）牛。原文似缺一「爲」字，現以〔〕補之。清人徐文靖、陳逢衡箋證《竹書紀年》的著作皆未嘗覺察。此省略之「爲」是「替」的意思，即把河伯理解爲人名或方國（或部落）之名。後來有易殺了王亥，奪取了他替河伯所服之牛。所以殷人才能借河伯

之兵伐有易而殺其君。此外，清人徐文靖、陳逢衡持另一種說法，即以僕牛爲地名，那麼省略之「爲」便是「在」的意思。不過無論採取何種解釋，都不能在「有易」與「河伯」之間加一表示並列詞語的頓號，《逐字索引》在此不用表示分句停頓的逗號，說明對此複句的文意理解不確。

《逐字索引》頁 53：后發元年，「諸夷賓于王門，冉保庸會于上池，諸夷入舞。」

按：此讀「冉保屬會于上池」爲句。朱右曾改「再」爲「冉」，云：「冉與邶通，國名也，在湖北荊門州東南。保墉，蓋冉君之名。」朱氏之說誤。《北堂書鈔》兩引作「再保庸」（一作「再保墉」，「庸」字本與「墉」相通）。《周禮·天官·大宰》曰：「以八統詔王御萬民，……五曰保庸。」孫詒讓對于鄭注所說「保庸，安有功者」解釋曰：「云『保庸，安有功』者，〈地官敘官〉注云：『保，安也。』又〈大司徒〉注云：『庸，功也。』〈司勳〉云：『民功曰庸。』」（《周禮正義》，中華書局 1987 年版，第一冊，頁 77）孫氏之說詳洽確切，毫無牽強之處。故此，以「八統」之一的「保庸」來解釋《紀年》此處的「保庸」或「保墉」最爲恰當。「再保庸，會于上池」，就是說在上池之地，再次安撫或安慰有功者。

《逐字索引》頁 58：「紂時稍大其邑，南距朝歌，北據邯鄲皆爲離宮別館。」

按：據文勢，「北據邯鄲」不能與「皆爲離宮別館」連讀，當讀至「鄲」字句絕。《逐字索引》誤斷句。這裡的「距」和「據」解爲「至也」和「止也」，即南至朝歌、北至邯鄲。

《逐字索引》頁 62：「穆王西征還里天下億有九萬里」。

按：《逐字索引》編者可能不明「還」和「里」在此究作何解，故斷「穆王西征還里天下億有九萬里」爲句。方詩銘已指出：「是《紀年》之『還里』當作『環理』，即周行天下之意。」（頁 53）「還」字古與「環」通用，「里」字在此作動詞用，聲與「履」同，意思是計算道里之數。「還里」在此爲同音假借之字。《逐字索引》連讀不加逗號，則未免疏舛。所以正確的斷句應爲：「穆王西征，還

里天下，億有九萬里。」這樣全句就通順了。

《逐字索引》頁 64：「秦無歷數。周世陪臣自秦仲之前，本無年世之紀。」
按：此宜以「周世陪臣」為讀，《訂補》頁 31 作：「秦無歷數，周世陪臣。自秦
仲之前，本無年世之紀。」可以為証。如按《逐字索引》點斷，將「周世陪臣自秦
仲之前」連讀，其意則不得而知矣。

《逐字索引》頁 67：晉武公元年，「尚一軍，芮人乘京、荀人董伯皆叛。」
按：以上的標點，筆者不能苟同。首先，在「尚一軍」和「芮人乘京、荀人董伯皆
叛」之間應是句號，而非逗號，因為前句與後句所記是兩回事。考諸周代禮制，天
子六軍，諸侯大國三軍，中國二軍，小國一軍。晉在當時還是小國，故僅有一軍。
「尚一軍」，可以譯為「還只有一軍」。更重要的是，《逐字索引》所作「芮人乘
京、荀人董伯皆叛」之標點，使意思大變。《逐字索引》編者不明此句中的「乘」
是動詞，作「欺凌、侵凌」解，而以為「乘京」在此作人名遂作頓號，疏謬甚矣。
所以全段的標點應為：「〔晉武公〕元年，尚一軍。芮人乘京，荀人、董伯皆
叛。」意思是說：武公元年時，晉國還只有一軍（小國）的規模。芮人侵犯京
（地），此時荀人及董伯都反叛了。

《逐字索引》頁 67：晉武公九年，「武公滅荀以賜大夫原氏黯，是為荀叔。」
按：此條在「武公滅荀」後加一逗點為宜。今查《輯證》頁 71 作「武公滅荀，以
賜大夫原氏黯，是為荀叔」，亦可証《逐字索引》標點之誤讀。

《逐字索引》頁 69：晉惠公十四年，「秦穆公帥師送公子重耳，涉自河曲。圍令
狐、桑泉、臼衰，皆降于秦師。狐毛與先軫御秦，至于廬柳，乃謂秦穆公使公子縶
來與師言，退舍，次于郇，盟于軍。」
按：此段輯文實際是朱右曾將《水經》的〈涑水注〉和〈河水注〉所引兩段《紀
年》原文的串連。〈涑水注〉：「《竹書紀年》云：晉惠公十五年，秦穆公率師送
公子重耳，圍令狐、桑泉、臼衰，皆降於秦師。狐毛與先軫禦秦，至於廬柳，乃謂

秦穆公使公子縶來與師言，退舍，次於郇，盟於軍。」〈河水注〉：「晉惠公十五年，秦穆公率師送公子重耳，涉自河曲。」朱氏輯文非但爲合併之條，而且存在中國古書中經常出現的特點或曰缺點，即後半句主語該緣前半句而省。故弄清此段各句的主語對于理解重耳返國進程十分重要。還值得指出的是，「乃謂秦穆公使公子縶來與師言」句，明人朱謀㙔《水經注箋》云：「宋本無『乃謂』。」以上下文義觀之，朱說可從。現參考《左傳·僖公四年》、《國語·晉語四》及《史記·晉世家》的有關記載，採用現代標點標之，並以方括號示出主語：「秦穆公帥師送公子重耳，〔秦師和重耳〕涉自河曲。〔秦兵（時重耳仍在秦軍）〕圍令狐、桑泉、臼衰，〔此三地的晉軍〕皆降于秦師（即降于尙未獨立成軍而影書甚大的重耳）。狐毛與先軫禦秦，至于廬柳。秦穆公使公子縶來與師言。〔狐毛、先軫所率晉軍〕退舍，次于郇，〔咎犯與秦、晉大夫〕盟于軍。」

《逐字索引》頁 69：晉文公五年，「齊師逐鄭大子齒奔張城南鄭。」
按：《逐字索引》將全句連讀不斷，以文法及文意言，俱不可通。《輯證》輯文據《永樂大典》作：「齊師逐鄭太子齒奔城張陽南鄭。」而雷學淇《考訂竹書紀年》則作「張陽南鄭」，刪「城」字。其《竹書紀年義正》更指太子齒即《左傳》中的太子華。方詩銘在《輯證》中有一長篇案語駁正雷氏之語，認爲前賢所書皆屬猜擬之辭，未足取信。（頁 76－77）其實雷學淇之說固爲意必之辭，然甚有理，可備一說。至于此段的標點，原文亦有主語該換未換的問題。疑「太子齒」之下原有兩個小點「：」，以表示「齒」字重複而省之。大概是後人傳寫脫漏此符號，便出現後句缺主語的問題。此句本當云：「齊師逐鄭太子齒，齒奔（城）張陽、南鄭。」此外，朱右曾注：此條「不詳何年」（《存眞》頁 27），《輯校》附于「無年世可繫者」。《逐字索引》雖從《存眞》編次，但似應在注中說明此點。

《逐字索引》頁 70：晉景公十一年，「齊國佐來獻玉磬，紀公之磬。」
按：此句中「玉磬」後當爲頓號而非逗號，應作：「齊國佐來獻玉磬、紀公之磬。」國佐是人名，國字是他的氏，佐是其名；齊是他的國家之名稱。此句翻譯成現代漢語是說：齊國的國佐前來呈獻玉磬和紀公的磬這兩樣東西。

《逐字索引》頁 74 注 7：晉幽公七年，「大旱，地長，生鹽。」

按：范祥雍《訂補》（頁 447）的標點作：「七年，大旱，地長生鹽。」方詩銘《輯證》（頁 86）標點亦作：「晉幽公七年，大旱，地長生鹽。」《逐字索引》標點（頁 74）則將「地長」與「生鹽」斷開。那麼「地長生鹽」裡的「長」字，究竟是作動詞的「生長」（growth）解，還是作副詞的「長時間」或「不斷地」（long）解呢？從表面上看，《逐字索引》的「地長，生鹽」的句讀似乎也說得通。不過「今本」《竹書紀年》此條則無「長」字：「三年，晉大旱，地生鹽。」亦可旁証「地長生鹽」中間不當斷。從自然常識分析，大旱不會引起地長，卻可造成地生鹽。故「長」字視作副詞的解釋比較合乎理致。

《逐字索引》頁 76：魏武侯十一年，「城洛陽及安邑王垣。」

按：《史記‧魏世家》記，魏武侯二年「城安邑、王垣。」《索隱》引徐廣云：「垣縣有王屋山，故曰王垣。」所以在「安邑」下應有一頓號，因爲安邑和王垣是兩個不同的地方。《逐字索引》編者于此以兩地名相屬連讀，蓋未嘗細考也。

《逐字索引》頁 77：魏武侯二十年，「越殺諸咎，越滑吳人立（孚）（子）錯枝爲君。」

按：陳逢衡對此條有懷疑，云：「諸咎越滑吳人語有脫誤，豈諸咎一名越滑？」（轉引自《訂補》頁 53）。但《訂補》（頁 53）則說：「此文無脫誤。陳氏以『粵滑』二字上屬與『諸咎』連讀，疑爲諸咎之別名，當誤。」但是范祥雍並未說明「粵滑」是什麼意思，而且他以「粵滑」下屬之說亦可商。「諸咎越滑」之意在傳統文獻中已無法解決，而關于這個問題，方詩銘在按中引述了郭沫若的說法。郭氏以金文材料「者召於曀」（《越王鐘》、《越王予》）釋「諸咎粵滑」，最爲妥帖，確不可易，因爲這兩組字的古音是相通的。（參《輯證》頁 101 之標點）此句當如此標點：「越殺諸咎越滑，吳人立孚錯枝爲君。」《逐字索引》以「越猾」屬下，將「諸咎粵滑」之名割裂，殊失《紀年》本意。此外，《逐字索引》據《輯證》改「孚」爲「子」，亦不足據。

《逐字索引》頁 77：魏武侯二十二年，「韓滅鄭，哀侯入于鄭。齊田午弑其君，及孺子喜而爲公。」

按：《逐字索引》讀「及孺子喜」爲句，屬不當讀而讀，因爲此句主語一直是田午，此人通過弑其君和孺子喜，達到爲君的目的。此當讀「齊田午弑其君及孺子喜而爲公」爲句。《逐字索引》加多一逗號，反而讓人不明「及」作何解。

《逐字索引》頁 77：魏武侯二十三年，「韓山堅賊其君哀侯，而韓若山立。」

按：《逐字索引》此處據《存眞》作「而韓若山立」，但是《輯證》頁 102 已改作「而立韓若山」。查《史記・韓世家》「索隱」（中華書局點校本，第六冊，頁 1866）所引《紀年》，亦作「而立韓若山」，正與《輯證》相合。蓋朱右曾引《史記索隱》時未作細緻的校訂，而《逐字索引》則又失檢原文而承朱氏之誤，遂有不確引文。

《逐字索引》頁 79：梁惠成王十二年，「楚師出河水以水長垣之外。」

按：此當「楚師出河水」爲一句，「以水長垣之外」爲一句。意即「楚軍引出黃河之水，以淹長垣以外之地。」因爲此條中第二個「水」字是動詞，意思是「灌」、「用水淹」。

《逐字索引》頁 79：梁惠成王十二年，「鄭取屯留尚子涅。」

按：「鄭取屯留尚子涅」的標點，《訂補》頁 59 作：「鄭取屯留、尚子、涅。」是也。蓋《逐字索引》編者不知屯留、尚子、涅爲地名，故以三地名相屬，當讀不讀也。

《逐字索引》頁 79：梁惠成王十六年，「秦公孫壯師師城上，枳安陵山民。」

按：《逐字索引》此處屬讀之誤。「枳安陵山民」不能連讀，當從《訂補》之標點：「秦公孫壯帥師城上枳、安陵、山氏。」（頁 61）此句的「枳」只能上屬，因爲「上枳」是地名，「安陵」、「山氏（一作民）」亦爲地名。此又《逐字索引》因不明地理而誤讀之一例。

《逐字索引》頁 79：梁惠成王十七年，「東周與鄭高都利。」

按：《訂補》頁 61 作「東周與鄭高都、利。」范氏標點是也。這就是說，東周給予鄭國兩地：高都、利。據朱右曾注，高都在河南洛陽縣南。（《存眞》頁 38）「高都」既爲一個地名，那麼「利」自然也是一個地名了。《逐字索引》將「高都」和「利」連讀而不加頓號，蓋因不知史書並無「高都利」之地名。

《逐字索引》頁 80：梁惠成王十九年，「晉取元武濩澤。」

按：《逐字索引》以「元武濩澤」連讀，非也。此當有一頓號：「晉取元武、濩澤。」因爲這裡出現了兩處地名，必須有頓號。《逐字索引》編者于此殆未暇深考也。

《逐字索引》頁 80：梁惠成王二十年，「衛將軍文子爲子南彌牟後，有子南勁，朝于魏惠成王如，衛命子南爲侯。」

按：以上標點把句子斷得不可理解，此宜以「衛將軍文子爲子南彌牟」絕句，「後有子南勁」絕句，「朝于魏」絕句，「惠成王如衛」絕句。另外，《輯證》據日本高山寺藏古寫本《史記》，以爲諸本引《集解》皆于「後有子南勁」之下脫「《紀年》：勁三字」。方說誠是。（說見《輯證》頁 127）故正確的標點應爲：「衛將軍文子爲子南彌牟，後有子南勁。《紀年》：勁朝于魏，惠成王如衛，命子南爲侯。」倘若《逐字索引》編者能參酌《輯校》或《輯證》的標點的話，當可避免此誤。

《逐字索引》頁 80：梁惠成王二十年，「魏殷臣趙公孫裒伐燕，還取夏屋城、曲逆、壬寅，孫何侵楚，入三戶郛。」

按：此句標點問題不少，現重新標點如下：「魏殷臣、趙公孫裒伐燕，還，取夏屋，城曲逆。壬寅，孫何侵楚，入三戶郛。」「城」字作動詞，當下屬，並無單作「夏屋城」之例。「壬寅」在此爲紀日，前賢早已指出此點。《逐字索引》竟以「壬寅」爲地名，以屬上句讀，誤也。當以「壬寅」下屬「孫何侵楚，入三戶郛」。另外，「魏殷臣趙公孫裒」兩個人名間應加一頓號，否則在意思上也講不通。

《逐字索引》頁 81：梁惠成王改元後十年，「齊田朌邯鄲韓舉戰于平邑。」

按：朱右曾、范祥雍皆據《史記·韓世家》「索隱」（中華書局點校本，第六冊，頁 1870）「〔韓〕舉先爲趙將，後入韓」之說。所以，倘若認定韓舉爲趙國之將，他便是趙國守邯鄲之將，則「邯鄲韓舉」四字就要連接爲句。據陳夢家的考證，即以邯鄲指趙國邯鄲之師、韓舉則爲韓將（來助趙國者），方詩銘在「邯鄲」與「韓舉」之間加了一個頓號，表示兩者的並列關係。（見《輯證》頁 139）按《史記·韓世家》（第六冊，頁 1869）明言「魏敗我將韓舉」，《史記·趙世家》「集解」引徐廣說韓舉爲「韓將」（第六冊，頁 1803），更爲明証。所以，儘管此兩讀均無不可，但審其上下文，陳夢家之說或較周匝也。如是，此句可按《輯證》標點作：「齊田朌及邯鄲、韓舉戰于平邑。」（關于此條的注釋，可參閱《存眞》頁 41、《訂補》頁 66 和《輯證》頁 139－140。）

《逐字索引》頁 81：梁惠成王改元後十五年，「燕人伐趙圍濁鹿。」

按：「燕人伐趙」後缺一逗號，或是排印之誤。

《逐字索引》頁 82：今王四年，「鄭侯使韓辰歸晉陽及向。二月，城陽、向更名，陽爲河雍，同爲高平。」

按：《逐字索引》以「城陽、向更名」爲句，而此「城」字作動詞，意爲「築城」，而且「陽」即「晉陽」，而非「城陽」。《訂補》頁 68 標點：「二月，城陽、向，更名陽爲雍，向爲高平。」是也。《逐字索引》將「城」理解爲名詞，乃有誤斷。

《逐字索引》頁 82：今王五年，「趙召燕公子職于韓立以爲燕王，使樂池送之。」

按：此當于「韓」字爲讀，應標點爲：「趙召燕公子職于韓，立以爲燕王，使樂池送之。」《存眞》此條原有墨圍（見頁 43）。朱右曾以爲此句爲《史記·趙世家》之文，不過徐廣曰「《紀年》亦云爾」。既然古人說《紀年》也有同樣記載，朱氏便補上了此條。由于此條畢竟不是直接引自《紀年》，朱右曾愼重地加了一個

墨圍，表示此非原文。而《逐字索引》卻將墨圍刪除，當是偶未審也。

《逐字索引》頁 82：今王七年，「越王使公師隅來獻乘舟。始罔及舟三百、箭五百萬、犀角、象齒。」

按：《逐字索引》絕于「乘舟」，非也。朱右曾注云：「始罔，舟名。」（《存真》頁 43）古時，君主御用船隻謂乘舟，有如君主之車謂乘輿。「乘舟始罔」當連讀，猶如今人云「總統專機空軍一號」。「舟三百」之「舟」則指普通船只。如從《逐字索引》讀，則「始罔」義無所屬。

《逐字索引》頁 82：今王十二年，「秦公孫爰帥師伐我，圍皮氏，翟章帥師救皮氏，圍疾、西風。」

按：關于此條的斷句，頗有不同之說。朱右曾注曰：「疾，蓋人名。西風，地名。」（《存真》頁 44）朱氏以疾為人名，西風為地名。則「圍疾西風」四字作一句，意思是圍疾于西風。如此，則標點當為：「翟章帥師救皮氏，圍疾西風。」不過范祥雍卻認為：「疑此文當讀『翟章救皮氏圍。句。疾西風。句。』疾西風是記天異，與上『大霖雨，疾風』文相類，可證。」在他看來，以疾為人名（樗里疾）不妥，而以西風為地名無據，因而改「疾西風」為句，解為說明氣象。所以《訂補》標點作：「翟章帥師救皮氏圍。疾西風。」（頁 70）以古漢語語法言，朱范兩讀皆可通。然詳玩此文，范氏的解釋似更合理，因為以《紀年》的上下文看，此條所載應是兩件事。范祥雍駁朱右曾以疾為樗里疾之說切實可信，其說可從。疑《逐字索引》的標點從朱右曾以疾為人名說，而西風則從范祥雍說以為氣象。可是《逐字索引》如此標點，則文不成義矣。

《逐字索引》頁 83：今王十七年，「又命將軍、大夫、適子戍吏，皆貉服。」

按：《逐字索引》以「適子戍吏」連讀，非也。朱右曾注云：「戍吏一作代吏。」（《存真》頁 44）如果《逐字索引》編者能注意此注的話，恐怕就不會將「適子戍吏」連讀。《訂補》標點作「又命將軍、大夫、適子、戍吏，皆貉服。」（頁 70）是也。

　　以下擬就《逐字索引》編者在《汲冢紀年存眞》校勘和體例上的一些問題稍加指摘，以爲治《竹書紀年》者之一助：

　　《逐字索引》自晉殤叔（頁 64）以下，均未照底本（即《存眞》）在一些年份上加以墨圍：如「殤叔〔四年〕」，「文侯〔元年周〕幽王命伯士帥師伐六濟之戎」，云云。

　　按：關于《存眞》在這些年份上加墨圍的原因，朱右曾在此書「凡例」已經說明：「據杜預〈左傳後序〉，晉年起自殤叔；又據《史記集解》，自武王滅殷以至幽王云云，知古文《紀年》自宣王以上別爲一篇。故今定殤叔三年以後皆明著晉年而以墨圍別之，其各籍所引本有其年者則無墨圍。」可見《存眞》「晉紀」以下凡加墨圍之年份，皆所引原文無年代而是由輯者加上去的，並非《紀年》原文所有。《逐字索引》不明《存眞》一書凡例，竟刪除墨圍。此舉未允，似有違輯佚書之例。

　　《逐字索引》頁 65：晉文侯二年，「周厲王子多父伐鄶，克之。」

　　按：《存眞》作：「周厲王子多父伐鄶。」鄶與鄫非如《逐字索引》所解爲同一字，兩字在古漢語裡也不能通假。繁體字「會」字與「曾」字的字形相近，惟兩字的上頭有所區別。所以恐怕《逐字索引》是因形近而訛。

　　《逐字索引》頁 66：晉曲沃莊公八年，「無雲而雷。十月，以莊伯以曲沃叛。（莊伯以曲沃叛）伐翼，公子萬救翼，荀叔軫追之，至于家谷。」

　　按：此處的（）號內的「莊伯以曲沃叛」句雖爲《輯校》所增，但是「莊伯以曲沃叛伐翼」句，在《輯校》裡是另立爲條的（見《輯校》頁 693）。「莊伯以曲沃叛伐翼」句引自《水經注》，而「十月，以莊伯以曲沃叛」句引自《太平御覽》，非屬同一來源，不宜串連。所以，《逐字索引》在此不能僅以（）號標出此句爲《輯校》所加，似更應注明《輯校》對此句是單立條的。不然，讀者會覺得奇怪，何以「莊伯以曲沃叛」句在同條中重出。

　　《逐字索引》頁 66：晉曲沃莊公十二年，「魯隱公及邾莊公盟于姑蔑。翼侯焚曲

沃之禾而還。」

按：《逐字索引》將《存眞》本來分列爲兩條的內容——「（十二年正月，）魯隱公及邾莊公盟于姑蔑」（案《存眞》原來有墨圍，而《逐字索引》漏掉）與「翼侯曲沃之禾而還」（見《存眞》頁 25）並爲一條，這樣的做法不合輯書體例。此二事雖發生在同年（晉莊伯十二年），但並非同月（前者爲正月，後者未說明）。而且，兩條引文非同出一源：前條出自《春秋經傳集解後序》，後條出自《水經注·澮水注》。同時，《輯校》在「翼侯焚曲沃之禾」後，還有「作爲文公」四字。若依體例，《逐字索引》正文應補此四字，並加墨圍以示爲《輯校》所補。順便提及，雷學淇認爲「作爲文公」之「『作』蓋『是』字之訛，」（參見《輯證》頁 68 引）趙一清亦懷疑「作」字有誤（見《訂補》頁 36 引）。他們的看法是有根據的，可備一說。

《逐字索引》頁 68：晉獻公二十五年，「周陽有白兔舞于市。」其下注 9 云：「『周陽』，《輯校》作『周』。」

按：對照《輯校》的兩個本子（即世界書局版和上海書店版），發現世界書局版中作「周陽」，而上海書店版作「周」。《輯證》頁 74 對此有考証，云：「作『周陽』者是。」《輯證》說是，此因有《水經注》所引爲証。「周陽」作「周」乃上海書店版刻印偶誤，世界書局版本來不誤，故《逐字索引》不必說「『周陽』，《輯校》作『周』」。

《逐字索引》頁 69：晉惠公二年，「秦穆公取靈邱。雨金。」

按：《存眞》（頁 26）是將「雨金」二字另立條的。《存眞》之所以把此句析爲二條，是因所引原文本來非出一處（前條出自《古文苑》「注」和《廣川書跋》，後者出自《太平御覽》引《史記》）。此處《逐字索引》將兩條並列是不妥的。並且，《輯證》（頁 165）列「雨金」條爲「存疑」，理由是此條來自《史記》（當然不是指司馬遷的《史記》）。《輯證》「附二」（頁 162）云：「此《史記》自《史記》，《紀年》自《紀年》，其間固毫無淵源可尋。」方說是也。

《逐字索引》頁 69：晉惠公六年，「十一月，隕石于宋五。」

按：《存眞》頁 26 在「十一月」本有墨圍，《逐字索引》應照底本保留墨圍，因爲這「十一月」是朱右曾據《春秋》所加，《史通》所引《紀年》原文並無月份。

《逐字索引》頁 70：晉襄公六年，「洛絕于泂。」

按：《輯校》、《輯證》均作「洛絕于泃。」在古文字中，此二字音不同，難以相通。陳逢衡《竹書紀年集證》卷 39 云：「字書無泂字，當是泃字，泃音熒，衛地。否則是向字誤添水旁。」因無其他証據，現在我們無法判斷兩字孰是孰非。《逐字索引》編者此仍朱本而不將其他說法列出，似未允。

《逐字索引》頁 71：晉厲公元年，「楚共王會宋平公于湖陽。」其下注一云：「《輯校》頁 13 無此十字。」

按：《逐字索引》完全沒有提到王國維將此條附在《輯校》之「無年世可繫者」部分。《逐字索引》這樣的做法會誤導讀者，使他們以爲《輯校》刪去了此條。

《逐字索引》頁 72：晉定公三十五年，「宋大水，丹水壅不流。」頁下注 7 云：「《輯校》頁 13 下無此八字。」

按：同前所言，此注未曾指出王國維將此條附在「無年世可繫者」部分。這顯然是《逐字索引》編者疏忽了。

《逐字索引》頁 73：晉出公六年，「宅陽一名北宅。」

按：《史記·穰侯列傳》「正義」引：「《竹書》云：『宅陽，一名北宅。』」（中華書局點校本，第七冊，頁 2327）雖未明說此條乃是注文，可是以往研究《竹書紀年》的學者，如雷學淇、林春溥、王國維、方詩銘，均以此條爲注文。陳逢衡更主張「此當是荀勗、束皙輩校正之語。」（《輯證》頁 81 轉引）前賢所考雖係推測，然根據《竹書紀年》體例和《水經》所引相關條（「晉出公六年，齊、鄭伐衛。荀瑤城宅陽。」）參互對照，他們的看法可以成立。據此，「宅陽一名北宅」句若是注文的話，《逐字索引》編者便不應列入《紀年》正文。否則，至少也

要在題下注明，以示存疑。

《逐字索引》頁 76：晉烈公十二年，「景子名虔。」其下注 1 云：「《古本竹書
紀年輯校》頁十五下無『景子名虔』四字。」
按：其實《輯校》正文中有「景子名虔」四字，其下還有王國維案：「此司馬貞據
《紀年》爲說，非原文。」看來這大概又是《逐字索引》編者無心疏失，誤以爲
《輯校》刪去了此四字。

《逐字索引》頁 76：魏武侯元年，「封公子緩。」其下注 4 云：「《古本竹書紀
年輯校》頁十六下無此六字。」
按：事實上《輯證》是將「封公子緩」繫于梁惠成王元年下而非魏武侯元年下。
《逐字索引》編者對此似應略有交代，因爲王國維專門爲此一繫年作了重要的長篇
考証。（《輯校》頁 606）《逐字索引》只是在頁 78 下注 1 據《輯校》引「封公
子媛」四字，不過又把「緩」抄爲「媛」。當然，「緩」與「媛」古音雙聲疊韻
（同爲匣母、元部），可作通假字。

《逐字索引》頁 78：魏惠成王元年，「韓共侯、趙成侯遷晉桓公于屯留。晝晦。
趙成侯偃韓懿侯若伐我葵。惠成王伐趙，圍濁陽。鄴師敗邯鄲之師于平陽。」
按：在此，《逐字索引》將魏惠成王元年所有的事串連，合並爲一條。可是在《存
眞》（頁 34）中則爲分立的四條：(1)「韓共侯、趙成侯遷晉桓公于屯留。」(2)
「晝晦。」(3)「趙成侯偃、韓懿侯若伐我葵。惠成王伐趙，圍濁陽。」(4)「鄴師敗
邯鄲之師于平陽。」朱右曾之所以這樣析條，是由于這四條材料各有出處，故按材
料出處分爲四條。事實上，此類現象在《逐字索引》的「魏紀」多次出現，儘管
《逐字索引》在個別年份之下分立各條（如頁 80 將魏惠成王二十年整個一年的記
事析成三條）。另外，趙、韓二君之間應加一頓號：「趙成侯偃、韓懿侯若伐我
葵。」

　　以上所舉，皆讀古書者所當知，然《逐字索引》編者荒疏至此，殊非意料所

及。其于《汲冢紀年存眞》標點句讀多失，除了誤解和失校外，恐與成于眾手、倉促成篇有關。據此可知，句讀關係于古書文意甚大。如果斷句標點錯誤，則不可得原文之意，必然造成文理不通或曲爲疏通，著書立論自然不能無失。顧頡剛先生曾說過：「標點，就是古人所謂『章句之學』。章句之學是向來給人瞧不起的，所以做這種事情的人常被稱爲『章句陋儒』，和『三家村學究』居于同等地位。可是我們在今日，偏須做一陋儒，爲的是希望將來的人們容易做通儒。」（《崔東壁遺書‧序》，上海古籍出版社，1983 年版，頁 66）倘若這篇小文能爲將來治《竹書紀年》的通儒做一點鋪路工作的話，便是筆者的很大奢望了。

經 學 研 究 論 叢
第 十 一 輯　　頁333～340
臺灣學生書局　　2003 年 6 月

朱子學大系《朱子學入門》序

諸橋轍次著・簡曉花譯*

（一）

　　明德出版社之前已出版了《陽明學大系》，這次緊接著編纂《朱子學大系》。

　　全部共十五卷，其大致之旨趣雖已在目錄中發表過，但爲求愼重，我們仍嘗試照例添加一概略說明。

　　第一卷雖爲《朱子學入門》，不過這是一本關於朱子學整體的總論，而第二卷與第三卷題爲《朱子學之先驅》，是論述朱子以前的宋代學者，例如以范文正公、司馬溫公等爲首，乃至朱子直接受教的李延平等人之學問及性格。

　　第四卷至第九卷爲朱子著述之主要部分，四・五卷兩冊則爲《朱子文集》，六卷爲《朱子語類》，七・八卷爲《四書集注》，九卷爲《近思錄》，《四書》與《近思錄》則是朱子的著述中，最獲日本人喜愛閱讀之作品，因此重視它是理所當然的，此外，我們又添加了《文集》、《語類》，這對僅以學說爲主的人們來說，乍看之下也許會是繁冗重複，但這兩者其實是比《四書》等專書較更爲具原始根據性的作品，而且據此二書，我們不僅僅在單純的文章解釋方面，在對於要看出作者本身的性格等方面也是最適宜的，因此有必要採納選錄。

　　第十卷與十一卷題爲《朱子之後繼》，述及承接朱子學統人們的學問、著述等，而第十二卷與十三卷題爲《日本之朱子學》，開始是述及《朝鮮之朱子學》，

---

*　簡曉花，中華大學外國語文學系日文組助理教授。

之後全部爲日本朱子學者的傳記及其他。

　　最後的第十四卷蒐集了朱子學者的書信，而十五卷是蒐集了朱子學研究年表、係圖、文獻目錄等，雖是略屬附錄之類的東西，不過因讀者而異也會有其趣味、意義吧，總之，我認爲具備了這番規模形式，應該是可以無愧於大系之名。

（二）

　　若想得知朱子學的地位，照例是必須就朱子學爲儒學之一的這項關係，來敘述一下儒學本身的目的，然後再敘述其學風的特質。

　　儒學的目的，總之就是在孔子所謂的「修己」「安人」之道的實踐，更詳述而言，就是在「修養」、「正名」與「經綸」的實現。儒學誠如漢書藝文志裡所書「宗師仲尼，以重其言」，當然就是以孔子所教的爲基本而形成的，當某人向孔子詢問「君子要做什麼？」，孔子教他「修己」，而當又被問到在這之上的作爲時，則教他「安人」，「安人」一詞，後世學者改爲「治人」，這即是斷定儒學目的爲「修己安人」之根據所在。

　　這也和《大學》的三綱領「明明德、親民、止於至善」相互呼應的。「明明德」是指彰顯我們自天所授與的良心，即是修身；「親民」是指不僅止於修自己一人之身，而是以此爲基礎，再推廣至他者、使一般人民日日更新其天賦之德，這和前面的治人是相通的；而「止於至善」是指使「明明德」與「親民」所達到最高境界，總之，大學之道的三綱領是與孔子的「修己安人」相通的，而這個以孔子所教爲主的東西就是儒學之目的。

　　於是，接下來我們要稍微談談「修己治人」這件事，「修己」是我對我之道，所以是僅在自我修養上即可完成，而「治人」則是我對社會之道，所以是必須考慮到作爲對象的社會它是因何而改變、轉移、發達的？而社會的變遷、發達是依據什麼理法在運轉進行呢？一者是依據理在進行，一者是依據勢在變化，理是古今中外不變的東西，勢則是無時不刻在變化的一時的動向，要正相對於這個理的事物的名分，即是「正名」，而相對於勢的事物，則名之爲「經綸」，既然社會是依據這個理與勢在變化，那麼，治人之道便必須經由正名與經綸，結果，儒教的「修己治人」一詞，換句話說就成了修養、正名、經綸的實現，因此，我們必須說這三者的

實現就是儒學的目的。

（三）

對於儒學的目的，我們已做如上的說明，接著我們要談朱子所屬的宋代儒學其大致爲何？

通觀歷代的儒教特質而言，可分爲先秦與漢唐、宋、清四部分，先秦是一個只信奉六經的時代；漢唐則是由於秦始皇焚書以來，典籍紛亂，因此，爲了整頓完備而去釐清文理、校正異同及追求六經的眞義便成了其特色；最後的清代主要是藉考證學以彰明史實、正文理探求經書之精神的時代；與此相對的，宋代則是直接指向儒學的目的即「修己至人」之目的而邁進，可以說是一個要求實學的時代，那麼爲何會變成如此？那是因爲宋代是一個一面有著金、遼等當時外敵入侵之外患，一面又在內政上有著財政困難，而到最後遭遇了非常國難的時代，因此，由於必須以儒學去挽救當前的國家，所以便朝向儒學原本的目的邁進。

另一方面，宋學的一大特色是：儒學目的之「修養」、「正名」、「經綸」三者各自分別發揮作用。凡東西事物遭遇到強烈外力壓迫時，便會分解，這是理所當然的，於是，宋代的儒學是，某個人想要以正名來赴國難，某個人則是想要以經綸之道來擔扛國難，而某個人則是想要以修養來處世，尤其修養之道中特別勢力抬頭的是，當時受到佛教流入、禪宗等深奧學理傳進來時的刺激之點亦多，如此，便引起了宋學的哲學深化，這就是所謂的義理之學、性理之學。

（四）

朱子他繼承了如此時代的學風，完全實現了儒學的三個目的，並且又達成了已經分裂的三個目的統一偉業，這是朱子的一大特色，爲證實此一事實，雖然會有些許繁雜，但我們仍必須根據年譜來敘述事實的大略。朱子是生於高宗建炎四年，卒於寧宗慶元六年，享年七十一而歿，學問最初是學於劉屏山，二十九歲時跟從李延平，四十四歲時大致學問也告一底定完成，不過，這時與陸象山在鵝湖會合，展開了學問上的議論。

說到經綸的實現，二十二歲時才爲泉州主簿，五十一歲時盡力於因飢饉荒廢的

星子縣之救濟，六十六歲時則與當時的當權者韓侂胄爭論互攻，結果是中其奸計，朱子的學問竟遭僞學之質疑，因而退出官界。

說到關於正名的問題，朱子曾幾次向天子上奏名分論，四十三歲時著述其名著《資治通鑑綱目》，發揮了可謂春秋學之生命的正名論。

關於修養事業，這算是朱子著書之最主要部分，朱子所註釋的經書幾乎是跨越了全部的領域，而只有春秋是無注解的，不過，那是在於說他是要透過《資治通鑑綱目》將春秋的精神彰顯於史實的吧，總之，可以視爲是涉及了經書的整體，並且，朱子解經方法有別於以往漢唐時代以訓詁爲主的作法，他是以義理爲主，也就是說解經到了朱子是具有劃時代意義的，朱子的稱爲新注，而朱子以前的稱爲古注，這也是朱子學之一大特色。

朱子的經解中，《四書》最爲著名，因此我們敘述其成立年代如下，《論語》是在三十三歲時著《要義》，四十四歲時改爲《精義》，四十八歲時才改題爲今日所見的《論語集注》；《大學》《中庸》的序則是在六十歲時完成的，而《大學》的誠意章是在七十一歲即將死前的三天才動手完成的；關於《孟子》就不清楚了。關於《四書》朱子眞是耗費了長年累月，傾注心血而寫的，此外，《近思錄》是在四十六歲時，《楚辭集注》則是七十歲時的著述。

除了《經書》的解釋之外，召集學童盡力於他們的教學養成，這也是朱子教育事業的重要大事，他所主導牽涉的白鹿洞書院是在五十歲時改建的，嶽麓書院的成立則是在六十五歲時，與其他兩所合計共爲四所書院，其中的白鹿洞書院、嶽麓書院我都曾經去遊玩過，驚訝的是，那四周的環境風景是何等的優雅美麗，由此，我覺得我可以想像得出朱子性格風韻的那一面。

如上所述，朱子貫徹完成了儒學的三目的，尤其是關於經書的解釋他是用盡了渾身氣力，他是一個健康狀況並非良好的人，雖然我們對於他生涯裡的健康狀況並不清楚明確，不過自四十後半起，他開始得了腳痛，到後來感染至眼疾，晚年幾乎是腳變得無法動，而眼睛也不能看的生涯。

讀《朱子文集》是有可能追溯得出許多他的學問進展的足跡，但可惜的是，文集裡無明示年代的作品居多，不過由於文集中有許多關於生病情形的記載，因此據此我們可得知該文的寫作年代，到後來也可能追溯得出學問進展的足跡，關於此，

我曾請醫學大家三浦謹之助幫忙做診斷，到現在仍記得當時有獲得一些成果。

（五）

　　其次，我們要談談朱子學在後世是如何的被廣泛推行的。光是看出現在《歷代儒林傳》等的名字，就知道中國儒學者的人數多到不知有幾百個，然而，我認爲恐怕沒有人博學影響巨大到能及朱子的，朱子死後沒多久，以門人黃幹等爲首，其學派被拓展開來，至元代，幾乎所有的學者都是信奉朱子學的，在明代可以說也幾乎一樣是向朱子學一面倒，特別是於永樂年間完成的《五經大全》，它普及到已成爲想要當官的人必修的國定讀本，而其執筆者盡是朱子學者，由於當時是據此來舉行科考的，因此當時的士民整體顯然是尊奉著朱子學的，只是，有一個陽明學是異於朱子學的，而我們實在是無法將它視爲朱子學的一派，關於此，《陽明學大系》已經出版了，讀者自行看過便會明白。

　　在朝鮮也可以說是一樣的，最近在日本也變得有名的陶山書院的大儒李退溪等爲首，李朝全都同是朱子學者。

（六）

　　朱子學傳進日本原爲久遠以前之事，而這就憑在應仁天皇時代《論語》早已傳來之一事便可明白，但是，大致來看，王朝時代是以五經爲主的漢唐訓詁學時代，而在德川時代四書新注進來以後，就可說是以四書爲主的朱子義理的時代，《論語》、《孟子》、《大學》、《中庸》的《四書》曾各自被鎌倉時代的僧侶們使用，而《四書》學形式之學問則是要到了德川以後才傳進日本，之前，由於中原家清原家等家學興盛，因此不喜歡別人用新的注釋，中原家雖然也曾經對德川家康的初期政治，提出過反對的意見而主張不可用新注，但是，由於家康在學問上是比較具有寬闊視野的，因此認爲爲了要推廣道，新注、古注之差異並不是問題，因而拔擢了林羅山也採用了朱子的新注，從此之後，林家成爲大學頭（太學長），累世保持其地位，於是朱子學繁榮的端始也就此開啓。

　　當時又正值祭祀孔子的湯島聖堂（大成殿孔廟）落成、昌平黌設立而成爲天下學問的中心學府，其大學頭（太學長）全部都由林家繼承，之後，朱子學自然而然

的成爲國家的正統之學，而此學風又廣及地方的藩學，當時的藩學多至二百多所，這些都是仿效昌平黌而尊奉朱子學的，同時，私塾也相當興盛，而這幾千個私塾又全是學朱子學的，在其下，又有最稚齡的寺子屋教授教科書等，而這也盡是遵從朱子所教。

　　在此間，雖然也興起了伊藤仁齋、荻生徂徠、山鹿素行等所謂的古學派，也還興起了所謂的折衷學派，又還出現過若干與朱子學對抗的學者，然而，就大多數而言，說德川三百年間全部爲朱子學是一點也不爲過。

（七）

　　以上，敘述了朱子學盛行之事實的大要。世上或許有人會誹謗朱子學爲支離繁冗，然而這是誤解，朱子曾以高・深・遠・晦爲讀經四病，以貪多・躐等・好高・尙異爲爲學四戒。又或許有人會以爲朱子是偏守固執於道學，而這也是誤解，解詩時，毛鄭即使是扭曲也要以道德爲主，而朱子卻寧願追尋作者之原意而視豔歌爲豔歌；解春秋時，古注是注重孔子筆刪之意而侷限於褒貶之說，甚至還有人視之爲法刑之書，而朱子則堅守春秋直書說，主張應該直書事實以自舉褒貶之實。如果有人把朱子的人品和世上冷言冷語死腦筋的道學家流視爲同類的話，這更是豈有此理的誤解，朱子是博學高識，巧詩善書，解風流樂山川的汪洋巨人，他還是一個活在誠信溫篤的人，而這都表現在他對君父、對門弟朋友的態度裡，慶元三年朱子遭黨禁之厄與從遊者在蕭寺道別，隔年，愛徒季通死去，其餞辭、其祭文有不少地方會令今日讀者酸楚流涕。總之，古今學者當中，像朱子這樣學問淵博影響巨大的人，堪稱是史上稀有的，或者說是史無前例也可能不爲過，不過，由於從來的末流朱子學者，在學問上、在人格上不一定全盡是可以令人推崇稱讚的人，因此也會有人對此有所責難吧，這有可能是由於隨著時代的變遷，從來的朱子學者僅是維持原狀已不再能算得上是完善，而這點則有待今後學者的反省研究即可。總之，日本國民的大多數獲知長期以來學習教養的根源──朱子學之大成，這在將來的國民教育、精神涵養其他方面上，無疑的將會是有所助益的，若藉此《大系》之出版，得以達此目的，實幸矣。

注：本文以日本東京明德出版社 1974 年出版的朱子學大系《朱子學入門》之序爲底本，並以忠於原著爲前提進行翻譯。惟（六）之第一段的第九行及第二段的第一行、第二行原文裡的「大學頭」、「聖堂」二詞，恐國人較感陌生，故分別詳譯作「大學頭（太學長）」及「湯島聖堂（大成殿孔廟）」，以助理解，權宜加筆，敬請包涵。

經 學 研 究 論 叢
第 十 一 輯　　頁341～352
臺灣學生書局　　2003 年 6 月

陽明學大系《陽明學入門》序說

宇野哲人著・簡曉花譯*

一、儒學大旨

　　儒教當然就是指以春秋時代生於魯國曲阜的孔夫子爲始祖，繼承其教義，沿各代歷經相當的變遷以至於現代的一門學問，而四書中的《大學》則是將儒學之原則方針敘述的最具要領，即修己、治人——修養自己、治理人群，成爲一個修養足夠的傑出人物，爲天下民眾施行良好的政治。《大學》中有所謂三綱領，即「明明德、新民、止於至善」，是前面的修己治人之原點，而《大學》中還有所謂八條目，大凡其所指爲下，「致知、格物——作足夠的學習，正心、誠意——盡己眞心，修身——修己一身，齊家——整頓一家，而其中實行傑出的人則起而治國——成爲諸侯，其中的殊優者則平天下——君臨天下」，要而言之，儒教就是意味著當時的最高道德者君臨天下。

　　然而，如何才能成爲傑出的人物？雖然《論語》中曾提示了其具體的實踐方法，但《論語》中的關於人的天生賦予的研究記載卻僅僅可見，因此，便以《孟子》的性善說來作補足，如此一來，成爲傑出的人格者的人便可起而君臨天下。然而，當時老莊學派卻攻擊如下，即儒者雖然倡導先王之道，但是先王也是人，道它既然是由人所訂定的話，那它就不能沒有過錯，而我們老莊學派則是以天爲主，並且奉此天地自然之大道爲準則在過生活，也就是說，老莊學派認爲儒教是沒有哲學

---

*　簡曉花，中華大學外國語文學系日文組助理教授。

根據的，而對此批判，儒家則認爲聖人所訂定的道並不是指可以由人任意創作的東西，認爲它仍是基於自然大道，因此將此主旨添入《中庸》裡，「天命之謂性、率性之謂道，修道之謂教」即爲此意，是在藉此性道教論來主張儒教的立場。

儒教針對學問與藝兩者作區別，學問即是指自己本身憑藉教養而成爲傑出的人格者，其最終目標則是成爲《論語》中所謂的君子、聖人、去爲天下民眾施行傑出的政治。因此，現在的例如醫學、農學、工學、理學等雖然也是傑出的學問，不過從儒教的見解來看，那是藝而不是學。當然，要成爲一位傑出的人物，是必須透過學也是必須透過藝的，我們看當時的基礎教育內容，是十分的要求禮・樂・射・御・書・數・——禮儀、音樂、弓箭術、御馬術、文字、書籍、數學等的學習，因此，可知儒教所說的眞正的君子其實是學藝兼備的全人格者，而並非是特別的要輕蔑藝。而如何才能成爲人格者？如何才能施行道德政治？追求此命題之學問即是儒教。

二、先秦時代學風

首先，我們先概略敘述孕育出先秦時代學風的歷史背景。

在周王朝之初期，周公輔佐成王攝政時，天下治理的非常好，周武王推翻殷王朝後建立了周王朝，在繼承其後的成王及成王之後的康王兩代間，即成康間的五十年裡，統治極爲完善的到了即使有刑罰也不曾動用的境地，其次，武王之父文王他非常德高望重，也因此周的天下能持續八百年之久，在中原漢土上，至今已歷經了二十幾個朝代的演變，其中歷時最長的有前漢後漢計四百年，而僅僅一個王朝竟能持續了八百年，這是堪稱空前絕後的，因此，我們實在也難以想像文王、武王的德行到底有如何的高，而周公的政策到底又是如何的好了。然而，開國以來約三百五十年後，遷都至鎬京（陝西西安南），之後爲西方戎狄所壓迫，遂於平王時又再遷都至東邊的洛邑（河省南洛陽附近），至此以後稱東周，其後，周的統籌管制開始逐漸衰微，諸侯變得任意肆行，大國吞併小國，因此原本爲數眾多的諸侯到孔夫子的時代時已減少至僅二十幾國，之後再減少終至爲七國，而秦始皇將其統一（西曆紀元前二百二十一年），秦始皇的功績實爲甚高。

其次，在秦始皇以前，即先秦時代的學問裡，首推有儒教，也還有其他種種的

學派，特別是自春秋至戰國，雖然天下爲群雄所割據，周的統籌管制幾乎是成了有名無實，社會非常混亂，但是，在其反面，卻是成了思想最爲自由的時代，而隨著文化的進展也出現了各種學派。這當中，與儒教大略相似的是墨子學派，孟子說「楊朱、墨翟之言盈天下，天下之言，不歸楊則歸墨」，楊朱是老莊學派的一員，是與墨子對立的思想家，而墨翟當然就是墨子。墨子的學問以勤儉節約論爲主，例如說它不施行儒教所說的「禮儀三百、威儀三千」等繁瑣儀禮，葬儀也是簡單了事，由於三年之喪太長了，所以在僅短的期間內服完喪，早早的回到原有的生活、在工作崗位上工作是比較好的，還說葬儀鋪張奢侈，長時間的服喪是一種浪費；特別是戰爭，這是非常的不好，自任何一點來看都是毫無益處，或者有論者會說大諸侯就是託戰爭之福才會變成爲那麼的偉大，然而，例如說醫生看診了許多患者，而其中只有數名痊癒得救，即便如此，他因此就可算得上是良醫嗎？現在，原本爲數眾多的諸侯減至成數個大國，這因此就可算得上是好事了嗎？還有，人們若殺一人就會被問罪，而殺了許多人卻被稱爲英雄，那麼這就跟好比黑的石頭有五六個的話就叫做黑，而集結許多在一起的話就叫做白是一樣的吧，墨子說戰爭絕對不好，它只有苦了民眾，自任何一點來看它都沒有好處，他倡導非戰論。要略的來說，墨子的學問的目的是在拯救天下混亂，雖然這是與儒教所說有所不同，但是其目的卻是相同的。

　　與此相對的是，當時，有一群思想家認爲：在戰亂的世界裡我們再說什麼也已經是奈何難有作爲了，而自己一個人輕鬆的生活會比較好，這就是老莊學派，認爲所謂治理天下等事簡直是毫無道理，天下就任其原有的模樣、別去驚動它就好，人們越是想作各種干涉則反而是越來越糟，因此打了各種比喻來作說明，舉其中一例來說，在自然的狀況下，馬在彼此感情和睦時會聚在一起，但是一旦到了快要鬧翻打架時，彼此雙方便會快速逃離，而不會讓自己的生命受損，然而，在這個領域裡，卻出了一個優秀傑出的名馬鑑定家伯樂、馬術駕馭專家王良，他們讓馬吃秣草引進馬廄小屋，百般的調教馬，爲此，馬的天性受損而死掉半數，總之，最後重點仍然就是讓天下任其原有的模樣、別去驚動，而不要想去治理它。因此，當然自己本身也是不入世，主張隱遁的論者了。

　　另一方面，時代在改變，民眾的智慧也逐漸增長後，作惡之人也出現了許多，

因此，出現了一群主刑罰的法治論者，此學派是以管仲爲始祖，商鞅、申不害、韓非等即是此思想之中心人物，特別是韓非，他既採用老子的學說，也對儒教的統治方法作考察，他講述以法爲依據的國家統制之法治論，被稱爲先秦學派之集大成人物也不爲過。韓非所說的要旨是立基在以利爲中心的人性觀，例如，天下人人都想成爲君子、都希望自己所製造的車會有人買，製作棺材的人則希望天下人都快死而自己製作的棺材能賣出去，然而，我們不可以因此就說賣車的人是仁者而賣棺材的就是不仁，因爲他們同是以自己的利益出發作思考；還有，被雇來從事耕作的人會拼命努力於自己的工作，那不是因爲他們愛地主，而是因爲他們認爲這樣做的話才會獲得更好的待遇；反過來看，雇主派遣工作時會請吃各式各樣的飯局，那不是爲了他要寵愛耕作者，而是因爲他認爲這樣做的話雇工們才會替雇主拼命耕田；醫生之所以會替非親非故的患者吮療膿瘡，這也是出自利益考量，即使是親子關係也仍是以自己利益爲中心作思考；古時候，堯舜之所以會讓天下，是因爲當時是一個人人都親自從事耕作，都住在粗陋的房子的艱苦時代，所以禪讓天下其實也應該不是什麼大事，但是，在現在，若父親是當地方官的，在他死後，兒子所獲得的財產會多到可以四處遊走以車代步，則可推測出現在要讓天子之位並不容易。韓非吐露以上等痛切之言論，其根底就是有法治論的存在。有人會因爲被蟻塚絆倒而跌交，而沒有人會因爲被山絆倒而跌交，由於蟻塚極小因此會有不小心絆倒跌交的時候，與此同理，法律越是嚴刑峻罰越是有效果，例如，假設有兩米左右的碎布掉在路上的話，那誰也都會撿吧，但是，如果是有百兩黃金掉在地上，而且它正當是處於燒紅赤熱狀態的話，那麼由於一觸碰它便會遭受嚴重的燙傷，因此即使是再大的偷賊也不會去撿的。總之，自己本身若是安全且又可獲利的話便去拿取，若必定會傷害到自身的話便不去拿取，而要對付像這樣的利己主義橫行的時代，便必須採取法律統制，這就是韓非等法治論者的主張。

其他，尚有兵家、農家、名家、縱橫家等各種雜駁學派，其中，對後世最具影響力的是陰陽五行家之學說，五行是指木、火、土、金、水之自然界五要素，這種思維起自東周，一般所謂的陰陽五行說是指這五元素會依據某一固定順序作轉移的思想，其中有木生火、火生土、土生金、金生水的五行相生說和金切木、火熔金、水消火、土鎮水的五行相剋說，相剋說雖然是最早興起的，然而到後來卻是變成相

生說比較被時常運用，特別是在漢代影響甚大的是：認為改朝換代皆是基於五行相剋或相生的原理來轉移運作，舉例而言，漢高祖為長亭，移軍至驪山，曾在途中的沼澤斬殺一蛇，於是有一名老婦出現「吾子白帝子也，化為蛇，當道，今為赤帝子斬之」等說法，這就是基於五行相生說的想法。

三、漢・唐學風

秦始皇統一天下後，由於每推出一道新法令，學者們便議論紛紛認為有違於先王之令，而為了一舉剷除這些學者們，秦始皇於是設下了策略，他派人利用驪山宮溫泉山麓的田野，快速成功的栽培出瓜果，使得原本應該在五月結果的瓜果卻在二月已經結果，聽到此消息的學者們當然要懷疑，秦始皇便佯裝成帶學者們去參觀，而實際上則是預先在參觀處挖掘並掩蔽好一個大坑，把議論喧囂沸沸揚揚的學者們一次打落坑穴活埋，再來，又廣搜天下書籍，集結至首都咸陽燒毀，這就是所謂的焚書坑儒，然而，他卻只在自己宮殿裡留下書籍，讓官吏的預備軍作學習，由於秦始皇認為作學問不只是會危害到人，也會危及天下，因此才會出此政策，這就是丞相李斯把老子「智慧出有大偽」、「使民無知無欲」的思想靈活運用在政治上的結果，於是，學者們若挾帶書籍便會遭緝捕懲罰，因此他們便粉刷牆壁藏入書籍、或把書籍埋入坑穴，至秦滅漢興，西漢惠帝四年，因為廢除了秦的書籍持有禁止法令、挾書律，所以學者們才又漸次的取出書籍來閱讀，漢初可謂為文藝復興時期。

另一方面，因為《易經》乃屬占卜之書，因此沒有遭到禁止，所以也就原封不動的保存下來了；而《詩經》可能由於它是吟唱口誦作品的關係，學者們大都背記在腦裡，因此《詩三百篇》大略也保存下來；《書經》雖然原來有百篇之多，但現在僅存有二十九篇，而今本的《書經》五十九篇裡，有的內容是由一篇分編為兩篇、三篇的，有的則是後世的偽作。

基於這樣的理由，文藝復興期的漢初之學問是在如何解讀這批遺留下來的書籍上作了一番努力，因此有所謂的《詩經》專家、《書經》專家一經專家學問的興起，也有無數的各種專門學派的興起，舉例來說，現存《論語》中即出現有齊國《論語》、魯國《論語》、以及以古文寫成的《論語》等三種，這三種各自在內容上有所出入，在篇數上，齊論語為二十二篇、古論語為二十一篇，而到了東漢張禹

再以魯論語二十篇爲主而將這些再加以整理、後經鄭玄加注，即成爲現在的《論語》，而原先鄭康成的注早已散佚。

那麼，爲什麼即使是將書籍埋入坑穴，或者是藏入牆壁內也仍可安然無事呢？那是因爲當時的書籍是記錄在竹板或木板上，一塊書寫二十字、二十二字或十八字，再以皮繩繫綁而成，因此，即使是《論語》等數量不大的書籍也成了二十卷，而因書籍而異也有所謂的錯簡，即由於皮繩斷裂或取出時沒處理好等所導致的順序錯亂。如此的在西漢，人們下了一番苦心解讀先秦的經書，例如《書經》等有伏生一人物，據說他由於相當的高齡，因此學者們在採錄他口述的《書經》內容時聽不懂，便透過伏生的女兒翻譯來聽取，學者們經其女之口述來記錄伏生的口述，這便成了現在的《書經》；而現在流傳的《詩經》則是毛氏所傳，除此之外，在漢代也還承傳著解釋略異的《齊詩》、《魯詩》、《韓詩》等《詩經》。

在漢代，主要是盛行興起於先秦的五行說與讖緯說，例如向漢武帝進言採用儒教爲國教而壓制其他學派的董仲舒，就連他也是基於五行說來敘述其順從天地法則的主張。又，讖緯說內容雖然駁雜，但是其內含神話傳說類、預言之類的東西，既是在漢代當時具有勢力，又在之後與五行思想一起傳入日本而產生相當大的影響。話說漢武帝依董仲舒之意見，採取了以儒教爲國教壓制其他學說的態度，不過，《淮南子》等由於是集結了其他老莊學派學者、稷下學者們所撰寫而成的書籍，因此其思想內容反而是具有強烈的老莊學傾向，即使是儒教已被定爲國教，但老莊學的根底似乎是依舊殘留著，自漢代至六朝的晉、宋時，老莊學已成爲思想界的根本，當然，在政府方面是任用學習儒教即經學的人爲官吏，但是，整個時代思潮卻多可見老莊思想的傾向，因此，出現了風流清談之士人竹林七賢等。

六朝至唐，專於經書的注釋，現在流傳的經書大致上可以說是全在漢代完成，而其注釋則是在唐代完成，孔夫子的後代子孫孔穎達爲其代表，進行經書注釋的整理。

一方面，佛教自東漢初傳進來以後，經典漸次的被整理出來，而至六朝其翻譯幾乎被完成，由於這樣的關係，雖然到兩晉，老莊學是思想潮流，但是到南朝宋以後，文學等中可見到許多佛教思想。

自隋至唐，孔穎達爲中心的《五經正義》被完成了，這時的儒學是人們用來當

官、參加考試的學問，而原本儒教的人格形成之側面已被遺忘；另一方面，可能由於是以詩文取進士，因此到了唐代詩仙李白、詩聖杜甫般的詩人輩出。唐代的儒學專於注釋經書，而活躍於思想界的儒家人物也只不過為一、二人，反倒是佛教較為盛行，自隋至唐間，所有的宗派盡出，高僧輩出。

　　提到唐代的儒家思想家，大概就是以古文復興主張而有名的韓退之吧，儒教的目標在修己治人，因此韓退之於其重要論文〈原道〉中引用了《大學》，又說明了仁愛，說「博愛之謂仁，行而宜之謂義」，也發展出與其相關連的人性論等，此外，韓退之有一弟子李翱，此人之思想等多為佛教思想。

四、宋‧明學風

　　唐滅、歷經五代至宋，佛教各個宗派已消身匿跡而僅存禪宗，自宋至明的學者們都學習禪宗，例如，朱子也曾是禪僧的弟子，而王陽明也是。

　　佛教在關於人的精神狀態之研究等是非常精緻細密的，宋代學者，例如二程（程明道、程伊川）、張橫渠也都受其影響而對心是什麼樣的東西？人性、情感是什麼？究竟宇宙存在又是什麼樣的東西？等等命題付諸關心，進行人類的精神狀態、哲學的研究。話說此時代之代表性學說即是理氣二元論，此學說即是以程伊川為主，他試圖去糾正之前的學問裡陷於只專於經書注釋的弊病，而將當時盛行的佛教納為自己的囊中物，把學問的方向轉換成對於自己的心性、人性要如何修養才能成為聖人的方向。

　　原本孔夫子是聖人這是無須待言的，其門人裡，即便是如子貢般的聰明人物也都說孔夫子不是我們所能及的天成聖人，還說孔夫子之難及，是猶如架梯無法登天般的難，而顏回這樣的人物，他雖然也感嘆自己無論如何的學習也跟不上孔夫子，然而卻說「舜何人也？予何人也？」，認為成為聖人不一定是困難的，持「聖人可學而至」之論，這兩派同隸屬於孔夫子門下，而根據《韓非子》，在戰國時代，儒學則已分成了八派。

　　宋‧明學者皆汲取此顏回派流而立「聖人可學而至」之論，此想法即是說：孔夫子說「十室之邑，必有忠信如丘者焉，不如丘之好學也」，認為並不是任何人都成不了仁者，因此鼓勵了門人，而我們也承接此一想法，藉著修養，即便是天生不

同卻也能透過教育、修養來彌補缺點而成爲傑出的人，這就是宋・明學者的要點。

於是要成爲聖人該如何做呢？宋代的學問，特別是朱子的學說裡說「居敬窮理」，就是說把心保持在敬的狀態而去研究一切事物之理，雖然這個內容幾乎是和程伊川的「涵養須用敬，進學在致知」所說是一樣的，但是我們卻不能說朱子是用敬，朱子他乃是主張必須居敬、心成爲敬。

在明代，明成祖取得天下讓位給孫子惠帝後逝世，這時兒子燕王、寧王雖然明明受到了父親生前的託孤之請，卻罔顧父親之吩咐，於是燕王約寧王一起消滅了當時的天子惠帝而自己登基爲成祖，而就正當在殺惠帝之時，也殺了惠帝的老師同時也是宰相的方孝孺這個有明一代的傑出大儒，當燕王自北京攻入南京時，在旁的隨從曾諫言力勸唯一不能殺的就是方孝孺，殺方孝孺，天下讀書種子絕矣，但因爲方孝孺守節不屈，所以就殺了他，並且與方孝孺有關係的學者、門人也全都殺了，所以明初便幾乎沒有一個像樣的學者了，因此，我們看燕王即成祖時即便是有完成了《四書五經大全》，但其實那也只是粗糙書籍，只不過是把朱子的注釋、朱子門人們的遺作加以整理的東西罷。

至王陽明出現後才興起了一陣所謂明學風，王陽明最初是有任俠之氣，他也曾經學過二氏之學（佛教・道教），十九歲時，自婁一齋先生處聽聞宋儒說人人皆可藉修養而成聖的學說，因而自己也立志想成爲聖人而開始了學問。朱子學的原則方針是廣泛研究事物之理磨練自己的德行，而王陽明出現時的官學是朱子學，因此王陽明當然也學朱子學，並且王陽明依朱子學的居敬窮理，與友人兩人想要研究竹子之所以青的道理而與友人挫折了一晚，王陽明努力兩個晝夜下來，終於翻然頓悟了，因爲他已知道竹子之所以青的緣故，而那卻是與成爲聖人一點也沒關係，朱子不以人性爲中心的學問是不行的，王陽明離開了朱子學說開始著手於自成一派的學習，而苦心慘澹的創生了「致良知」學說，王陽明的「致良知」學說是基於陸象山的「心即理」學說，而再追溯往古則是繼承了孟子的學說。

然而，結果最後宋・明之學是以任何人皆可藉由修養成爲聖人爲目標的，至於成爲聖人的方法爲何？朱子學是「居敬窮理」，而陽明學則是「致良知」，即彰顯自己的本體良知即可成爲聖人，基於此，朱子學與陽明學之間，形成了一個是雙刀派而一個是單刀派的關係。

五、朱・陸的對照

朱子這個人非常博覽多識，既學佛教也學道教，寫起文章來則是堂堂的作家，特別是詩文優異，甚至也是一位堪稱爲文學家的大學者。

相對於此，陸象山則是專就自己的修養這點作堅持，據說他十二、三歲時，聽到鄉裡祭典的鼓聲傳進自己房內碰撞窗門而發出聲響，由此便領悟到「宇宙內事乃己分內事，己分內事乃宇宙內事」，也就是說，與其廣泛的學習，還不如把自己的精神是什麼作爲自己學問修養的基點，心只有一個，理也只有一個，正確的事物只有一個，因此，心與理爲一，「心即理」，認爲我們的心即是宇宙存在之理，並主張充分磨練自己的精神。陸象山考科舉較晚，不過當時的主考官是呂東萊，呂東萊看得出某篇文章一定是陸象山寫的，就讓它及格，事後一看果然它就是陸象山的答案卷，而當呂東萊去世時，陸象山寫了「祭東萊先生文」，祭文內容是沈痛的說「我既不曾寫信給東萊先生過，也不曾拜訪過他，然而他卻在眾多的文章裡看出了我的文章給予及格，東萊先生眞是知我者也」。

在呂東萊的主辦下，朱子與陸象山展開了對話，在鵝湖旁的鵝湖寺，朱子與陸象山、其兄復齋、呂東萊四人議論了一天，由於地點是在江西省，因此江西的諸位友人全到場列席，議論了一天總覺雙方是話不投機，隔天，僅四人乘船在鵝湖上泛舟議論，朱子是雙刀派而陸象山是單刀派，因此意見不可能會一致，陸象山兄弟作詩給朱子意旨爲：如果說像朱子般那樣的廣研事物之理，或進行注釋研究之類的話，那就等於是進入了叢林，最後會下落不明，而朱子在三年後對這首詩和詩說：像你們那樣盲目的不顧四方前進的話，才是不知道會走到哪裡。

關於宋初學者周叔茂的「太極圖說」，朱子說是周叔茂所作，而陸象山則加以否定，陸象山主張「無極而太極」等是老莊式的看法而寫了四次信給朱子，而朱子則回信三次，朱子最後一封信的內容是說：最近我看了某書，上面是寫作『自無極而爲太極』，如此的話，你說的是對的，但是，因爲周茂叔他的想法是特意的寫成「無極而太極」而要省略「自」、「爲」二字，因此這樣一來，成了我的意見是對的」，朱子以爲在這之上再作議論也無用而拒絕了辯論。對此，雖然陸象山在第四次裡說請不要這麼說再繼續這場議論吧，但最後就此結束了。

那個陸象山的單刀派的想法後來爲王陽明所繼承，王陽明提倡了以「心即理」爲中心的「致良知」學說。

六、陽明學的特長

陽明學的特長可能是與王陽明自身的性格也有關，它不是那種關在書房裡讀書的類型，反而是在出社會經由實踐來進行自己的修養。

王陽明的修養方法是說，在初步時靜坐或許也是好的，但是，在事上進行精神磨練的「事上磨練」才是最終成爲聖人的最上方法，因此，王陽明是非常傑出的學者的同時，他也精於戰術，例如寧王謀反時，他以少數的兵征討多數的寧王兵、立下了擄獲等功績，被封爲新建伯，他作爲一個學者的同時又因戰功封爵，實古今無能匹敵。

還有王陽明爲地方官時，曾把位在庾嶺山裡至今無人敢下手的七座賊窟，就僅在幾個月內就全部平定了，他採用了對付盜賊時非常合適的方法，不過是非常具有實踐性的，總之也就是說若不遇到實際問題就根本不能實行眞正的修養，因此，這對於有這種傾向需要的武士操守等而言，可以說是最適合的學問，而自面向書桌讀書以求精神統一的朱子學來看，恐怕是不可能培養得出這種操守的吧，因此在日本有朱子學者村夫子、陽明學者知時勢者的說法。

七、日本陽明學

在日本眾所皆知，近江的中江藤樹是日本首屈一指的陽明學者，是一位有近江聖人之稱的眞正傑出人物，據說熊澤藩山在到江戶途中，把旅費忘在馬上，而馬夫卻將此奉還，熊澤藩山覺得馬夫的操守很好而向他感謝時，卻聽到這完全是中江藤樹的學問影響所及，便立刻去中江藤樹的家，請求入門當弟子，可是中江藤樹不輕易答應，便接連著去拜託了好幾天，因此中江藤樹被母親勸說既然人家那麼熱心你就接受吧，這才答應了。熊澤藩山於是習得陽明學，在岡山施行傑出的政治，他在岡山的政績雖然是優異的，不過可能由於終究是出現有人反對的關係，中途他便辭掉執政而移居至江戶活躍，有可能是因爲王陽明自身也是如此的緣故吧，在日本的陽明學者也有實際活躍於政治的傾向。

三輪執齋也是如此，像大鹽中齋由於過於熱衷政治以致謀反，這在當時可能是

欲罷不能的，當時的富豪獨佔了穀物而對民眾的非常困苦視若無睹，而幕府明明知道了卻也是束手無策，於是，由於「見義不爲無勇也」而付諸行動，雖然結果是失敗了但仍攻擊了大阪城，而原本最初並沒有要這麼做的，那是因爲已經到了即使是賣掉自己珍藏的書籍、甚至最後連自己的俸祿分給了民眾也都還解決不了的地步，而這個大鹽中齋在到中江藤樹的墓前參拜時所說的話可見於《洗心洞箚記》，這段內容是適合於瞭解陽明學特質的長篇名作。大鹽中齋在掃墓回程中搭船至大津，剛開始天氣非常好，途中刮起一陣暴風，甚至連船夫都說「現在是非常沒希望了，請大家做好心理準吧！」，同船中的門人都因暈船而感到痛苦，這時大鹽中齋也說「慮覆溺、不得不起憂悔、危懼之念」，甚至是因爲連掌舵的船夫都暈船了，大鹽中齋怕船舵萬一被漂走而因此拼命的握緊船舵，這時，驀然想起從前程伊川與蘇東坡爭吵，蘇東坡被貶到海島南，而程伊川被貶到湖南的事，程伊川自漢水乘船而下時，有一天暴風雨非常危險大家一陣騷動，到了傍晚卻安全無事抵達目的地，這時有一位老人出現問說「剛才大家都感到驚嚇，然而好像只有先生一人端然不驚，這是怎麼做到的？」，程伊川便答說「心存誠敬而已」，大鹽中齋想起了這件事，抓緊時機，當下實踐了「致良知」，然後一直是氣靜神定一點也不畏懼波浪，而在暴風過後也平安無事的抵達大津。

　　山田方谷是最近的陽明學者中的傑出人物，他實際上也堂堂活躍於政治上，方谷的門下有長岡的河井繼之助，這個人也是相當優秀的陽明學者政治家。

　　西鄉南洲、井上哲次郎博士也是陽明學者，不過，雖然南洲尊崇陽明學是事實，但能不能斷定他完全是陽明學者卻有待考慮，我們看《南洲遺訓》，他除了陽明學之外，也引用了中國的經濟學家陳龍川的學說（經濟一詞在此乃指「經世濟民」，因此與其說是經濟學還不如說是政治學要來得更爲接近），因此很難把他限定爲單純的陽明學者，不過，他確實是受到了不少陽明學的影響。

　　因此，我們可以說陽明學是對明治維新造成了極大的影響吧，當然朱子學也是，水戶學是義公德川光圀奉明末遺老學者朱舜水爲師所開啓的學問，因此隸屬於朱子學系統，它對明治維新產生了極大的影響。

　　一方面，關於歷史觀，司馬溫公著《資治通鑑》是以魏爲主蜀爲後，而朱子基於道德義理而尊奉領土較小的蜀劉備爲正統，並認爲縱然魏的領土再大也不是正統

而寫了《通鑑綱目》加以糾正。此一名分論的看法成爲日本南北朝問題中南朝正統論的出處根據，像這樣，朱子學，特別是水戶學在道德義理這點上對明治維新的影響也是不容忽略看漏，不過，在活躍於明治維新時的人們當中，有相當多數的人是依奉陽明學進行自我修養的卻是事實，總之，由於陽明學是一種不透過實際行動就無法修養自我的立場，因此它是非常符合維新志士們的心。

最後我們將上述儒教的變遷發展加以歸納，可大致區別爲先秦時代的原始儒教、漢唐的訓詁學、宋明的理氣心性學三階段。

首先，關於原始儒教，由於孔子是因應門徒們的性情來教育，所以他在給弟子的回答裡時而會出現內容相反的情形，可能是這樣的結果吧，在《韓非子》裡可見到在先秦時代終末時儒家已經分成了八派，而這八派各自的特色、差異，時至今日已不可考，不過，概括而言，我們可以說儒家大致分裂成像孟子那樣的主觀主義與荀子那樣的客觀主義兩大派，而且，這兩潮流最後都改以另一種形式出現於後世。

其次，漢唐訓詁學是傾注精力於古典的讀解，而今日我們之所以可以讀到古典則完全是拜此研究之賜，其中，特別是以後漢的鄭康成與唐的孔穎達作爲代表性學者。

宋明時代的理氣心性學是對其之前的訓詁學反動而興起的學問，其中具代表性之學派可分爲程朱與陸王，程朱所主張的「居敬窮理」說和孔子所說的「博文約禮」很相似，「博文約禮」在《論語》中是「博之以文，約之以禮」，意味著廣博的做學問而以禮統己身，因此「居敬」類似於「約禮」，而「窮理」類似於「博文」，相對於此，陸王之學是陸象山的「心即理」與王陽明的「致良知」，都是認爲專以自己的良心爲主，而不需要廣博的做學問，因此和孟子的述說良知良能而不太主張學問的這點很類似。

這股程朱學風與陸王學風到了後世仍互有爭論，而其優劣之結論似乎是無法輕易得出，總而言之，就只能各自從其所好了。

注：本文以日本東京明德出版社 1990 年新版的陽明學大系《陽明學入門》之序說爲底本，並以忠於原著爲前提進行翻譯。惟七、日本陽明學之倒數第二段第二行原文的「義公」一詞，恐非國人所熟知，故特加筆（德川光圀）於其後，敬請諒承。

經　學　研　究　論　叢
第　十　一　輯　　頁353～380
臺灣學生書局　　2003 年 6 月

臧在東先生年譜

吉川幸次郎撰・王清信、葉純芳標點*

標點說明：

　　本〈年譜〉由日本著名漢學家吉川幸次郎先生所撰。昭和十年五月，日本東方文化學院京都研究所影印《拜經堂叢書》成，吉川先生得以遍覽臧在東遺書，乃掇其學行之略，爲〈年譜〉一卷，〈遺書目錄〉一卷，以助讀臧在東書者。

　　吉川幸次郎先生，生於一九〇四年三月十八日，卒於一九八〇年四月八日，年七十七，日本兵庫縣人。一九二六年，京都帝國大學文學科畢業，留學中國之後，於一九三一年進入東方文化學院京都研究所。一九四七年，任職於京都大學文學部，教授中國文學課程，於一九六七年退職，改任名譽教授。研究著作以中國元雜劇爲多，並因此而獲得文學博士。一九七〇年因研究中國文學有成而獲頒「朝日（新聞）賞」，撰有《吉川幸次郎全集》二十七卷等。所撰《元雜劇研究》、《宋詩概說》、《元明詩概說》、《詩經・周風》等書有中譯本。

　　本〈年譜〉收於《吉川幸次郎全集》中，全文並未標點，爲使讀者方便閱讀，除施加新式標點外，並將吉川先生所引用資料予以核對，有出入處，則加註解說明之。對異體字的處理，一律改爲現今通用字，如：「箸」改爲「著」；「挍」改爲「校」；「坿」改爲「附」；「讐」改爲「讎」；「刱」改爲「創」；「愈」改爲「癒」；「譌」改爲「訛」等。標點者學殖淺陋，不免有所疏失，塵穢原作，祈博雅君子，不吝賜教。

---

*　　王清信、葉純芳，東吳大學中國文學系博士生。

乾隆三十二年丁亥　先生生

　　先生初名鏞堂，字在東（《拜經堂文集》薛氏子衡〈序〉），又東序（《孝經鄭氏解》輯本阮氏元〈題辭〉），後改名庸，字用中。（《拜經堂文集》薛氏〈序〉。案：〈跋宋虞廷會試卷後〉云：「《說文》：『用，可施行也。从卜从中❶，衛宏說。』『庸，用也。从用从庚。❷庚，更事也。』」賤名「庸」，字「用中」本此。）一字西成（《昭代經師手簡·與王氏念孫書》鈐記），「拜經」爲其室名。（《拜經日記·自序》。案：阮氏元《定香亭筆談》云：「每歲除夕，陳所讀書，肅衣冠而拜之，故又字曰『拜經』。」）

　　先世山東東莞人，遷浙江長興，復遷江南武進。（阮氏元〈武進臧布衣傳〉）康熙間，有與閻百詩同時老儒，玉林先生名琳者（阮氏元〈臧拜經別傳〉），以名諸生，精研經術，著書滿家（錢氏大昕〈布衣臧君墓誌銘〉），先生之高祖也。（阮氏〈別傳〉）生子晉，晉生若彩，若彩子諱繼宏，字世景，晚自號「厚庵」，服賈，娶章氏（錢氏〈布衣墓誌銘〉。案：阮氏〈布衣傳〉曰繼宏「父兆魁」，不曰若彩。楊氏方達〈玉林家傳〉亦云：「孫男二人，兆元、兆魁。」），生子四（阮氏〈布衣傳〉），長即先生，次鱸堂、禮堂、屺堂。（錢氏〈布衣墓誌銘〉）

三十三年戊子　二歲

三十四年己丑　三歲

三十五年庚寅　四歲

三十六年辛卯　五歲

三十七年壬辰　六歲

三十八年癸巳　七歲

三十九年甲午　八歲

四十年乙未　　九歲

四十一年丙申　十歲

---

❶ 標點者按：《說文》作「从卜、中」。（〔清〕段玉裁：《說文解字注》，臺北：藝文印書館，1994 年 12 月，頁 129 上左。）

❷ 標點者按：《說文》作「从用、庚」。頁 129 上左。

弟禮堂生，禮堂字和貴（焦氏循〈節孝臧君墓表〉），以字行（嚴氏可均〈臧和貴別傳〉），生有至性。（焦氏〈墓表〉）年未冠，毅然以孝弟自任（段氏玉裁〈臧孝子傳〉），不苟言笑，事親孝，臨財廉，非其義，一介不取。居父喪，三日不食，三年不入內，笑不見齒。母病，割股肉瘳之。師事先生（嚴氏〈別傳〉）及盧氏文弨（阮氏〈布衣傳〉）、錢氏大昕（嚴氏〈別傳〉），遂通六書詁訓之學，尤長校讎（焦氏〈墓表〉），段氏玉裁、丁氏杰、孫氏星衍交口善之，名亞先生，謂之「二臧」云。（嚴氏〈別傳〉。案：和貴著書，詳於段氏〈臧孝子傳〉，此不錄。）

四十二年丁酉　十一歲

四十三年戊戌　十二歲

四十四年己亥　十三歲

四十五年庚子　十四歲

四十六年辛丑　十五歲

四十七年壬寅　十六歲

四十八年癸卯　十七歲

四十九年甲辰　十八歲

五十年乙巳　　十九歲

厚庵公教子極嚴，有過朴責，不少恕。延端士爲之師，課以舉子業。（錢氏〈布衣墓誌銘〉）是歲，先生受業鄭氏環（〈皇例贈文林郎府學增廣生員蘇景程先生行狀〉），見王氏鳴盛《尙書後案》，好之，讀高祖玉林公《經義雜記》等書，始恍然有悟。（〈先師漢大司農北海鄭公神坐記〉）知研究經學必以漢儒爲宗，漢儒之中，尤必折中於鄭氏（〈上王鳳喈光祿書〉），遂盡棄俗學，而專習鄭氏學。（〈鄭公神坐記〉）

五十一年丙午　二十歲

治經創端〈月令〉，據《呂氏春秋》以校《小戴記》，塾師鄭鄉先生、莊氏述祖見而獎異之。（〈刻蔡氏《月令章句》序〉）

五十二年丁未　二十一歲

弟禮堂年十二，攻經、史，以先生爲師。（趙氏懷玉〈臧處士詩〉）

五十三年戊申　二十二歲

　　盧氏文弨來常，主龍城書院講席。（〈上王鳳喈光祿書〉）知先生，亟欲見之（〈皇清日講官起居注前翰林院侍讀學士盧先生行狀〉）❸，厚庵公亦命先生兄弟從之遊（阮氏〈布衣傳〉），先生乃以《月令雜說》請正，盧氏曰：「子異日，學業吾不如也！」先生感其言，執弟子禮。（〈盧先生行狀〉）

五十四年己酉　二十三歲

　　抱玉林先生所著《經義雜記》質于盧氏，盧氏驚異之，于校《經典釋文》中多引其說。（阮氏〈別傳〉）始玉林先生所著《經義雜記》三十卷、《尚書集解》一百二十四卷、《大學考異》二卷、《知人編》三卷、《困學鈔》十八卷、《水經注纂》三卷，皆未傳於世，厚庵公篋藏之，不失片紙。既而命先生兄弟從盧氏遊，乃命啓其篋校錄之（阮氏〈布衣傳〉），由是當世學者甫知有玉林先生其人。（〈跋《經義雜記·敘錄》後〉）

　　盧氏校刊《呂氏春秋》，（錢氏大昕〈跋呂氏春秋〉）畢氏沅據以付梓，是歲四月告成（畢氏〈呂氏春秋新校正序〉），先生與審正參訂。（畢刻《呂氏春秋》卷首。案：此書署畢氏名，實出於盧氏，見嚴氏元照〈書盧抱經先生札記後〉）

　　五月始輯《通俗文》（〈刻通俗文序〉），劉氏台拱於友朋間見先生說經之文，相與讀而善之。是歲，見於江寧，後往來鎮江，靡不摳衣請益。（〈書劉端臨先生遺書目錄後〉）先生嘗曰：「劉訓導知庸最深。」（〈與王懷祖觀察書〉。案：〈書遺書目錄後〉本不言始相見之年，今繫於此者：文又曰：「飲食教誨，十七年如一日。」劉氏卒於嘉慶十年，由此逆推知之。蓋是秋，先生應江南鄉試，故有江寧之行也。〈季冬與葉保堂書〉云「在金陵不克盡談」云云，亦可證。）

　　十月，錄《爾雅漢注》成。先生少習此經，兼考舊義，見郭氏精美之語，多本先儒；支離之談，皆由臆說，更或擅改經文，輕棄注義。乃採《釋文》、《正義》及

---

❸　標點者按：據中央研究院歷史語言研究所傅斯年圖書館藏，民國十九年據漢陽葉氏藏寫本影印之《拜經堂文集》卷五，本篇題作〈皇清日講官起居注前翰林院侍講學士盧先生行狀〉，「讀」作「講」。又據《抱經堂文集》附錄二，「日講官」前有一「故」字，文後有「錄自臧庸《拜經堂文集》卷一」字樣（北京：中華書局，1990 年 6 月，頁 469），皆與吉川先生所錄不同。

唐以前諸書所引舊注，錄爲三卷，以存漢學，俾讀是經者有考焉。（〈錄爾雅漢注序〉）

十一月，《毛詩注疏校纂》成。始盧氏以《七經孟子考文》及《十三經注疏正字》參定《毛詩》，命先生校錄之。先生偶有所得，亦附其中，以俟盧氏採擇。一字之審，或至數日。兩月以來，寢食俱廢，至是稿成。分〈國風〉一卷、〈小雅〉一卷、〈大雅〉、〈頌〉合一卷。（〈毛詩注疏校纂序〉）是月，又輯漢《盧氏禮記解詁》一卷成，以遺盧氏，蓋日度不盈六十，而所輯已裒然成卷云。（《盧氏禮記解詁》盧〈序〉）

十二月，太守李氏廷敬纂脩郡志，盧氏總裁之，命先生留心掌故（〈與葉保堂書〉。案：原文止云：「太守李公。」今據《道光縣志・官師表》。），條繫近人履歷（趙氏懷玉〈與志館總裁盧學士書〉）。先生本無意爲官書，重違總裁命移研經之功，一月爲之。（〈與趙味辛舍人書〉）此月二十五日錄起〈尚書注疏校纂條例〉，一依《毛詩校纂》。（〈尚書注疏校纂序〉）先是先生輯鄭氏《論語注》二卷，於「自行束脩」章採用《後漢書・延篤傳・注》謂：「束帶脩飾。」即鄭氏之言。並引〈伏湛傳〉「自行束脩，訖無毀玷」注：「自行束脩，謂年十五以上。」爲證。洪氏亮吉謂「束脩」字宜從《說文》本訓，（趙氏懷玉〈論語束脩說序〉）「《說文》：『束，縛也。从口、木。』、『脩，脯也。从肉，攸聲。』皆本訓。」鄭氏《注》謂『年十五以上』者，蓋言始可以執束脩之禮，見先生長者耳。（洪氏〈與盧學士文弨論束脩書〉）「李賢不通義訓，妄爲之說。」（〈答洪稚存太史書〉）且若果作「束帶脩飾」，則當云「自束脩者行」及以上三字皆爲剩義。與盧氏書論之，並以質之先生。（洪〈書〉）是月，先生作書答之，終不以洪說爲然。時盧氏說亦如洪氏（〈答洪稚存太史書〉），唯顧氏明右先生與諸君反覆辯論，趙氏懷玉輯諸君子之論而錄之，曰《論語束脩說》。（趙氏〈《論語束脩說》序〉。案：《論語束脩說》幸次郎未見。）

因盧氏得識錢氏大昕（〈上王鳳喈光祿書〉），始盧氏數與錢氏言先生之賢，錢氏遂與定交。（錢氏〈布衣墓誌銘〉。案：據〈上王氏書〉，先生識錢氏在壬子以前，姑繫於此。）

五十五年庚戌　二十四歲

先生受業盧氏，始聞段氏玉裁名，講求聲音詁訓之學，爲海內第一，心竊慕

之。是歲正月，段氏弟玉立過舍，因以書達（〈與段若膺明府書〉），以《尚書》古今文異同四事就正（〈刻詩經小學錄序〉），曰閻百詩《尚書疏證》誤讀，〈虞書正義〉謂：「夏侯等書『宅嵎夷』，鄭爲『宅嵎鐵』，下『昧谷』等並放此，倒置古今，誣妄穿鑿，近之言《尚書》，皆襲其謬。」（《拜經日記》）段氏見而嘆賞，謂與其見印合（〈上王鳳喈光祿書〉），致書盧氏云：「高足臧君，學識遠超孫、洪之上。」盧氏由是益敬異之。（〈刻詩經小學錄序〉）此月二十六日，《尚書注疏校纂》成〈虞夏書〉一卷、〈商書〉一卷、〈周書〉一卷。（〈尚書注疏校纂序〉）

　　五月，盧氏取《盧氏禮記解詁》以付梓（本書），盧氏撰《周易注疏輯正》九卷，〈略例〉一卷，以校正《易》疏之訛，先生受讀，下因錄其切要可據者，爲《周易注疏校纂》三卷，工始是年十二月。（〈周易注疏校纂序〉）是歲段氏自金壇過常州（〈刻詩經小學錄序〉），先生飲之酒，願爲其弟子。且見弟禮堂，取其校訂《論語》一、二條相示，段氏甚異之。（段氏〈臧孝子傳〉）段氏攜《尚書撰異》來授之讀，且屬爲校讎，因參補若干條，劉氏台拱見之，謂段氏曰：「錢少詹簽駁，多非此書之旨，不若臧君箋記持論正合也。」（〈刻詩經小學錄序〉。案：先生始見段氏，當在庚戌、辛亥間，姑繫於此。）

五十六年辛亥　二十五歲

　　二月，《周易注疏校纂》工終（〈周易注疏校纂序〉），《詩經小學》全書數十篇亦段氏所授讀，先生善之，爲刪煩纂要，〈國風〉、〈小、大雅〉、〈頌〉各錄成一卷以自省覽。

　　七月，段氏來見之，喜曰：「精華盡在此矣！當即以此付梓。」（〈刻詩經小學錄序〉）

　　九月，盧氏重雕《經典釋文》於龍城書院，先生與校勘審定。（本書）冬，顧氏明攜先生所輯《爾雅古注》來吳，示顧氏廣圻，顧氏傾倒，謂鈕氏樹玉曰：「蓋稀有之書也！」（鈕氏〈送臧拜經詩跋〉）是歲，校訂玉林先生《經義雜記》成（〈拜經日記自序〉），乃擬之爲《拜經日記》。（阮氏〈別傳〉）

五十七年壬子　二十六歲

　　二月廿九日（鈕氏樹玉《匪石日記鈔》），鈕氏舟過毘陵，始晤先生於顧氏明

尙志齋。（鈕氏〈送臧拜經詩跋〉）是歲，段氏刻《戴東原集》十二卷，牽於家事，不能親校，先生與顧氏明編次精校之，六月成。（《戴東原集》段氏〈序〉，並段氏《戴東原先生年譜》）其小注凡云「案」者，皆係先生語。（《戴東原集》段氏覆校札記）

五十八年癸丑　二十七歲

三月十五日，鈕氏再過造訪。（〈別鈕匪石序〉）是月（〈別鈕匪石序〉），先生倉猝之吳，投段氏，適段氏事羈京口（〈祭王西林文〉），未值，因王氏鳴盛、王氏汝翰而寓於袁氏廷檮（〈別鈕匪石序〉），甫得免窮途之戚。（〈祭王西林文〉）袁氏向與先生師盧氏為姻好，於此為寓主人（〈漁隱小圃文飲記〉），以《十三經》校勘見委先生。初於《易》、《書》、《詩》、《爾雅》粗有所訂，餘經奪他事，未暇，至是又校《三禮》、《三傳》、《經典釋文》、《群經音辨》等。段氏歸，或錄之副。（〈別鈕匪石序〉）在蘇州從錢氏大昕、段氏玉裁、王氏昶講學術（阮氏〈別傳〉），又與鈕氏樹玉、顧氏廣圻往還，乃漸與瞿氏中溶、費氏士璣、李氏銳交。（〈漁隱小圃文飲記〉）

四月，籤校錢氏《唐石經考異》。（本書。案：書在《涵芬樓秘笈》中。）

九月，輯《三禮目錄》一卷成。據陸德明、孔穎達、賈公彥三家參之，以單注兼義宋明舊板及李如圭《儀禮集釋》、朱子《儀禮經傳通解》、黃氏榦《通解續錄》定之，凡一字之去取，莫不有本云。（本書）

十月九日，臨校影宋《經典釋文》畢（〈校影宋經典釋文書後〉），鈔本為葉林宗假絳雲樓本影寫者（〈書左氏音義之六校本後〉），舊藏朱氏奐家，盧氏曾借校之，所刊行《抱經堂》本是也。時歸周氏錫瓚，段氏往假之，委先生細校，因復自臨一部，盧氏所校，不無遺漏處，乃復詳為補勘，帀月而畢業（〈校影宋經典釋文書後〉），其《左氏音義之六》，借顧氏之逵所藏汲古閣宋板細校。（〈書左氏音義之六校本後〉。案：《四部叢刊》《經典釋文》附有〈校勘記〉三卷，中多有先生校語。又案：宋本《左氏音義之六》，今在常熟瞿氏，有先生手跋一通，見《愛日精廬藏書志》及《鐵琴銅劍樓書影》，《文集》失收。）王氏汝翰館湖廣總督畢氏沅第（〈祭王西林文〉），掌守經典。

是歲十一月，先生從之索借唐以前遺書，王氏以《大方廣佛華嚴經音義》四卷

寫本示之，唐京兆靜法寺沙門慧苑撰，蓋畢氏撫山左時所得釋藏本也。（〈刻華嚴經音義錄序〉）先生見而嗜之，手自纂錄，凡屬梵言，悉從省節，有涉儒義，並列簡編。（〈刻華嚴經音義錄序〉）鈕氏樹玉與先生同好，每纂一卷成，鈕氏隨取披讀，並勘正其誤謬，援引據證，羅列上下，方時即欲刊布而未能。（〈刻華嚴經音義錄序〉）此月，梁氏履繩卒。（盧氏文弨〈梁孝廉處素小傳〉）先是梁氏著《左傳通校訂異同》極細致，先生爲之校補一過，自記要語，至此梁氏以中年病終，先生不勝存歿之感，因錄其原文及補正語於《日記》中。（《拜經日記》）

十二月（〈上王德甫少司寇書〉），錢氏大昕、王氏昶薦先生於畢氏，授其孫蘭慶經（阮氏〈別傳〉），乃赴楚（劉氏文興《劉端臨先生年譜》引先生〈與劉氏台拱書〉），鈕氏樹玉爲料理行資（〈漁隱小圖文飲記〉），又詠詩十二韻以贈（〈別鈕匪石序〉），瞿氏中溶贈詩六章，以壯其行。（〈漁隱小圖文飲記〉）一時名流造送接踵。（鈕氏〈送臧拜經詩跋〉）先生之楚後，弟禮堂師事錢氏大昕。（嚴氏可均〈臧和貴別傳〉）。案：鈕氏是年《日記》言及先生者二事，事皆瑣末，附錄於下：「五月一日，會臧在東，見所校《一切經音義》。臧君云：『段公有宋本《急就篇》。』又云：『段公甚信《韻會》。』」「九月十一日，偕臧拜經訪張蒪園，適錢飲石來，名東壁，臧君出語云：『東壁即壁壘，主武而不主文，魁星亦然，後人誤用之。』詳其所著〈文昌星考〉。」案：蒪園，張敔號；東壁，大昕子。）

五十九年甲寅　二十八歲

春，到楚，畢氏款居署齋，有眞讀書人之目。（〈上王德甫少司寇書〉）

夏，歸試。（《劉端臨先生年譜》引〈與劉氏書〉）

秋，將往武昌（〈書劉端臨先生遺書目錄後〉），會畢氏降補山東巡撫（史氏善長《弇山畢公年譜》），乃赴山左。（《劉端臨先生年譜》引〈與劉氏書〉）

多，抵濟南，畢氏禮遇有加。（〈答錢曉徵少詹書〉附〈錢氏書〉）始，先生赴山左，取道京口（《劉端臨先生年譜》引〈與劉氏書〉），劉氏端臨曰：「學使阮公元吾鄉人，且學友也，子其謁之。」（〈書劉端臨先生遺書目錄後〉）且詒阮氏書云：「臧君學問，非特英年之士僅見，即求之前輩中，不可多得。」（阮氏〈小滄浪筆談〉）先生之知阮氏，自劉氏之書介紹始。（〈書劉端臨先生遺書目錄後〉）既至山左，常到阮氏積古齋（阮氏〈小滄浪筆談〉），阮氏一見先生，首問

《華嚴經音義》，先生以手錄本呈閱，阮氏曰：「善！當即以此本付梓。」並出北藏板二卷，屬爲校讎。於此先生始知西藏本爲後人竄改，遠不及北藏板之眞，且竊幸素願可酬，而畢氏頗好佛老家言，謂當以完書開雕，並許爲刻《經義雜記》，既而皆不果。（〈刻華嚴經音義錄序〉）

六十年乙卯　二十九歲

正月，畢氏仍補授湖廣總督。（史氏《弇山畢公年譜》）先生自山左至武昌（《劉端臨先生年譜》引〈與劉氏書〉），阮氏補箋《毛詩》，節錄其本，郵寄至楚，質於先生。先生直抒所見答之。（《拜經日記》。案：據《日記》，時阮氏猶督學山左，則事在八月以前。）

十一月二十八日，盧氏卒於常州書院，先生乞錢、段二氏撰志傳。（〈盧先生行狀〉）

《左傳》、《史》、《漢》之「汜水」音「把」、音「凡」者非，先儒說多誤，弟禮堂書來楚館，請爲考定，因作〈汜水考一〉、〈汜城考二〉、〈汜澤考三〉、〈汎城考四〉、〈汜水之陽考五〉、〈祭城考六〉以詒之。（《拜經日記》。案：以《日記》篇第考之，事在乙卯、丙辰間，姑繫於此。）

嘉慶元年丙辰　三十歲

春，弟禮堂新婚（〈上錢曉徵少詹書〉），婦胡氏。（〈亡弟和貴割肱記〉）

七月九日，厚庵公以疾終於家，春秋六十有九（錢氏〈布衣墓誌銘〉），晦訃至，奔喪歸。（〈祭王西林文〉）

十月，有事之吳門。（〈祭王西林文〉）

二年丁巳　三十一歲

阮氏元督浙江學政，延先生助輯《經籍纂詁》。（阮氏〈別傳〉）新春來浙，寓阮氏署中（〈上錢曉徵少詹書〉），晤錢氏大昭，獲讀《詩古訓》、《漢表》、《廣雅》等書。（〈上錢曉徵少詹書〉。案：錢氏著《後漢書補表》、《廣雅疏義》。）丁氏杰執所錄鄭《易》來，授之讀，且屬爲校讎，遂據私定本參之，更檢勘義疏，覆校數十條（〈丁小雅教授六十序〉），次爲九卷（丁氏《周易鄭注》案語），別纂〈敘錄〉一卷附之（本書），歷旬日成。（〈丁小雅教授六十序〉。案：以上二事，皆在三月以前。）

　　三月，覆訂《三禮目錄》。（本書）玉林先生《困學鈔》有〈六藝論〉一卷，甄採嚴核而時有漏略，先生爲之補次，閏六月成。（本書）官板《漢書》用宋影文本，載《蕭該音義》，先生讀之，以爲漢魏遺言，往往存什一於千百，誠罕覯之琦珍也，惜闕逸不完存者，多與宋氏及三劉之說相混，又或羼入顏《注》中，乃精加別白，錄爲三卷，都由研審得之，不濫不漏，差堪自信。段氏玉裁見而欣賞，助爲勘正謬誤。此月，先生爲之序。（〈刻漢書音義序〉。案：此文末云：「識於拜經家塾。」則時暫歸里。）

　　冬，過吳門。（〈漁隱小圃文飲記〉）

　　十月二十三日，袁氏廷檮招鈕氏樹玉、費氏士璣、顧氏廣圻、李氏銳、瞿氏中溶會飲「漁隱小圃」，段氏玉裁同飲，袁氏屬先生爲之記。（〈漁隱小圃文飲記〉。案：鈕氏匪石《日記鈔》：「丁卯十月二十三日，會臧在東。觀臧君《日記》內，辨顏子卒非三十二，歷舉古書以證，甚精確。又辨段干木乃段姓，名干木，亦不可易。又觀所輯《漢書蕭該音義》，久之千里來，共檢百三名家，因知郊天用麒麟皮幔鼓，非鄭康成說。」

三年戊午　三十二歲

　　春，阮氏移書來常州，屬以總編《經籍纂詁》之役，乃遵阮氏原例，申明而整齊之。復延弟禮堂相佐。（〈經籍纂詁後序〉）禮堂以服喪未畢，請施墨於冠，阮氏嘉其志而許焉。（王氏引之〈臧禮堂小傳〉）先生又請阮氏檄宋氏咸熙來司收掌對讀，乃鍵戶謝人事，暑夜汗流蚊積，猶校閱不置。書吏十數輩，執筆候寫，雖極繁❹，匆猝不敢以草率了事。與同纂嚴氏杰、趙氏坦往復辨難，皆學行交篤士也。（〈經籍纂詁後序〉）然先生天性戇直，有言必盡，欲少宛委一字而不可得，坐是不諧於俗，局中人皆不悅先生。（嚴氏元照〈與臧在東書〉。案：〈書〉見《悔菴學文》，注云「乙未」，「乙」當「己」訛。）自四月始，至八月告峻，凡五閱月，共成書一百一十六卷。❺（〈經籍纂詁後序〉）

---

❹　標點者按：「繁」字後當有「劇」字。（〔清〕阮元等撰：《經籍纂詁》，臺北：宏業書局，1993 年 8 月，書前附文。）

❺　標點者按：「一百一十六卷」當作「一百六卷」。（同上）

十一月，將有粵東之行，嚴氏元照貽雪牕書院本《爾雅》，先生審其雕刻，定為南宋本。（〈重雕宋本爾雅書後〉）

十二月，來粵東，為阮氏校勘《經籍纂詁》，阮氏表弟林氏慰曾同行。（《通俗文》林氏〈序〉。案：是歲秋後，先生還常州一次，見嚴氏元照〈奉少詹事錢竹汀先生書〉。）

四年己未　三十三歲

九月，刻《華嚴經音義錄》二卷、〈敘錄〉一卷（〈刻華嚴經音義錄序〉）、《漢書音義》三卷、〈敘錄〉一卷於南海古藥洲。（本書）此月，又刊《四庫全書通俗文字》。（〈四庫全書通俗文字跋〉。案：書係陸氏費墀撰，幸次郎未見。）先生採《一切經音義》諸書，輯《通俗文》一卷，稿始己酉仲夏，迄此十有一年，時有補正，卒無定本。林氏慰曾見其編，喜之，因為校正若干條，取以付梓。（〈刻通俗文序〉。案：據林氏〈序〉，刊成在九、十月間。）《經義雜記》三十卷，阮氏為先生料量刻資。（《經義雜記》阮氏〈題辭〉）

十月，汗青斯竟（〈跋經義雜記敘錄後〉），先生編〈敘錄〉一卷附其後。（本書）此月，又刊雪牕書院《爾雅》三卷，〈書後〉云：「試約同志於十三部中，不拘經注義疏，得一宋本，即為重雕。鏽堂雖貧儒，《爾雅》雖小經，其即以此為刻《十三經》注若疏之權輿也可。」（〈重雕宋本爾雅書後〉）此月，阮氏署理浙江巡撫事務。（張氏鑑〈雷塘庵主弟子記〉）

十二月，刻《詩經小學錄》四卷。（〈刻詩經小學錄序〉。案：此據文集注繫於此，本書載此〈序〉，署曰：「丁巳季冬。」恐誤。）先是先生採輯群書所引蔡氏《月令章句》，並錄集中〈月令問答〉、〈月令論〉二首為二卷，以存中郎梗概，此月序之。（〈刻蔡氏月令章句序〉）此月，刻《經籍纂詁》成。（張氏〈雷塘庵主弟子記〉）

五年庚申　三十四歲

正月，阮氏實授浙江巡撫。（張氏〈雷塘庵主弟子記〉）先生自廣東至（趙氏坦〈哭臧在東先生文〉），寓武林節署。（〈題慈竹居圖〉）先是《盧氏禮記解詁》已付梓，後見杭氏世駿本，乃復參考群書，重為補訂。三月，綴於卷末。（本書。案：此時所補凡五條，別有〈補遺〉二條，則未知何時補？）阮氏於西湖之陽

立「詁經精舍」，延王氏昶及孫氏星衍爲之主講。（孫氏〈詁經精舍題名碑記〉）
孫氏請崇祀先師許叔重、鄭康成於堂中，與先生及洪氏頤煊、震煊議所以書木主銜
者，先生以謂許君之子沖上書稱「太尉南閣祭酒」，比范史稱涿長爲得其實。涿長
官卑，不宜以此蓋太尉祭酒。孫氏以謂太尉官屬雖貴，由其自辟除，不及涿長之列
朝籍。涿長宜書，兼列太尉祭酒，如今人之書前官可也。洪氏兄弟以謂涿長尊於太
尉官屬，今主題涿長不及太尉祭酒可也，不得止題太尉祭酒。阮氏曰：「洪兩生議
是。」遂兼題之，如孫氏議（孫氏〈許叔重木主結銜議〉），曰「漢涿長太尉南閣
祭酒許公」。（段氏玉裁〈與阮梁伯書〉。案：據洪氏《筠軒文鈔》，先生與之辯
論，在四、五月間，先生後復作〈漢太尉南閣祭酒考〉曰：「涿長、祭酒非有尊卑
高下之殊，宜題『漢故太尉南閣祭酒許君』爲是。」蓋終不以洪說爲然。）以疾
辭，阮氏歸，坐一兒一女於側，自課之，數月不一出。（〈雙桂小圃記〉。案：
〈漢太尉南閣祭酒考〉末署云：「六月二日，考定於拜經家塾。」則歸里更在其
前。）

　　七月，檢錄《拜經堂集》。（〈上畢纕蘅制府書書後〉）宋槧不全，《左傳》
三冊，亦嚴氏元照詒也。

　　八月，書其後。（〈書宋槧左傳不全本後〉）先是癸酉先生寓吳門，書賈持宋
槧《爾雅》單疏，索價二十四金，先生急，慫惠袁氏廷檮如數購之。此月，假諸袁
氏，細意校出，閱九日卒業。（〈校宋槧板爾雅疏書後〉）。案：九月二十二日作
〈讀淇縣典史汪府君行述〉。十月二日作〈題嚴忍公小像〉，並〈誡子書〉均作於
西湖，則九、十月間，又往杭州。）段氏玉裁欲延一後生能讀書者，完《說文》稿
子。是歲，圖迎先生相助。（劉氏文興《劉端臨先生年譜》引段氏〈與劉氏書〉）

六年辛酉　三十五歲

　　阮氏校勘《十三經》，招先生與其事（〈送姚文溪大令還濟南序〉），且補訂
《纂詁》。❻（阮氏〈別傳〉）

　　正月，先生往杭州就其聘（〈亡弟和貴割肱記〉），校經於紫陽書院。（趙氏

---

❻　標點者按：臧氏補訂《經籍纂詁》，於阮氏〈別傳〉中爲嘉慶五年事，非六年。（〔清〕阮
　　元撰：《揅經室集》上冊，北京：中華書局，1993 年 5 月，頁 523。）

坦〈哭臧在東先生文〉）時阮氏再延禮堂（嚴氏可均〈臧和貴別傳〉），禮堂曰：
「兄弟皆侍膝下，誰爲負米者？皆客遊，誰爲視膳者？兄與禮堂一人出，一人留，
可乎？侍郎招幸，以此辭。」先生謁阮氏，以弟語辭，阮氏默然，遂延他客。
（〈亡弟和貴割肱記〉）

　　五月，太夫人中風疾，醫者不能治。禮堂齋戒禱東嶽祠，請減壽一紀以延母
（〈亡弟和貴割肱記〉），乃割肱以療之（段氏玉裁〈臧孝子傳〉），太夫人忽
癒。（焦氏循〈孝節處士臧君墓表〉）和貴生不自言，死後眾見其創痕，乃大白。
（段氏〈臧孝子傳〉）

　　六月，得禮堂書，言母疾危甚，今已癒。先生載驚載喜，即歸省，而母疾良
癒。禮堂故不言母疾時事，家人亦無有言禮堂侍疾時事者。先生遂至江寧鄉試而往
杭州（〈亡弟和貴割肱記〉），在江寧謁姚氏鼐。（〈與姚姬傳郎中書〉）

　　十月，陳氏善以玉林先生輯《六藝論》及先生輯《三禮目錄》合爲一冊付梓。
（陳氏〈刻六藝論、三禮目錄書後〉）

　　十二月，朔。阮氏過詁經精舍，訪顧氏廣圻及先生作詩。（阮氏《揅經室四
集》。案：時顧氏與先生不平。是歲，顧氏借袁氏廷檮手鈔錢氏大昕《唐石經考異
傳錄》一部，於先生所籤校咸加駁詰。又翌歲正月，跋先生所校《經典釋文》，
曰：「近知此人好變亂黑白，當不足憑。」見趙氏詒琛《顧千里先生年譜》。）此
月，鮑氏廷博見《孝經》鄭氏解先生輯錄本，喜其精核，與日本新出本合刊。
（《孝經鄭氏解輯本》阮氏〈題辭〉。）與汪氏輝祖交（〈霜唄遺音書後〉），爲
之代徵雙節文字。（汪氏《夢痕錄餘》）

七年壬戌　三十六歲

　　校經杭州。（〈霜唄遺音書後〉）

　　三月，宋氏咸熙刊宋《呂氏古周易音訓》輯本，先生代作〈序〉（〈刻呂氏古
易音訓序〉），又校其上卷。（本書）

　　九月，《十三經》分校者先竣，因請阮氏歸。（〈送姚文溪大令還濟南序〉）
後阮氏復訂其是非，爲《周禮注疏校勘記》十二卷、〈釋文校勘記〉二卷；《公羊
注疏校勘記》十一卷、〈釋文校勘記〉一卷；《爾雅注疏校勘記》六卷、〈釋文校
勘記〉一卷。（阮氏〈十三經注疏校勘記序〉）此月，孫氏馮翼刊《爾雅漢注》三

卷。（本書）始，先生見馮翼父曰：「秉於濟南使院，與馮翼爲學問交，馮翼刊《問經堂叢書》數十種，此其一也。」（〈題孫葆年中丞遺像〉。案：孫氏同時所刊《世本》有校於白下木記，則此亦刊於江寧。）先生既歸，上侍老母，下撫群季，慨然念家事之敗也！棄儒就賈。（〈送姚文溪大令還濟南序〉）

八年癸亥　三十七歲

棄儒就賈，經理之一歲，不可爲，仍棄去，復理故業。（〈送姚文溪大令還濟南序〉）

九年甲子　三十八歲

二月，來吳，與袁氏廷檮聚首累日。（〈霜哺遺音書後〉）是歲，先生應京兆試。

三月，來杭，謀行李之資，不可得，大困。悵然欲歸，遇姚氏文溪於西湖孤山之麓，其人慷慨自任，於先生邂逅交耳，知先生欲遊京師而困於資也，許作書於其親，爲謀旅食計。（〈送姚文溪大令還濟南序〉。案：「文溪」，字也，未詳其名。）乃入都，命季弟屺堂司家業。（段氏〈臧孝子傳〉）舟過寶應，劉氏台拱時居繼母憂（〈書劉端臨先生遺書目錄後〉），許撰〈論語鄭注序〉（劉氏文興《劉端臨先生年譜》引先生〈與劉氏書〉），謂精覈過王伯厚。又謂曰：「糧船催趲，上流堵截至濟寧，舟益難行，貽書河道，王懷祖先生爲子謀車馬，甫可達。」因餽以贐，偕弟台斗步送河干。先生再拜，而後分袂。明年，劉氏下世，此行竟成永訣。（〈書劉端臨先生遺書目錄後〉）時王氏念孫官山東運河道，先生過其廨舍，王氏他往，不獲見。（《拜經日記》王氏〈序〉）

四月二十八日，到京師，寓椿樹胡同王氏引之所。（《劉端臨先生年譜》引〈與劉氏書〉）王氏以任氏大椿《字林考逸》屬校刪，又持釋藏《唐釋湛然輔行記》至，曰：「君昔錄慧苑書矣，蓋踵爲之。」先生乃掇錄二卷，浹旬而成，去取之例，視諸《華嚴》。（〈錄唐釋湛然輔行記序〉）

五月，訪孫氏馮翼於涿州官舍（〈孫太恭人六十序〉），題其父曰：「秉遺像。」（〈題孫葆年中丞遺像〉）此月二十三日，就館內城豐盛胡同覺羅桂芳家，陳氏壽祺所薦也。（《劉端臨先生年譜》引〈與劉氏書〉）桂芳命其弟桂菖從先生學。（阮氏〈別傳〉）先是在武昌制署，與畢生蘭慶講《史記》，因點勘《孔子世

家》，成《年表》一卷，至是與桂菖談《史記·世家年表》說多所補益。（〈孔子年表自序〉）又敘《孟子年譜》，辨齊宣王、湣王之訛，陳氏壽祺歎爲絕識。（阮氏〈別傳〉）至是先生改名「庸」（焦氏循〈節孝臧君墓表〉），弟禮堂致書規之，曰：「『君子已孤不更名』，不應更名。」（段氏玉裁〈臧孝子傳〉）「蘇忿生、宓不齊皆二名也，名以傳信，取名不定，字號太多，反致歧惑！」（焦氏〈節孝臧君墓表〉。案：先生改名之時，不可審知，然此歲仲夏以前，多署「鏞堂」或「庸堂」，唯辛酉〈題慈竹居圖〉署「庸」，此歲七月，序《孔子年表》以後，乃無不署「庸」，姑繫於此。）

八月，應順天甲子鄉試，房考吳氏其彥薦其文，主司抑之。（阮氏〈別傳〉）蓋先生留意《子夏易傳》幾二十年，謂子夏之爲韓嬰，當以《七略》、《七志》、《七錄》爲據，此科策問首及之。先生大言子夏非卜商，乃漢韓嬰，而考官深擯之云。（〈子夏易傳序〉）先生在都，季弟屺堂司家業而嚮時折閱，一旦敗露，先生聞，不勝其憤，札示諸弟欲獨居。叔弟禮堂與先生札規之，先生讀其書，引咎自責，兄弟益和。（段氏〈臧孝子傳〉）

十年乙丑　三十九歲

先是先生於《易》錄馬、王義；於《書》錄馬、鄭、王義；於《禮記》錄王肅注；於《儀禮》錄馬、王〈喪服〉注；《春秋左氏》則命弟禮堂錄賈、服、王等說。是春，命覺羅生桂菖（〈毛詩馬王微序〉。案：此文《文集》失收。）撥取《釋文》、《正義》所引馬、王《詩》義，兼錄王基、孫毓說，曰：《毛詩馬王微》（孫氏馮翼〈刻毛詩馬王微序〉），〈國風〉，小、大〈雅〉、〈頌〉各一卷。匝月蕆事，先生覆勘再四而後定。（〈毛詩馬王微序〉）

閏六月二十八日，弟禮堂卒。（〈亡弟和貴割肱記〉）先是禮堂往杭州謀館地（段氏〈臧孝子傳〉），是歲四月（焦氏〈節孝臧君墓表〉），邢氏澍以校經聘（嚴氏可均〈臧和貴別傳〉），乃客長興。（焦氏〈節孝墓表〉）留三月，遇疾歸，遂死。（嚴氏〈和貴別傳〉）先生聞喪，涕泗酷慟，旁採儒議，私諡之曰「孝節」。（陳氏壽祺〈孝節處士臧君墓表〉）撰行略（〈跋汪銳齋員外題孝節遺書後〉），即《孝節錄》，（法氏式善〈臧和貴行狀書後〉）摹印百本。（〈跋汪銳齋員外題孝節遺書後〉）乞朱氏珪等諸名儒之詩文以表章之。（阮氏〈別傳〉）又

欲請旌孝子而力未逮。（〈節孝項母葉安人小傳〉）

　　《日記》四卷，都中作，所愜心者，在《言韻》一卷，王氏引之、陳氏壽祺皆詒書爭之，惟王氏念孫頗以先生說爲然。（〈與汪漢郊書〉）始先生遊山左，阮氏元面述王氏念孫說《詩‧卷阿‧鳳皇鳴矣章》，字字有韻（《昭代經師手簡‧與王氏念孫書》）：「鳴」韻「生」，「岡」韻「陽」，「高」韻「朝」外，「矣」韻「矣」，「于」韻「于」，「彼」韻「彼」，「菶菶」韻「雍雍」，「萋萋」韻「喈喈」，「鳳皇」與「岡」、「陽」韻，「梧桐」與「菶」、「雍」韻。（〈答陳恭甫編修論冠昏辭韻書〉）先生心竊善之，於此讀《經義述聞》，疑《儀禮》冠昏辭命，亦字字有韻，乃著其說（《昭代經師手簡‧與王氏書》）曰：「如『某不敏』、『以歲之正，以月之令』、『令月吉日』；『唯恐弗堪』、『儷皮束帛』、『使某將請承命』、『某固敬具以須』、『戒之敬之，夙夜毋違命』、『勉之敬之，夙夜毋違宮事』、『申之以父母之命，命之：敬恭聽宗爾父母之言，夙夜無愆，視諸衿鞶』、『姆辭』、『支子則稱其宗，弟則稱其兄』之類，靡字非韻。」（〈答陳恭甫編修論冠昏辭韻書〉）陳氏斥爲破碎煩亂，移書再爭，言《三百篇》無其例。先生舉〈匏有苦葉〉、〈鴟鴞〉、〈卷阿〉等篇復之，陳氏亦未能信。（《昭代經師手簡‧與王氏書》）

　　爲阮氏校補《經郛》。（同上）

　　十二月，得家書，知太夫人念先生甚切，即欲歸省，適孫氏馮翼以車來迓，遂出都。（〈孫太恭人六十序〉）汪氏德鉞餽賟治具，並寓書交好，爲謀行李資。（〈跋汪銳齋員外題孝節遺書後〉）過涿（〈孫太恭人六十序〉），孫氏馮翼以《子夏易傳》輯本示先生理之。（〈子夏易傳序〉）

十一年丙寅　四十歲

　　元旦，在孫氏涿州官舍，孫氏久意延先生訂纂經史，兼課其子，至是遂欲留之，先生約以異日（〈孫太恭人六十序〉）。十八日，次富莊驛（〈子夏易傳序〉）。此月孫氏取《毛詩馬王微》授梓。（孫氏〈刻毛詩馬王微序〉）

　　二月，抵里。（〈亡弟和貴割肱記〉）時伊氏秉綬守揚州，阮氏在籍（焦氏循〈揚州足徵錄序〉），居父憂（張氏鑑〈雷塘庵主弟子記〉），相約纂輯《揚州圖經》（焦氏〈揚州足徵錄序〉）。案：《昭代經師手簡》先生〈與王氏念孫書〉謂之

《廣陵圖經》，當是一書。），延先生。（阮氏〈別傳〉）

　　三月，來揚，寓阮氏家（〈題汪孝嬰北湖訪焦君圖〉），同事者焦氏循、趙氏懷玉、袁氏廷檮。（焦氏〈揚州足徵錄序〉）阮氏常生刊劉氏台拱《遺書》三卷，先生與張氏鑑、阮氏亨、阮氏蔭曾同校字。（本書）

　　六月，來長興。（〈跋長興臧氏族譜〉）秋，有事返舍。（《昭代經師手簡·與王氏念孫書》）

十二年丁卯　四十一歲

　　客廣陵。（〈嚴景高字伯修說〉）

　　六月，喪母（〈節孝項母葉安人小傳〉），里居。（〈與王伯申學士書〉）始，太夫人在日，頗以冢婦為能，常欲率先生別居以避諸婦，賫志而沒。先生葬母後，遂讓宅諸弟。（〈答陳恭甫太史書〉）是歲，伊氏以憂去，阮氏起服入朝，修《圖經》事遂寢。而己巳、庚午間，修《揚州府志》，即原本於《圖經》中，多有先生所輯錄（焦氏〈揚州足徵錄序〉。案：所謂《府志》即長白阿克當阿重修者，有嘉慶庚午刊本。），復應阮氏招，至杭州，讀書於北關署中。（阮氏〈別傳〉）時劉氏鳳誥督學浙江，聘先生編次《五代史記注》。（〈節孝項母葉安人小傳〉。案：趙氏坦〈哭臧在東先生文〉以入劉幕為明年事。）

十三年戊辰　四十二歲

　　阮氏復撫浙。三月，抵任。（張氏鑑〈雷塘庵主弟子記〉）

　　六月，阮氏續得劉氏台拱《經傳小記文集》，編定遺書，凡八卷，屬先生校字。（〈書劉端臨先生遺書目錄後〉。案：八卷，本書初刻本作四卷。）

　　十一月，始見淩氏廷堪於浙撫署齋。（〈題淩次仲教授校禮圖〉）

十四年己巳　四十三歲

　　三月，自杭還里，後復往杭。（〈宋學均字師鄭說〉）

　　九月，阮氏革職。（〈雷塘庵主弟子記〉）

　　冬，還里。（〈蘇景程先生行狀〉）病。（阮氏〈別傳〉）

十五年庚午　四十四歲

　　春，客仁和場章氏子卿署，時患足疾。（趙氏坦〈哭臧在東先生文〉。案：子卿，字也，未詳其名，段氏《經韻樓集》有〈與章子卿論加字書〉。）

　　五月，應順天試。（張氏紹南《孫淵如先生年譜》）北上（趙氏〈哭文〉），過安德，謁孫氏星衍，於山東督糧道署下榻。逾月，與孫氏及洪氏頤煊同校《管子》（張氏《孫淵如年譜》），約簽記六、七百則。（〈與孫淵如觀察論校管子書〉）先是孫氏撰《史記天官書考證》，屬先生及洪氏是正其得失（洪氏〈史記天官書補正〉。案：以洪氏《筠軒文鈔》篇第考之，事當在戊辰、己巳間。），至是又屬覆勘（張氏《孫淵如年譜》。案：《史記天官書考證》，幸次郎未見。），時管氏同與孫氏為《尚書義疏》稿（張氏《孫淵如年譜》），先生與之昕夕聚首（〈與姚姬傳郎中書〉），適畢氏以田自東昌來見，先生及管氏極相契，為平津館一時佳話。（張氏《孫淵如年譜》）孫氏又以向所撰《尚書皋陶謨義疏》授先生（張氏《孫淵如年譜》），先生謂「撻以記之」以下，至「敢不敬應」七十四字，《史記》不載，馬、鄭《注》不見，斷為《尚書》本無。出魏晉人偽撰，作《皋陶謨增句疏證》，其說濫觴孫氏，輔以管氏、畢氏，條舉件繫，自信不誣。（陳氏壽祺〈與臧拜經辨皋陶謨增句疏證書〉。案：先生此說似甚僻，陳氏、阮氏皆與書爭之。今檢《拜經日記》及《文集》等，皆無此言，蓋先生亦不能自持其說矣！先生於孫氏《尚書古今文注疏》助其校讎，其〈皋陶謨‧疏〉亦不言此義。又案：「七十四字」當作「七十七字」。）

　　王氏念孫官直隸永定河道。六月，先生過之（《拜經日記》王氏〈序〉），先生於王氏，景仰二十餘年（〈與王懷祖觀察書〉），相見極歡（《拜經日記》王氏〈序〉），再遊京師。（〈列女傳補注序〉）

　　八月，擬刻《愛日居遺文》（〈與宋芷灣太史論刻愛日居遺文書〉）。「愛日居」者，亡弟禮堂取《法言》以顏其居也。（段氏玉裁〈臧孝子傳〉）應順天庚午鄉試，不中式。（阮氏〈別傳〉）

　　九月，汪氏德鉞子攜其父遺書至京師，乞先生校定（〈禮部儀制司員外郎汪君德鉞行狀〉。案：汪氏《七經偶記》、《四一居士文鈔》皆署先生編次。），寓吳氏烜家（〈列女傳補注序〉。案：烜，其彥父。），為之纂輯《中州文獻考》。絕大著作，以一人撮之（〈答翁覃谿鴻臚卿書〉），每夜必至漏三、四下。（〈與秦小峴少司寇書〉）王氏念孫罷官，養痾都下，與先生所居，相去數武。（《拜經日記》王氏〈序〉）先生因得朝夕請益（〈列女傳補注序〉），王氏之待先生也，開

先生名授門者曰：「客來則謝以疾，惟臧某至，則延之。」又其子引之，與先生爲學問之交，數數來寓中。（〈與秦小峴少司寇書〉）時所與往還講論，書問不絕者，又有秦氏瀛、阮氏元、郝氏懿行（〈答翁覃谿鴻臚卿書〉），一時師友之盛，日以經史古義相研究，樂此不疲，兀坐成疾，不以爲困也。（〈列女傳補注序〉）是歲，《蔡氏月令章句》刊成。（與秦小峴少司寇書）

十六年辛未　四十五歲

新正，校起任氏大椿《小學鈎沉》，王氏父子囑也。然時又纂輯《中州文獻考》，又爲汪氏編校遺書，從事《小學》三分之一。（〈與王伯申學士論校《小學鈎沉》書〉）

三月，校《鈎沉》九卷，將竣。（〈上阮雲臺侍講書〉）先是陳氏壽祺充國史館總纂，手書言玉林先生當入國史儒林傳，索取《尚書集解案》，意欲採其精者入列傳。（〈上阮雲臺侍講書〉）

庚午七月（〈陳氏先考行實〉），陳氏遭大故，阮氏續爲總纂，有嫉怨之士（〈上阮雲臺侍講書〉），曰《經義雜記》多非出於玉林先生原有之言（方氏東樹《漢學商兌》），又曰《雜記》前有康熙癸未〈自序〉，稱閻百詩爲之作〈序〉，平生知己一人而已。然閻氏所著書中，絕不道及玉林一字，即〈序〉文亦不見於《潛丘箚記》。意玉林當日原有其書，而未若今本卷帙之富，或後人有所附益。（周氏中孚《鄭堂讀書記》）阮氏爲之惑焉！此月，先生與阮氏書曰：「此書在當時有閻徵君〈序〉，丁教授輯錄遺文并見徵君手稿，在康熙丁丑；盧學士修《常州府志》採入〈儒林傳〉，及校勘《經典釋文》撰入〈考證〉，在乾隆己酉、庚戌間。時庸年二十有三，亡弟年始十四、五，誰能爲潤色？且此書爲學者流傳已久矣，如閻、惠二徵君、盧學士、錢詹事、段大令皆尊信此書，又閣下手撰先考家傳，《定香亭筆談》、〈經義雜記題辭〉，均有獎勵之言，即辱知於庸，未始非因其儒者之後，故與之晉接，久而不衰，今操著作之柄，欲以明正學、黜僞儒，遽改其從前之所見耶？先人之書，刊於子孫，即間有一、二刪訂，亦校字者之責也，可因此疑其全體乎？」（〈上阮雲臺侍講書〉。案：今阮氏〈儒林傳稿〉，有〈玉林先生傳〉。）

四月，病痁。（宋氏翔鳳〈亡友臧君誄〉）擬附舟南還調治。（《昭代經師手

簡二編‧與王氏引之書》。案：〈書〉又云：「《鉤沉》未刻稿，自卷十三至卷二十，皆檢出本書，逐字校正，凡經刪補，俱有確證，不同於人。」末署「初六日」，未知何月作？）

五月，猶篤學不倦，但精力不如前。（〈與王懷祖觀察論校小學鉤沉書〉）

七月二十七日（宋氏〈誄〉），卒於吳氏館。（阮氏〈別傳〉）先生屢擯有司（〈刻庚午落卷跋〉），竟以諸生終。（錢氏林《文獻徵存錄》）配許氏（〈亡弟和貴割肱記〉），一子一女（〈雙桂小圃記〉），子相，字木齋（《光緒武進陽湖縣志》。案：劉氏承寵有〈弔亡友臧木齊文〉，「齋」字作「齊」。），從吳氏士模遊（《拜經堂文集》吳氏〈序〉），傳其父業（《縣志》），能守其遺書，不致湮滅。（宋氏翔鳳〈論語鄭注序〉）嘉慶己卯，抱之來粵東，謁見阮氏元，阮氏命採擇其要者，代為付刊，遂以《拜經日記》十二卷授梓。（《拜經日記》相〈跋〉）道光辛巳，舉於鄉（《縣志》），後病卒京師。（《韓詩遺說》趙氏之謙〈序〉。案：劉氏承寵卒道光七年，相卒更在其前。）著《漢學師承記》，分別漢宋，畛界劃然。相子熙，字仲金，縣學生，覃精經訓，能世其家。（《縣志》）

附：遺書目錄

《子夏易傳》一卷

《譜》乙丑已見。有承德孫氏問經堂刊本，署「孫馮翼撰，臧庸述」。實先生撰也。阮氏〈別傳〉曰：「以《子夏傳》為漢韓嬰所撰，非卜子夏。惟採《釋文》、《正義》、《集解》、《古易音訓》、《大衍議》五家，不取宋以後說。」有嘉慶丙寅上元後三日〈自序〉。

《馬王易義》一卷

《譜》乙丑已見。有問經堂刊本。

案：《問經堂叢書》又有《易義考逸》一卷，署「孫彤撰」。有嘉慶戊辰十月孫氏〈自序〉，云：「倈戢集解三十五家之外，命曰『考逸』，不敢自信，復質之通人臧文學庸，始克成此帙。」疑亦先生所為。「彤」，馮翼又名。

《校鄭康成易注》二卷

見阮氏〈儒林傳稿〉並〈別傳〉。

《周易鄭注敘錄》一卷

　　《譜》丁巳已見。有嘉慶二十四年蕭山陳氏湖海樓刊本。

《周易注疏校纂》三卷

　　《譜》庚戌、辛亥已見。〈自序〉見《文集》。

《馬鄭王書義》

　　《譜》乙丑已見。

《尚書注疏校纂》三卷

　　《譜》己酉、庚戌已見。〈自序〉見《文集》。

《毛詩馬王微》四卷

　　《譜》乙丑已見。有問經堂刊本，有嘉慶乙丑立春日〈自序〉，十一年正月既
　　望孫氏馮翼〈序〉。

《韓詩遺說》二卷，《訂訛》一卷

　　《問經堂叢書》列目未刊。有光緒六年會稽趙氏仰視千七百二十九鶴齋刊本、
　　光緒乙未元和江氏靈鶼閣刊本，均有同治九年趙氏之謙〈序〉，曰：「余所藏
　　得自錢塘何氏夢華館，辛酉亂後失去，乙丑冬復獲之坊肆，已闕三葉。仁和譚
　　仲儀有汪氏振綺堂寫本，遂假歸補錄，復爲完書。」云云，《靈鶼閣》本附載
　　陶氏方琦校語。阮氏〈別傳〉曰：「顧千里以爲輯《韓詩》者眾矣，此爲最
　　精。」其《訂訛》一卷，訂呂東萊《讀詩記》、王伯厚《詩考》之訛。

　　阮氏〈儒林傳稿〉云：「《遺說》三卷，《訂訛》一卷。」蓋通《遺說》、
　　〈附錄〉數之，故曰三卷，實非有別本。

《詩考異》四卷

　　阮氏〈別傳〉曰：「大旨如王伯厚，但逐條必自考輯，絕不依循王本。」

《陸璣草木蟲魚疏》❼

　　見《文集‧纂十三經集解凡例》。

《毛詩注疏校纂》三卷

---

❼　標點者按：「璣」原作「機」，今據正。

《譜》己酉已見。〈自序〉見《文集》。

《詩經小學錄》四卷

　　《譜》辛亥已見。有嘉慶丁巳自刊本，本所影本用之。阮氏刻《皇清經解》，亦以此本付梓。段氏原書三十卷，有道光乙酉抱經堂刊本。

《周禮賈馬注》

　　見〈纂十三經集解凡例〉。《光緒武進陽湖縣志》云：「存。」

《儀禮喪服馬王注》一卷

　　《譜》乙丑已見。有問經堂刊本。

《盧氏禮記解詁》一卷，〈附錄〉一卷，〈補遺〉一卷

　　《譜》己酉、庚戌、庚申已見。刊本有三：一、乾隆庚戌盧氏文弨刊本；二、光緒庚子南陵徐氏刊《鄦齋叢書》本；三、本所影乾隆本。均有乾隆五十四年長至日盧〈序〉。

《禮記王肅注》一卷

　　《譜》乙丑已見。卷數依〈儒林傳稿〉，《光緒縣志》云：「存。」

《蔡氏月令章句》二卷

　　《譜》丙午、己未、庚午已見。刊本有四：一、嘉慶庚午自刊本；二、光緒庚子南陵徐氏刊《鄦齋叢書》本；三、光緒甲申上海文藝齋刊本；四、本所影嘉慶本。均有嘉慶己未季冬月〈自序〉，文藝齋本別有淞城張寶琪〈跋〉。

《月令雜說》一卷

　　《譜》戊申已見。又見《文集・與段明府書》，卷數依阮兩〈傳〉，《光緒縣志》云：「存。」

《樂記二十三篇注》一卷

　　見阮兩〈傳〉，《光緒縣志》云：「存。」

《三禮目錄》一卷

　　《譜》癸丑、丁巳、辛酉已見。陳氏善與《六藝論》合刊於嘉慶辛酉。本所影本用之，有乾隆癸丑重陽前三日〈自跋〉，嘉慶丁巳三月〈自跋〉，嘉慶辛酉陳氏合刊〈跋〉。別有《鄦齋叢書》本，無陳〈跋〉。

《鄭氏論語注》二卷

《譜》己酉、甲子已見。

《孝經鄭氏解》一卷

《譜》辛酉已見。署「武進臧鏞堂述，同懷弟禮堂學」，刊本有四：一、歙鮑氏《知不足齋叢書》本；二、文化十二年國朝昌平學覆《知不足齋》本，今版歸京都帝國大學；三、光緒二十年吳曹氏元弼刊本；四、民國辛酉上海古書流通處影印《知不足齋叢書》本。均有嘉慶辛酉季冬阮氏元〈題辭〉、壬戌孟冬嚴氏杰〈識語〉。據「子曰先王」下案語，當別有敘錄，諸本皆無之。

《孝經考異》一卷

見阮兩〈傳〉，《光緒縣志》云：「佚。」

《六藝論》一卷

玉林先生原輯，先生補。詳見《譜》丁巳、辛酉。刊本有三：一、嘉慶辛酉仁和陳氏刊本；二、光緒庚子南陵徐氏《鄘齋叢書》本；三、本所影嘉慶本。均有嘉慶丁巳閏月〈自跋〉。

《聖證論》一卷

見阮兩〈傳〉。

《經義雜記敘錄》一卷

《譜》己未已見。附於嘉慶己未刊本。書本所影本用之，《皇清經解》本無《敘錄》。

案：世人或言《雜記》爲先生託名高祖之作，據《譜》辛未所錄，則同時人已有此言，近時葉氏德輝又張其說，謂其書不類清初人言，直是先生一手改定。（《郎園讀書志》）幸次郎曰：「此言殆不然！玉林於風氣未開之先，爲漢儒之學，誠所僅見，然其所言博大通易，與乾嘉時風氣判然不同，且博而能奧，易而能確。若曰皆出於先生僞造，則先生之學，恐無此精詣矣。焦氏循《雕菰集》有〈書潛研堂文集後〉，亦辨論者之誣。」

《拜經日記》十二卷

《譜》辛亥、癸丑、乙丑並〈後語〉已見。有嘉慶己卯子相刊本，本所影本用之，有乾隆甲寅〈自識〉，嘉慶己卯十一月相〈書後〉，庚辰阮氏元〈序〉，莊氏述祖、許氏宗彥、陳氏壽祺〈贈言〉，又有王氏念孫〈序〉，見《王石臞

先生遺文》，許氏宗彥〈序〉佚，文見阮氏〈儒林傳稿〉（〈儒林傳稿〉又引嚴氏元照〈序〉。案：其文實〈經義雜記跋〉。），今本皆未刻。別有《皇清經解》本八卷，不全。

據《譜》乙丑所錄，《日記》初稿有〈言韻〉一卷。己巳季冬，莊氏述祖〈贈言〉則云：「〈論韻〉四卷。」當另爲編次，今本無之，殆從莊氏言刊落之與。王氏〈序〉曰：「《日記》所研究者，一曰諸經今古文，二曰王肅改經，三曰四家《詩》同異，四曰《釋文義疏》所據舊本，五曰南北學者音讀不同，六曰今人以《說文》改經之非，七曰《說文》訛脫之字。而於孔、孟事實，考之尤詳，若其說經所旁及者，叔孫、《禮記》、南斗、文昌之類，皆確有根據，而補前人之所未及。」案：王氏此〈序〉，作於先生易簀前一月，而今本與之一一相符，即知其爲晚年所手定之本矣！阮氏〈別傳〉曰：「高郵王懷祖先生亟稱之，用筆圈識其精確不磨者，十之六七。」

《爾雅漢注》三卷

　　《譜》己酉、辛亥、壬戌已見。有孫氏《問經堂叢書》本、朱氏《槐廬叢書》本，均有乾隆五十四年陽月既望盧氏文弨〈序〉，其先生〈自序〉載《文集》，刻本無。朱氏重刊〈跋〉云：「舊刻本謬誤頗多，因重爲校訂，補其缺，正其訛，刊行於世。」阮氏兩〈傳〉謂之《爾雅古注》。

《說文舊音考》三卷

　　見阮氏兩〈傳〉。

《通俗文》一卷，〈敘錄〉一卷

　　《譜》己酉、己未已見。有嘉慶己未甘泉林氏刊本，近北平董氏《邃雅齋叢書》影印之，有己未七月〈自識〉，並九月林〈序〉，別有弟禮堂增補本，見段氏〈臧孝子傳〉。

　　洪氏亮吉《更生齋文甲集》有〈復臧文學鏞堂問通俗文書〉。

《古韻臆說》

　　見《文集・與王懷祖觀察書》，殆《拜經日記》中〈論韻〉之卷，之後另爲篇者。

《漢書音義》三卷，〈敘錄〉一卷

　　《譜》丁巳、己未已見。有己未自刊本，本所影本用之。別有光緒戊子德化李

　　氏刊《木犀軒叢書》本，均有丁巳閏六月〈自序〉，而字句稍異。

《賈唐國語注》一卷

　　見阮氏〈儒林傳稿〉，〈別傳〉云：「二卷。」

《帝王世紀》一卷

　　見阮兩〈傳〉。

《孔子年表》一卷，《七十子表》一卷，《孟子編年略》一卷

　　《孔子年表》，《譜》甲子已見，三書均嘉慶壬申覺羅桂葆養心齋刊，即《皇
朝經解》之第一卷也。首有嘉慶甲子七月二十一日〈自序〉。《孔子年表》前有
〈上錢莘楣少詹書〉，與《文集》同，惟彼注「乙卯」，此作「丙辰」爲異。
《孟子編年略》前有〈孟子先見梁惠王考一〉、〈齊宣王取燕十城考二〉，與
《拜經日記》同。此書流傳絕少，幸次郎在北平於廠肆得之，其《孔子年
表》、《七十子表》，東莞倫先生明有拜經堂稿本，字句與刻本稍異。又《孔子
年表》前有〈雜記〉五則，《七十子表》前有〈拜經日記〉四則，〈周秦名字
解故校補〉二十六則，又〈雜記〉三則，皆刻本所無，幸次郎亦錄副藏之。

　　《皇朝經解》第二卷爲《易虞氏變動表》等，第三卷爲《公羊諸例》等，其目
見周氏中孚《鄭堂讀書記》，俱劉氏逢祿撰也。劉本桂芳所取士，是以桂葆刊
《經解》及之，周氏乃曰：「亦皆先生所撰。」誤甚。京都大學藏劉氏《春秋
公羊經何氏釋例》舊刻本，後附言：「《虞氏易》者數種，與周氏所列目合，
而版心時有『皇朝經解』字，蓋即周氏所見。」

《臧氏文獻錄》六卷

　　見阮氏〈別傳〉。❽

《孝節錄》

　　即弟和貴〈行略〉，《譜》乙丑已見。

《阮孝緒七錄》

　　阿部君吉雄云：「東莞倫氏有其書。」幸次郎未見。

《尸子》一卷

---

❽　標點者按：《臧氏文獻錄》，阮氏〈別傳〉「錄」作「考」。

見阮氏〈儒林傳稿〉、〈別傳〉。

《新譯大方廣佛華嚴經音義錄》二卷，〈敘錄〉一卷

　　《譜》癸丑、甲寅、己未已見，有己未自刊本。有乾隆癸丑仲冬十七日〈後
　序〉。又嘉慶四年九月一日〈後序〉，本所影本用之。又有同治八年仁和曹籀
　刊本，附於《一切經音義》。

《輔行記錄》二卷

　　《譜》甲子已見。《輔行記》別有績溪胡氏澍、江都張氏心泰所錄本，均曰：
　「臧本未見。」

《拜經堂文集》

　　阮氏兩〈傳〉云：「《拜經堂文集》四卷。」《拜經堂叢書·總目》則云：
　「《拜經文集》六卷。」（注曰未刻。）《武陽志餘》同，且引薛氏子衡
　〈序〉，云：「爲文凡百三十篇。」此兩本皆不傳，今世所行，則民國庚午上
　元宗氏影印漢陽葉氏寫本，凡五卷，百三十二篇，幸次郎作《年譜》用之，首
　有阮氏〈別傳〉、宋氏〈誄〉，嘉慶二十年仲春秦氏瀛〈序〉，二十二年九月
　朔日吳氏士模〈序〉。（《武陽志餘》以此爲〈拜經日記序〉。）別有《皇清
　經解》本一卷，不全。又據繆氏荃孫〈乙丁稿常州先哲遺書正續集緣起〉，則
　復有舊刻本二卷（《遺書》中未刻。），幸次郎未見。

《試藝偶存》

　　見《文集·答翁覃溪鴻臚卿書》，云：「有刻本。」未見。

《臧氏述錄》

　　此先生所自著書之編爲叢刻者也。合《禮記解詁》、《月令章句》、《詩經小
　學》、《漢書音義》、《華嚴音義》及所刊《宋本爾雅》爲此名。其題檢出於
　伊氏秉綬手，則嘉慶丁卯先生客廣陵時所自編與。東京研究所有此書，其封面
　鈐朱記曰《月令章句》續出（此頁影入本所影本），蓋《章句》庚午始刊成，
　厥時猶未出故也。後又增《拜經日記》、《經義雜記》、《三禮目錄》、《六
　藝論》、《月令章句》於《述錄》六種而成《拜經堂叢書》，即今本所所影之
　本是也。蓋先生子相所編其《拜經文集》六卷，及玉林先生《尚書集解》一百
　二十卷，《叢書》止列於目，未刻。

後序

今年五月，本所既影印《拜經堂叢書》成，幸次郎得遍覽臧在東先生遺書，乃掇其學行之略，爲〈年譜〉一卷，〈遺書目錄〉一卷，聊以貽同志之讀先生書者。竊嘗論之清代毘陵之學，好講微言，託體雖尊，恐非君子爲可繼之道。先生爲玉林之玄孫，繩厥祖武，發疑正讀，勤勤終身，蓋與張氏惠言並爲卓犖不群，雖所學不盡同，而弗愧於實學一也。

先生弱冠，以盧氏爲師，繼因盧氏受知錢、段二公，中年數爲阮氏之客，晚又奉手王氏之門，師友極盛。先生於諸公，或能得其一體，或直過而上之。段氏於常邑之士，獨稱先生曰：「學識在孫、洪之上。」非過譽也。或病其說經動求新奇，終鮮確詁，爲仍不脫常人之習。幸次郎曰：以先生之學，視段、王諸公，誠有間矣！然阮氏《纂詁》之編，實賴先生始潰於成，即此一事，已覺精力可敬，而後學之蒙其福者，將無窮焉！安可執其一端，以爲責備之論也？諸大師之於先生，甚重其學，段氏之注《說文》，「忕」字、「窅」字及讀正〈虞書正義〉；錢氏之考「地」字古音；王氏之言古詩隨處有韻，皆由先生助其討論。先生所言，諸公或從或不從，而將伯之勞，終不可沒。且諸大師立說之由，或賴先生書而始明，斯亦非先生之書之甚有功於後學者乎？王氏引之目先生曰：「討論精悍，今讀其書，惟茂堂、懷祖推崇，終始不渝。先儒惠、戴以下，咸加駁詰，盧氏師也尤當仁不讓。」文簡之言，似有所諷，然焦氏循稱先生爲「誠篤君子」，王懷祖亦曰「其人樸厚」，則先生固非苟與人爲難者也。幸次郎讀先生書，未窮奧窔，敍其學行，恐多遺漏，尤苦此間清儒書不多。至於往還之牘，手澤之本，民國人作近儒年譜，輒徵引累幅，而幸次郎異邦之人，更無由窺見，匡正補益，謹俟海內外良友之教焉。其用集句體爲之者，不欲一事而煩複其文故也。「在東」爲先生初字，今以名篇者，取其尤熟聞於人云爾。昭和十年九月三十日吉川幸次郎識於京都研究所之唐學齋。

——原文載《東方學報》（京都）第 6 冊（1936 年 2 月），頁 280－307。
後收入《吉川幸次郎全集》第 16 卷（東京：筑摩書房，1985 年 6 月），頁 232－258。

經 學 研 究 論 叢
第 十 一 輯　　頁381～400
臺灣學生書局　　2003 年 6 月

訪當代三禮學專家——彭林教授

林慶彰採訪・葉純芳整理

時間：2001 年 7 月 19 日
地點：中央研究院學術活動中心

　　應中央研究院中國文哲研究所之邀，彭林教授以訪問學人的身分於今年七月訪臺。訪臺期間，彭林教授出席了文哲研究所經學組舉辦的「乾嘉學者的治經貢獻」會議，並發表了他的新作〈論淩廷堪《禮經釋例》的學術貢獻〉。彭林教授生於一九四九年，江蘇無錫人，現爲北京清華大學思想文化研究所教授。

　　彭林教授在「文革」中發奮自學，一九八四年以同等學歷報考北京師範大學商周史碩士生，一舉奪魁。兩年以後，更以優異的成績直升博士生。主要著述有：《周禮主體思想與成書年代研究》、《儀禮全譯》、《儀禮註疏》（點校），以及〈論遷廟禮〉、〈論清人《儀禮》校勘的特色〉、〈經田遺秉偶拾〉、〈六德束釋〉、〈郭店楚簡與《禮記》的年代〉、〈始者近情，終者近義——子思學派對禮的理論詮釋〉、〈禮學研究五十年〉等論文八十餘篇。彭林教授是大陸從事《三禮》研究的佼佼者，他的博士論文〈周禮主體思想與成書年代研究〉十年前由中國社會科學出版社出版，至今仍是研究《周禮》所必備的參考書。

一、求學之路

林：彭先生，想先請您談一談從小學至大學的求學過程。

彭：我的小學、初中是在故鄉無錫度過的。那時非常愛好文科，成績也很好，可是

一九六五年初中畢業時，由於非常偶然的原因，陰差陽錯考入了南昌航空工業學校，學起了機械製造。但在南航讀了一年，「文革」亂起，人、中專學都停辦了，學文、學工都成爲泡影。那時我才十七歲，對於複雜的政治鬥爭，既弄不清楚，也沒有興趣。那時精力充沛、記憶力極強，內心深處渴望讀書。從一九六九年參加工作，到一九八四年考取研究生的十六年中，我當了八年鉗工、八年中學教師。我的漫長而艱苦的自學之路正是從這裏起步的。

我在南航的附屬中學教過好幾門課，我之所以在文革中還能堅持學習，與這一段經歷很有關係。中學教學有一個基本環節叫「文字疏通」，就是將課文中比較難的文字挑出來講解，這幾個字講通了，課文也就順暢了。當時校內有一位家庭出身不太好的老教師，是教英文的，奇怪的是她的國學底子很堅實。我在備課時經常向她請教，她總是從文字的本義講起、再講引申義，喜歡用「六書」來分析文字。久而久之，引起了我的強烈興趣，希望她介紹一本能系統學習的書。她告訴我，大學裏有一門課叫「文字學」，專門介紹這方面知識，如果你想學習，可以先讀一讀許慎的《說文解字》。這是我第一次聽說許慎其人和其書。在她的幫助下，我借到了一部清儒王筠的《說文句讀》，共十八本。當時讀起來非常困難，但我還是堅持從頭到尾讀了一遍。之後，到江西師範學院借了很多關於文字學的書來看，慢慢地也就能讀懂了。從此，我一邊教書，一邊研讀《說文解字》。這是我遇到的第一位啓蒙老師。

我的第二位恩師是孟世凱先生。「文革」浪潮終於漸漸退去，毛澤東開始批准一些雜誌復刊，《地理知識》、《考古》是最先恢復的刊物。一九七八年第五期《地理知識》登了中國社會科學院歷史研究所甲骨文組的孟世凱先生的〈談談甲骨文中有關蠶桑的眞偽資料〉一文，文中有幾片甲骨的摹本，這是我第一次見到甲骨文，產生了極大的興趣。由於已經學過幾年《說文解字》，所以很希望進一步學習甲骨文，於是我寫了一封信給孟先生，希望能夠得到他的指導。沒想到他很快就回了一封信，說：「我非常樂意幫助你。」他的來信使我受到很大的鼓舞。之後，他多次來信爲我指示爲學門徑。他說，研究文字，必須要有文獻的基礎。文獻純熟，才能研究好文字，也才會有更大的發展餘地。因此，他希望我讀「前四史」和「十三經」，並指導我閱讀「十三經」的先後順序。這是我第一次聽到「十三經」的名

稱。根據他的指點，我四處尋訪這些書。他還告訴我，光讀《說文解字》是不夠的，還要讀甲骨文、金文。他為我開列了一份甲骨、金文的書單。我到江西師範學院，把《甲骨文編》、《金文編》，《殷契萃編》、《甲骨文字研究》、《甲骨文字釋林》、《兩周金文辭大系》、《殷周文字釋叢》等，都借了出來閱讀。有些書江西師院沒有，我只好利用換休假，騎自行車到江西省圖書館抄書。孟先生為我開列的書單中，有陳夢家先生的《殷墟卜辭綜述》，他說此書是研究甲骨學的必讀之書。但是，此書數量很少，很難尋覓，我曾經托朋友到上海、武漢等地的大學去借，都不能如願。可是，後來在一位老師的幫助下居然在江西大學圖書館找到了！這本書在江大圖書館放了一、二十年，從未有人借過，還是新的。當我得到這本盼望已久的書時，就像餓漢看到了麵包，一下子把它抱住了。江大圖書館的老師見到這一情景很感動，特許我借回家抄，令我千謝萬謝。那時孩子小，工作又忙，我用了四五個月的業餘時間才把它抄完。當時社會尚未步入正規，借書之難，現在的學生難以想見。所以還有些書，如《甲骨文編》、《金文編》，《殷契萃編》等，我都是全書摹錄的。

　　文革過後，一些大學開始招生，由單位推薦人選，經適當考試後錄取。當時中國科技大學高分子物理專業來我所在的單位招生，領導準備推薦我，找我徵求意見。我很猶豫，一方面想到多年的大學夢突然可以成為現實，內心的激動難以描述；另一方面又覺得高分子物理專業非我所望，為了上大學而放棄多年的理想，就會前功盡棄。最後，我婉言謝絕了，我不能放棄我的追求。

　　全國恢復高校招生後，我的許多學生喜氣洋洋地走進了大學之門，我再一次躍躍欲試。有一位相交頗深、六十年代人民大學哲學系畢業的老教師勸我說：「以你現在的程度去考本科太可惜，不如直接考研究生。」當時，社會上有許多「文革」以前入學、尚未畢業就下放到農村、工廠的大學生，其中不少人在逆境中堅持刻苦自學，具有相當的實力，他們已不可能再回過頭去考本科。考慮到「文革」的特殊背景，也考慮到社會的實際情況，當時政府有個政策，允許「文革」中沒有機會上大學、或者大學未畢業的人以「同等學力」的資格直接參加研究生考試。這無疑是令人振奮的好消息，我決心一搏，將考研究生作為努力的方向。

　　恢復研究生考試的第一年，我報考了北京大學裘錫圭先生的研究生，那年裘先

生招兩名學生，考生竟有七十多人，其中絕大多數是文革前的大學生。我有一門不及格，但其他幾門都是七、八十分。儘管沒有被錄取，但依然感到興奮，因爲考試成績證明，這些年所摸索的路大致不錯。

　　一九八二年，在孟世凱先生和著名史學家鄭天挺先生之孫鄭光先生的幫助下，我獲准到北京師範大學歷史系進修一年。這一年中，我一邊在師大聽課，彌補自學的不足，一邊學習甲骨文。孟先生爲我借了許多在南昌無法見到的書籍，例如董作賓先生的論著等。每逢周末，我就到孟先生家去，聽他論學釋疑。儘管當時孟先生並不富裕，但他還是盡其所能從生活上幫助我。寒假期間，我寫了第一篇關於甲骨文的論文〈釋巛〉（載《考古》1985 年第 8 期），孟先生幫我核對了文中所有的資料，建議我做一些修改。改好後，他又送給李學勤先生看，李先生對我的結論基本認同，給我很大的鼓勵。

　　爲了更多地聽取著名學者的意見，孟先生建議我請北京師範大學的趙光賢教授審讀此文。這就使我得以逢遇我終身的恩師趙光賢教授。趙光賢先生一九三二年畢業於清華大學，其後考入輔仁大學，從史學大師陳援庵做碩士生，畢業後在輔仁大學歷史系執教，在古代史、古文獻、古文字學等領域都有很深的研究。趙先生讀到我的文章後非常高興，主動提出將此文推薦到《考古》雜誌發表。《考古》是國內的一級刊物，這是我所不敢夢想的。趙先生希望我報考他的研究生。我聽後一則以喜，一則以憂。喜的是竟然得到趙先生如此的關愛，憂的是我工作的中學不會同意我報考，領導認爲我很適合教書，多次表示要我接他們的班。趙先生知道後，給南昌航院的領導寫了一封言詞非常懇切的信，說國家在這方面的人才非常缺乏，我已能撰寫出考釋甲骨文的文章，非常難得，希望他們能夠支援我報考。學校領導看了趙先生的信後，從大局出發，同意我報考。

　　一九八四年春，我走進了研究生入學考試的考場，這是我人生最關鍵的一搏，是繼續做一名業餘愛好者，還是成爲專業工作者，在此一舉。考試結果出乎意料，六門課中，除了外語一科，其他科目都列歷史系考生第一。經過十幾年的努力，我終於踏進了大學的門檻，忝列於趙先生的門牆之下。兩年後，適逢教育部推出直接攻讀博士生的辦法，在讀兩年、學業優秀的碩士生，經導師提名，系領導審核，學校批准，可以直接參加博士生入學考試。當時全校只有兩人獲准報考，我們都順利

通過考試,提前一年攻讀博士學位。一九八九年四月,由楊向奎、張政烺、李學勤、劉家和、鄭昌淦等著名學者組成的答辯委員會一致通過了我的博士論文,同年,我獲得博士學位,留校任教。

二、治學之路:由小學而史學,由史學而經學

林:彭先生,當時你研究的大部分是小學,後來怎麼會轉到禮學研究上去的?

彭:這要從我的導師說起。恩師趙光賢是對我的學術道路產生最深刻影響的人。趙先生認為,小學是治學的門徑,我們是研究商周史的,上古文獻保留了當時文字的辭彙、字義、音讀,小學不通,就很難把書真正讀懂。此外,出土文獻不斷發現,為我們提供了大批的新材料,如果不能釋讀它,就無法做學術前沿的研究。但是,趙先生並不把小學當做專業,而是把它作為治史的重要工具來對待。由於我進入了歷史系學習,同時也覺得趙先生的治學路數比專做文字學研究更適合於我。因此,我開始由小學轉向了史學。

　　我的博士論文的選題,是趙先生擬定的。《周禮》一書的年代問題,學術界聚訟千年,形成了周公手作說、作於春秋說、戰國說、西漢說、王莽偽作說等多種說法,前後相差一千多年。史學研究者應該把它作為那一時期的史料來應用才是最正確的?這是上古史研究中無法迴避的問題,可惜的是學者各執一端,很少有作系統的研究。趙先生希望我就《周禮》的成書年代問題作統貫全局的研究。《周禮》是「十三經」之一,又是經今古文之爭的焦點。因此,儘管我是把它作為歷史學的課題來做的,但卻觸及到許多經學研究中的問題,同時發現此書與《儀禮》、《禮記》二書的交叉甚多,由此而展現的《三禮》與古代中國文化的關係,似乎對我有更深的吸引力。回過頭來看,實際上從這個時候起,我已經在不知不覺之中開始了由史學向經學的轉移。畢業之後,我決意研究經學的想法漸漸形成。為了形成自己的研究特色,我開始從經學的角度來研究《周禮》、《儀禮》和《禮記》,注意把《三禮》作為一個整體來研究。我的想法得到了劉家和等先生的贊同。劉先生長年從事經學研究,尤其是對漢代、清代經學的研究,造詣尤深。他認為《三禮》研究是一個亟待深入的領域,研究的前景非常廣闊,因此,我的選擇是非常正確的。楊向奎先生在生前也多次與我談過從經學角度研究《三禮》的問題,甚至給我出過研

究課題。

　　回顧自己走過的道路，經歷了兩次重要的轉折，先是由小學而史學，後來是由史學而經學。兩次轉折，絲毫不意味著對小學和史學的否定，相反，每一次轉折都應該看作是在前者基礎上的發展，小學和史學的訓練，是我從事經學研究不可或缺的基礎。

三、走進清華園

林：您畢業後留在母校北師大，後來怎麼會到清華大學任教？您對清華印象如何？

彭：在近代中國的學術史上，清華大學有著足以自豪的歷史。梁啓超、陳寅恪、王國維、趙元任、李濟、吳宓等創建的國學研究院，開創了清華人文科學最初的輝煌。其後的幾十年，清華群星燦爛，名家疊出，如馮友蘭、金岳霖、張奚若、潘光旦、馬寅初、王力、李濟、夏鼐、蔣廷黻、聞一多、朱自清、費孝通、雷海宗等，都在學界享有盛名。五十年代初院系調整，把清華大學的文學院、理學院都劃歸北京大學，法學院也劃走，清華只剩下一個工學院，成為理工科大學。近五十年來，文科學者與清華大學無由結緣。最近，中央政府決定重點支援北大、清華等少數幾所大學，爭取辦成國際一流大學。國際一流大學一般都是學科門類齊全的綜合性大學，因此，北大、清華都需要補充一些院系。清華對文科院系的恢復和發展有非常周密的計劃。近幾年，清華已經恢復法學院、人文學院、經濟管理學院、美術學院，並正在組建醫學院。人文學院的歷史系、哲學系、中文系，都已經恢復。為了加快文科建設的步伐，清華面向海內外學術界招募學者，目前已有一大批學者從各地進入清華，為重振清華文科的輝煌共同奮鬥。我正是在這樣一個背景之下，從北師大調入清華大學人文學院思想文化研究所的。能在清華這所人文傳統非常深厚的學校任教，我深感榮幸。清華的整體發展得非常好，到處有蓬勃向上的氣象。

　　清華辦文科與其他工科院校要辦文學院不同，清華是要恢復，而不是新建，因為它有人文的基礎在。當年院系調整，學校的領導很有遠見，文科的圖書基本上沒有被瓜分，其中有不少善本、孤本。學校現有的文物，僅甲骨就有一千多片，還有大量的青銅器、玉石器、字畫等等，這是很多學校無法相比的。清華即將建博物館，圖紙已經出來，規模相當可觀。最重要的是，全校上下都在創建一流大學的氛

圍中，大家的壓力都很大，都希望能對此有所貢獻，所以都非常努力地工作。

林：思想文化研究所有多少研究人員？主要發展方向是什麼？

彭：目前有十四、五人，主要從事中外思想文化的研究。思想文化研究所成立於一九八五年，第一任所長是張岱年先生，第二任所長是錢遜先生，現任所長是李學勤先生。所裏現有一個專門史的博士點，主要研究方向為中國古代思想史。另有一個歷史文獻學的碩士點，很有特色，第一，它是大陸最早招收海外漢學研究生的碩士點；第二，注重對出土文獻的研究，近年圍繞郭店楚簡的研究，舉辦研討班，很有影響；第三，葛兆光先生招收宗教文獻學的研究生，目前其他大學很少招收這個方向的研究生。我們希望通過幾年的努力，能將歷史文獻學學科逐步發展成博士點。另外，還有部分同仁從事西方思想史研究，由著名學者何兆武主持，何先生外文非常好，學識淵博，何先生手下的幾位青年學者也都很有作為。

林：經學在思想文化研究所的地位是怎樣的情形？

彭：大陸目前的學科分類裏沒有經學一科。有關經學的研究，往往是由不同學科的學者從不同的角度進行的。就我們所而言，既可以歸在歷史文獻學裏面，作經學文本研究；也可以歸在思想史裏，作經學思想史研究。

　　最近，由我所所長李學勤先生主編的《十三經註疏》（阮本）由北京大學出版，受到學術界好評，已被評為二〇〇一年古籍整理一等獎，並已入圍國家圖書獎。我們所的張豈之先生、錢遜先生、廖名春先生和我，都參加了該書的點校或審讀。李學勤先生對包括經學在內的清代學術有很深的研究，對於推動清代學術研究的問題也有許多計劃，所裏計劃在明年召開規模較大的關於清代學術的研討會，當會對大陸的經學研究有所推動。所內有好幾位同人致力於經學研究，廖名春先生長於《易》學的研究，方朝暉先生對《左傳》著力多年，程鋼博士是焦循研究的專家。由於前面所提到的原因，目前沒有以經學的名義招生。

林：除了清華思想文化研究所外，你對將來大陸經學的發展，有沒有什麼看法和期望？

彭：中國傳統文化的主體是儒家思想，《詩》、《書》、《禮》、《易》、《春秋》等儒家經典是儒家思想的載體，也是中國傳統文化的精華，對中國古代社會的影響最為深刻。離開儒家的「十三經」談中國傳統文化，無異於捨本逐末。由於歷

史的原因，學術界對「經」的認識還不到位，有待進一步深化。提倡經學研究並不是要復古，那是不可能的，也沒有必要。

應該承認，目前從事經學研究的學者數量太少，研究的總體水準也亟待提高。由於經籍文字古奧，閱讀困難，出成果慢，又由於古文獻研究的畢業生就業比較困難，所以目前有志於經學研究的學生也比較少，大概海峽兩岸都是如此。這不僅會影響到未來經學研究的水準，久而久之，也有可能造成文化傳承的中斷，令人不無憂慮。五千年文明的發展和積累很不容易。但是流失起來卻不需要這麼長的時間。要改變這種局面，必須靠我們自身的努力，從自己做起，從培養自己的學生做起，以自己對學術的執著追求和學術成就去影響學生。隨著大陸經濟的迅速發展，隨著我們的不斷努力，經學研究的前景一定會更好。

鑒於目前從事《三禮》研究學者太少，我打算培養一些禮學研究的碩士、博士生，並在培養方法上作一些探討。昨天，我和您的兩位博士生王清信、葉純芳作了交談，得知東吳大學的研究生在版本、校勘等方面都有比較好的訓練，很值得我們學習。為了給學生一個比較寬厚的經學研究的基礎，需要按照傳統的學術路數實施教學計劃。如今的學科設置體系是從西方引進的，不適合於我國的固有文化。經學本身兼包文史哲，如今卻被分割為三塊，文史哲三系各成營壘，學生如果不能自覺調整，就不可能具備經學研究的完整知識結構。例如，文字、音韻、訓詁之學，目前只有中文系開設，哲學、歷史系幾乎都不開。因此，哲學、歷史的學生不免有這方面的知識缺陷，他們不得不有意無意地避開與之有關的問題，這就使他們的研究受到很大侷限。清代是古代經學研究的顛峰期，學者幾乎沒有不通小學的。清儒讀大家都讀的書，往往能發現大家都不能發現的問題，基本原因之一，就是得力於小學的功底。今秋開學後，我計劃每周抽出半天時間與學生一起研讀《三禮》，期望學生對經書的特點、涉及的學科知識以及研究方法等有比較系統的認識。

林：上次李學勤、葛兆光先生來臺灣，我建議李先生，如果要讓經學有所發展，應該要先重新檢討經學在大學，不論在本科或研究所的課程中佔有什麼樣的地位？如果不從這個角度重新來檢討，讓喜歡這個學門的學生能夠接觸並選修的話，我覺得發展是有相當的困難。

彭：我有同感，至少在中文系、歷史系、哲學系應該開設有關經學研讀的課程。目

前有些大學雖然設有《詩經》、《左傳》的課，但並不是作爲經學課來開的，而是作爲文學課來講授的。經學研究有自身的體系和特點，與文學有各自的分野，不可混同。如今的風氣似乎很浮躁，甚至在學術上也期望少投入、高產出。而經學研究恰恰相反，是高投入、慢產出，所以甘願固守這塊陣地的人並不多。另外，要把經學課程開得廣受學生歡迎，教師必須有舉重若輕的能力，這也不是容易的事。這些都是在大學推動經學的困難。

林：有沒有辦法讓教育部對課程有所修訂？

彭：比較困難，一是課程的修訂是一件很慎重的事，不會輕易變動；二是即使作了變動，目前也缺乏師資，大陸有一千多所大學，要普遍開設「十三經」的課程，有一定的困難。像《尚書》、《左傳》、《禮記》這樣的經典，至少要對它作過七、八年的研究，才能有資格講授。因此，我覺得當務之急恐怕是加緊培養學生，提高經學研究的水準，逐步形成研究群體。

林：關於「三禮」，彭先生近年有些什麼研究？

彭：圍繞「三禮」，我主要做了以下幾個方面的工作：一是教育部的人文社科專案《中國古禮在朝鮮半島的播遷》，朝鮮半島是一個儒家化相當徹底的地區，中國古禮在這裏得到了極爲充分的發展，許多禮儀在大陸已經看不到，而在韓國還相當完好地保存著，對於研究中國古禮彌足珍貴。近十年中，我曾經四次前往考察和收集資料，最長的一次長達六個月。目前，已經完成二十五萬字的初稿，文稿的有些部分已經在《國際漢學》、《中國文化研究》、《國際儒學研究》、《華學》等刊物發表。計劃今年十月再去韓國補充一些資料，並徵求韓國學者的意見，估計明年可以出版。二是李學勤先生在清華主持一個《新出簡帛與先秦兩漢學術思想史》的專案，我承擔其中一個子課題，名爲《郭店楚簡與戰國禮學》。郭店楚簡中有關禮學的內容很豐富，將它與《中庸》、《孟子》、《荀子》等文獻相結合，使我們對原本模糊的戰國禮學突然變得豐滿起來。目前我已經寫了七、八篇論文，如〈論郭店楚簡中的禮容〉、〈子思作「孝經」說新證〉、〈六德柬釋〉、〈再論郭店簡〈六德〉「爲父絕君」及相關問題〉、〈始者近情，終者近義──子思學派對禮的理論詮釋〉、〈從郭店楚簡看儒道性情異同〉等，計劃明年結集出版。三是新領了一個國家社會科學基金專案《太廟祭祀文化研究》，《左傳》有一句被學者引用得最多

的話：「國之大事，在祀與戎。」在古代，祭祀是除戰爭之外最重要的文化現象，但是有關祭祀文化的研究，卻是相當的薄弱。近年，明清故宮的太廟（即今之勞動人民文化宮）擬恢復原貌陳列，我曾應邀參加過幾次座談，深感這是一個值得深入研究的課題，目前已經作了一個約四十萬字的資料長編。

三、參加乾嘉經學會議的感想

林：彭先生這次來文哲所當訪問學人，在乾嘉經學討論會上與臺灣經學界中青代的學者有所接觸，不知有何感想？

彭：首先我要感謝文哲所和林慶彰先生對我的邀請，使我有機會接觸臺灣經學研究的教授和研究生。以前我對臺灣研究經學的情況可謂若明若暗，如今通過面對面的交談。使我對臺灣經學界有了比較清晰的認識。給我印象最深的，是林先生等已經實施多年的乾嘉經學的研究計劃，已經召開了清代、明代、元代的經學研討會，下面接著要做宋代。如此有條不紊地圍繞經學來做研究，這在當今學壇恐怕是僅見的，對經學研究的貢獻不難想見。大陸方面一直沒有這樣一種形式，來對經學史做系統的清理。如果說以往的會議是從「面」上清理經學，那麼最近幾次乾嘉經學會議則是在「點」上做更深入的剖析，對研究方法、義理等作了更細緻的發掘。林先生對經學鍥而不捨的努力令人欽佩。從某種意義上來說，舉辦這些活動，利人不利己，需要申請經費，組織人力，聯絡學者等，耗時費神。但是，經過林先生等多年的推動，已見成效，團結了很多學者。很多朋友對林先生的工作都很肯定。如果沒有林先生等的組織，學者們的研究就必然處於散在的、無序的狀態。

　　我接觸過許多學者，他們的研究都很深入，令人欽佩，催我奮起。有些研究生也很優秀，在老師的指導下，做難度相當大的課題。他們令我感到一種壓力，我在這裏搜集了不少資料，回大陸後，我會向同人和研究生介紹臺灣的見聞。臺灣經學研究的水準，是我們今後的重要參照。我希望將來在學生之間，也能有更多的交流。

四、對經學研究的展望與計劃

林：我們也希望能夠與貴所或者與大陸研究經學的學者做更深入的交流，不論是資

38　三禮學（中華孔子學會主編《國學通覽》之一章）

　　　國學通覽　頁 358－373　中華孔子學會主編　北京　群眾出版社　1996
　　年 9 月

39　關於中國古禮人文精神的幾點思考

　　　人民日報（海外版）　1997 年 7 月 10 日

40　中國儒學百科全書（禮學部分）

　　　中國儒學百科全書　頁 439－450　中國孔子基金會編　北京　中國大百
　　科全書出版社　1997 年

41　論漢字融會外來文化的能力

　　　人民日報　1997 年 11 月 12 日

42　論我國民俗的未來走向

　　　民俗研究　1998 年第 1 期　頁 15－17　山東大學　1998 年 1 月

43　「周官」為「周天之官」說

　　　中華讀書報　北京　1998 年 1 月 21 日

44　論清人《儀禮》校勘的特色

　　　中國史研究　1998 年第 1 期　頁 25－37　北京　中國社會科學院歷史研
　　究所　1998 年 2 月

45　金沙溪《喪禮備要》與《朱子家禮》的朝鮮化

　　　中國文化研究　1998 年第 2 期　頁 127－131　1998 年 5 月

46　論遷廟禮

　　　慶祝楊向奎先生教研六十周年論文集　頁 85－91　石家莊　河北教育出
　　版社　1998 年 12 月

47　《郭店楚簡·性自命出》補釋

　　　中國哲學　第二十輯　頁 315－320　遼寧教育出版社　1999 年 1 月

48　從《疇人傳》看中西文化衝突中的阮元

　　　學術月刊　第 5 期　頁 81－85　上海學術月刊社　1998 年 5 月

49　說初吉

　　　徐中舒先生百年誕辰紀念文集　頁 128－132　成都　巴蜀書社　1998 年

　　　　10 月

50　經田遺秉偶拾

　　　　學林漫錄　第 14 輯　頁 267－270　北京　中華書局　1999 年 4 月

51　郭店楚簡與《禮記》的年代

　　　　中國哲學　第二十一輯　頁 41－59　遼寧教育出版社　2001 年 1 月

52　鄭玄與《三禮》名物研究

　　　　鄭玄研究文集　頁 89－117　濟南　齊魯書社　1999 年 10 月

53　阮元實學思想叢論

　　　　清史研究　1999 年第 3 期　頁 38－44　清史研究　1999 年 9 月

54　朝鮮《國朝五禮儀》與中國古禮

　　　　國際漢學　第 5 輯　頁 189－202　鄭州　大象出版社　2000 年 6 月

55　論郭店楚簡中的禮容

　　　　郭店楚簡國際學術研討會論文集　頁 134－142　湖北人民出版社　2000
　　　　年 5 月

56　試論焦循《群經宮室圖》

　　　　清代揚州學術研究　下冊　頁 573－587　臺北　臺灣學生書局　2001 年
　　　　4 月

57　子思作《孝經》說新論

　　　　中國哲學史　2000 年第 3 期　頁 54－66　中國哲學史學會　2000 年 8 月

58　聽松山房讀《禮》記

　　　　李學勤先生從事學術研究五十周年紀念文集（即出）　上海復旦大學出版
　　　　社　2001 年

59　也評江蘇古籍版《儀禮正義》

　　　　經學研究論叢　第 7 輯　頁 199－204　臺北　臺灣學生書局　1999 年 9
　　　　月

60　夏商西周軍事史研究的里程碑之作

　　　　社會科學戰線　1999 年第 4 期　頁 272－276　長春　社會科學戰線雜志
　　　　社　1999 年 7 月

61　儒家孝道的再認識

　　　　紀念孔子誕辰 2550 周年國際學術討論會論文集　頁 849－858　北京　國
　　　　際儒學聯合會主編　國際文化出版公司　2000 年 6 月

62　士昏禮的禮法與禮義

　　　　文史知識　1999 年第 9 期　頁 56－60　北京　中華書局　1999 年 9 月

63　破解千古疑案　填補歷史空白

　　　　文匯報　史林版　2000 年 11 月 18 日

64　禮學研究五十年

　　　　〔日〕中國史學　第十卷　頁 33－56　日本　中國史學會　2000 年 12 月

65　《六德》柬釋

　　　　簡帛研究　第 4 輯　頁 153－158　廣西師範大學出版社　2001 年 9 月

66　再論郭店簡《六德》「為父絕君」及相關問題

　　　　中國哲學史　2001 第 2 期　頁 97－102　北京　中國哲學史學會主辦
　　　　2001 年 5 月

67　朱子禮學與朝鮮時代鄉風民俗的儒家化

　　　　國際儒學研究　第十一輯　頁 103－143　北京　國際儒學聯合會主編
　　　　2001 年 3 月

68　《十三經註疏》與中國古代學術

　　　　光明日報　2001 年 6 月 21 日

69　始者近情　終者近義──子思學派對禮的理論詮釋

　　　　中國史研究　2001 年第 3 期　頁 3－14　北京　中國社會科學院歷史研究
　　　　所　2001 年 8 月

70　武王克商之年研究的糾葛

　　　　清華大學學報　2001 年第 4 期　頁 35－41 轉 44　2001 年 8 月

71　茶山禮學與清儒禮學的比較研究

　　　　第一屆茶山學國際學術會議論文集　頁 290－328　漢城　茶山學術文化
　　　　財團　2001 年 10 月

72　寒崗鄭逑《五先生禮說》初探

　　　　南冥先生誕辰 500 周年紀念國際學術大會論文集　頁 209－224　韓國
　　　　慶尙大學校　南冥學研究所　2001 年 10 月
73　禮與中國傳統文化
　　　　文史知識　2001 年 11 期　頁 66－73　「中國古代禮儀文明」連載之一
　　　　北京　中華書局　2001 年 11 月
74　禮緣何而起
　　　　文史知識　2001 年 12 期　頁 93－99　「中國古代禮儀文明」連載之二
　　　　北京　中華書局　2001 年 11 月
75　我看中國古代禮樂文明
　　　　博覽群書　2001 年 12 起　頁 33－35　北京　光明日報社　2001 年 12 月

經　學　研　究　論　叢
第　十　一　輯　　頁401～402
臺灣學生書局　　2003 年 6 月

清代揚州學派學術研討會

編輯部

　　中央研究院中國文哲研究所經學組於民國八十七年七月起開始執行「清乾嘉揚州學派研究計畫」，執行過程中曾到揚州實地考察兩次，並與揚州大學合作，在揚州大學舉辦「海峽兩岸清代揚州學派學術研討會」，整個計畫於八十九年十二月底結束。爲總結這二年半來的研究成果，該所又於民國九十年五月三、四日在中央研究院學術活動中心舉行「清代揚州學派學術研討會」，計發表論文二十三篇，參加學者和研究生有一百餘人。

九十年五月三日（星期四）

　第一場會議（鍾彩鈞主持）

　　1.張壽安：明清禮學轉型探析（林慶彰講評）

　　2.張其昀：論揚州學派的漢學精神（陳恆嵩）

　　3.張連生：清代揚州學派與揚州地方史研究（李紀祥）

　　4.詹海雲：論揚州學派之形成與發展（田漢雲）

　第二場會議（李威熊主持）

　　1.趙葦航：劉文淇《揚州水道記》初步研究（龔鵬程）

　　2.蔣秋華：清代揚州學者的〈禹貢〉研究（錢宗武）

　　3.陳文和：揚州學人與錢大昕（陳鴻森）

　第三場會議（董金裕主持）

　　1.龔鵬程：語文意義的評釋（林安梧）

　　2.陸寶千：汪中的學術地位（李威熊）

3.田漢雲：論汪中的經學思想（蔣秋華）

4.楊晉龍：考證與經世——汪喜孫研究初探（鄭吉雄）

九十年五月四日（星期五）

第四場會議（張壽安主持）

1.黃俶成：《書》考流——并論揚州焦、劉諸家《書》學貢獻（黃復山）

2.張高評：焦循《春秋左傳補疏》平議（劉正浩）

3.劉玉國：焦循《毛詩補疏》及其訓詁方法（楊晉龍）

第五場會議（夏長樸主持）

1.劉建臻：焦循《古銅鏡錄》考釋（丁原基）

2.賴貴三：焦循手批柳宗元文新論（王基倫）

3.鄭吉雄：高郵王氏父子對《周易》的詮釋（莊雅州）

第六場會議（傅武光主持）

1.祁龍威：讀阮元《揅經室集》札記（胡楚生）

2.章權才：阮元與清代經學（劉德美）

3.楊　菁：朱澤澐的朱子學（周昌龍）

第七場會議（胡楚生主持）

1.錢宗武：王氏父子《尚書》研究的語音學方法（許錟輝）

2.林慶彰：劉文淇《左傳舊疏考正》研究（張高評）

3.班吉慶：探賾索隱，許氏諍臣——劉寶楠《論語正義》訓詁特點研究之一（張寶三）

經 學 研 究 論 叢
第 十 一 輯　頁403～406
臺灣學生書局　2003 年 6 月

「清代乾嘉學者的治經貢獻」
學術研討會

編輯部

中央研究院中國文哲研究所經學文獻組執行的「清乾嘉經學研究計畫」第三年度子計畫「清乾嘉學者的治經貢獻」，執行期間自九十年一月一日起，至九十年十二月三十一日止，計有一年，其間召開兩次研討會，時間及發表論文如下：

第一次研討會

第一次研討會於九十年七月十二、十三日（星期四、五），在該所二樓會議室舉行，發表論文十一篇，出席學者研究生六十餘人。

七月十二日

第一場會議（陳鴻森主持）

　1.陳居淵：清代乾嘉漢學的更新運動

　2.孫劍秋：惠棟治易的特色與貢獻

第二場會議（鄭吉雄主持）

　1.林登昱：惠學的傳衍——論段、孫《尚書》注地位的確立

　2.彭　林：論淩廷堪《禮記釋例》的學術貢獻

第三場會議（賴貴三主持）

　1.張壽安：清儒《儀禮》學的研治方法與成就

　2.程克雅：探源與析疑——清代乾嘉學者釋禮成果析論

七月十三日

第四場會議（楊晉龍主持）

　　1.林素英：〈喪服〉「女子逆降旁親」問題析論

　　　　　　　　——以乾嘉學者的說法爲討論中心

　　2.陳玉臺：孫希旦《禮記集解》體例初探

第五場會議（劉玉國主持）

　　1.陳純適：翟灝《孟子》學

　　2.黃復山：乾嘉讖緯學探實

　　3.盧國屏：乾嘉《爾雅》學述要

第二次研討會

　　第二次研討會於九十年十一月二十二、二十三日在該所二樓會議室舉行，發表論文十四篇，參加學者研究生七十餘人。

第一場會議（鍾彩鈞主持）

　　1.陳廖安：顧棟高《春秋朔閏表》述評

　　2.丁亞傑：乾嘉漢學的外緣——方苞《春秋通論》經義形式研究

　　3.王清信：乾嘉學者研治《詩經》的貢獻

第二場會議（張壽安主持）

　　1.楊濟襄：凌曙注《春秋繁露·奉本》「遠外近內」說之商榷

　　　　　　　　——兼論蘇輿《春秋繁露義證》之相關說釋

　　2.鄭卜五：乾嘉公羊學者對公羊學的發展成果析論

　　3.許華峰：乾嘉學者治《孝經》的貢獻

第三場會議（楊晉龍主持）

　　1.蔣秋華：乾嘉學者《尚書》研究之貢獻

　　2.葉純芳：清乾嘉學者研治《周禮》的貢獻

第四場會議（陳鴻森主持）

　　1.李紀祥：「漢學」與「師承」——江藩《國朝漢學師承記》研究

　　2.楊　菁：乾嘉學者對《論語》學的貢獻

3.賴貴三：乾嘉學者《易經》研究之貢獻與檢討

第五場會議（蔣秋華主持）

1.車行健：龔橙《詩本誼》的本義觀及其對《詩經》本義的詮釋

2.張政偉：試論戴震《杲溪詩經補注》的解經方法

3.陳恆嵩：孫星衍在《尚書》學研究方面的貢獻

第六場會議（林慶彰主持）

「清代乾嘉學者治經貢獻」座談會

引言人：朱維錚教授

經 學 研 究 論 叢
第 十 一 輯　　頁407～412
臺灣學生書局　　2003 年 6 月

第五屆詩經學國際研討會

編輯部

　　由中國詩經學會和湖南懷化師專主辦的「第五屆詩經學國際研討會」，於二〇〇一年八月七日至十一日在湖南張家界金鞭岩飯店、栖風山莊、張家界山莊等三個場地舉行。來自中國、香港、臺灣、日本、韓國等地的學者二百餘人。臺灣方面參加的學者有中央研究院中國文哲研究所的林慶彰、蔣秋華、楊晉龍，臺灣師範大學的陳新雄夫婦、季旭昇，中正大學的莊雅州夫婦，東華大學的車行健、吳儀鳳夫婦，臺北科技大學的劉玉國，東吳大學的許錟輝，靜宜大學的林淑貞，銘傳大學的蔡信發，玄奘大學的余培林，景文技術學院彭衍綸、周玉琦夫婦，嘉南藥理學院的歐天發，清雲技術學院的錢奕華，元培技術學院的丁亞傑等。另有多名研究生參加：中央大學有賴欣陽，暨南國際大學有孫敏娟，輔仁大學有曾紀剛、陳建竹，臺北市立師院有譚淑芬、陳姿初、李睿瑜，玄奘大學有周美華，銘傳大學有周敏華。合計二十餘人。大會從八月五日起開始報到，七日起會議正式開始。

八月七日

　　上午九時起在栖風山莊會議廳舉行開幕式。首先由中國詩經學會會長致開幕詞，接著分別由主辦單位懷化師專校長夏立發、香港的周穎南、日本早稻田大學的村山吉廣（由田中和夫代宣讀）、韓國詩經學會會長宋昌基、香港的何江顯、臺灣師範大學的陳新雄、中央研究院中國文哲所的林慶彰等分別致詞。開幕式結束後，在山莊門前照團體照留念。

　　下午在栖風山莊進行大會發言，由周穎南、褚斌杰擔任主持人，發表論文的學

者有：

1. 王洲明　　高亨先生的《詩經》研究
2. 陳新雄　　從〈燕燕〉看《詩序》的價值
3. 殷光熹　　《詩經》征戰詩中的生命價值觀
4. 陳桐生　　論詩教
5. 吳功正　　對作爲經學的《詩經》進行美學的解讀
6. 辰巳正明　《詩經·國風》與中國少數民族的歌唱體系
7. 許志剛　　周代主流文化與禮樂文明
8. 林奉仙　　〈召南·殷其雷〉以雷起興的緣由
9. 林中明　　中西古代情詩比探短述
10. 季旭昇　　《詩經》研究也應「走出疑古時代」
11. 李玉梅　　徐渭解讀「興觀群怨」
12. 錢明鏘　　充分發揮《詩經》在德治中的教化作用
13. 王曉年　　論白川的《詩經》學
14. 汪榕培　　《詩經》音律研究

八月八日　分組討論

　　第一組在張家界山莊前廳二樓會議室舉行，由王培源、辰巳正明擔任主持人。
計發表論文十九篇：

1. 程水全　　〈邶風·新臺〉之詩義與詩藝
2. 姚小鷗　　《詩經·關雎篇》與〈關雎序〉
3. 石川三佐男　基於王道論的孔子詩論和基於婦道的《詩經·大序》
4. 莊雅州　　論《詩經》天文意象的多元價值
5. 李笑野　　論《詩經》的內在結構
6. 彭衍綸　　談《詩經·衛風·伯兮》
7. 盧燕麗　　《詩經》中的建築文化
8. 董運庭　　從六詩到六藝
　（以上爲上午發表部分）

9. 香港中國文學學會　　香港中學的《詩經》教學

10. 安秉均　　關於《詩經》的家庭倫理詩

11. 張鳴華　　從《詩經》的傳播看〈大雅〉的重要意義

12. 馬銀琴　　四始、四詩與《詩經》的結構

13. 王鐵軍　　關於〈小雅・大東〉詩

14. 洪　濤　　《詩經》音譯剖析

15. 劉　戈　　《詩》與老子

16. 大野圭介　　論《詩經》中的禹

17. 王培源　　《詩經》順序臆想

18. 張玉聲　　農事詩的生成與田園詩派的初創

19. 周穎南　　《詩經》由口頭創作到書寫文學的發展

第二組在張家界山莊會議室舉行，由梅桐生、季旭昇主持，計發表下列論文：

1. 楊合鳴　　《說文》引《詩》略考

2. 廖名春　　上博簡〈關雎〉七篇詩論研究

3. 蕭甫春　　《詩經》古今字之嬗變

4. 林淑貞　　從〈鴟鴞〉辨析比、比興與寓言詩義涵之異同

5. 金文偉　　淺論《詩經》的說話觀

6. 歐天發　　從藉的觀點論詩興的多義性

7. 郭　丹　　《四庫全書總目》的《詩經》批評

8. 小林恒彥　　千古不滅的《詩經》活用於現代教育

9. 李鍾武　　王夫之二《南》論淺探

10. 赫　琳　　從《詩經》結構變換看古漢語變換研究

11. 馮凌宇　　《詩經》特指疑問句研究

12. 胡遠鵬　　《詩經》「所」字說

13. 周明初　　《詩經》《毛傳》「不某，某也」訓詁例辨析

14. 王金芳　　試論《詩經》音律形成的條件

15. 賀江麗　　《詩經》祈壽觀念的文化闡釋

（以上為上午發表）

16.　楊愛姣　　《詩經》中名詞對疊根的狀態形容詞探析

17.　王　巍　　談《詩經》中的婚戀習俗

18.　華　鋒　　從《詩經》看中原文化

19.　黃新光　　〈豳風‧七月〉的名物考訂（郭瑋代宣讀）

20.　張祝平　　鹿鳴、鹿鳴宴、鹿鳴館

21.　龍文玲　　從出土文獻看《詩經》對楚文化的影響

22.　黃永堂　　略論先秦古樂與〈大武〉

23.　樊樹雲　　論《詩經》宗教文化現象

24.　趙敏俐　　關於當前《詩經》研究的一點想法

25.　劉忠陽　　《詩》與老子

（以上為下午發表）

第三組在金鞭岩賓館二樓會議室舉行，由劉毓慶、林中明擔任主持人，計發表下列十數篇論文：

1.　孟慶茹　　《詩經》與飲食文化

2.　楊晉龍　　《文昌化書》內《詩經》資料研究

3.　李金坤　　風騷夢幻文學審美

4.　南基守、高載祺　　《毛詩品物圖考》所見之《詩經》植物考
　　　　　　　　　　——以草部為主——

5.　繆　軍　　情以物遷、辭以情發——魏晉詩文的感時感物與《詩經》

6.　汪祚民　　《韓詩外傳》編排體例考

7.　劉生良　　《春秋》賦《詩》：《詩》之傳播接受史上的獨特景觀

8.　田國福　　《詩經》與河間

9.　吳儀鳳　　杜甫與《詩經》——文學典律形成之考察

10.　車行健　　詩人之意與聖人之志
　　　　　　　——歐陽修《詩本義》的本義觀及其對《詩經》本義的詮釋

（以上為上午發表）

11.　丁亞傑　　想像與現實——方苞《朱子詩義補正》女性認知的糾葛

12.　賴欣陽　　劉勰的《詩經》論述

13. 田中和夫　鄭玄的《詩經》學——探討《毛傳》與鄭玄的異同

14. 小寺敦　《左傳》引《詩》的研究——「賦詩斷章」的背影

15. 蔣秋華　閻若璩《毛朱詩說》研究之一

16. 王麗娜　海外學者《詩經》研究方法略述

17. 西口智也　復旦大學圖書館古籍部編《詩經》書機讀目錄的改編及問題

18. 林慶彰　李先芳《讀詩私記》研究

19. 劉毓慶　《詩序》與孟子

八月九日

由大會安排遊張家界的黃石寨。

八月十日

由大會安排遊張家界的天子山和十里畫廊。

八月十一日

大會發言，由董治安、陳新雄主持。發表論文六篇：

1. 趙敏俐　二十世紀《詩經》研究的回顧

2. 程水金　〈衛風·新臺〉的詩義和詩意

3. 宋昌基　詩「興、觀、群、怨」之現代意義初探

4. 郭　丹　出土文獻與《詩經》

5. 林中明　第三小組發表論文述評

6. 王麗娜　《詩經》在海外

發言至十時半左右結束，接著舉行閉幕式，由夏傳才會長致閉幕詞，並宣布第六屆會議在承德召開。

　　本次會議有二六二人參加，繳交論文一六一篇，可說是歷屆之冠。但會務之無秩序也為歷屆之最。由於會場分散在兩三個地方，住張家界山莊的出入國家公園門禁又森嚴，不可隨便出入。我們等於被軟禁六天。會議之議程並未預作安排，一切行事皆在晚餐時宣佈。且交論文之學者太多，即使爭取到發表的機會，也都各說各

話，根本沒有討論的時間。有些學者在分組發言過了，在最後一天的大會發言又被安排發言。嚴格來說，這是一次不太成功的會議。

編者按：本次會議，部分場次請臺灣師範大學國文學系季旭昇教授、靜宜大學中文系的林淑貞教授、嘉南藥理學院的歐天發教授協助記錄，謹表謝意。

林慶彰謹誌　2001 年 9 月 6 日

經 學 研 究 論 叢
第 十 一 輯　　頁413～422
臺灣學生書局　　2003 年 6 月

「第十六屆國際易學學術研討會」
會議報導

李鴻儒＊

　　由「國立臺北師範學院語文教育學系」及「中華民國易經學會」共同舉辦的「第十六屆國際易學學術研討會暨兩岸易學學術大會」，於二○○一年十一月三日至五日（星期六至星期一），在「國立臺北師範學院國際會議廳」舉行。出席此次會議的，除了臺灣以外，尚有來自大陸、韓國、馬來西亞、美國、新加坡等地的學者專家。大陸應邀參加的學者有劉大鈞（山東大學《易》學中心）、蕭漢明（武漢大學）、郭東升（武漢職工醫學院）、歐陽康（華中科大）、施炎平（華東師大）、魏震祥（武漢江大）、劉德龍（北京化大）等；馬來西亞學者有張日城（馬來西亞《易經》學會）、蔡崇正（同前）、陳慶全（同前）、林文欽（同前）等；新加坡學者有沈樹圭（新加坡《易》研會）、王瑞賢（同前）；韓國學者有金應錫（韓國《易》學會）；美國學者有吳恆昭（美國《易》學會）；臺灣學者則有倪淑娟（《易經》學會理事長）、邵崇齡（《易經》學會）、鄔昆如（輔大哲學系）、陳鼓應（臺大哲學系）、林義正（同前）、黃沛榮（臺大中文系）、賴明德（臺灣師大副校長）、黃慶萱（臺灣師大國文系）、高懷民（政大哲學系）、曾春海（同前）、董金裕（政大中文系）、張永堂（清大歷史系）、楊祖漢（中央大學中文系）、葉海煙（東吳哲學系）、劉瀚平（彰化師大國文系）、高柏園（淡大中文

＊　　李鴻儒，東吳大學中文研究所碩士生。

系）、翁明賢（淡大戰略所）、張玉成（國北師）、張炳陽（國北師語教系）、孫
劍秋（同前）等。發表的論文共有三十二篇，其中三篇爲「大會專題報告」。

　　十一月三日（星期六）上午九時，首先在「國立臺北師範學院」國際會議廳舉
行開幕典禮暨聯誼茶會，由國北師張玉成校長、國北師語教系張炳陽主任、《易
經》學會倪淑娟理事長及《易經》學會邵崇齡榮譽理事長等共同主持。十二點，開
幕典禮結束，全體與會學者合影留念。

專題報告

　　下午一點二十分，進行「大會專題報告」，由倪淑娟理事長及張炳陽主任擔任
主持人，共有三篇論文：

　　1.鄔昆如　　《易經》「通」概念之研究──從譚嗣同《仁學》思路出發
　　2.金應錫　　《周易》對各種學問的影響
　　3.劉大鈞　　帛書《易傳》中的象數《易》學思想（張永堂代宣）

鄔文指出，《易經》是強調發揮人類主體性的一本經書，並從譚嗣同《仁學》思路
出發，認爲儒家核心概念──「仁」（人性論及宇宙論），是《易經》「通天」、
「通地」、「通人」思想的最佳詮釋，在透過知物、知人、知天的全方位知識進
路，落實到用物、愛人、敬天的全方位德行進路的同時，進而完成「天人合一」的
宇宙遠景，以及太平世的人生社會遠景；鄔氏之論實有「鼓舞人心向上」的積極意
義。金氏之文引用《四庫全書總目‧易類序》「易道廣大，無所不包」之語，多方
論述《周易》對古今中外各種學問（包括儒、道、墨）的影響及貢獻，其中對於
「中醫」學一項，著墨尤多；由此可看出金氏對「醫易同源」的肯定。劉文透過參
校古籍及對帛書《繫辭》、《二三子》、《衷》、《要》及《繆和》諸篇的交叉比
對後，認爲在先秦時期即已存在「五行」、「卦氣」、「卦變」、「互體」、「連
互」及「八宮卦」等象數思想，且爲漢初《易》家所沿用、承襲；此外，並進一步
提出「象數蘊涵著義理，義理脫胎於象數而出」的主張，指出今本《易傳》所表達
的精妙義理及出辭吐語，有很多是本於古代的象數學說。

　　下午三點四十分，在大會的安排下，「第一場」及「第二場」的論文發表，分
別在「國際會議廳」及「第一研討室」同時進行。

第一場

「第一場」由社團法人韓國易理學會首席副會長俞永大教授主持，發表的論文有四篇：

1. 陳鼓應　道家老學與《周易》經傳脈絡詮釋
2. 林義正　李綱《易》說研究——兼涉其《易》與《華嚴》合轍論
3. 林安梧　《易傳》思想與二十一世紀的人類文明
4. 顏國明　《易傳》是道家《易》學駁議

陳文從《易經》源泉與老子哲學觀念的聯繫角度來加以探討，其重點在於梳理老子與道家哲學概念發展成為《易傳》的哲學範疇，以及命題之間的思想線索；各項論述，其主旨皆在於論證先秦《易》學哲學之引「道」入《易》，以完成其哲學化的過程。林（義正）文認為李綱《易》說在新儒家思潮下，乃堅持解《易》應以「象數」為本；並從「易學內部的發展」及「融合《易》與《華嚴》的義理」上，進而肯定其在《易》學發展史及儒釋會通史上的應有地位。林（安梧）文旨在指出《易經》思想中的和合性、辯證性、乾坤並健、兩端而一致的思維，在廿一世紀人類文明中可能產生的治療效用；此乃作者回顧人類文明發展，進而對「現代性」所作出的深層詮釋。顏文從「檢驗道家《易》學譜系」、「檢證辯證法或辯證思維是否專屬於老子」、「尋繹道家《易》學的系統性」、「檢證《易傳》是道家《易》學論點的若干方法論問題」等脈絡分別進行論述，旨在考察《易傳》究是道家《易》學，或為儒家《易》學；是「道家主幹說」，還是以儒家思想為主軸，且融合他家思想的安身立命之學；此外，並進一步探討「《易傳》與儒家的關係」是否誠如陳鼓應教授所言「可說是微乎其微」？

第二場

「第二場」論文發表，由國立政治大學中文系教授呂凱主持，發表的論文有四篇：

1. 曾春海　《易》哲學中的感應與亨通
2. 高柏園　葉適對《易傳》的理解態度
3. 王智榮　《易》學與兵學之研究
4. 郭世清　「離」解曹洞宗「五位」禪意之研究

曾文將《易》哲學中的終極性實有——「太極」的結構、功能及目的，融貫放太極、八卦內的「一陰一陽之謂道」，以檢視〈否〉、〈泰〉、〈咸〉等卦是否與《易》哲學原理中的感應及亨通相契合；此外，並闡述《易》道「持中守正」的精神內涵；所論詳盡，其用心可見。高文旨在討論葉適對《易傳》的理解態度，而將主力集中在「《易傳》的地位」、「太極」及「陰陽」三個問題上；首先說明葉適對《易傳》的質疑及其分類，其次論及葉適對「太極」觀念的理解，最後則討論葉適對「陰陽」觀念的主張。王文試圖將《易》學中的變易思想與老子、孫子的兵學辯證思想作一結合，以證成《周易》蘊涵著「戰爭哲理」；此外，並述及現今《易》學對兵學的啓發與貢獻。郭文乃「以易解禪」之作；首先試圖針對曹洞祖師的「五位說」進行梳理，以明其師承關係與宗旨大意；其次透過「重離」的言辭與爻象，進一步探討其獨採此卦的創見；最後則結合「重離」與「五位」之間的對應關係，論證二者「雙成雙美，相互輝映」的禪意。

第三場

　　十一月四日上午八點五十分，進行「第三場」論文發表，由國立臺北師範學院院長培育中心主任林文律教授主持，計有三篇論文：

　　　1.陳欽銘　　《素問·天元紀·大論篇》——《太始天元冊》文研究
　　　2.孫劍秋　　唐宗海《醫易通說》研究之一：論太極生成與人身陰陽
　　　3.郭東升　　論《周易參同契》的外丹術

陳文指出，《素問》中的「太始天元冊」是中國最古老的「天文」著作，其內容涵蓋「宇宙生成」、「生命緣起」、「氣候與生態」、「陰陽剛柔」、「古代曆法」等辯證思維，是形而上落實到形而下的應用；此外，文中並加入小學、文字等論證。孫文旨在將唐宗海的醫學理論（中醫與《易經》結合）具體呈現出來；首先提出唐宗海在《易》學研究上的兩項主張，其一是「太極」之上並無「無極」，太極派生僅至六十四卦，不可無限派生下去，其二是唐宗海根據日光運行與四季變化的角度，肯定圖九書十說的正確，並以之說解醫理；最後則分別檢視唐氏觀點中的「太極」、「兩儀」、「四象」、「八卦」、「河圖九數」、「洛書十數」及「人體陰陽」的關聯性，以期對唐宗海「醫《易》相通」理論有更深一層的認識。郭文從「投入原料」、「煉製方法」、「反應狀況」及「服食效果」等方面，逐一對

《參同契》進行重新整理；並認爲在《參同契》中所介紹約三種「金丹」煉製方法，爲準確評價其在化學史及冶金學史上的地位，提供了可靠的依據。

　　上午十點三十五分，「第四場」及「第五場」的論文發表，分別在「第一研討室」與「國際會議廳」同時進行。

第四場

　　「第四場」論文發表，由中央研究院中國文哲所研究員林慶彰教授主持，共有論文三篇：

1. 王基倫　　《易》與柳宗元古文創作
2. 蕭漢明　　《周髀》「周公與商高對話篇」、「榮方與陳子對話篇」與
　　　　　　《易・繫辭》
3. 施炎平　　康有爲和二十世紀中國《易》學的現代轉化

王文指稱在柳宗元的作品中，確實有許多立論是源自「本之《易》」的思考方式，而合於聖人「動靜」之道；並認爲《易》對柳文的直接影響，在於「變通之道」所帶來「文辭風格」的呈現。蕭文從三處立論：其一，認爲《周髀》三篇並非成於一時一人之手；其二，探討了《周髀》各篇的成書時期；其三，指出《周髀》與《易・繫辭》有密切關係，開拓了《周易》思想研究的史料來源；其於清理《易》學史上的問題及所運用的方法論，對今日《易》學實具有啓發作用。施文以聯繫二十世紀中國的現代化進程爲切入點，著重考察康有爲既接受《周易》思想影響，又重釋《周易》理念的雙重努力，而爲其「變法維新」提供理論依據及輿論準備；此外，並進一步評析康有爲在推動二十世紀中國《易》學現代轉化過程中的作用及價值。

第五場

　　「第五場」論文發表，由馬來西亞《易經》學術研究會副會長張日城教授主持，計有論文三篇：

1. 張永堂　　朱熹與術數
2. 趙中偉　　《太極》思維的轉化與發展
3. 李仕澂　　關于命運

張文從「理氣數」、「命」、「風水」、「卜筮」及「相術」等不同角度，分論朱

熹的「術數」思想；此外，並兼論「理學」與「命理學」，以及朱熹與當代術士的交往情形；即使如此，張氏在結論中仍然認爲，「盡人事」是朱熹最重視的課題。趙文指出，「太極」是《易傳》最重要的概念之一，其於《易》學史上的轉化與發展，歷經「概念化」、「圖象化」及「圖騰化」三個過程；這三種轉化，彼此之間是相輔相成、相互運用的關係，並使得《易》學的「太極」內涵，呈現內容深化與實際運用的發展趨勢。李文旨在以哲學的觀點來詮釋「命運」的精神內涵，並大量引用中國古人對「命」、「運」、「順逆」、「吉凶」、「四柱」、「運程」等等的看法，來解釋「命」與「運」之間的關係。

第六場

下午一點二十分，進行「第六場」論文發表，由國立臺灣師範大學副校長賴明德教授主持，共有論文四篇：

1. 歐陽康　　試論《周易》的原初意義與現代意義
2. 吳恆昭　　二十一世紀《易》學新發展
3. 沈樹圭　　論《易經》之現代實用價值（王瑞賢代宣）
4. 林嘉茂　　焦循的易學——以《易通釋》爲例

歐文藉由方法論的運用，試圖全面掌握《周易》的原初意義及現代意義，並採納中外許多學者的看法及理論來加以解釋、比對，以說明《周易》具有超越時空的特性；整體而言，宏觀的《周易》意義及微觀的《周易》價值，在本文中被凸顯出來。吳文試圖以「弦外之音」及「弦外之意」的思維方式，來探究卦爻的變化性，以及二十一世紀《易》學的新發展——《易》學研究與現代科學相結合；其中對「醫易同源」的課題多所著墨，尤其是對「載體」（藥引）的陳述。沈文指出，《易經》是一門「觀察宇宙天地間萬事萬物」、「研究每一類事物內的關聯性及差異性」，以及「探討人生」的學問；並認爲《易經》不僅是科學的，同時也是科學與哲學結合體的學問。林文藉《易通釋》之例，以探討清代《易》學家焦循對「旁通」、「相錯」、「時行」（爻位變化）等理論的領悟，以及用「象」、「辭」相互釋義對後人學《易》者的貢獻。

第七場

下午三點四十分，進行「第七場」論文發表，由美國《易經》學會團長吳恆昭

教授主持，共有四篇論文：

1. 魏震祥　　《易》學與傳統人體科學初探
2. 劉德龍　　現代仿生學與《周易》「制器尚象」
3. 王瑞賢　　【兩極哲理】事物自然變化之法則
4. 陳慶全　　人從那裡來？

魏文認爲二千餘年來，《易》學（如「太極學說」與「大小宇宙」等）與古代人體科學（包括醫學、氣功等學科）始終存在著密切的「學科聯姻」，並形成一種獨具東方色彩的人體科學體系，在世界人體科學發展史上，享有崇高的地位，至今仍爲當代人體科學所垂青。劉文指出，「現代仿生學」是通過研究生物身體結構與功能的工作原理，並且藉由這些原理來發明性能優異的新型裝置，創造出新的技術及原理；這種新興的學問若與《周易》的「制器尚象」相結合，必能創造出新的「高度自動化」的高科技產品。王文從《易經》「剛柔相推」及「陰陽變化」的概念中推衍出「兩極哲理」的事物自然變化法則（新事物都具有兩極化的屬性），並將其運用在所謂的「和平工程」（從儒家立場出發）計劃上，頗具創造、開發的實用精神。陳文指出，人類來自於天地，是透過「靈導超聚」，而使地球上的「五行核」活化後再組成人的五體、五官、五臟及六腑，並經由「靈導」的構思計劃，再以超導的功能於瞬間聚成人體，因謂「人」是天物；同時亦推論「地球」是一粒生物球體，具有核子的功能特性及特導功能；此篇可說是涵蓋了學術、術數、宗教等範疇，頗值得玩味。

第八場

十一月五日上午八點五十分，進行「第八場」論文發表，由中華民國《易經》學會榮譽理事長邵崇齡代爲主持（原主持人新加坡《易經》研究會會長沈樹圭教授，因事不克前來），計有論文四篇：

1. 蔡崇正　　從中國國都位置及遷都到「北京首都——重慶陪都」陰陽軸心的《易》玄科學之構思（作者不克前來，由邵理事長代爲宣讀）
2. 林文欽　　《周易》卦序結構的探討（作者不克前來，由杜保瑞教授代爲宣讀）
3. 劉　杰　　針灸學與八卦的相當性及應用的研究（作者不克前來，由曾文俊

醫師代爲宣讀）

4.胡聲強　　(1)二十一世紀《易》學新展望　(2)河圖（三）（作者不克前來，
　　　　　　由倪理事長代爲宣讀）

蔡文以中國國都的位置（穴）及遷都數據（向）爲理論基礎，論證這兩個參數在中國國運所扮演的角色，並闡述「北京首都－重慶陪都」陰陽軸心之軍事策略的重要性；此外，也總結若干現代中國風水理論基礎因素及規律，以便解釋中國何以需要此「陰陽軸心」來帶動「大西部」的開發。林文指出，通行本《周易》的卦序在春秋時代即已擬定，並且認爲上下經文的意義及陰陽內外卦的分配，是依預先擬定的計劃而精心設計，這種設計與其它卦序體系（如京房卦序、邵雍卦序、帛書卦序等——主要是以卦爻或內外卦象爲主序）有著本質上的差異。劉文綜合性地簡介「八卦針灸沿革」、「九針八卦理論」、「八卦人體解剖」、「八卦經絡縱橫」、「八卦針刺手法」、「八卦腧穴理論」及「八卦針灸取穴」等醫學理論（該項研究原分八個章節，約計六十萬字），有點類似「導言」性質；該項研究旨在以系統論述及專題探討相結合的形式，運用在針灸學與八卦之間，並通過八卦與古代天文學、地理學、音律學、氣象學、曆法學、數術學等進行研究，試圖在發展針灸理論與臨床實驗上，開創一個新的領域。胡文分(1)、(2)兩篇；前者指出，廿一世紀《易》學的新展望，盡在《易》學文字上，而《易》學陰陽的宇宙觀，正是廿一世紀科技研究工作的主軸，以西方科技知識配合東方古老文化的研究層面，才是眞正符合廿一世紀《易》學新展望的目標與方向；此外，並提出「門前一卦，家家有《易》」爲「保護民族古文化之網路」的口號；後者指出，「河圖」的陰陽系統可對測地圖上的地理環境，以及陸地與海洋的形態關係，並且可根據層次圖作出分析，以進一步瞭解「陰」與「陽」具存地理層面上的規律；文中涉及的層面很廣，頗值得進一步研究。

綜合討論

　　此次大會規劃的八場論文發表，至此告一段落；在「茶點聯誼」後，緊接著在上午十點三十五分舉行「綜合討論」，由中華民國《易經》學會榮譽理事長邵崇齡擔任主持人，參與討論的學者專家如下：

　　倪淑娟——中華民國《易經》學會理事長

張炳陽──國立臺北師範學院語教系主任

俞永大──韓國《易》理學會首席副會長

張日城──馬來西亞《易經》學術研究會副會長

吳恆昭──美國《易經》學會團長

蕭漢明──武漢大學哲學系教授

歐陽康──華中科技大學校長助理、教授

李　巍──吉林省文史研究館館員

杜保瑞──華梵大學哲學系主任

孫劍秋──國立臺北師範學院語教系教授

對於主辦單位在議程的安排及論文發表的層次上，參與討論的學者專家一致予以肯定（除了缺少「翻譯人員」外），認為這是《易》學發展的一大步，並期望日後學術界與術數界能相互結合，以締造未來《易》學研究的新里程碑。

經 學 研 究 論 叢
第 十 一 輯　頁423～428
臺灣學生書局　2003 年 6 月

「第三屆海峽兩岸青年易學論文發表會」會議紀要

何淑蘋*

　　由中國大陸教育部人文社科重點研究基地與山東大學易學與中國古代哲學研究中心主辦，臺灣中華易經學會、北京大學哲學系、武漢大學哲學系協辦的「第三屆海峽兩岸青年易學論文發表會」，於二〇〇一年十一月二十日至二十四日，一連五天，在山東濟南山東大學新校區邵館會議廳舉行。共計舉行十場，發表三十七篇論文。出席此次會議的人士，包括大陸學者專家六十餘人、臺灣代表團成員十八人。臺灣方面的與會學人，是在臺灣中華易經學會榮譽理事長邵崇齡先生、臺灣中華易經學會理事長倪淑娟女士帶領下，組成代表團，成員包括張永堂（中華易經學會副理事長、清華大學歷史系教授）、孫劍秋（中華易經學會執行主委、國立臺北師範學院語教系教授）兩位教授暨多位學會理事、推廣委員；與會學生則有：彭涵梅（臺灣大學哲學研究所博士生）、蔡家和（中央大學哲學研究所博士生）、何淑蘋（東吳大學中國文學研究所碩士生）、李鴻儒（同前）、吳怡欣（臺北市立師範學院應用語言研究所碩士生）、張敏容（同前），共六人發表相關論文。

　　二十一日上午八點三十分，於山東大學邵館一樓東廳舉行開幕式，大會秘書長林忠軍先生擔任主持人。首先是山東大學易學與中國古代哲學研究中心主任劉大鈞先生致開幕辭，隨後由山東大學副校長張體勤先生、臺灣中華易經學會倪淑娟理事

---

*　何淑蘋，東吳大學中國文學系碩士生。

長、吉林大學呂紹綱先生、臺灣清華大學張永堂先生、武漢大學蕭漢明先生、北京
大學李中華先生等與會貴賓先後致辭。開幕式於九點三十分結束，大會隨即邀請全
體與會學人於會議廳外合影留念。

　　開幕式結束後，正式開始為期三天的論文發表。此次會議分成十場，計發表三
十七篇論文，每場發表會安排三至四位發表人。各場次由兩位教授共同擔任主持
人，其中一位負責主持議程，另一位則總結該場發表會之意見，並略作綜合性的講
評。會議規則方面，每位發表者發表時間為八分鐘，論文發表結束，隨即由兩位教
授輪流講評，每人講評七分鐘，合計講評時間十四分鐘，講評完畢後再有兩分鐘由
發表者作回應。

　　二十一日上午十點至十一點五十分，舉行第一場論文發表會。由孫劍秋、吳根
友兩位教授擔任主持人，發表三篇論文（括號內為講評人，下同）：

　　　1.彭涵梅〈「大衍之數五十」初探〉（呂紹綱、張善文）

　　　2.張麗華〈帛書《易之義》的解易思想〉（連劭名、廖名春）

　　　3.張文智〈京氏易學中的陰陽對待與流行——兼論京氏納甲、建候、積算的建
　　　　構原則〉（張永堂、張其成）

　　二十一日下午二點至三點五十分，舉行第二場論文發表會。由梁韋弦、任俊華
兩位教授擔任主持人，發表四篇論文：

　　　1.蔡家和〈程明道以易學之天理觀辨佛〉（王新春、陳紹燕）

　　　2.問永寧〈從《太玄》看揚雄的人性論思想〉（周立升、李中華）

　　　3.李紅霞〈從《朱熹集》看朱熹解「易」〉（張立文、孫劍秋）

　　　4.唐積柏〈易醫同源，防患未然——《周易》與醫學養生〉（蕭漢明、張其
　　　　成）

　　二十一日下午四點至五點五十分，舉行第三場論文發表會。由劉玉建、徐衛國
兩位教授擔任主持人，發表四篇論文：

　　　1.陳仁仁〈李鼎祚易學思想述評〉（張濤、林忠軍）

　　　2.劉　彬〈荀、虞《易》坎離思想探微〉（張善文、陳啓智）

　　　3.黃黎星〈以象解筮的探索——論尚秉和先生對《左傳》、《國語》筮例的闡
　　　　釋〉（梁韋弦、王新春）

4.張敏容〈徐總幹《易傳燈》思想略論〉（張永堂、詹石窗）

二十二日上午八點至九點五十分，舉行第四場論文發表會。由陳啓智、張永堂兩位教授擔任主持人，發表四篇論文：

1.唐　琳〈《象傳》卦變簡論〉（孫劍秋、劉玉建）

2.朱　姝〈《傷寒論》六經提綱成、柯、尤三家注釋評議〉（蕭漢明、張其成）

3.吳怡欣〈論《易·繫辭》中的人性觀〉（顏炳罡、孫熙國）

4.井海明〈帛書《二三子》、《要》蘊含的卦氣思想評介〉（連劭名、廖名春）

二十二日上午十點至十一點五十分，舉行第五場論文發表會。由廖名春、楊效雷兩位教授擔任主持人，發表四篇論文：

1.閻睿穎〈《易傳》之「時」——兼論「時」所反映的《易傳》基本思維特點〉（吳根友、丁冠之）

2.劉玉平〈孔穎達的易學詮釋學〉（呂紹綱、吳根友）

3.程　林〈胡煦易學思想述略〉（張濤、林忠軍）

4.謝金良〈援禪以證易，誘儒以知禪——《周易禪解》易學思想與方法略論〉（李中華、王新春）

二十二日下午二點至三點五十分，舉行第六場論文發表會。由王俊龍、王新春兩位教授擔任主持人，發表四篇論文：

1.何淑蘋〈劉百閔《易》學思想初探〉（詹石窗、梁韋弦）

2.黎心平〈孟、京「卦氣說」初探〉（張永堂、張善文）

3.蔣朝君〈李道純易學旨趣探微〉（丁原明、王曉毅）

4.楊效雷〈清代學者焦循獨特的易學構架〉（周立升、孫劍秋）

二十二日下午四點至五點五十分，舉行第七場論文發表會。由詹石窗、張其成兩位教授擔任主持人，發表四篇論文：

1.朱翔飛〈孔子與《易傳》——論儒家形上學體系的建立〉（王曉毅、顏炳罡）

2.張健捷〈《易緯·乾鑿度》的哲學思考〉（張立文、吳根友）

3.孫向中〈敘述語言的結構和表達方式的選擇——周易思想內容與其表現形式的關聯〉（徐傅武、劉玉建）

4.劉保貞〈孔子「興」式教育法與《詩》、《易》的義理化〉（呂紹綱、張濤）

二十三日由大會安排，招待與會學人游覽山東名勝——曲阜，參觀孔府、孔廟。

二十四日上午八點至九點五十分，舉行第八場論文發表會。由任俊華、王立新兩位教授擔任主持人，發表四篇論文：

1.張立斌〈現代邏輯解《易》思路研究〉（張立文、王俊龍）

2.李曉宇〈《周易》占筮與風險決策〉（陳啓智、邵崇齡）

3.郭　剛〈《度人經注》與《易》學關係略論〉（王曉毅、李中華）

4.曲黎敏〈三陰三陽學說與中國古代天文學〉（徐傅武、連劭名）

二十四日上午十點至十一點五十分，舉行第九場論文發表會。由張立斌、黃黎星兩位教授擔任主持人，發表四篇論文：

1.梅珍生〈論損益之道〉（丁原明、任俊華）

2.李鴻儒〈論《易》學的全型發展〉（梁韋弦、孫熙國）

3.孫勁松〈《易》言三才之道——郭雍《易》學思想初探〉（陳啓智、廖名春）

二十四日下午兩點至三點五十分，舉行第十場論文發表會。由陳紹燕、張濤兩位教授擔任主持人，發表四篇論文：

1.吳世彩〈論《易經》六十四卦與黃泛土壤結構、植物發育的契合意義〉（徐傅武、王俊龍）

2.馬新欽〈《周易》斷辭所蘊含的思想〉（孫熙國、任俊華）

3.孫劍秋〈惠棟治《易》的特色與貢獻〉（周立升、劉大鈞）

第十場發表會結束後，隨即舉行閉幕式。首先是劉大鈞先生致閉幕辭，其次依序由邵崇齡、張永堂、周立升、連劭名、孫劍秋等教授發表多日來的與會感想，除肯定舉辦單位的用心和成功外，對於此次參與發表的青年學者，亦多所勉勵。隨後，由彭涵梅、黃黎星、問永寧、閻睿穎、張健捷、劉震等六位學生代表發表參加

大會的感想和建議。最後，大會由劉震先生宣布將設置「青年易學聯絡網」，以期更有效地促進青年學者間的學術交流。本次大會在主辦單位山東大學易學與中國古代哲學研究中心的積極籌劃之下，至此圓滿結束。

　　此次會議實際發表僅三天，時間緊湊，因此很難將流程安排周全。大會訂定每位青年學者發表時間八分鐘，而講評時間合計則有十四分鐘，主要目的在使發表人能多聽取前輩專家的建議，藉以提升青年學子撰寫論文的水平，用心可謂良苦。但由於發表場次甚多，時間有限，所以並未在各場會議中安排自由討論時間，減少了即時交流的機會。總之，「海峽兩岸青年易學論文發表會」的舉行，使兩地的青年學者得以相聚一堂，共同切磋交流，對於《易》學研究風氣的推動，具有相當積極的意義。另外，主辦單位山東大學易學與中國古代哲學研究中心設有網站（http://zhouyi.sdu.edu.cn），對於本次會議有專門報導，不久也會將會議錄音、錄影等資料整理後放入網頁內，對《易經》有興趣的同好可以連結至該網站上瀏覽相關介紹。

經 學 研 究 論 叢
第 十 一 輯　　頁429～430
臺灣學生書局　　2003 年 6 月

第二屆中國經學學術研討會

編輯部

　　中華民國經學研究會成立於民國八十六年，八十八年曾與臺灣大學中國文學系合辦「周易、左傳學國際會議」，九十年十二月八、九日與逢甲大學中國文學系合辦「第二屆中國經學學術研討會」，會議計發表論文十七篇，學者和研究生三十餘人參加。

十二月八日（星期六）

專題演講

　　陳新雄：從詩經〈燕燕〉看《詩序》之價值

第一場會議（謝海平主持）

　　1.賴貴三：焦循《毛詩》學析論（林葉連）

　　2.呂珍玉：讀屈萬里先生《詩經詮釋》（雅頌）疑義（季旭昇）

　　3.周玉琴：《毛詩序》中論詩觀點對中國文學理論的影響（翁文嫻）

　　4.江雅茹：《文心雕龍》與《詩經》（胡仲權）

第二場會議（李威熊主持）

　　1.朱守亮：讀《詩經・國風・召南・草蟲》之審美感與表現（方元珍）

　　2.何廣棪：讀《直齋書錄解題・詩類》札記（朱守亮）

　　3.陳溫菊：〈關雎〉新解與《詩序》的重估（許端容）

第三場會議（莊雅州主持）

　　1.李時銘：作樂思想的理論與實踐（李威熊）

　　2.劉文強：論「君子好『逑』」（賴貴三）

3.邱惠芬；胡承珙對《毛詩正義》中「箋異傳」之述評（陳溫菊）

4.彭維杰：朱熹「淫詩說」理學釋義（李時銘）

十二月八日（星期六）

第四場會議（簡宗梧主持）

1.盧鳴東：論鄭玄「五帝降氣」說的星象根據——從〈雅〉〈頌〉商周始祖感
　　　生說起（彭維杰）

2.季旭昇：〈雨無正〉解題（許學仁）

3.劉永炎：《詩・秦風・黃鳥》古義新證初探（劉文強）

4.林宏明：談《詩・大雅・大明》「殷商之旅，其會如林」句中一個可能的誤
　　　字（許錟輝）

5.李鵑娟：〈召南・行露〉「家」字意象試探（李添富）

經　學　研　究　論　叢
第　十　一　輯　　頁431～482
臺灣學生書局　　2003 年 6 月

出版資訊

一、本專欄收國內外最新出版，有關經學和經學人物之相關專著。惟舊籍重印或再
　　版書，則不予收入。

二、各提要略依經學總論、周易、尚書、詩經、三禮、三傳、四書、孝經、爾雅、
　　讖緯、經學人物等之順序排列。

三、提要前之目錄項，分別依書名、作譯者、出版地、出版者、頁數（冊數）、出
　　版年月等項排列。

四、各提要以簡介各書之內容為主，如有所評論，僅代表作者之意見。

五、歡迎各界人士提供與本專欄性質相符之著作，以便推介，來書請寄臺北市和平
　　東路一段 198 號臺灣學生書局《經學研究論叢》編輯部收。

《十三經注疏》（標點本）

《十三經注疏》（標點本）　　李學勤主編　　北京　　北京大學出版社　　13 冊　　1999
年 12 月

　　本書旨在針對十三經經文及其注疏進行系統及全面性的整理。整理內容包括標
點、文字處理、校勘，及吸收研究成果等。所依據的底本為一九七九年北京中華書
局影印清嘉慶二十一年阮元校刻《十三經注疏》本，阮刻本中的附錄，本書皆予以
收入。

　　本書最大的特色為文字及編排上是以簡體字橫排為主。標點方面，採用中國大
陸現行的新式標點符號，並結合古籍整理標點之通例，對全書進行統一標點；文字
方面，著重在漢字簡化的處理上。大抵言之，為便於大陸年輕學者之閱讀，凡是能
夠簡化的繁體字，本書均儘量簡化。惟特定詞組中的某些字，若在簡化之後容易引
起誤解者，或是某些人名、地名、書名、職官、封號、徽號等專有名詞，和一些約

定俗成的詞組，皆不使用簡體字。

校勘方面，本書原則上以全面吸收〔清〕阮元《十三經注疏校勘記》與〔清〕孫詒讓《十三經注疏校記》的成果爲主，但並不照抄原文，而是使用統一格式，對阮、孫二校的原文作適當改寫，行文中則分別標明爲「阮校」或「孫校」。並參酌唐石經、宋刊各經單注、單疏本，及宋代至清代各注疏合刊本，予以彙整校對。如因文字出入而可能導致所證事實完全不相符合或差異較大者，整理者則略作考證以決定取捨。如爲整理者自己的校勘成果，則加上「按」、「今按」、或「整理者按」等字眼，列於最末，以示區別。

本書名爲標點本，實際上稱之爲簡體字本似乎更爲貼切。由於中國大陸在一九五六年開始分批推行漢字簡化方案，學者閱讀原典的能力已逐漸產生隔閡，爲避免中國古籍在閱讀及研究上產生困擾甚至斷層，本書文字上的編排，將可使此一重要經典爲更多方面的學者所運用。

編者李學勤，一九三三年生於北京，清華大學哲學系畢業。曾參與中國科學院考古研究所編著《殷墟文字綴合》。一九五四年於中國科學院歷史研究所工作。現任清華大學思想文化研究所所長，並兼掌國際漢學研究所所務，西北大學、華東師範大學等多所高校教授，中國先秦史學會理事長，國務院學位委員會委員等。一九九六年起，任「夏商周斷代工程」首席科學家、專家組組長。曾多次在歐、美、澳、日等國家任教或講學。一九九七年，當選爲國際歐亞科學院院士。主要著作有：《殷代地理簡論》、《中國青銅器的奧秘》、《東周與秦代文明》、《古文字學初階》、《出土青銅器研究》、《比較考古學隨筆》、《周易經傳溯源》、《簡帛佚籍與學術史》、《走出疑古時代》、《古文獻叢論》、《中國青銅器概說》等。

（張穩蘋）

《十三經注疏》（整理本）

《十三經注疏》（整理本）　李學勤主編　臺北　臺灣古籍出版公司　46 冊　2001 年 11 月

本書即一九九九年北京大學出版社所出版的《十三經注疏》的繁體直排版，臺灣古籍出版公司重新出版之後，將之細分爲四十六冊。兩書在內容及整理方向上幾

乎完全一致，最大的差異在於文字上的處理。繁體直排版所用字形是以「現代漢語通用字表」之字形爲標準，參考《辭海》以及《漢語大字典》，對《十三經注疏》中的全部文字進行規範統整的工作。以異體字爲例，本書原則上保留原樣，惟爲求全書統一，整理者仍作適當處理；俗體字則改爲正字；至於古今字如「于」、「於」，「无」、「無」，「礼」、「禮」，「証」、「證」，「万」、「萬」等，則並存不改。

　　由於改橫排爲直排，在編排上亦分爲上、下兩欄，體製上較爲接近阮元的《十三經注疏》刻本，校勘文字則隨正文置於當頁。這種繁體直排的編排方式不僅利於原來習慣閱讀阮本之學者，也減少古籍文字在簡化之後所造成的部分不必要的誤解。

　　　　　　　　　　　　　　　　　　　　　　　　　　　（張穩蘋）

十三經注疏分段標點

《十三經注疏分段標點》　十三經整理工作小組　周何主編　20 冊　臺北　新文豐出版公司　2001 年 6 月

　　《十三經注疏》自從經過清代阮元校勘之後，在清嘉慶二十一年由江西南昌府學開雕印行，流傳至今，已成爲學術界公認最完善的本子。民國四十四年，臺北藝文印書館根據此一版本，影印成十六開本的《十三經注疏》，由於沒有分段和斷句，使得本書在流傳上，僅侷限於相關學術領域之學者專家，或各公私立大學中文系所學生圈點精讀之用。爲促使更多現代人對中國傳統經典有所認同，不致因過於畏懼解讀原典而欠缺接觸意願，臺灣師範大學國文研究所教授周何先生，遂邀集國內相關經學專家，經過九年之籌畫整理，完成《十三經注疏分段標點》，共二十冊。

　　在分段上，凡經文起迄自成段落者則予以分段，《經》文若有過長，或《疏》文過於繁冗者，酌情再作適當的分割。如在一卷或一篇之內，則逐段冠上（1.2.3.……）之編號。各段之中，則依《經》文、《記》文、《傳》文、《注》文、《經典釋文》、《疏》文之次序排列。阮元〈校勘記〉文則由原書末移至該段之末。

　　標點方面，採用最新標點符號。其中原文如有訛誤，而阮〈校〉未見者，則列其正字於訛字之下，並加【】以表示之；《疏》文如有錯簡，而阮〈校〉未見者，則移正其文字於適當之後，並加註說明。

由於該書體制龐大，難免偶有錯字，讀者在使用該書之際，或可參酌原典，以免貽誤。 （張穩蘋）

《中國經典詮釋傳統(二)：儒學篇》

《中國經典詮釋傳統(二)：儒學篇》 李明輝編 臺北 財團法人喜瑪拉雅研究發展基金會 357頁 2002年2月

本書共收錄九篇論文，分別從這「思想史」和「方法論」兩個角度入手：⑴黃俊傑〈試論儒學的宗教性內涵〉；⑵林啟屏〈古代中國「語言觀」的一個側面：以《易・繫辭》論「象」爲研究基點〉；⑶謝大寧〈言與意的辯證：先秦、漢魏《易經》詮釋的幾種類型〉；⑷楊儒賓〈《中庸》、《大學》變成經典的歷程：從性命之書觀點立論〉；⑸楊儒賓〈水月與記籍：理學家如何詮釋經典〉；⑹李明輝〈焦循對孟子心性論的詮釋及其方法論問題〉；⑺古偉瀛〈明末清初耶穌會士對中國經典的詮釋及其演變〉；⑻陳昭瑛〈儒家詩學與日據時代的臺灣經典詮釋的脈絡〉；⑼李明輝〈轉化抑或對話？——李春生所理解的中國經典〉。

本書是「中國文化中的經典詮釋傳統」研究計畫之一，是「東亞近世儒學中的經典詮釋系統」整合型研究計畫（2001－2003，教育部所推動「大學學術追求卓越發展計畫」之一）之前置性計畫。此計畫特別著重於對經典詮釋進行「第二序的思考」（second order thinking）。換言之，在這九篇涉及儒學傳統的論文中，不僅探討歷代詮釋者「如何」詮釋各種經典，更進一步探討他們「爲何」會如此詮釋這些經典。可以思想史的角度，就詮釋者所置身的思想史背景來說明其原因，也可以從方法論的角度，就詮釋者自覺或不自覺的方法論預設來檢討其詮釋之基礎與得失。以上論文有四篇均涉及中西文化之交流，因而包含一個跨文化研究的面向；其餘五篇則純屬中國傳統學術的範疇。 （陳蕙文）

《五經哲學及其文化學的闡釋》

《五經哲學及其文化學的闡釋》 嚴正著 濟南 齊魯書社 533頁 2001年8月

本書爲中國孔子基金會文庫第二輯入選著作之一，由其資助出版。本書除〈緒論〉、〈餘論〉外，中間共分十章：第一章〈《詩經》哲學研究〉、第二章〈《尚

書》哲學研究〉、第三章〈《三禮》哲學研究〉、第四章〈《周易》哲學的研究〉、第五章〈《春秋》哲學研究〉、第六章〈五經哲學的基本觀念〉、第七章〈經學的宗教功能〉、第八章〈經學的意識形態批判〉、第九章〈儒者的生存困惑〉、第十章〈經學的思維方式〉等。本書原名《西漢今文經學哲學研究》，後依師友建議改今名。本書探討之五經哲學，指早期儒學對五經的闡釋，基本上止於西漢，並非概括整個經學史。

　　作者嚴正，一九六四年生於黑龍江省阿城縣。現任南開大學哲學系中國哲學教研室主任，從事經學研究。除本書外，另有《儒學本體論研究》一書，並於《中國哲學》、《中國哲學史》等期刊發表論文若干篇。　　　　　　　　（劉康威）

《上博楚簡三篇校讀記》

《上博楚簡三篇校讀記》　李零著　臺北　萬卷樓圖書公司　179頁　2002年3月

　　二○○一年十二月上海博物館公布了第一批館藏戰國楚竹書資料（即馬承源主編《上海博物館藏戰國楚竹書（一）》，上海古籍出版社出版），隨即引起學界關注，在短短幾個月之內陸續出現數十篇相關文章，分別刊載或公布在期刊、網站（特別是簡帛網站）上，顯見這批資料已成為繼郭店楚簡之後，最新、最重要的研究文獻。本書作者長年從事簡帛研究，同時也是上博楚簡整理者之一，在丁原植先生邀約下，匯集近期相關研究心得而成《上博楚簡三篇校讀記》一書，編入萬卷樓圖書公司「出土文獻研析叢書」第十四種出版，將個人研究楚簡所得提供學界作參考。

　　本書內容正文有兩部分。第一部分為「上博楚簡校讀記」，收錄論文三篇，分別討論《子羔》篇「孔子詩論」部分及《緇衣》、《性情》；第二部分為「相關論文」，收錄論文三篇，即探討《緇衣》和《性自命出》的「郭店楚簡校讀記」兩篇，再加上〈參加「新出簡帛國際學術研討會」的幾點感想〉一文。書末另有附錄「作者校訂後釋文」，是作者校訂上博簡《子羔》篇「孔子詩論」和《緇衣》、《性自命出》後所得的釋文，提供讀者解讀楚簡之參考。

　　由於上海博物館藏戰國楚竹書資料，目前只公布了第一批（含《孔子詩論》、《緇衣篇》、《性情論》），其它部分尚在整理中，還未正式發表，故仍然不能作

全面的分析，相信不久的將來，隨著越來越多的材料被公布，一些難解的爭議或可漸漸被釐清。至於目前發表的相關論述雖多，但大部分仍屬於嘗試性的探討，還未能成為學界普遍接受的定論。即使曾參與上博簡整理的本書作者，其所提出的觀點，也只是諸家說法之一，亦非定論。不過，此書在上博簡公布甫不久隨即撰成出版，頗具有開討論風氣的意義，同時也顯示出楚簡研究動向正是當前學界焦點所在，讀者如若有心了解出土文獻研究的新成果，對於此類著作應該多加留意才是。

　　本書作者李零，一九四八年生，山西武鄉人。現為北京大學中文系教授。著有《長沙子彈庫楚帛書研究》、《孫子古本研究》、《吳孫子發微》、《中國方術考》、《中國方術續考》等書。　　　　　　　　　　　　　　　（何淑蘋）

《上博館藏戰國楚竹書研究》

《上博館藏戰國楚竹書研究》　上海大學古代文明研究中心、清華大學思想文化研究所編　上海　上海書店　479頁　2002年3月

　　上海博物館收藏了豐富且珍貴的戰國楚竹書，終於在二〇〇一年十二月公布了第一批資料，並立刻引起學界重視，針對這批材料作研究的文章，在短短幾個月的時間裏，持續不斷地發表出來，不但顯示出學界討論熱烈的程度，同時也凸顯出這份材料的珍貴性。在上博簡刊布的三個月後，除了刊載在期刊、網站上的文章外，已有一些論文集或專書以最快的速度出版面世，其中又以《上博館藏戰國楚竹書研究》一書，收錄兩岸三地學者計四十二篇論文，內容包含了釋文、編連、分篇、命名等各項問題的探討，是最系統、全面的反映出這批竹簡的最新研究成果，值得特別重視。

　　本書共收論文四十二篇，列舉於下：⑴濮茅左〈《孔子詩論》簡序解析〉；⑵李學勤〈《詩論》的體裁和作者〉；⑶陳立〈《孔子詩論》的作者與時代〉；⑷黃人二〈從上海博物館藏《孔子詩論》簡之《詩經》篇名論其性質〉；⑸彭林〈「詩序」、「詩論」辨〉；⑹江林昌〈上博竹簡《詩論》的作者及其與今傳本《毛詩》序的關係〉；⑺朱淵清〈從孔子論《甘棠》看孔門《詩》傳〉；⑻陳麗桂〈《性情論》說「道」〉；⑼周鳳五〈《孔子詩論》新釋文及注解〉；⑽范毓周〈上海博物館藏楚簡《詩論》的釋文、簡序與分章〉；⑾周鳳五〈論上博《孔子詩論》竹簡留

白問題〉；⑫李銳〈《孔子詩論》簡序調整芻議〉；⑬曹峰〈對《孔子詩論》第八簡以後簡序的再調整——從語言特色的角度入手〉；⑭王志平〈《詩論》箋疏〉；⑮饒宗頤〈竹書《詩序》小箋〉；⑯龐樸〈上博藏簡零箋〉；⑰何琳儀〈滬簡《詩論》選釋〉；⑱廖名春〈上海博物館藏詩論簡校釋劄記〉；⑲胡平生〈讀上博藏戰國楚竹書《詩論》劄記〉；⑳劉釗〈讀《上海博物館藏戰國竹書（一）》劄記〉；㉑邱德修〈《上博簡（一）》詩無隱志考〉；㉒俞志慧〈《孔子詩論》五題〉；㉓黃人二〈「孔子曰詩無離志樂無離情文無離言」句跋〉；㉔張桂光〈《戰國楚竹書·孔子詩論》文字考釋〉；㉕李守奎〈楚簡《孔子詩論》中的《詩經》篇名文字考〉；㉖姚小鷗〈《孔子詩論》第六簡釋文考釋的若干問題〉；㉗楊澤生〈試說《孔子詩論》中的篇名《中氏》〉；㉘許全勝〈《孔子詩論》零拾〉；㉙陳劍〈《孔子詩論》補釋一則〉；㉚李天虹〈上海簡書文字三題〉；㉛劉樂賢〈讀上博簡劄記〉；㉜魏宜輝〈讀上博簡文字劄記〉；㉝李銳〈讀上博楚簡劄記〉；㉞朱淵清〈讀簡偶識〉；㉟李零〈上博楚簡校讀記（之二）：緇衣〉；㊱陳偉〈上博、郭店二本《緇衣》對讀〉；㊲虞萬里〈上博簡、郭店簡《緇衣》與傳本合校拾遺〉；㊳趙平安〈上博藏《緇衣》簡字詁四篇〉；㊴孟蓬生〈上博簡《緇衣》三解〉；㊵馮勝君〈讀上博簡《緇衣》劄記二則〉；㊶白於藍〈「孚」字補釋〉；（42）李若暉〈由上海博物館藏楚簡重論「衍」字〉。

除了四十二篇論文外，書前另有〈馬承源先生談上博簡〉一文，是朱淵清先生訪問馬先生口述整理上博楚簡過程的記錄；書末則附有廖名春、朱淵清編〈上博館藏戰國楚竹書研究論文目錄〉，讀者可藉此目錄得知自上博簡刊布後各界討論情形，包括海峽兩岸和日本等地學者在學術研討會、簡帛網站、期刊報紙等處發表的文章，有助於讀者掌握研究動態。 （何淑蘋）

《經學今詮續編》

《經學今詮續編》 （《中國哲學》第二十三輯） 瀋陽 遼寧教育出版社 673頁 2001 年 10 月

《中國哲學》前主編黃宣民先生不幸於二〇〇一年二月十六日病逝，因此本輯於書前特闢專欄，有〈紀念黃宣民先生〉一文，介紹其生平。

　　本輯共收錄有論文十九篇，依序爲(1)姜廣輝〈重新認識儒家經典——從世界經典現象看儒家經典的內在根據〉；(2)〔美〕韓祿伯〈英雄模式與孔子傳記〉；(3)邢文〈卦序與易學的起源——易類簡帛的卦序意義〉；(4)梁濤〈《大學》新解——兼論《大學》在思想史上的地位〉；(5)林慶彰〈《毛詩序》在《詩經》解釋傳統的地位〉；(6)杜萌若〈漢代的「古今文字」與經「古今學」〉；(7)張踐〈《孝經》的形成及其歷史意義〉；(8)陳其泰〈董仲舒的《春秋》公羊學的理論體系〉；(9)林忠軍〈孟喜、京房的象數易學〉；(10)王葆玹〈禮類經記的各種傳本及其學派〉；(11)王啓發〈政治經典與經典政治——《周禮》與古代理想政治〉；(12)嚴正〈鄭玄經學思想述評〉；(13)謝保成〈經學的統一與變異〉；(14)張廣保〈經世致用：荆公新學對經學原典精神的復歸〉；(15)浦衛忠〈論胡安國《春秋傳》的思想〉；(16)張海晏〈經典崇拜與道德自覺——朱熹《詩》學析論〉；(17)張文修〈理學化經學的典範——朱熹的《四書章句集注》〉；(18)王中江〈歷史與社會實踐意識：章學誠的經學思想〉；(19)陳居淵〈閻若璩《尚書古文疏證》在清代思想史上的重新定位〉等篇。（劉康威）

《經學今詮三編》

《經學今詮三編》（《中國哲學》第二十四輯）　　瀋陽　遼寧教育出版社　725 頁　2002 年 4 月

　　本輯共收錄論文二十篇，分爲「中國上古宗教研究」、「楚簡研究」、「中國經學史研究」三部分。「中國上古宗教研究」，論文一篇，爲余敦康〈夏商周三代宗教——中國哲學思想發生的源頭〉。「楚簡研究」，論文八篇，爲(1)李學勤〈《詩論》與《詩》〉，附：李學勤〈《詩論》分章釋文〉；(2)裘錫圭〈關於《孔子詩論》〉；(3)姜廣輝〈關於古《詩序》的編連、釋讀與定位諸問題研究〉，附：姜廣輝〈古《詩序》復原方案〉；(4)李零〈《上海博物館藏戰國楚竹書（一）》釋文校訂〉；(5)邢文〈風、雅、頌與先秦詩學〉；(6)江林昌〈楚簡《詩論》與早期經學史的有關問題〉；(7)陳劍〈《孔子詩論》補釋一則〉；(8)葉國良〈郭店儒家著作的學術譜系問題〉等篇。中國經學史研究，論文十一篇，爲(1)王中江〈傳經與弘道：荀子的儒學定位〉；(2)張廣保〈《白虎通義》制度化經學的主體思想〉；(3)鄭任釗〈何休的公羊學思想〉；(4)林忠軍〈鄭玄易學思想的特色〉；(5)姜廣輝〈政治

的統一與經學的統一———孔穎達與《五經正義》〉；⑹張寶三〈唐代儒者解經之一側面——《五經正義》解經方式析論〉；⑺朱漢民〈宋學的文化詮釋〉；⑻夏長樸〈尊孟與非孟——試論宋代孟子學之發展及其意義〉；⑼彭林〈論鄭述《五先生禮說分類》〉；⑽張素卿〈經及其解釋——陳澧的經學觀〉；⑾〔日〕野間文史〈讀李學勤主編之《標點本十三經注疏》〉等篇。　　　　　　　　（劉康威）

《經學研究論叢》第十輯

《經學研究論叢》第十輯　林慶彰主編　臺北　臺灣學生書局　343頁　2002年3月

　　本輯收錄有關「經學總論」、「詩經研究」、「春秋三傳研究」、「四書研究」、「小學研究」、「經學家研究」、「日本儒學」、「古史研究」等論文十三篇及「經學會議」、「出版資訊」等。

　　「經學總論」有〔日〕安井小太郎著、金培懿譯的〈鄭、王異同辨（一）〉與葉純芳〈魏晉經學的定位問題〉二篇。「詩經研究」有張建軍〈〈瞻卬〉、〈召旻〉、〈節南山〉新證〉、張其昀〈《詩經》疊字通論〉、侯美珍〈鍾惺《詩經》評點成書時間考——辨證《鍾惺年譜》一誤〉三篇。「春秋三傳研究」有〔日〕濱久雄著、金培懿譯的〈清代《公羊》學的繼承——莊述祖的學問與思想〉一篇。「四書研究」有〔日〕室谷邦行著、陳靜慧譯的〈皇侃《論語集解義疏》——六朝疏學的展開〉一篇。「小學研究」有張寶三〈論訓詁學研究與儒家注疏之關係〉、周美華〈《說文》所見漢儒思想舉隅〉二篇。「經學家研究」有饒龍隼〈孔子變形側記〉、張惠貞〈王鳴盛之生平傳略及著述概說〉二篇。「日本儒學」有連清吉〈九州二儒岡田武彥先生與荒木見悟先生於宋明理學的詮釋〉一篇。「古史研究」有〔美〕倪德衛著、邵東方譯的〈三代年代學之關鍵：「今本」《竹書紀年》〉一篇。

　　「經學會議」有海峽兩岸清代揚州學派學術研討會、「乾嘉學者的義理學」研討會等報導。「出版資訊」有最新出版，與經學研究相關的書籍二十六種，並有〈提要〉介紹每部著作的內容。　　　　　　　　　　　　　（劉康威）

《中國經學史》

《中國經學史》　　吳雁南、秦學頎、李禹階主編　福州　福建人民出版社　678 頁
　　2001 年 9 月

　　本書為貴州師範大學吳雁南教授主編的國家「七五」期間哲學社會科學研究項目「陸王心學對中國社會的影響」課題的基礎研究項目，「陸王心學對中國社會的影響」的成果《心學與中國社會》已於一九九四年一月出版。此一基礎研究項目，遲至去年才出版。

　　本書分為〈導論〉、第一章〈西漢的今文經學〉、第二章〈東漢今古文經學之爭〉，附錄：〈經學與漢代社會〉、第三章〈魏晉南北朝經學的多元傾向〉、第四章〈隋唐經學的統一和變異〉、第五章〈宋代經世致用的功利派經學〉、第六章〈宋代經學的性理闡釋〉，附錄：〈經學與宋代社會〉、第七章〈元明時期理學的衰微和心學的興起〉、第八章〈清代前期經學的異彩〉、第九章〈乾嘉時期經學的興盛〉、第十章〈晚清的正統經學與經學異端〉等。

　　本書為分工撰寫，歷時九年而成。書稿由吳雁南、秦學頎、李禹階審查，秦學頎定稿。吳雁南、秦學頎、李禹階為本書主編。本書有系統的介紹了中國經學發展的歷史。　　　　　　　　　　　　　　　　　　　　　　　　　　　（劉康威）

《十三經論著目錄》

《十三經論著目錄》　　國立編譯館主編　臺北　洪葉文化事業公司　8 冊　2000
　　年 6 月

　　經學是中國傳統學術的代表，更是其他學術的基礎。長久以來受到讀書人的重視，相關的研究論述成果也甚為豐富。而有關經學的研究目錄出現甚早，以這些前人的研究為基礎，可以使後世的研究得到更進一步的研究成果。時至今日，經學的發展更與其他學科有更為密切的關聯，而經學研究目錄的編纂則有林慶彰先生的《經學研究論著目錄》及十三經整理小組的《十三經論著目錄》。可為現代的經學研究者使用。

　　本編為十三經整理小組的工作結果。共收錄先秦至民國八十三年間中外學者有

關十三經的著述及單篇論文，所收資料多達三萬多筆，共分爲八部：⑴周易（董金裕）、⑵詩經（朱守亮）、⑶尚書（許錟輝）禮記（黃俊郎）、⑷周禮、儀禮、三禮總義（劉兆祐）、⑸左傳（簡宗梧）公羊、穀梁、春秋總義（周何）、⑹論語（傅武光）、⑺孟子、四書、孝經總義（傅武光）、⑻爾雅及群經總義（黃尚信、李啓原、鄭卜五），皆爲中文學界的名教授。各經分別獨立編成，各有其特別之處，也更凸顯出經學與其他學科間的聯結性。單獨來看，就是每一經的發展演變史；綜合而言，即可視爲一部經學史的初步整理資料長編。且使用者可依自己的需要檢索所要的部分，頗爲便利。

（鄭誼慧）

《經學研究論著目錄（1993－1997）》

《經學研究論著目錄（1993－1997）》　林慶彰、陳恆嵩主編　臺北　漢學研究中心　3 冊　2002 年 3 月

　　目錄除了能反映一時期的學術研究成果外，亦能成爲研究學術者的入門工具書。凡致力於學術研究，皆不可不知。自林慶彰先生開始編輯《經學研究論著目錄（1912－1987）》，影響經學研究甚大；不但能爲民國以來的經學研究成果有一呈現，更具有指標性的地位。《經學研究論著目錄（1988－1992）》的出版，更對其他經學研究者提供莫大的助益，且對《正編》有傳承上的意義。《經學研究論著目錄（1993－1997）》的出版，除了對之前二編的繼承外，也更凸顯出此一時期世紀交替前的經學成就。

　　本編延續《經學研究論著目錄（1988－1992）》，所收以一九九三至一九九七年間有關的經學研究著述爲主，並補足之前《續編》所不足之處。共收有資料約有一萬八千筆，分爲上中下三本出版。上冊爲群經總論，包含通論、語言文字研究、經書人物、分類研究、經學史、經學問題、經學與其他學科等。中冊爲周易、尚書、詩經、三禮通論、春秋及三傳，下冊爲孔子與論語、孟子、大學、中庸、孝經、爾雅、石經、讖緯。而其所收的除臺灣、香港、新加坡等地外，也兼括大陸地區之論著。日本、韓國、歐美人士以中文寫作的資料，也酌予收入，充分顯示出這五年的經學研究成果。

　　《經學研究論著目錄》正編及續編內容皆已建置爲「漢學研究中心典藏目錄及

資料庫——經學研究論著目錄資料庫」，置於漢學中心網頁（http://ccs.ncl.edu.tw）。三編除印製紙本發行傳布外，亦將鍵入資料庫，方便讀者經由不同方式查檢。

（鄭誼慧）

《宋初經學發展述論》

《宋初經學發展述論》　馮曉庭著　臺北　萬卷樓圖書公司　249頁　2001年8月

　　傳統對於宋代初年的經學發展，大抵沿襲宋人吳曾《能改齋漫錄》的說法，以篤守「章句注疏之學」來概括。實際上，有別於漢唐注疏之學的新經學風氣，在唐代後期漸漸興起，至宋仁宗慶曆間發展蓬勃，著作大量出現，然而宋初處於晚唐、慶曆兩者之間，是否具有承先啓後的發展，而不是像前人所說僅止於守舊而已，值得進一步探討。本書作者即以宋代立國至仁宗慶曆前八十年間的經學活動爲討論範圍，從中探討官方學者、古文家和僧人隱逸等不同身分的人士對於經典理解的差異，以彰明宋初經學在中國經學發展史上，兼具守舊與開新的兩種風貌。

　　本書是在作者碩士論文基礎上修改而成。全書內容依序分爲「緒論」、「上篇」、「下篇」、「結論」四部分。「緒論」主要在探討宋初經學涵蓋範圍、研究價值，及前人相關研究成果等。「上篇」計兩章，先論宋初官方經學政策，次論宋初學者對經學新風氣的開拓。「下篇」計三章，分別討論官方學者（聶崇義、邢昺、孫奭）、古文家（柳開、王禹偁、石介）、僧人隱逸（王昭素、釋智圓）三者之經學思想。「結論」則以官方經學和新經學的表現，歸結出宋初經學具備新舊對立的特色，並對後來宋代新經學的發展有直接的影響。

　　歷來專門探討宋初經學發展的論述不多，因此本書之出版，其價值大概有下列三點：第一，對於前人評論宋初經學的不準確處，加以修正；第二，彌足了長期以來宋初經學研究成果的不足，使宋代新經學的發展脈絡更形清晰。

　　作者馮曉庭，一九六七年生，臺灣澎湖人。東吳大學中國文學系博士。現爲中央研究院中國文哲研究所博士後研究。除本書外，另撰有《宋人劉敞的經學述論》，並曾參與編輯《朱子學研究書目（1900－1991）》、《日本研究經學論著目錄（1900－1992）》等書。

（何淑蘋）

《乾嘉學者的治經方法》

《乾嘉學者的治經方法》 蔣秋華主編 臺北 中央研究院中國文哲研究所籌備處 1056 頁 2000 年 10 月

　　乾隆、嘉慶年間是清代學術最輝煌的時期，當時學者所完成的著作相當豐富，實非個人之力可以加以通盤研究的，所以中央研究院中國文哲研究所結合各方面的學者專家，展開爲期較久、層面較廣的專題研究。《乾嘉學者的治經方法》這本論文集就是由文哲所「清乾嘉學派經學研究主題計畫」第一年子計畫「治經方法」的研究成果集結而成，內容包括乾嘉學者治經的通論和個別學者的分析考察，同時也介紹了日本受乾嘉學術影響所衍生的考證學派，及其研究成果與特色等。

　　這本論文集分上下兩冊，共收錄十六篇論文，就內容性質分成通論、各家專論及日本研究三方面：㈠通論六篇：⑴楊晉龍〈四庫學研究方法芻議——研究時的幾個問題〉；⑵漆永祥〈論中國傳統經學研究方法——古書通例歸納法〉；⑶鄭吉雄〈乾嘉學者治經方法與體系舉例試釋〉；⑷陳逢源〈乾嘉漢宋學之分與經學史觀關係試析——以四庫全書總目經部總序爲中心〉；⑸賴貴三〈從「昭代經師手簡」管窺乾嘉學者之治經旨趣〉；⑹曾聖益〈乾嘉時期之輯佚書與輯佚學淺論〉。㈡各家專論八篇：⑴陳智賢〈段玉裁說文注以小學通經學之研究〉；⑵莊雅州〈論高郵王氏父子經學著述中的因聲求義〉；⑶程克雅〈乾嘉禮學學者解經方法中文例之建立與運用——以淩廷堪《禮經釋例》飲食之例三篇爲主的研究〉；⑷陳進益〈焦循易學詮釋系統中的方法論及其易例的設立〉；⑸劉玉國〈阮元訓詁特色及其貢獻〉；⑹許華峰〈王引之「尙書訓詁」的訓詁方法〉；⑺楊菁〈劉寶楠「論語正義」的注疏方法及其特色〉；⑻賀廣如〈魏源的治經方法〉。㈢日本研究兩篇：⑴連清吉〈日本考證學家的考證方法〉；⑵金培懿〈安井息軒的「論語」注釋方法論——何謂「論語集說」〉。

（陳蕙文）

《論崔適與晚清今文學》

《論崔適與晚清今文學》 蔡長林著 桃園 聖環圖書公司 328頁 2002年2月

　　崔適，字觶甫，號懷瑾，別號觶廬，浙江吳興人。生於清咸豐二年（1852），

卒於民國十三年八月（1924），年七十三歲。早年曾在俞樾門下，攻研校勘訓詁之學，故治學帶有乾嘉考證色彩。後受康有爲《新學僞經考》之影響，方專治今文學。其著作有：《四禘通釋》、《史記探源》、《春秋復始》、《論語足徵記》、《觶廬經說》、《五經釋要》等，後二者今則未見。

　　本書是作者的碩士論文修改而成，以晚清今文學發展的角度來思考崔適的經說；並在修改的過程中更爲強化崔適在晚清今文學的歷史定位。本書共分爲六章，第一章〈敘論〉，簡述崔適與晚清今文學之概況。第二章〈公羊與今文之間〉，從晚清「今文學派」發展的方向指出崔適所繼承的主要是在學術場合中，以辨僞、考證古文經典爲手段，而非是在政治場合中發揮微言大義的「公羊學」。第三章〈清代今文學理論的建立與崔適的歷史定位〉，從莊述祖、劉逢錄到崔適這百多年間今文學理論逐漸深化，至崔適而達於極致的過程。第四章〈《史記》的古文痕跡——《史記探源》〉，著重探討崔適的今文學主張，認爲劉歆在《史記》與《漢書》中竄入了古文學的記載。另著重探討《史記探源》成書的意義，對於今文理論的鞏固實具有深刻意義。第五章〈春秋精神的重建——《春秋復始》〉討論崔適認爲《公羊傳》方是春秋時代的信史此一觀點。

　　作者蔡長林，一九六八年生，臺灣澎湖人。臺灣大學中國文學博士，現任中央研究院中國文哲研究所助研究員。研究領域涵蓋中國經學史及中國近三百年學術思想文史方面。著有《論崔適與晚清今文學》及《常州莊氏學術新論》等書，另有學術論文十數篇。　　　　　　　　　　　　　　　　　　　　　　　　　（鄭誼慧）

《清儒名著述評》

《清儒名著述評》　鄭吉雄著　臺北　大安出版社　408 頁　2001 年 8 月

　　作者從事清代學術研究十多年，一直抱持思想、文獻與歷史背景三者必須互相貫通的信念，故採取以介紹「人」（生平與時代背景）和「書」（文獻）爲主的方式講授「清儒名著選讀」，並在此基礎上講述清代儒學思想的架構，此書即是以此一理念爲主的結集。

　　本書共選擇了清代著名學者四十八位，按時代先後排列，分別敘述其生平事蹟及著述概況。可分爲「生平與著述」、「評論」、「選文」三個部分。「生平與著

述」依碑傳、史志、年譜等記載，互相校勘後重新撰寫，故資料詳實，詳略合宜。「評論」以就其人相關的重大問題提出概括性見解，或論其學術思想，或論其著作性質。「選文」部分則選有四十八位學者的代表作六十四篇，除過長作品採取節錄方式外，其餘皆盡錄全文，俾使原著文氣連貫，讀者也較容易得知全文意旨，以便和「評論」部分互相印證。並在其後加上作者的按語說明，以凸顯現其重要性。如此安排，使初學者一書在手，便可大體掌握清代儒者的著述與思想的概況。

作者鄭吉雄，廣東省中山縣人，一九六○年生。現任國立臺灣大學中國文學系教授。研究範圍主要爲清代學術思想及《易》學，撰有相關學術論文二十餘篇。

（鄭誼慧）

《通經致用一代師——皮錫瑞生平和思想研究》

《通經致用一代師——皮錫瑞生平和思想研究》 吳仰湘著 長沙 岳麓書社 342 頁 2002 年 1 月

皮錫瑞（1850－1908），湖南善化人。精研群經，著述宏富，是近代中國著名的經學大師。皮氏早有經世大志，主張通達古今之變以經世致用，曾經參加戊戌變法與清末興學，是晚清新政運動中一位重要的理論倡導者和實踐家，其學術成就和政治思想在清末具有一定的影響力。因此，不論是研究戊戌變法、清末新政，或是近代經學的梳理與評定，皮氏都是一位值得深入探討的重要人物。

本書爲吳仰湘先生博士論文的一部分，其內容主要依據皮錫瑞的年譜、詩文、日記和部分經學著作等文獻材料，對其生平經歷和思想演變進行全面性考察，尤其對於其中一些基本史實和重大問題，例如皮氏由詞章議論轉治經學訓詁的時間、戊戌以前的思想概況、甲午戰敗至膠州事變前後的思想轉變、留湘應聘南學會始末、皮葉（德輝）之爭與南學會的停講、維新時期的主要活動與變法思想、戊戌政變後專力著作的情況、晚年思想特別是參與清末湖南興辦新學的言行主張等等，都詳加考證，以糾正或彌補年譜及現有論著中的訛誤、缺漏。此外，並歸納整理皮氏的人生理想、經世主張、維新變法思想和通經致用的學術觀點等，對於皮氏在近代政治與學術上的實際貢獻及其歷史作用，有較爲準確的評價。書末並附錄「《皮鹿門年譜》糾誤」及「《師伏堂未刊日記》文字正誤」兩文，指出皮氏年譜及日記中的訛

誤和疏漏，可供讀者參考。

　　作爲晚清經學大家及湖湘學派的重要學人，皮錫瑞學術的研究，自有其重要性。目前專門探討皮氏整體思想的論著並不多見，故本書的撰寫，可以提供學界對於皮錫瑞其人其學有更深入的了解。　　　　　　　　　　　　　（何柏松）

《「周易」經傳與易學史新論》

《「周易」經傳與易學史新論》　廖名春著　濟南　齊魯書社　379頁　2001年
　8月

　　本書爲作者近年來利用傳統文獻和出土材料相結合的方式研讀《易》學之所得。全書內容共十七章，分爲上、中、下、外四編。上編「易經探源」四章，分別爲：〈「周易」乾坤兩卦卦爻辭新解〉、〈坤卦卦名探原——兼論八卦卦氣說產生的時代〉、〈上海博物館藏楚簡「周易」管窺〉、〈「周易」豐卦卦爻辭新考〉；中編「易傳考辨」六章，分別爲：〈「大象傳」早於「象傳」論〉、〈「周易・說卦傳」錯簡說新考〉、〈帛書「二三子」、「要」校釋五題〉、〈帛書「要」篇與孔學研究〉、〈帛書「周易」經傳述論〉、〈帛書繫辭釋文補正〉；下編「易學史縱橫」四章，分別爲：〈從語言的比較論「周易」本經的成書年代〉、〈從郭店楚簡論先秦儒家與「周易」的關係〉、〈魏源易學初探〉、〈現代易學通論〉；外編「易學剩稿」三章，分別爲：〈「易傳」概論〉、〈讀「周易全解」〉、〈辯證法精神的新探索——評「周易・繫辭傳新編詳解」〉。書末另有附錄兩篇，附錄一爲〈從語言到歷史，以考據求易理——答鄒新明問〉，是記述作者治學歷程的訪問稿；附錄二則爲作者個人的論著目錄，提供讀者參考。

　　本書的特色，誠如作者在〈前言〉中所指出的，是「以逼近法，以傳統文獻和出土材料相互發明的方法來探索《周易》經傳和易學史的秘密的一個嘗試」（頁7）。綜觀本書，作者主要在利用帛書《易傳》、郭店楚簡、上博楚簡等新材料，對傳統舊說質疑，並提出自己的新見解。近年來，隨著出土文獻不斷的刊布，對於經學史源流或部分傳統觀點造成相當的影響。以《周易》研究爲例，先有長沙馬王堆的帛書《易傳》，其後又有湖北荊門市的郭店楚簡，現在最新的材料則是在二〇〇一年底公布的上海博物館藏楚簡，這些豐富的出土文獻，對於先秦兩漢學術或孔

子思想等問題的釐清，都產生了直接的助益。故出土材料和傳統文獻相結合的研究方式，將是未來研究的新趨勢，而藉由本書作者的嘗試，足以證明它是一種新穎而正確的治經途徑。

　　作者廖名春，一九五六年生，湖南武岡人。武漢大學文學碩士、吉林大學歷史學博士、西北大學歷史學博士後，現爲清華大學思想文化研究所副教授。著有《周易研究史》（合著）、《孟子的智慧》、《荀子新探》、《帛書易傳初探》、《新出楚簡試論》、《郭店楚簡老子校釋》等書。　　　　　　　　　　（何淑蘋）

《周易卦辭詳解》

《周易卦辭詳解》　靳極蒼著　太原　山西古籍出版社　74頁　2002年1月

　　本書作者提出「注釋學」一詞，主張以「三體會」（體會作者、作品、語言形象）、「三解釋」（任何詞語典事都有基本、使用、特殊三種意義的解釋）、「四分析」（分析時、地、人、事）的方法來注釋古籍，如此就能順利將古書中難讀、難解的地方加以解決。爲了具體呈現注釋學的主張，作者陸續撰寫出版了各古籍的「詳解」，最後並彙集爲一套《注釋學系列叢書》，《周易卦辭詳解》即爲其中之一。

　　本書在內容編排上，是依照《周易》六十四卦的順序，逐一進行卦辭詳解。作者首先在〈前言〉提出了「訂觀念」和「正方法」兩個基本治經態度，認爲《周易》爲卜筮之書，而卦辭之意義在告知卜筮者結果如何，然後說明其所使用的解釋方法。而作者在解釋卦辭意涵的同時，也表現出其《易》學觀點。例如說《象》對「元亨利貞」的解釋是「以卦辭視之，與卦辭無關；以詞語視之，完全不知所云」，可以看出他對《十翼》抱持著否定的態度。另外，除了解釋卦辭的本文之外，書首另冠有作者所撰的〈「周易」導讀〉與〈對中國語言及古籍經和傳的重新認識〉兩篇文章，體現出作者對《易》的基本主張，及其在經典詮釋方面的見解等。總之，藉由兩篇導讀式文章及對六十四卦的疏解，讀者可從而對作者的注釋學和《易》學思想有較爲深入的認識。

　　作者靳極蒼，一九〇七年生，河北徐水縣人。北京師範大學中文系畢業，曾受教於錢玄同、黎錦熙等學者。其著作豐富，專著部分即有《人間詞話箋證》、《校

勘學示例》、《史記釋例》、《國學概論》、《修辭學概要》、《唐宋詞百首詳解》、《詩經楚辭漢樂府選詳解》、《注釋學芻議》等多種行世，並於二○○二年一月由山西古籍出版社將其詳解類著作彙爲《注釋學系列叢書》出版，作爲靳氏「注釋學」的總結。　　　　　　　　　　　　　　　　　　　　（何淑蘋）

《「蘇氏易傳」研究》

《「蘇氏易傳」研究》　金生楊著　成都　巴蜀書社　342頁　2002年1月

　　《蘇氏易傳》又稱《毘陵易傳》、《東坡易傳》、《易解》，是三蘇父子集體智慧的結晶，也是三蘇父子哲學思想的集中體現，爲宋代義理派《易》學的重要著作之一。在歷史上，刊刻、抄寫《蘇氏易傳》者多達數十家，而對其內容、觀點、見解加以評論或引用者，更是不勝枚舉；其中包括朱震、朱熹、陳夢雷等《易》學家，可見其影響深遠！

　　本書是作者學位論文修改而成。作者認爲以往對《蘇氏易傳》的研究，多不夠全面，或文獻掌握不足、或缺乏從經學角度考察、或側重道家思想而忽略三教合一思想、或對整體特點的認知模糊。因此，在充分蒐集和運用現有研究成果的基礎上，作者從文獻學、《易》學、三教合一思想，以及蘇氏《易》學的整體特徵等方面，展開了全面、系統、深入的研究。

　　全書共分四章十節。第一章「《蘇氏易傳》的撰著與流傳」，旨在敘述該書的寫作、正名、刊刻、流傳等過程。第二章「《蘇氏易傳》的經學成就」，主要在說明三蘇對《周易》性質的體認，以及在「義理之學」與「象數之學」方面的特殊成就；第三章「《蘇氏易傳》的思想特色」，著重在探討蘇軾的三教合一觀及蘇氏《易》學的時代特色。第四章「《蘇氏易傳》與蘇軾的文藝思想」，則在分析、闡述《蘇氏易傳》與蘇軾文藝思想之間的關聯性及互補性。

　　對於想要進一步瞭解《蘇氏易傳》的思想脈絡者，本書確能提供較完整的內容；而其創新、獨到的見解與分析，亦可作爲從事《易》學專書研究者之參考與借鏡。　　　　　　　　　　　　　　　　　　　　　　　　　　（李鴻儒）

《易經解謎——周易黎氏學》

《易經解謎——周易黎氏學》　黎子耀撰述，魏得良錄校　西安　陝西人民出版社
195頁　2000年7月

　　作者指出，自昔梁啓超、胡適提倡整理國故以來，似乎無人言及經籍紙面之下，尚有寶藏。千古沉埋，豈不可惜！爲今之計，欲入寶山，首當學《易》。並認爲中國古籍中，象數之術，眞如水銀瀉地，無孔不入；因此，整理古籍而不明象數，無異緣木求魚，虛耗精力、財力而已。

　　作者所以視《易經》爲「謎語書」，乃在於《易經》六十四卦皆屬象徵性質，其中所用隱語，淵源有自；因而探討《易》卦時，決不可望文生義，單從謎面翻譯，而應從卦象發端。在這種意識觀念下，作者將《周易》六十四卦依其卦序排列分成八個階段，並付予其歷史意涵，以此作爲本書分章的依據。

　　全書共分八章。第一章「歷史的起源」：計有〈乾〉、〈坤〉、〈屯〉、〈蒙〉、〈需〉、〈訟〉、〈師〉、〈比〉等八卦。第二章「奴婢制度的產生」：爲〈小畜〉、〈履〉、〈泰〉、〈否〉、〈同人〉、〈大有〉、〈謙〉、〈豫〉、〈隨〉、〈蠱〉等十卦。第三章「買賣奴婢」：共有〈臨〉、〈觀〉、〈噬嗑〉、〈賁〉、〈剝〉、〈復〉等六卦。第四章「蓄養奴婢」：計有〈无妄〉、〈大畜〉、〈頤〉、〈大過〉、〈坎〉、〈離〉、〈咸〉、〈恒〉等八卦。第五章「奴婢反商聯周」：有〈遯〉、〈大壯〉、〈晉〉、〈明夷〉等四卦。第六章「殷周之際奴婢勢力之消長」：有〈家人〉、〈睽〉、〈蹇〉、〈解〉、〈損〉、〈益〉等六卦。第七章「周人獲得殷商奴婢革命果實」：爲〈夬〉、〈姤〉、〈萃〉、〈升〉、〈困〉、〈井〉、〈革〉、〈鼎〉、〈震〉、〈艮〉等十卦。第八章「奴婢的反周鬥爭」：計有〈漸〉、〈歸妹〉、〈豐〉、〈旅〉、〈巽〉、〈兌〉、〈渙〉、〈節〉、〈中孚〉、〈小過〉、〈既濟〉、〈未濟〉等十二卦。

　　　　　　　　　　　　　　　　　　　　　　　　　　（李鴻儒）

《易圖象與易詮釋》

《易圖象與易詮釋》　　鄭吉雄著　　臺北　　喜瑪拉雅研究發展基金會　　398 頁
2002 年 2 月

　　《易》圖之學雖肇興於北宋，然而卻能與「義理」、「象數」並列爲《易》學研究的三大領域，其重要性實不可輕忽。從學術史的觀點來說，《易》圖之學涉及漢學與宋學異同的問題。兩宋圖書之學多屬形上玄思，與漢學重視文獻、實證大異其趣。清初學者抨擊《易》圖，語多激烈，此與時代背景、宗教信仰及治學方法等，皆有密不可分的關係。有鑑於此，作者在文章中特別提出「儒道之辨」，主要是表達對儒家、道教思想特性的尊重，以及對於二派思想在歷史上相互影響的重視。

　　本書是作者在「中國近代儒者對《易經》的詮釋」此課題上的研究成果結集，全書收錄論文共計五篇，分別爲——

　　第一篇「從經典詮釋傳統論二十世紀《易》詮釋的分期與類型」：作者從「經典詮釋傳統」此一主線切入，進一步探討二十世紀《易》詮釋之分期，以及詮釋策略區分的問題。

　　第二篇「《易圖明辨》與儒道之辨」：作者藉由對《易圖明辨》（附圖 10幅）的分析，從思想史的角度來考察《易》圖，進而提出「儒道之辨」的命題。

　　第三篇「論儒道《易》圖的類型與變異」：作者除了從詮釋策略的角度，觀察《易》圖之學中儒、道論述的差異性外，並試圖將劉宗周、顏元的「圖書」著作與《易》圖傳統聯繫在一起（附圖 108 幅），以探索其在思想史上的意義。

　　第四篇「周敦頤《太極圖》及其相關詮釋問題」：作者綜攬古今學者的論據，並透過圖形的比較及觀念的分析（附圖 54 幅），試圖全面解決儒、道思想的異同問題。

　　第五篇「高郵王氏父子對《周易》的詮釋」：作者藉由探研《經義述聞》的詮釋方法，來說明清儒的治經態度。

　　鄭吉雄，廣東省中山縣人，一九六〇年生於香港。一九八二年負笈臺灣，獲臺灣大學中國文學系學士、碩士、博士。現任臺灣大學中國文學系教授。曾先後擔任

美國華盛頓大學、香港中文大學、中央研究院中國文哲研究所籌備處訪問學人。著有《王陽明——躬行實踐的儒者》（1990）、《清儒名著述評》（2001）及相關之學術論文二十餘篇。　　　　　　　　　　　　　　　　　　　　　　（李鴻儒）

《易老與養生》

《易老與養生》　潘雨廷著　上海　復旦大學出版社　305頁　2001年12月

　　中國養生學源遠流長，而且隨著時代思潮的變化，不斷地加深其內涵。在中國傳統學術中，養生學可說是古人認識宇宙、世界的內在誘因，故「養生」問題能貫穿於整個中國思想史與文化史；而理解養生學也成為理解中國文化乃至東方文化的一把鑰匙。

　　《易老與養生》是潘雨廷先生晚年的重要著作，其寫作時間雖短，然體系謹嚴、思想縝密，蘊涵了潘先生晚年思想的精粹。作者以為，《易》、《老》是「養生學」的理論基礎，「養生學」為《易》、《老》用於人身的具體實踐，二者相輔相成，互為因果。因此，練習氣功須以實踐為主，絕不可空談理論；然而要明辨氣功的功力，則必須先瞭解氣功的理論。

　　全書共分六章。第一章「緒論」，闡述本書的篇章結構及撰作要旨；第二章「論易學」，凡分四節：第一節論二千年前的《易》學——經學《易》，第二節論三千年前的《易》學——數字卦與象數《易》，第三節論一千年前的《易》學——二進制與先天《易》，第四節論貫通古今的三才《易》學——整體《易》與科學《易》；第三章「論老子」，共分四節：第一節論黃老與《易》學，第二節論黃老與醫學，第三節論黃老與老莊，第四節論老子與道教；第四章「論養生」，分成三節：第一節論養生與氣功，第二節論養生與長生，第三節論養生的理論與實踐；第五章「介紹歷代重要的養生文獻」，從先秦起綜論歷代有關養生的主要文獻，並討論養生與氣功的具體作法；第六章「附錄：歷代著名的養生文獻」，介紹《參同契》、《胎息經》、《黃庭經》、《入藥鏡》、《悟真篇》等五種著名文獻，並依原文加以考訂、編次。

　　《易老與養生》係由張文江先生根據潘雨廷夫人——金德儀女士所保存的潘先生遺稿整理而成；該書結合東西方文化，總結數百年文化交流之成果，可說是近代

「養生學」的重要著作之一。

　　潘雨廷先生（1925－1991），上海市人，當代著名《易》學家。生前曾任華東師範大學古籍研究所教授、中國《周易》研究會副會長、上海道教協會副會長、上海《易經》研究會會長、《上海道教》主編等職。潘先生早年就讀於上海聖約翰大學教育系；畢業後，先後師從周善培、唐文治、熊十力、馬一浮、楊踐形、薛學潛等先生研究中西學術，專心致志於學問數十載，融會貫通，自成一家，在國際上具有相當的影響。

（李鴻儒）

《易學與道教思想關係研究》

《易學與道教思想關係研究》　　詹石窗著　廈門　廈門大學出版社　295 頁
2001 年 3 月

　　本書是作者博士學位論文（1995 年完成）修改出版而成。作者從《易》學體系結構的整體性入手，追溯了道教產生之前的道家學派、中國傳統醫學與《周易》之關係；且於《易》學象數、義理二派對道教思想的影響，以及道門中人對《易》學基本原理的應用與發揮等，進行了多方辨析。

　　全書分上、中、下三篇（除「導論」、「結語」外）。上篇「《易》學與道教思想關係之基礎」，分成二章：第一章「《易》學體系之建立」，旨在綜述八卦符號的緣起、排列及其向六十四卦的推演過程；第二章「《易》學體系與道家及傳統醫學理論」，則從《易》學與先秦道家、《易》學與傳統醫學理論等二方面，分別加以論述。中篇「《易》學與道教思想關係之建立」，共分三章：第一章「《易》學象數派的形成及其對早期道教的滲透」，首論易學象數派的形成，繼而介紹原始符籙派道教典籍的《易》學內容，最後論述原始金丹派道教典籍對《易》學象數的應用；第二章「易學義理派的興起及其在道教理論發展中的作用」，旨在探討《易》學義理派與老莊思想的關係，以及對道教理論的影響；第三章「《易》學象數派的蔓延與道教對其模式的因襲發揮」，著重在分析《易》學象數派的思想發展軌跡。下篇「易學與道教思想關係之衍擴」，分為二章：第一章「易學體系的大變遷」，試圖從「圖書學」勃興的角度切入，以闡述圖書象數的推演與義理學的道學化；第二章「道教養生學對易學的進一步應用和發揮」，旨在說明道教養生學與

《易》學之間的緊密關係。

　　本書不僅史料豐富、剪裁得當、用語精煉，而且是目前爲止，對《易》學與道教思想關係進行系統研究而較有深度的著作，頗值《易》學同好進一步閱讀、參考。

　　　　　　　　　　　　　　　　　　　　　　　　　　　　（李鴻儒）

《尚書思想研究》

《尚書思想研究》　游喚民著　長沙　湖南教育出版社　253頁　2001年4月

　　《尚書》是中國古代最早的一部歷史文獻，記載了夏、商、周的最高統治者在政治活動中所形成的一些誓詞、誥語、談話等，是我國思想文化史發展的重要源頭。但至目前爲止，治《尚書》者雖眾，但主要還停留在對《尚書》校勘、辨僞、考證、訓詁上，並沒有深入探索《尚書》所含蘊的深刻思想內容和社會歷史意義。本書即從哲學、政治倫理諸方面全面而深入地論述了《尚書》所含蘊的深刻思想。全書共分爲三章，第一章哲學思想，主要探討《尚書》所蘊含的主觀唯心主義本體的胚胎「孚」字，是一種新的世界觀的萌芽，值得加以特別重視。另外還有：樸素辨正法、「中庸」思想、「無爲」思想、天道觀等；第二章政治倫理思想，包括禮治思想、民本思想、德的思想、法先王思想、孝弟思想、修養觀等；第三章從《尚書》看周、召二公，作者從《尚書》中論及周、召二公的篇章加以分析，並對此二人的思想分歧與鬥爭做了深入的探討。全書在此三章的基礎上，進一步闡述了其對春秋戰國思想文化發展的深遠影響，從而揭示了我國思想文化發展史的來龍去脈。

　　游喚民，一九三七年九月生，湖南新化人。一九六二年畢業後在湖南師範大學從事科研和教學的工作，爲文學院研究員。現任湖南省孔子學會常務副會長，湖南省炎黃文化研究會副理事長。著有：《先秦民本思想》、《孔子思想及其現代意義》、《愛國主義傳統與當代中國》、《尚書思想研究》等，另發表學術論文五十餘篇。

　　　　　　　　　　　　　　　　　　　　　　　　　　　　（葉純芳）

《詩三百解題》

《詩三百解題》　陳子展著　上海　復旦大學出版社　1272頁　2001年10月

　　本書是作者繼《詩經直解》之後又一部研究《詩經》的力作，全書共分三十

卷，依次對《詩經》各篇的寫作主旨、作者以及寫作時間、社會背景等進行全面而深入的探討。在研究中，作者既總結舊學，綜合前人成說加以批駁；又融會新知，凡現代社會學家、自然科學家研究成果有涉及《詩》義可資取證者，作者見聞所及亦皆網羅。如卷一〈周南・關雎〉，對於「雎鳩」鳥的考證，即引宋鄭樵、朱熹、王銍《默記》、師曠《禽經》、清陳大章《詩傳名物集覽》、王先謙《詩三家義集疏》等的說法，作出「雎鳩」即「魚鷹」的定論。又從自然科學的角度，對魚鷹的生活習性，作了一番考證，更確定「魚鷹」的習性和〈關雎〉詩中的「關關雎鳩，在河之洲」整句的意義相合。全書徵引浩博，考論精審，頗多創獲，具有頗高的學術價值。

　　陳子展（1898－1990），湖南長沙人，原名炳坤，筆名楚狂、何典、戚施。東南大學教育系畢業，曾任南國藝術學院、中國公學、滬江大學教授，復旦大學中文系主任。專長中國先秦文學，畢生致力於《詩經》與《楚辭》的研究。所著《詩經語譯》、《國風選譯》、《雅頌選譯》、《詩經直解》、《楚辭直解》，總結舊學，融會新知，是當今此領域研究的重要成果。另著有《唐宋文學史》、《中國近三十年文學史》等書。　　　　　　　　　　　　　　　　　　　　（王清信）

《詩經論略》

《詩經論略》　許志剛著　瀋陽　遼寧大學出版社　369 頁　2000 年 1 月

　　本書共分三編，每編各有偏重，又互相關聯。上編：〈「詩經」與周代的禮樂文化〉，包括(1)〈本世紀對「詩經」的評價及若干理論問題〉；(2)〈「詩經」所展現的和諧之美〉；(3)〈周代人的詩情與禮樂文化〉；(4)〈周代思想家的心靈與藝術〉；(5)詩人自我張揚的主觀因素與客觀因素〉。中編：〈「詩經」與周代宗教文化〉，包括(6)〈蒙昧的詩情〉；(7)〈對美好生活的嚮往與追求之歌〉；(8)〈消弭災難的渴望〉；(9)〈同祖同宗的自豪〉；(10)〈神前的反思、自責與自勵之歌〉；(11)〈宗教儀式的快感〉；(12)〈神壇前的歡悅〉。下編：〈「詩經」文本、語境及其他〉，包括(13)〈風詩的愛、恨與地緣文化〉；(14)〈風詩的批評、諷刺及其語境〉；(15)〈「詩經」中對事理的誤讀與詩歌藝術的無理而妙〉；(16)〈春秋賦詩與對《詩經》的解讀〉；(17)〈《詩經》正讀十則〉；(18)〈考古發現與「詩經」傳本〉。

上編論述《詩經》與禮樂文化的關係，有助於讀者認識《詩經》與占主導地位的文化的關係。中編論述《詩經》與宗教文化的關係，作者認爲宗教文化包含在禮樂文化之中，卻又具有相對的獨立性。它先於周人的禮樂文化而存在，而且覆蓋甚廣，即使各地存在著禮樂文化的差別，而宗教文化卻是共同的。它缺少禮樂文化的自覺意識，又不屬於群體的本能文化。下編分爲若干專題，有的論述《詩經》與原初文化間的關係、《詩經》與文化氛圍、語境的問題等，希望對有關《詩經》的不同層面的文學規律問題，進行較深入的探討。

許志剛（1944－），東北師範大學文學博士，現任遼寧大學中文系教授，著有：《詩經勝境及其文化品格》、《嚴羽評傳》、《賦史英華》等。　　（王清信）

《詩經三頌與先秦禮樂文化》

《詩經三頌與先秦禮樂文化》　姚小鷗著　北京　北京廣播學院出版社　273頁　2001年1月

本書作者認爲：《詩經》中的每一篇作品，都存在著難解的學術疑點，其中最爲難讀的是三〈頌〉，但因爲三〈頌〉是現存最早最可靠的文獻，而且是解讀《詩經》本身的重要關鍵，因此雖然難讀，卻又不得不讀。不過，數十年來，對三〈頌〉研究的情況並不熱烈。有鑑於此，乃選擇三〈頌〉作爲研究對象，並認爲選擇三〈頌〉，比選擇二〈雅〉更具挑戰性。作者從禮樂文化的角度觀照三〈頌〉，認爲禮樂文化是中國歷史時期的主流文化型態，透過這個文化型態，跨越多個學科，涉及的領域就更爲廣泛。藉由三〈頌〉與禮樂文化的溝通，發掘《詩經》這部分作品的文學價值。三〈頌〉是廟堂詩歌，是禮樂文化的表現，因此，只有從禮樂文化的角度切入，才能真正揭示作品的意蘊內涵和藝術特徵。

本書篇目如下：第一章〈「商頌」與殷周兩代禮樂文化的傳承與嬗變〉；第二章〈「周頌‧大武樂章」與西周禮樂制度的奠基〉、〈第三章「周頌‧三象」與周代禮樂文化的演變〉；第四章〈〈周頌〉農事詩與周代禮樂制度〉；第五章〈「魯頌」與先秦禮樂制度的「中興」〉；第六章〈「魯頌‧有駜」、「成相」與西周禮樂制度的淵源與流變〉。附錄有五：〈詩經大小雅中敘事與抒情詩歌的歷史發展〉、〈田畯農神考〉、〈論王風‧大車〉、〈說曹風‧候人〉、〈論左傳對於詩

經研究的價值〉。

本書是在作者的博士論文《詩經三頌與先秦禮樂文化的演變》基礎上增補修訂而成，全書的寫作，超過十年的時間，由原來的三章擴大爲六章，並修正一些論點，且在文本解讀上提出了一些新的看法，如〈殷武〉一詩，作者認爲文本所述祖先事蹟的詩句，是從殷人傳統的宗廟祭祀詩中擷取；而歌頌時王的部分，則明顯帶有西周晚期的特徵，是當時所作，篇章結構帶有舊作新篇組合的痕跡。對於廟堂歌詩不是把它看做一成不變，而是認爲它可能隨著時代的推移而有所損益，同一篇作品的生成會跨越漫長的年代。作者的這些推斷，提供了另一個解讀的角度，可提供研究者進一步探求。

姚小鷗（1949－），河南鎮平人，東北師範大學文學博士，現任北京廣播學院語言文學部副教授。著有〈論大武樂章〉、〈九歌的神系與神格〉、〈巾舞歌辭校釋〉、〈公莫巾舞歌行考〉、〈成相雜辭考〉等論文數十篇。　　　　　（王清信）

《詩經研究叢刊》（第一輯）

《詩經研究叢刊》（第一輯）　中國詩經學會編　北京　學苑出版社　309 頁 2001 年 7 月

《詩經研究叢刊》是以《詩經》爲主要研究對象的學術性論叢，希望藉由多元化、全方位性、多層面的廣泛討論，包括基本問題、篇義、語言文字、名物考證、出土文獻等等，以進一步拓展《詩經》學研究領域，提升《詩經》學研究風氣。

本《叢刊》爲第一輯，先是夏傳才〈面向世界面向未來面向現代化——二十一世紀詩經學展望〉一文，作爲本刊的發刊詞，置於書首，其次爲本刊收錄的《詩經》研究論文，主要分成五個專欄。第一個專欄爲「學術論壇」，共收論文十二篇：(1)陳桐生〈論正變〉；(2)姚小鷗〈「周頌·良耜」與周代社會的祭祀文化傳承〉；(3)葉勇〈毛傳鄭箋以「曲禮」釋詩初探〉；(4)張劍〈「七月」歷法與北豳先周文化〉；(5)王承略〈「詩序」的主體部分寫定於《毛傳》之前的文獻依據〉；(6)趙敏俐〈詩與先秦貴族的文化素養〉；(7)李家樹〈明李先芳的「讀詩私記」〉、(8)村山吉廣〈欣賞派的詩解〉；(9)黃震雲〈新發現的吳敬梓「詩說」與「儒林外史」詩經學〉；(10)黃震雲〈吳敬梓「文木山房詩說」全文點校〉；(11)褚斌杰〈《詩經》

疊韻探頤〉；⑿林奉先〈「詩經」興詩研究〉。第二個專欄爲「專題筆談」，主要
在探討二十一世紀《詩經》訓詁研究的走向，共收論文六篇：⑴向熹〈做出新成果
迎接新世紀〉；⑵季旭昇〈古文字古文物對《詩經》訓詁的重要〉；⑶楊合鳴〈漫
談「詩經」訓詁研究〉；⑷王宗石〈進入科學研讀三百篇的新時代〉；⑸韓崢嶸
〈「詩經」訓詁要走向輝煌〉；⑹馮浩菲〈21 世紀「詩經」訓詁走向展望〉。第
三個專欄爲「書評」，共收論文兩篇：⑴趙制陽〈錢鍾書「毛詩正義」商榷
（一）〉；⑵廖群〈復原「詩經」名物的生命——喜讀揚之水「詩經名物新
証」〉。第四個專欄爲「上博戰國竹簡《詩論》」，共收論文四篇：⑴本刊編輯部
〈關於上博戰國竹簡「詩論」的報導和通信〉；⑵廖名春〈上海簡「詩論」篇管
窺〉；⑶朱淵清〈上博「詩論」一號簡讀後〉；⑷張啓成〈對孔子「詩論」報導的
再思考〉。第五個專欄爲「學術札記」，共收論文三篇：⑴胡長青〈「毛詩草蟲
經」爲僞書考〉；⑵劉戈〈「詩」與孔子〉；⑶田國福〈毛萇與毛公書院〉。本刊
最末爲「學術動態」，簡單報導最近各地相關的研究動態，提供讀者參考。

　　中國《詩經》學會歷年來與其它單位合作，陸續舉辦了數屆《詩經》國際學術
討論會，促使專門研究《詩經》的成果能集中發表，各地研究者也能有直接交流的
機會，對於《詩經》研究水準的提升和風氣的推動，有重大的貢獻。如今，中國詩
經學會在定期舉行研討會外，又新創立了專門的刊物，定期刊載、發表學界相關研
究成果，更能有效開展新世紀《詩經》研究風貌。　　　　　　　　　（何柏松）

《詩經研究叢刊》（第二輯）

《詩經研究叢刊》（第二輯）　　中國詩經學會編　　北京　學苑出版社　　401 頁
　2002 年 1 月

　　中國《詩經》學會創辦《詩經研究叢刊》，徵集專門探討《詩經》之相關論
著，本《叢刊》爲第二輯。本輯共收錄《詩經》論文二十九篇，除大抵依據第一輯
分類，有「學術論壇」、「專題筆談」、「評論」、「學術札記」、「學術動態」
等專欄外，另外添設「詩經外文翻譯研究」及「論文摘篇」兩項。

　　「學術論壇」收錄論文十三篇：⑴馬銀琴〈西周早期的儀式樂歌與周康王時代
詩文本的第一次結集〉；⑵周穎南〈「詩經」：由口頭創作到書寫文學的發展〉；

(3)周延良〈「詩經」「劇詩」「舞詩」研究〉；(4)王長華〈「魯頌」產生時代新考〉；(5)劉毓慶〈先秦兩漢詩經著述考〉；(6)栗原圭介〈「詩經」與「坊記」〉；(7)鄒然〈歐陽修的「詩經」批評〉；(8)牟玉亭〈「詩集傳」的三種版本〉；(9)林慶彰〈明代「詩經」著述四種提要〉；(10)柴秀敏〈「詩經」疑問句類析〉；(11)孟慶茹〈「詩經」與飲食文化〉；(12)徐儒宗〈「詩經」情詩的婚愛觀〉；(13)吳全蘭〈從「詩集傳」看朱熹的婚姻愛情觀〉。

「專題筆談」探討出土文物文獻與《詩經》研究，收錄四篇論文：(1)楊朝明〈出土文獻與「詩經」研究〉；(2)劉生良〈上博論詩竹簡的發現並不能否定「孔子刪詩說」〉；(3)龍文玲〈從出土文獻看「詩經」對楚文化的影響〉；(4)石川三佐男〈戰國中期諸王國古籍整備與上博竹簡「詩論」〉。

「評論」收錄三篇論文：(1)林祥徵〈村山吉廣教授以「詩經」欣賞派爲中心的系列研究〉；(2)夏傳才〈「詩經」新注釋本的創造性實踐——評劉毓慶「詩經圖注」〉；(3)趙制陽〈錢鍾書「毛詩正義」商榷（二）〉。

「詩經外文翻譯研究」收錄四篇論文：(1)王曉平〈學人的「詩經」與詩人的《詩經》〉；(2)汪榕培〈關於翻譯與文化——「詩經」英譯研究之一〉；(3)李家樹〈韋理英譯「詩經」研究〉；(4)洪濤〈論《詩經》英譯本中的新穎之處——以韋利的「關雎」譯文爲例〉。

「學術札記」收錄五篇論文：(1)楊合鳴〈「詩經」疑難詞語辨析〉；(2)李金坤〈「風」「騷」體制異同〉；(3)王立民〈「詩經」「彤管」爲「玉管」說〉；(4)楊苓燕〈「關雎」、「葛覃」新義〉；(5)袁長江〈「先生如達」新解〉。

除收錄上述論文外，書末「學術動態」，刊載各地相關研究概況或《詩經》專著出版等資訊；最後是「論文摘編」，選錄周錫馥〈二十一世紀——告別廢紙文化〉一文。　　　　　　　　　　　　　　　　　　　　　　　　　（何柏崧）

《二十世紀詩經研究文獻目錄》

《二十世紀詩經研究文獻目錄》　寇淑慧編　北京　學苑出版社　459頁　2001年7月

　　本《目錄》主要收錄二十世紀（1901－2000 年）在中國大陸和香港地區發表

之《詩經》研究論著,約計五七二九筆資料,並依據各資料之內容性質加以分類。全書分爲上、下兩編,上編爲「詩經通論」,下編爲「分類分篇研究」。同類之中則先列單行本,後列論文,並以刊行時間先後爲序排列。書末除附錄「引用主要報刊一覽表」外,另有「補遺」一文,列出未及收入本文內的資料二十餘條。

二十世紀剛結束不久,學界已經陸續出現不少綜述、檢討二十世紀各學科研究成果的論述,藉以展望未來。但是撰寫這類回顧性的文章,首先應該要先將過去已發表的論著作一番比較完備的蒐集和整理,才有可能進行較爲全面的探討。本書既名爲《二十世紀詩經研究文獻目錄》,顯然旨在總結二十世紀《詩經》學研究成果的樣貌,而這種編輯方式,有助於讀者了解過去百年間《詩經》學的研究概況,是本《目錄》價值所在。

不過,本書在編輯上存在一項很大的缺點,就是沒有把臺灣地區的研究成果收進去,尤其臺灣在過去五十年間的經學論著很豐富,所以即使編者原本有意「爲讀者提供一份比較完備的二十世紀《詩經》學文獻索引」,一旦缺收在臺灣地區發表的期刊專著,這部《目錄》實際上也就很難充份地反映出二十世紀《詩經》研究的全貌。至於失收的臺灣論著部分,讀者可以另外參考林慶彰先生主編、漢學研究中心出版之《經學研究論著目錄》正編(1912-1987)、續編(1988-1992)、三編(1993-1997)中的「詩經」部分,以補本《目錄》之不足。　　　　(何淑蘋)

《詩經研究史》

《詩經研究史》　戴維著　長沙　湖南教育出版社　611頁　2001年9月

民國以來學者所撰寫的經學通史類著作,目前僅見劉起釪的《尚書學史》、夏傳才的《詩經研究史概要》、沈玉成和劉寧合撰的《春秋左傳學史稿》,以及陳戍國的《中國禮制史》,其它經書則還沒有出現適用的通史類論著。《詩》作爲儒家重要的經典之一,自漢代以來注釋、研究的相關著作數量很多,一部系統化、條理化論述各代發展概況的研究史,是當前學界正迫切需求的。因此,本書的出版,恰好可以塡補長期以來《詩經》研究在通史論述方面的不足。

本書是以通史的形式,討論先秦以來《詩經》學的發展。全書內容共分八章。第一章〈《詩經》的產生及編訂〉,討論《詩經》產生等基本問題;自第二章至第

八章，分別論述先秦、秦漢、魏晉南北朝、隋唐、宋代、元明、清代的《詩經》學發展和研究概況。

　　本書內容範圍上起春秋，下迄清末，而不涉及近現代研究，因爲作者認爲近現代《詩經》「已超出傳統經學的範圍，著重於《詩經》的文學、社會學、民俗學研究，對比古代《詩經》研究，顯得較爲單薄」（〈前言〉，頁 2），所以缺而不論。但是實際上，近現代《詩經》研究與古代相比，自有其一定的價值和意義，尤其二十世紀的學術發展，對於傳統的經學有批判、繼承，也有創造和更新，因此一部完整的《詩經研究史》，是不應該忽略近現代的研究成果。

　　通代介紹《詩經》學的專著，先有夏傳才先生《詩經研究史概要》一書，但此書性質屬概論式的導讀之作，內容較爲簡易。而本書以系統化的方式論述歷朝《詩經》學的發展概況，並對前人研究成果加以評論，更有助於讀者了解歷朝《詩經》學梗概。另外，本書內容涉及南宋永嘉學派、清代揚州學派、清代桐城派等經學研究成果的論述，皆是較少被學界注意者，尤其可以看出作者對晚清以前的《詩經》學的發展，有頗爲全面的關注。本書作爲學界第一部《詩經》學通史著作，其價值自不待言。至於本書可以商榷之處，首先是論述止於晚清，未向下延伸至民國時期或二十世紀，內容似嫌不足；另外，隨著出土文獻的發掘和解讀，經學史的諸多問題將漸漸被釐清，我們在肯定這部通史著作的學術價值外，也期待未來能有一部結合出土和傳統文獻所撰寫而成的《詩經》研究史。　　　　　　　　　（何柏崧）

《詩本義析論──以歐陽修與
龔橙詩義論述爲中心》

《詩本義析論──以歐陽修與龔橙詩義論述爲中心》　車行健著　臺北　里仁書局211頁　2002年2月

　　《詩經》本義問題是歷來《詩經》解釋學中最主要的課題，傳統學者多將焦點置於對《詩經》本義的實際詮釋中，較少對此問題作直接的探討與理論的反省。作者選取了歐陽修的《詩本義》與龔橙的《詩本誼》兩本專研《詩經》本義（誼）的著作作爲討論的範圍。得出歐、龔二氏皆從對《詩經》的多重義中確立了《詩經》

本義的內涵，並在此基礎上，各自展開了對《詩經》本義的詮釋或實踐，也客觀地對《詩本義》與《詩本誼》二書的特色、成就與限制之處，做了客觀地評述。

本書上編（本論）：第一章〈論「詩」義之多重與「詩」本義之詮釋〉；第二章〈歐陽修「詩本義」的「詩」義觀及其對「詩」本義的詮釋〉；第三章〈龔橙「詩本誼」的「詩」義觀及其對「詩」本義的實踐〉；第四章〈結論〉。下編（附論）：第一章〈歐陽修「詩本義」的版本問題〉；第二章〈龔橙的著述與學術〉。

關於探求「經典原義」的問題，魏源認爲：「夫《詩》有作詩者之心，而又有探詩、編詩者之心焉；有說詩者之義，而又有賦詩、引詩者之義焉。」（《詩古微・齊魯韓毛異同論中》）魏氏將《詩經》之義分爲三個層次：作詩者之本義，探詩、傳詩者之義，聞詩者之義。三者之間，有時相同，有時不同，甚至完全相反。因爲從第二個層次起，歷代的解經者都可以加上自己主觀的想像和創造。如此一來，探求《詩經》的本義，豈非是一個永遠達不到的目標。關於這點，作者認爲：「探求經義活動的同時，其實也是在進行一種意義探索的活動，不但會將探求出的意義反加在解經者身上，而且也會回饋給其身處的時代與歷史文化傳統，從而構成一連綿不絕，且又漫天蓋地的經義世界。當人們皆生活在這經義世界中，這裡面又會生出一股動力，驅策著新的經義探求者再去進行經義探求的活動。」（〈自序〉）如此，經學的生命力才能不斷地延續下去。

車行健（1966－），中央大學中國文學碩士、輔仁大學中國文學博士，現任東華大學中國文學系助理教授，致力於解經學與經學義理資源的開發等議題，著有《毛鄭詩經解經學研究》、《禮儀、讖緯與經義——鄭玄經學思想及其解經方法》、《新讀郁離子——劉伯溫寓言》等。　　　　　　　　　　　（王清信）

《朱子詩經學新探》

《朱子詩經學新探》　黃忠慎著　臺北　五南圖書出版公司　218頁　2002年1月

本書正編包括：第一篇〈朱子「詩序辨說」新論——以二「南」二十五篇爲中心的考察〉、第二篇〈貽誤後學乎？可以養心乎？——朱子「淫詩說」理論的再探〉、第三篇〈關於朱子「詩經」學的評價問題〉。作者希望藉本書可以讓讀者明白，一般人印象中反對《詩序》不遺餘力的朱子，其《詩經》學的眞實風貌與特

色，並決定朱子在《詩經》學史上應該如何定位。附編有：第一篇〈董仲舒「《詩》無達詁」說析論〉、第二篇〈朱子對所謂「淫詩」的解題〉。前者在提醒讀者，董氏「《詩》無達詁」的命題實爲萬世不刊，此觀念亦橫貫在全書之中；後者則是討論朱子「淫詩」說時，方便讀者檢視資料。

關於朱子《詩經》學的評價，往往因爲朱子反對《詩序》的態度，以及提出「淫詩說」而有不同的定位。其中，關於朱子對《詩序》的態度，作者僅以《詩序辨說》中對於二〈南〉二十五篇篇旨的詮解作爲立論的依據（如僅取〈鄭風〉或〈小雅〉，將有不同的結論），雖然得到的結論與學者的研究大致相同，即在朱子有關《詩經》學的相關論著中，基本上還是大量引用《詩序》的說法，並非徹底反對《詩序》。由於《詩序辨說》一書份量並不大，似乎應該對全書作一全面的考察，再配合朱子其他的相關論著，得到的結論將更有說服力。

黃忠愼（1955－），政治大學中國文學博士，現任彰化師範大學國文系教授兼系主任，長期致力於《詩經》學的研究，著有《尚書洪範研究》、《宋代之詩經學》、《南宋三家詩經學》、《惠周惕詩說析評》、《詩經簡釋》、《儒學長短論》等。　　　　　　　　　　　　　　　　　　　　　　　　　　　　　　（王清信）

《從經學到文學——明代詩經學史論》

《從經學到文學——明代詩經學史論》　劉毓慶著　北京　商務印書館　465 頁
　2001 年 6 月

作者認爲：明代《詩經》研究的主要貢獻，除了在考據訓詁、詩旨的探討之外，最突出的貢獻在於：用藝術心態看待《詩經》，從而將《詩經》納入文學研究的範疇，使《詩經》研究從傳統以經學研究爲主的方向，轉向了《詩經》文學批評的新方向。而在明代《詩經》文學研究的高峰期，除了產生大量的研究專著與大批的名家外，還出現了各種不同的流派，就形式而言，大約有五大流派。一是講意派，主要是講章旨、節意，分析詞章，揣摩詞氣，爲寫八股文服務。主要貢獻在於對《詩經》篇章意義的藝術概括與中心把握；二是評點派，側重於欣賞詩境、詩法，往往於經文關鍵處施以圈點，外加眉批、旁批、尾批等。主要的貢獻在於思維方式的改變上，此派不是靠邏輯推理分析詩意，而是憑妙悟領略詩趣；三爲評析

派，主要在通講大意，帶有分析。主要貢獻在於能深入詩境，體會詩中妙境與人物性情，引領讀者進入《詩經》的藝術世界；四是匯輯派，主要在匯輯前人特別是同代學者的說法，而以有文學研究意味之語為主。主要貢獻在於保存了大量今已散佚的明代中晚期的《詩經》學著作；五是詩話派，主要是將《詩經》作為文學史上的經典來處理。主要貢獻在於對《詩經》在中國文學史上的地位、意義，《詩經》的風格、時代以及「六義」等問題，從不同的角度提出自己的見解。

本書為作者的博士論文修訂而成，上編：《詩經》經學研究的持續與衰變，包括(1)〈明代前期朱熹「詩」學的獨尊與衰微〉；(2)〈明中後期「詩經」漢學的復活〉；(3)〈「詩經」考據學的興起〉；(4)〈立異派「詩經」學的高揚〉。下編：「詩經」文學研究的崛起與繁榮，包括(1)〈「詩經」由經學向文學的轉變〉；(2)〈「詩經」文學研究高潮的興起與名家的出現〉；(3)〈晚明「詩」學流派與「詩經」文學研究的繁榮〉。從篇目中可見，上編部分，已有學者作過較為全面的論述；下編部分，論述了在整個《詩經》學史的發展中，明代《詩經》學的價值、意義與地位，以及《詩經》研究從經學向文學轉變的這一重大事件，此部份是作者所關注的焦點，也是本書的特色與價值所在。

劉毓慶，北京大學文學博士，現任山西大學教授，著有《古樸的文學》、《朦朧的文學》、《澤畔悲吟——屈原：歷史峽谷中的永恆回響》、《雅頌新考》、《詩經圖注（國風）》、《詩經圖注（雅頌）》等。　　　　　　　　　　（王清信）

《三禮研究論著提要》

《三禮研究論著提要》　王鍔編著　蘭州　甘肅教育出版社　659頁　2001年12月

本書收錄漢代至一九九九年歷代學者研究《三禮》之專著和論文。其內容分為上、下兩編，每編又分《周禮》、《儀禮》、《禮記》（附《大戴禮記》）、三禮綜論（含三禮總義、通禮類、雜禮書類）四大類。上編收錄漢至一九九九年間歷代學者研究《三禮》之專著計二六八三部；下編收錄一九〇〇年至一九九九年間國內外研究《三禮》的相關論文計二一二三篇。書前附有宋元版善本書影十二幅，書末則附有參考文獻，並編有「書名索引」和「作者索引」，以供讀者檢索。

由於本書兼收古、今論著，所以在著錄方式上略有不同，讀者在使用前應先閱

讀書前〈凡例〉，方能對本書的使用有所掌握。另外，在上編每類之前，有作者所撰寫的「序」，介紹《周禮》、《儀禮》、《禮記》、《大戴禮記》諸經之成書年代、內容、價值、版本、收錄範圍、立類緣由等基本概念，可以作為《三禮》學入門的導讀性文章。

　　歷代《三禮》研究成果雖然豐富，但有些因時代久遠而散佚，有些因編入文集、叢書之中而難以尋檢，種種資料搜羅上的不便，皆不利於《三禮》學之研究。本書編者積十餘年心力，將歷代相關資料匯為一編，並撰寫詳盡的提要加以介紹，具備了彭林先生在〈序〉所列舉的「內容齊備」、「信息詳博」、「編排科學」、「兼及中外」、「學術性強」五項特點，為《禮》學研究者提供了莫大的助益，對經學研究的提倡可謂貢獻良多。綜輯古今經學論著的專科目錄，在臺灣地區另有國立編譯館主編的《十三經論著目錄》（臺北：洪葉文化事業公司，2000 年 6月），此套目錄並無「提要」，且收錄時間只到一九九二年，不如《三禮研究論著提要》在資料收錄上完備。總之，《十三經》或其它文哲學科的研究，正需要像本書作者一樣的有心人，蒐羅古今相關論著，並加提要鉤玄，相信對於研究水準的提升，有更直接的幫助。　　　　　　　　　　　　　　　　　　　（何淑蘋）

《周禮名物詞研究》

《周禮名物詞研究》　劉興均撰　成都　巴蜀書社　579頁　2001 年 5 月

　　本書是作者在就讀於四川大學時所撰博士論文的基礎上修改而成，為巴蜀書社《漢語史研究叢書》中的一種。

　　全書主要分成六章：

　　首章〈「周禮」的流傳與注疏〉，簡述了《周禮》一書的內容、成書年代及歷代流傳與注疏情形。

　　次章論述〈名物的定義與名物詞的確定〉，以三種語義標準：(1)必須與物類相關，(2)必須能表明是一種特定的具體的物，(3)所指必須有類屬的區別性特徵，確定了《周禮》全書名物詞有一五四八個。

　　第三章〈「周禮」名物詞的物類類別〉，將《周禮》一五四八個名物詞劃分為二十三個大類加以析論。

第四章爲〈「周禮」名物詞的詞源義〉，作者統計《周禮》一五四八個名物詞中，屬單音節詞的有七八八個，雙音節詞有七六〇個，本章選取了一五六個單音節名物詞、三十九個雙音節名物詞作重點分析，藉以探求《周禮》的詞源義（即隱藏在名物詞的表層使用義裡面的詞義特點，亦即造詞的理據）。

第五章爲〈「周禮」名物詞的詞義關係〉，從《周禮》名物詞的詞義相同、相關和相對三個方面，探討詞義的相互聯繫。

第六章爲〈「周禮」名物詞名實結合的規律性〉，考察名物詞表述的名實關係與音義聯繫。

書首有王寧、宋永培兩教授序文與作者前言，書末附主要參考文獻及後記。

作者主要透過語言學方法來研究《周禮》的名物詞，著重從物類、詞源、詞義三個系統來作分析（本書第三、四、五章），其中又以探討詞源（即得名之由）的部分用力最深。試圖經由作者的考察聯繫，可以清理出《周禮》名物詞所具有的體系。

（黃智信）

《禮記譯解》

《禮記譯解》　王文錦譯解　北京　中華書局　2 冊　955 頁　2001 年 9 月

由於《禮記》是部儒學雜編，內容十分龐雜，所以從事此書的注譯工作並不容易。在臺灣方面，早期出版有王夢鷗先生的《禮記今註今譯》（臺北：臺灣商務印書館，1970 年 1 月），後來又有大陸學者姜義華的《新譯禮記讀本》（臺北：三民書局，1997 年 10 月）。大陸方面，近幾年來也出版了楊天宇《禮記譯註》（上海：上海古籍出版社，1997 年 4 月）、呂友仁及呂詠梅《禮記全譯》（貴州：貴州人民出版社，1998 年 12 月）、任平《禮記直解》（杭州：浙江文藝出版社，2000 年 9 月）、錢玄等注譯之《禮記》（長沙：嶽麓書社，2001 年 7 月）、王文錦《禮記譯解》（北京：中華書局，2001 年 9 月）等書，此外，《五經》、《四書五經》、《十三經》之類的白話、全譯、直解本……等套書中，也有數種《禮記》注譯本。上面所述幾部書的注譯者，大多是學有專精的著名學者，因而注譯之書都頗能有助初學者於研讀《禮記》時的理解。

《禮記譯解》一書對《禮記》四十九篇逐篇加以注譯，體例是：首列《禮記》

正文，次作注，末加以譯解。正文採用黃侃《禮記》批校本，注則標出原文某些字的標準讀音（以直音法標音）和選錄一些重要的校勘，「有譯有解，故名譯解：凡平文大意，即採用直譯方式」，「遇到簡奧、艱澀或涉及名物制度的語句而直譯不足以明原旨者，就酌予申釋疏解」。作者自言：「《禮記》正文有訛誤處，即出校指出，譯文依校文，而正文仍然保持原貌，不敢擅動」、「不論是譯還是解，都本著傳統理解去表述，不曾刻意求新。在整個譯解過程當中，我始終小心翼翼，力求嚴謹平實，力戒憑空臆解，從而避免了個人所見幾種譯本中的若干失誤。」由此可見作者對注譯工作一絲不苟、審慎嚴謹的態度。正因如此，這部經由一位以禮學名家的學者花費數年時間才完成的《譯解》，實在是部高質量的上乘之作。惟注釋的部分，只列音讀與簡單的校勘，對於名物制度並沒有較爲深入詳盡的解說，作者多年治《禮》心得，未能有更清楚而全面的呈現，殊爲可惜。

〈前言〉的部分，對於《禮記》的成書、《禮記》學發展情形、《禮記》的內容等，有極爲精要之論述。

王文錦先生曾點校有《大戴禮記解詁》、《周禮正義》、《野客叢書》、《通典》、《抱經堂文集》、《校禮堂文集》等書，另參與審定北京大學出版社整理標點之《十三經注疏》中的《周禮注疏》、《儀禮注疏》、《禮記正義》三種。對於《三禮》之學，專研有年，卓然成家。　　　　　　　　　　　　（黃智信）

《中國古代禮儀制度研究》

《中國古代禮儀制度研究》　　楊志剛撰　　上海　華東師範大學出版社　　577 頁
2001 年 5 月

本書是作者繼碩士論文《書儀和家禮研究》及博士論文《先秦禮文化史要論》兩書，就中國禮學的細部問題研究之後，另一部針對中國禮儀制度進行更全面更深入的考察成績的呈現。

全書除書首有〈導言〉一篇，論禮的起源、本質及禮與禮儀的關係，及卷末附主要參考書目外，主要分三部分，共十章。

首爲「禮制沿革和歷代禮典概況」，分上、中、下三章，論述中國禮制沿革的大勢與歷代官修或私編禮典的情形。

第二部分討論「五禮」，依杜佑《開元禮纂類》例，依序分爲吉、嘉、賓、軍、凶禮五章，剖析禮儀制度的具體內容及其演變情形。

最後有〈禮樂刑政：制度文化的再探索〉、〈禮與中國文明演化的若干特點〉兩章，從宏觀的視野，來申論其對於「禮與中國文化」的體會。

綜觀全書，對於歷代禮制沿革、禮典編撰情形，以及五禮的內容與演變狀況，都能有極爲詳盡的論述，學者若能通讀此書，對於中國禮儀制度當能有全面的瞭解與掌握。

（黃智信）

《宗周禮樂文明考論》

《宗周禮樂文明考論》　沈文倬撰　杭州　浙江大學出版社　560頁　1999年12月

本書由十四篇論文集結而成，篇目如下：⑴略論禮典的實行和《儀禮》書本的撰作；⑵對《士喪禮、既夕禮中所記載的喪葬制度》幾點意見；⑶宗周歲時祭考實；⑷觀禮本義述；⑸漢簡《士相見禮》今古文錯雜並用說；⑹漢簡《服傳》考；⑺從漢初今文經的形成說到兩漢今文《禮》的傳授；⑻《禮》漢簡異文釋；⑼孫詒讓周禮學管窺；⑽黃龍十二博士的定員和太學郡國學校的設置；⑾「執駒」補釋；⑿對揚補釋；⒀有關《對揚補釋》的幾個問題；⒁及與耤。

這十四篇論文主要論述重點又可概分爲六個方面：

⑴第一篇談殷周時代由於政治上的需要，經常舉行各種禮典，通過文獻比對，推論由禮典被記錄成書本（即《儀禮》殘存十七篇以及已佚若干篇）的撰作時代，大致上限爲魯哀公末年魯悼公初年，下限是魯共公十年前後；

⑵第二至四篇是對喪葬、歲時祭、觀禮等禮制的考辨；

⑶第五、六、八等三篇，對武威出土《禮》漢簡的研究，透過與鄭玄《禮》注的文字比勘考核，證明簡本《禮》爲今文與古文之外的古文或本，並斷定漢簡《服傳》爲《喪服》的單傳；

⑷第七、十兩篇，討論漢代經學傳授問題；

⑸第九篇揭示孫詒讓《周禮》學的五個主要內容；

⑹末四篇論執駒、對揚、及與耤等甲金文相關的問題，也多從禮學的角度來談。

全書多考證細密、論述精詳之處，可見作者治學功力之深。作者另撰有《荺闇述禮》多篇，未能收入本書，至為可惜，不知是否將另輯為一書出版？

作者沈文倬先生，字鳳笙，號荺闇，江蘇省吳江縣人，1919 年生。師從經學家曹元弼受《三禮》鄭氏之學，故於經學所造甚深，而尤長於禮學。著有《筆精校注》，點校有《蘇舜欽集》、《孟子正義》、《紅雨樓序跋》等書。　　（黃智信）

《十八世紀禮學考證的思想活力
——禮教論爭與禮秩重省》

《十八世紀禮學考證的思想活力——禮教論爭與禮秩重省》　張壽安撰　臺北　中央研究院近代史研究所　496 頁　2001 年 12 月

本書論述要旨，據作者〈自序〉云：「討論十八世紀的禮學思想，一方面關注清儒禮學思想與宋明天理觀念下禮思想之間的差異，包括原則面與制度面，以觀察十八世紀禮學思想在前近代史脈絡裡所可能出現之突破。一方面更注目十八世紀之世界對宗法秩序和宗法理念所提出的質疑，這些質疑留下極大的開放空間，令回應成為舊知識轉型與新知識援引的多向可能。」

全書共五章，主要就五個議題提出討論：

第一章〈明清禮學轉型與清代禮學之特色〉，闡述明清禮學的最重要轉折，是從「私家儀注」的「家禮學」走向「以經典為法式」的「儀禮學」，而清代「儀禮學」最大的特色就是對「儀文度數」的重視。

第二章〈「親親尊尊」二系並列的情理結構〉，論清儒透過禮制考證，澄清了「親親尊尊」的禮秩原意，指出儒學思想的情理結構是「親親尊尊二系並列」，修正了宋明天理觀念下尊尊獨重的禮秩觀念。

第三章〈「為人後」：清儒論「君統」之獨立〉，從明代大禮議為切入題，論清儒所進行對皇位過繼禮制的考證與雍正廢嗣及同治、光緒、宣統三朝間皇位二度過繼的時事直接相關。

第四章〈「嫂叔無服？嫂叔有服？」——「男女有別」觀念的鬆動〉，論「嫂叔無服」是基於「正名」下的「別嫌」，亦即所謂「男女之大防」，本為定制，但基於「情」的考量，主張有服的呼聲也未曾間斷。這種「情義與禮制的衝突」，常

常是學者之間論爭的議題。

第五章〈「成婦？成妻？」：清儒論婚姻之成立〉，剖析清儒如何逐漸把婚姻觀念從「成婦重於成妻」轉向「成妻重於成婦」，於是無合體即無夫婦，無夫婦即無婚姻。「室女守貞」受到了批判，男女的情欲也獲得伸張。

作者張壽安女士，安徽省嵩縣人。國立臺灣大學中研所碩士，香港大學哲學博士。現任中央研究院近代史研究所研究員，主要研究方向為明清學術思想史、禮學思想史。另著有《龔定菴學術思想研究》、《以禮代理：淩廷堪與清中葉儒學思想之轉變》等書。

（黃智信）

《中國禮制史——宋遼金夏卷》

《中國禮制史——宋遼金夏卷》　陳戍國撰　長沙　湖南教育出版社　650 頁
　2000 年 11 月

本書為作者《中國禮制史》的第五冊，之前已出版了《先秦禮制研究》、《秦漢禮制研究》、《魏晉南北朝禮制研究》、《中國禮制史——隋唐五代卷》四冊。

據書前「內容提要」云：「本書的宗旨是勾勒中國宋遼金夏時期禮俗禮制的大體輪廓，從禮俗禮制角度透視宋遼金夏時期的政治經濟與思想文化，並且解決禮制史、古禮文獻與相關學科的某些長期聚訟的疑難問題。」由此，可略知其書內容之梗概。事實上，前四卷與本卷，均維持此種編寫的方式，有其一慣性。

全書凡四章，宋、夏各寫一章，分別為第一、三章。遼、金因領地相同、時代相接、制度相近，為與宋、夏並峙的國家，故合為一章，居第二章。末章為「餘論」，內分二節，第一節論述與宋遼金夏同時並存的其他少數民族的禮制，第二節論宋遼金時期佛道二氏之禮。書首有自序一篇，書末附徵引與參考書目。

陳戍國先生為禮學專家沈文倬先生高足，多年來致力於「中國禮制史」的研究與著述，除了上述已完成、出版的五部書外，另點校有《周禮、儀禮、禮記》與郭嵩燾的《禮記質疑》（與鄔錫非合作），師弟二人對於禮學都有很大的貢獻。

（黃智信）

《朱子家禮與韓國之禮學》

《朱子家禮與韓國之禮學》　盧仁淑撰　北京　人民文學出版社　192 頁　2000
年 8 月

　　全書概分爲三編：

　　前編爲〈有關「文公家禮」資料之研究〉，內分三章，首章前言，次章分述
《文公家禮》一書眞僞問題、撰作動機及歷程、流傳情形，第三章析論《文公家
禮》的淵源、內容與特色。

　　中編爲〈「文公家禮」之東傳及其開展〉，內分四章，首章前言，次章爲《文
公家禮》東傳始末，第三章述李朝初期儒學與《文公家禮》，第四章論性理學之開
展與《文公家禮》之認識。

　　後編爲〈「文公家禮」對韓國禮學之影響〉，內分兩章，首章前言，次章爲李
朝學者有關《家禮》之著述舉隅，論述金長生的《家禮輯覽》及《喪禮備要》、李
縡的《四禮便覽》、李瀷的《家禮疾書》等四部書。

　　綜觀全書，不但對朱子《家禮》一書作了深入的探究，對於高麗末期的社會背
景、朱子學與《家禮》的東傳始末，乃至《家禮》傳入後在政治與思想文化方面所
產生的重要影響等方面，也都有詳盡的論述。

　　作者爲韓國學者，本書係其就讀於國立臺灣師範大學國文研究所的博士論文，
原論文題目爲「《文公家禮》及其對韓國禮學之影響」，出版時改題今名。

（黃智信）

《春秋左傳人物譜》

《春秋左傳人物譜》　方朝暉編著　濟南　齊魯書社　二冊　2001 年 8 月

　　有關《左傳》人物世系、名號的檢索工具書，最早記載於《隋唐志》等書，如
《隋書·經籍志》載《春秋左氏諸大夫世譜》，《舊唐書·經籍志》載《春秋大夫
譜》，《新唐書·藝文志》載劉寔《左氏牒例》等，皆屬此類圖書，不過這些書如
今俱已不存。現存最早者爲後蜀馮繼先的《春秋名號歸一圖》。清代以來，陸續可
見相關著作，不過都僅只是工具書，本書在分人繫事之餘，更針對其中人物思想進

行深入分析，有益於學者對春秋時代及《左傳》作者思想的研究。

本書選用的版本，以清阮元校刻《十三經注疏》本爲主，參酌清洪亮吉撰，李解民點校：《春秋左傳詁》，及楊伯峻編著《春秋左傳注》。在編纂體例上，選取列國國君、卿大夫、君夫人等在《左傳》中出現次數較多，被傳文特別突出描寫或是在春秋時代的政治、社會等方面影響較大者。本書對於他們在《左傳》歷年所出現時的傳文進行全面性的匯整。所錄《經》《傳》文字包括當事人本人的言行，他人對當事人的議論，《左傳》對「君子」、「君子曰」等方式對當事人的評價等一切相關記載。對於每一個人物的姓氏、名號、世系、稱呼，及其一生的主要言行、事跡、思想、品格、個性、才能、作爲等，則在《經》、《傳》文字右側另設專欄進行分析、介紹、概括和評點。

作者方朝暉，一九六五年生，安徽省樅陽縣人。哲學博士，現爲北京清華大學思想文化研究所副研究員。研究領域包括：「現代中國思想中的西方概念」、「儒家傳統及其現代詮釋」、「中國文化的習性與未來中國社會的自我整合」。著有《重建價值主體》等書，並於《中國社會科學》、《哲學研究》、《復旦學報》等雜誌發表論文多篇。

（張穩蘋）

《左傳敍戰的資鑑精神》

《左傳敍戰的資鑑精神》　陽平南撰　臺北　文津出版社　331頁　2001年10月

「資鑑」二字，得自北宋司馬光所編《資治通鑑》，說明史書具有「鑒於往事，有資於治道」之致用功能。由於《左傳》對戰爭的紀錄篇幅比重相當大，對於春秋時期戰爭之精彩記述，在先秦典籍中亦無出其右，作者遂選擇《左傳》作爲研究主體，藉由春秋時代頻繁的戰爭問題之探討，彰明《左傳》的資鑑精神。

書分七章，第一章爲導論，包括本書論題的提出，取材說明，研究現況分析，以及各章研究重點；第二章〈「左傳」資鑑精神與中國傳統史學〉，作者先釋義「資鑑精神」，其次分析《左傳》的資鑑精神與《春秋》之關係，並討論《左傳》所載史官。作者認爲，春秋時代列國均有史官，但真正豐富地展現出史官傳統角色及定位的，是從《左傳》開始。左氏是史官，對史官更自覺應該擔負資鑑的責任；第三章〈從「左傳」序戰論春秋時代戰爭觀〉，作者選擇五位《左傳》書中代表人

物，以瞭解當時一國之君、當國執政者、以及孔子對戰爭的觀點，此外亦就華夷觀念、爭霸、會盟、和報復怨讎三者析論，以明左氏敘戰資鑑之重心；第四章〈中國傳統思維方式與「左傳」敘戰的資鑑精神〉，就「崇德尙禮的思維方式」、「致用的思維方式」、「史官的天人思維方式」三者探究之；第五章〈「左傳」敘戰資鑑精神呈現的類型〉，本章就「史家評論」、「以書法示意」、「以證爲鑑」三類型，析論《左傳》敘戰所呈現的資鑑精神；第六章〈「左傳」敘戰資鑑精神關懷的層面〉，本章就其敘戰的詳細內容，檢索出左氏所特別重視者，歸納出其中重點，以明左氏敘戰所寄託的資鑑精神；第七章結論，總述各章之研究成果。

　　書中所敘之春秋時代的戰爭，主要參酌清顧棟高的《春秋大事表》，以及簡福興所撰碩士論文《春秋無義戰論》（高雄師範大學國文研究所碩士論文，一九八二年，周何指導）二書。根據顧氏由《春秋》一書所做統計，春秋時十一個主要諸侯國的交兵次數，計有二百七十九次；簡君書中所錄「春秋戰事年表」，則自《春秋》與《左傳》兩書，統計出大小戰役凡五百零八次。作者根據《左傳》對這些戰役的敘述，擇取其中具有資鑑精神者，由史學的角度切入，藉此得見左氏修史之用心。

　　作者陽平南，目前任教於空軍官校通識中心社科組，本書爲作者在一九九八年完成的碩士論文（國立成功大學中國文學研究所，張高評先生指導）。其他曾發表的相關論文尚有〈「史記」兵謀初探〉、〈「春秋」書法與小說評論〉、〈中國傳統思維方式與「左傳」敘戰的資鑑精神——以「崇德尙禮的思維方式」爲例〉、〈試探晚唐的詠史賦作〉、〈從「左傳」論春秋時代之人材觀〉、〈略論漢魏之際的英雄觀〉等多篇論文。　　　　　　　　　　　　　　　　　　　（張穩蘋）

《春秋書法與左傳學史》

《春秋書法與左傳學史》　張高評著　臺北　五南圖書出版公司　324頁　2002年1月

　　本書爲張高評教授自一九九〇年以來，於宋代文藝理論的相關研究之外，陸續完成並發表的以《春秋》書法與《左傳》學史爲核心的十篇論著。這十篇論著分別是：⑴〈「左傳」學研究之現況與趨向〉。針對一百年來中外學者研究《左傳》之

總成績，作一回顧式的檢討；⑵〈「左傳」據事直書與以史傳經〉。本文選擇《左傳》中以據事直書方式，表現歷史案斷之史法四種（即「以敘為議」、「屬辭比事」、「藉言作斷」、「側筆烘托」四者），以見《左傳》以史傳經之意義與價值；⑶〈「左傳」預言之基型與作用〉。《左傳》所載預言，據統計其總數約在一百三十餘則以上，作者將其媒介，分為「經夢寐」、「因卜筮」、「依形相」、「據機祥」、「藉歌謠」等五大基本類型，並探討預言於《左傳》書中的作用或功能；⑷〈「史記」筆法與「春秋」書法〉。本文重點，旨在論述《史記》史法義法的淵源和特色，作者認為，討論中國之傳記文學，當以研究《史記》為先務，研究《史記》之傳記文學，則當以考察史家筆法、探索《春秋》書法為根本；⑸〈「春秋」書法與宋代詩學——以詩話筆記為例〉。本文側重於探討詩學與經學之會通。作者蒐羅近六十種宋代詩話，三十二種宋人筆記，舉證其中「以「春秋」微言論詩」，以及「以《春秋》大義論詩」者，認為宋代詩學受宋代《春秋》學昌明之影響，論詩品詩，多以《春秋》書法為權衡；⑹〈黃澤論「春秋」書法——「春秋師說」初探〉。本文主要以黃澤弟子趙汸所編《春秋師說》為範圍，探討黃氏之《春秋》學。作者歸納黃氏「通書法」、「求書法」之道，建構其《春秋》學研究之方法論；⑺〈高攀龍「春秋孔義」之解經方式〉。辨析高氏《春秋孔義》一書的解經方式：其一為「以經解經，回歸原典」，其二為「據傳求經，信經採傳」。並探析其學術價值；⑻〈高攀龍「春秋孔義」之取義研究〉。本文探討高氏的理學宗風與取證經書，並就《春秋孔義》對《春秋》取義之提示，舉證論述之；⑼〈方苞義法與「春秋」書法〉。本文從《春秋》書法，論證方苞義法形成之因緣，以見史法、書法及義法之相融通；⑽〈焦循「春秋左傳補疏」芻議〉。焦循《易》與《春秋》兼治，其《易》學，學界研究成果十分豐碩可觀，但《春秋》學研究，卻乏人問津，作者乃就其中義理角度，探討焦循《春秋》學的主要論題。

　　本書所收論文，綜上所述，大抵可畫分為五大主題，分別是：⑴《春秋》書法之考察。⑵《春秋》學研究法之示例。⑶《春秋》《左傳》之影響，接受及效用之發明。⑷回歸原典，探討《左傳》文本。⑸《左傳》學之回顧與前瞻。為當代修習《春秋》《左傳》者提供豐富的研究資料與思考方針。

　　張高評，臺灣師範大學國文研究所博士，國家文學博士，現任國立成功大學中

國文學系教授兼系所主任。專研《春秋左氏傳》、唐宋詩、宋代文藝理論、古文義
法、《史記》、浙東學派、修辭學等，著有《左傳導讀》、《左傳之文學價值》、
《左傳文章義法擇微》、《左傳之文韜》、《左傳之武略》、《宋詩之傳承與開
拓》、《宋詩之新變與代雄》、《宋詩體派敘錄》、《宋詩特色研究》、《會通化
成與宋代詩學》……等多種專著，創辦並主編《宋代文學研究叢刊》。（張穩蘋）

《漢代政治與「春秋」學》

《漢代政治與「春秋」學》　陳蘇鎮著　北京　中國廣播電視出版社　453 頁
　2001 年 3 月

　　本書由漢代政治史和政治思想史兩方面入手，以政治文化的角度深入探討《春
秋》學對漢代政治演變的影響。書分五章，第一章〈西漢再建帝業的道路──儒術
興起的歷史背景〉，陳述由秦末到西漢前期在政治制度上的承襲和演變；第二章
〈「以禮爲治」和「以德化民」──漢儒的兩種政治學說〉，說明荀子後學，如賈
誼、申公及其弟子和董仲舒的政治學說；第三章〈「霸王道雜之」──「公羊」學
對西漢中期政治的影響〉，作者從漢武帝尊儒始末談起，論《公羊》學對武帝乃至
昭帝、宣帝內外政策的影響；第四章〈「純任德教，用周政」──西漢後期和王莽
的改制運動〉，本章論西漢後期《穀梁》大盛之背景，及其政治文化意義，同時探
討古文經學的興起和劉歆的《左氏》義理；第五章〈漢室復興的政治文化意義〉，
本章篇幅較短，主要說明全書所述西漢政治與學術變遷之總結。

　　總體而言，本書是以政治史爲主，思想史爲輔，同時以漢代的政治變遷作爲全
書的中心梗概。因此有關政治史的敘述較詳，思想史的內容則根據章節主旨的需要
而決定取捨。書中所揭示的主要是《春秋》學對漢代政治的作用和影響，其中《春
秋》三傳的興衰，每每與朝廷政策的重大轉折相關聯，本書僅將重心置於《春秋》
學中政治思想的部分，對漢代政治變遷問題進行片面但深入的論述。

　　作者陳蘇鎮，任教於北京大學歷史系。專研魏晉南北朝史、中國思想史、兩漢
史等。　　　　　　　　　　　　　　　　　　　　　　　　　　　　（張穩蘋）

《清末民初公羊學研究
——皮錫瑞、廖平、康有爲》

《清末民初公羊學研究——皮錫瑞、廖平、康有為》　丁亞傑著　臺北　萬卷樓圖書公司　450 頁　2002 年 3 月

作者分析前人的研究成果，發現皮錫瑞、廖平、康有爲三氏，相關研究雖多，但仍有許多範圍有待開發探討，本書專就三家之《公羊》學理論探討，並比較其異同，探索其影響。

全書分爲八章，首爲緒論，說明「研究動機」、「研究目的」、「研究範圍」、「前人研究成果」、「研究方法」等。作者在章節的安排上採行三氏綜合討論。第一章探討三人的「生平志業」；第二章分析三人的「治學途徑」；第三章論析三人對《春秋》經典之詮釋，包括對《春秋》作者的意見，《春秋》性質的判定，以及解析三人對《公羊傳》的詮釋；第四章爲「經典意義」，也就是所謂「今古異同」、「經史異同」、「經典作者」、「經典性質」等觀念的釐清；第五章爲「聖人崇拜」，論述三人的孔子觀；第六章爲「三世理想」，從三氏之學說探究其理想世界；第七章爲「變法維新」，認爲變法維新著重制度改革，並非技藝追求，與自強運動有所不同。三氏雖然同時，但維新思想彼此有異。皮錫瑞與廖平的維新思想，仍是自強運動之遺緒，康有爲則以制度爲主，全面革新；第八章爲「經學爭論」，分別從「技藝與制度」、「義理與訓詁」、「公羊與左傳」、「儒生與教主」、「民權與君權」等方向，探究三人的經學思想。

作者認爲，皮錫瑞、廖平、康有爲三人既開創了《公羊》學理論基礎，也創造了《公羊》學術語。然而以己意釋古經，卻也是研究《公羊》學最大的限制。其最大的貢獻應在於，讓經典不再只有單純的學理研究，而能成爲生命與知識並重的基礎。

作者丁亞傑，安徽省合肥縣人。一九六〇年生，淡江大學中文系畢業，中央大學中國文學研究所碩士，東吳大學中國文學研究所博士。現任新竹元培科學技術學院國文組副教授。著有《康有爲經學述評》及〈顧頡剛春秋學初探〉、〈從桐城到

臺灣：姚瑩與臺灣的淵源〉、〈方苞春秋通論經義形式研究〉等學術論文十餘篇。

（張穩蘋）

《詮釋學與先秦儒家之意義生成——「論語」、「孟子」、「荀子」對古代傳統的解釋》

《詮釋學與先秦儒家之意義生成——「論語」、「孟子」、「荀子」對古代傳統的解釋》　劉耘華著　上海　上海譯文出版社　235頁　2002年3月

　　本書是在博士學位論文的基礎上加以修改、調整而成的專著，作者在中西文化溝通的語境下，嘗試用新的互動認知的方式對中國原典進行新的解讀。論文以西方詮釋學為參照，從《論語》、《孟子》、《荀子》三部最重要的儒家文本出發，闡析中國古代原典的詮釋立場、意義生成和意義生成方式三者，作為紐結全書的中樞，同時自身又構成互為關聯、層層遞降的邏輯關係，發揮關鍵作用，並以更古老的《詩經》和《尚書》等文本為例，探討孔、孟、荀三家對古代傳統的具體詮釋。本書正文首先概述關鍵詞，包括詮釋立場、意義、意義生成、意義生成方式及其關聯性；第二、三、四章分別論述《論語》、《孟子》和《荀子》的意義生成研究；最後結論則探討意義生成的問題向度。

　　本書在分析《論語》的意義生成方式時強調了「循名責實」、「內外合一」、「推己及人，反求諸己」、「叩其兩端，察乎兩間」、「博喻善譬」、「迂回詮釋」等重點；《孟子》則提出「知行合一」、「推己及人」、「類比推理」等問題；《荀子》則著重在「對文結構」、「分層敘述」、「隱晦言說」等內容；另外再針對「蔽與明」、「問與答」等範疇，比較三家異同和中西異同。結論部分扣緊《論語》、《孟子》、《荀子》三文本的詮釋原則、主體和合法性，以察其變化與發展。

　　作者劉耘華，一九六四年生，湖南省茶陵縣人。曾先後獲得理學士、文藝學碩士、比較文學與世界文學博士學位。現任首都師範大學文學院副教授，主要從事比較文學與比較文化的教學和研究工作。一九九〇年以來，先後在《中國比較文學》、《外國語》、《國外文學》、《浙江學刊》、《文史知識》、《東方叢刊》

等海內外刊物發表學術文章三十餘篇，出版編、譯著三部。　　　（陳蕙文）

《四書或問》

《四書或問》　[宋]朱熹撰　黃珅點校　上海　上海古籍出版社　519頁　2001年12月

　　最早將《論語》、《孟子》、《大學》、《中庸》合稱《四書》，始於朱熹。而他對《四書》的研究，成果就是四部《集解》。後來會合眾說，斷以己意，作《大學章句》、《中庸章句》，並取前人關於《論語》、《孟子》的論說，輯爲《論孟集義》，又本於注疏，會合各家之言，成《訓蒙口義》，然後取其精粹，成《論語集注》、《孟子集注》，再於《章句》、《集注》之外，用辯論的文體，將其議論，別爲《或問》，以見其取捨之意。但由於《或問》一書朱熹本人不甚滿意，因此在其生前從未將《論孟或問》付梓。最早將四部《或問》合爲一帙的《四書或問》刻本，是書商擅自刊刻於建陽的丁酉本。南宋陳振孫的《直齋書錄解題》，錄有《大學或問》二卷、《中庸或問》二卷、《論語或問》二十卷、《孟子或問》十四卷。據王應麟《玉海》，當時《大學》、《中庸》、《論語》、《孟子》均有《或問》。《文獻通考·經籍考》中，錄有《大學章句或問》、《中庸章句或問》各三卷，《論語或問》十卷、《孟子或問》十四卷。這些當時的刻本或抄本，都已亡佚。目前現存唯一的一部宋刻本，爲藏於上海圖書館的《大學或問》二卷、《中庸或問》二卷、《論語或問纂要》、《孟子或問纂要》一卷。該書爲殘本，現存《大學或問·上》一冊、《大學或問·下》一冊、《中庸或問·上》一冊、《中庸或問·下》三冊、《論語或問纂要》二冊、《孟子或問纂要》一冊。因爲是「纂要」，故其章節、文字，與足本《或問》，出入頗大。

　　上海圖書館又藏有一部元刻《四書章句集注》十冊，裡面包括《大學章句或問》、《中庸章句或問》、《論語集注》、《孟子集注》。現存元刻本中無單刻《四書或問》，只是在《大學章句》、《中庸章句》之後，附有《或問》。元刻本另一部，爲藏於大陸國家圖書館的元至正刻本《大學章句》一卷、《或問》一卷，《中庸章句》一卷、《或問》一卷，但此書紙張破碎，已殘缺不全。

　　至明代，又有弘治本、正德本，但都有不少的錯誤，當時人深以爲病。萬曆本

即因此而重新監刻，但現已亡佚。不過日本正保（1647 年）本是根據萬曆本刻印的。從正保本的情況看來，萬曆本顯然也是根據弘治、正德本再刻的，雖然已改正了不少錯誤，但仍有一些錯誤與正德本一字不變。

　　明代《四書或問》均爲三十六卷本，而清代通行的本子是三十九卷本，丁丙的《八千卷樓書目》中有呂氏刊本，應是最早的三十九卷本。但現存康熙中呂氏寶誥堂重刊白鹿洞原本朱熹遺書中，沒有《大學或問》、《中庸或問》。

　　本書點校所用底本，以上海圖書館所藏元刻《四書章句集註》所含《大學章句或問》、《中庸章句或問》及康熙中呂氏寶誥堂重刊《論語或問》、《孟子或問》爲底本；以上海圖書館所藏宋刻《纂要》本、明正德本、日本正保本、《四庫全書》本爲校本。

　　附錄有〈論語孟子或問序〉、〈重刻四書或問序〉、〈論語孟子或問跋〉、《直齋書錄解題》、《玉海》、《四庫全書總目》、《鄭堂讀書記》、《鐵琴銅劍樓藏宋元本書目》中的《四書或問》提要、〈題四書或問小注前〉等。（葉純芳）

《學庸義理別裁》

《學庸義理別裁》　陳滿銘著　臺北　萬卷樓圖書公司　403 頁　2002 年 1 月

　　本書是作者彙整平日讀《學》、《庸》的心得，而撰寫多篇長短不一的研究論文，因應「學庸」課程參考之需要，抽選十五篇相關論文加以集結成書。內容可分爲「總論篇」和「分論篇」兩部分，具有導論性質的總論篇共有六篇文章：(1)〈從偏全的觀點試解讀「四書」所引生的一些糾葛〉；(2)〈談儒家思想體系中的螺旋結構——以仁與智、明明德與親民、天與人爲例〉；(3)〈談忠恕在儒學中的地位〉；(4)〈從修學的過程看智仁勇的關係〉；(5)〈「學」、「庸」導讀〉；(6)〈「學」、「庸」的價值、要旨及其實踐工夫〉。分論篇則有九篇：(1)〈微觀古本與今本「大學」——臺灣師大國文系經學研討會講〉；(2)〈朱王格致說新辨〉；(3)〈談「大學」所謂的「誠意」〉；(4)〈論「恕」與大學之道〉；(5)〈談心廣體胖——孔孟學會第二四九次研究會講〉；(6)〈談「中庸」的思想體系——臺灣師大國文系四書教學研討會講〉；(7)〈「中庸」的性善觀〉；(8)〈談「中庸」的一篇體要〉；(9)〈淺談自誠明與自明誠的關係〉。

作者陳滿銘，一九三五年生。國立臺灣師範大學碩士，現任國立臺灣師範大學國文系教授。專長領域有儒學、詞學、章法學等。著有《稼軒詞研究》、《蘇辛詞比較研究》、《學庸麤談》、《中庸思想研究》、《國文教學論叢》、《文章的體裁》、《詞林散步》、《詩詞新論》等部專著，並合編有《譯注大學國文選》、《新譯四書選讀》、《詞林韻藻》等多種。　　　　　　　　　　（陳蕙文）

《周公事蹟研究》

《周公事蹟研究》　楊朝明著　鄭州　中州古籍出版社　314 頁　2002 年 1 月

作者楊朝明，致力於魯國歷史和文化的探討，在曲阜師範大學修習博士學位，涵泳於魯故城與孔學的氛圍之中，並在《齊魯學刊》任編輯工作，曾參加《魯國史》的編纂工作。後以在職身分取得中國社會科學院研究生院的博士學位。著有《周公事蹟研究》與《魯文化史》二書。《周公事蹟研究》考訂周公史事本末，論證詳密、層次明晰；《魯文化史》則通論魯國文化興衰，以脈絡清楚、徵引廣博見長。

本書共分爲六章：第一章緒論，作者提出五個重點以說明與周公事蹟研究有密切的關係，(1)對殷商文明的發展程度應有一個符合實際的估價。(2)正確理解周代禮制對於殷商禮制的「損益」關係。(3)把周公作爲一個較爲完全意義上的政治家來認識。(4)有關周公的個別有爭議的問題，可結合魯國的材料進行研究。(5)《今本竹書紀年》並非出於後人的僞造，它本是晉人參與汲冢竹簡整理者編訂而成，即使不是如此，《今本竹書紀年》的寫定者也是依據尚未散佚的古本《紀年》改訂而成。雖然《今本竹書紀年》問題頗多，不過，至少周武王、成王紀譜中的資料是靠得住的。

第二章周公長於管叔考，周公與管叔爲同母兄弟，但二人孰兄孰弟，文獻記載卻有不同的看法。殷商的王位繼承中有兄終弟及的現象，不少人遂以爲殷商的王位繼承爲兄終弟及制，在討論周公「攝政稱王」等問題時，進而又往往同周公和管叔二人的兄弟關係聯繫起來，因此，本章首先釐清周公與管叔的兄弟關係，作者得出的結論爲周公在同母兄弟中僅次於武王而排行第三，周公長於管叔。

第三章周公攝政而未稱王，武王去世以後，周公的地位極其重要是不容否認的

事實，但它的政治地位究竟如何？歷來卻存在諸多分歧，本章主要釐清周公的具體政治地位。

第四章周公的歷史功績，作者將周公一生的功業分爲穩定周初局勢、鞏固周朝統治兩方面論述。

第五章關於周公封魯問題，西周初年始封於魯國的是周公還是伯禽，史書記載不一，作者引用文獻及甲骨資料，得出周公和伯禽父子二人的受封情況是：⑴周公食采於周。⑵周公受封於河南魯山。⑶伯禽以「周公後」受封於曲阜。

第六章周公事蹟編年。本章以「夏商周斷代工程」所得結果爲基礎，結合作者對殷周之際歷史與相關文獻的研究，對周公事蹟進行編年。

另附篇有六：《今本竹書紀年》史料價值初議；沈約與《今本竹書紀年》；也說〈金縢〉；〈周誥〉諸篇次序考訂；〈洛誥〉研究；《逸周書》有關周公諸篇芻議。

（葉純芳）

《崔述評傳》

《崔述評傳》　　吳量愷著　　南京　　南京大學出版社　　434頁　　2001年4月

崔述，字武承，號東壁。生於乾隆五年（1740），死於嘉慶二十一年（1816），年七十六歲。爲乾、嘉時期學者，在辨僞考信等學術研究中取得卓越成就。著有以《考信錄》爲代表等三十七種著作，後編爲《崔東壁遺書》。

本書分上下二編。上編五章，著重在其生平論述。下編五章，主要在探討其學術思想與其影響。全書主要探討清朝乾、嘉時期崔述在疑古辨僞、考信求是的學術生涯中所取得的成就。論證崔述在特定的歷史氛圍中形成的特有學術思想、政治主張和對歷史、自然的理性思考，以及其歷史的侷限性；另也評介了崔述思想的影響及其歷史地位。

書中注重崔述辨僞考信的精神，對傳統觀念不是「必於從」及「必於違」，而是要從事實出發，先分清虛實眞僞，再評論其是非得失。考問周詳，「考而後信」；考古必確，析理必精；要爲天下的「公言」，而非一己的「私意」。同時也指出崔述既要實事求是的進行辨僞糾謬，卻也要尊經崇儒，事事都要以經書爲準，都要考信於「六藝」的矛盾屬性。

吳量愷，一九二九年生。華東師範大學歷史系教授，曾先後擔任湖北省社會科學院歷史研究所特約研究員，中南民族學院歷史系兼職教授。著有《清代經濟史研究》、《清代湖北農業經濟研究》、編有《四書辭典》、《張居正集》，另還發表學術論文數十篇。

（鄭誼慧）

《《朱子語類》完成體研究》

《《朱子語類》完成體研究》　楊永龍著　開封　河南大學出版社　247 頁
2001 年 8 月

本書是在作者博士論文的基礎上修改而成。全書內容共分五章，第一章〈緒論〉，說明《朱子語類》的語料價值及方言背景，認爲其語言性質是在文人通語的基礎上加上閩北方言成分而形成的；第二章〈「完成體」及相關問題〉，探討「體」、「完成體」及相關理論，並透過《朱子語類》及現代漢語中與完成體有關的例證，說明體與事件類型、時制、情狀的密切聯繫；第三章〈「既」、「已」、「已經」〉，主要在討論完成體副詞，包括「既」、「已」、「已自」、「已是」、「已經」等副詞在《朱子語類》中的使用情況；第四章〈《朱子語類》中的「了」〉，討論「了」字的各種句法格式及來源；第五章〈《朱子語類》的「過」及其來源〉，探究「過」字的各種用法、來源及其虛化過程。

作者以《朱子語類》爲研究對象，旨在利用現代語言理論，從句法結構、事件類型、情狀類型、時制結構等多方面來分析《朱子語類》中表達完成體體意義的若干副詞、助詞、語氣詞，並藉由古、今比較，對完成體及相關理論問題進行一些初步探討。這種以近代漢語理論來探討古籍的方式，有助於今人了解古代漢語語法，通過本書作者的研究成果，相信可以提供語言學或朱子學研究者一些啓發。

（何伯嵩）

《孟子林廟歷代題咏集》

《孟子林廟歷代題咏集》　劉培桂編　濟南　齊魯書社　259 頁　2001 年 8 月

孟子在宋代以前並沒有獲得尊榮的地位。孟子廟是遲至北宋景祐四年（1037）才由孔子第四十五代孫孔道輔所創建，至元豐六年（1083）時，孟子才被官方認

可，追封爲鄒國公。而今日的孟廟，則是到了宣和三年（1121）才遷建於現址，因此在北宋之前是沒有孟廟題詠的。但是早在西漢之時，就已經有對孟母的讚頌之文，這些讚頌雖名爲頌讚孟母，實爲孟子而引發，在讚頌孟母中，同時也蘊含了對孟子的推崇之意。

本書將孟子林廟歷代題詠匯爲一編，共收錄了題詠計三百七十一篇，分別錄自孟子林墓、孟府、孟母林墓祠廟、孟母三遷處、斷機堂、子思書院、子思祠等處的歷代石刻，另外還採自明代成化本《孔顏孟三氏志》、嘉靖本《三遷志》、萬曆本《孟志》、天啓本《三遷志》、清代雍正本《三遷志》、光緒本《重纂三遷志》及歷代《鄒縣志》等相關史籍文獻。收錄的時間範圍，則起自漢代，下迄清末。將在此時限之內，上述所舉諸石刻與古籍文獻中，凡記載與孟子或孟母、子思相關的題詠，均予全部收入，並按時間先後次序排序，如時間相同者則按題詠之具體年月日排序；如年月日又相同者，再以孟子、孟母、子思三者次第排列。另外，編者對各題詠進行了標點和注釋，便於讀者研讀與賞析。

孟廟題詠主要呈現出歷代學者文人、帝王官員對孟子的推崇之意，其文辭的具體內容則大致包括了闡述孟子思想、描寫孟廟景物、反映孟廟興衰、記述歷史事件等，其中不少出自碩學大儒之筆，也有部分成爲膾炙人口之作。故本書的編輯，不但具有保存文獻之功，同時也可作爲研究孟子思想的參考資料。

編者劉培桂，山東鄒縣人，生於一九五一年。現爲鄒城市文物管理局館員，兼任鄒城市孟子學術研究會副秘書長、山東歷史學會魯文化傳業委員會委員、《山東省志諸子名家志孟子分卷》主編等職。自一九八八年起，即致力於孟子與孟子故里文物、文獻等方面的研究，陸續發表論文三十餘篇，並出版有專著《孟子與孟子故里》等書。

（何伯崧）

《經學研究論叢》撰稿格式

本《論叢》為方便編輯作業，謹訂下列撰稿格式：

一、章節使用符號，依一、㈠、1.、⑴……等順序表示。

二、使用新式標點，以 Word 全形標點符號表為主。如刪節號為……，書名號為《　》，篇名號為〈　〉，書名和篇名連用時，以「‧」斷開。如《詩經‧小雅‧鹿鳴》。

三、用語句所用括號，外括號用「　」表示，有內括號時，用『　』表示。

四、獨立引文，每行低三格。

五、論文之體例，請依下列格式：

　㈠人名生卒年

　　吳澄（1249－1333）

　㈡年代時間

　　1.正德戊寅十三年（1518）

　　2.西元 1999 年

　　3.民國八十九年十月十七日

　㈢古籍卷數

　　《王陽明全集》第二十六卷

六、注釋之體例，請依下列格式：

　㈠注釋號碼請用阿拉伯數字標示，如❶，❷，❸，……。

　㈡以隨頁註方式，採用 Word「插入」工具中之註腳表示。

　㈢引用古籍

　　1.古籍原刻本

　　　〔明〕梅鷟：《尚書考異》（清嘉慶十九年刊《平津館叢書》本），卷 1，頁 4。

　　2.古籍影印本

〔明〕羅欽順：《整菴存稿》（臺北：臺灣商務印書館，1983 年影印清乾隆年間寫《文淵閣四庫全書》本，第 1261 冊），卷 5，頁 63。

㈣引用專書

王夢鷗：《禮記校證》（臺北：藝文印書館，1976 年 12 月），頁 102。

㈤引用論文

1. 期刊論文

屈萬里：〈宋人疑經的風氣〉，《大陸雜誌》第 29 卷第 3 期（1964 年 8月），頁 23－25。

2. 論文集論文

侯外廬：〈吳澄的道統論與經學〉，林慶彰主編：《中國經學史論文選集》（臺北：文史哲出版社，1993 年 3 月），下冊，頁 293。

3. 學位論文

張以仁：《國語研究》（臺北：臺灣大學中國文學研究所碩士論文，1958 年），頁 201。

4. 報紙論文

丁邦新：〈國內漢學研究的方向和問題〉，《中央日報》，1988 年 4 月2 日。

㈥再次徵引

1. 再次徵引時，可用簡單方式處理，如：

❶ 程元敏：〈書疑考〉，《書目季刊》第 6 卷 3、4 期合刊（1971 年 6月），頁 93。

❷ 同前註。

❸ 同前註，頁 98。

2. 如果再次徵引的註，不接續，可用下列方式表示：

❹ 李學勤：〈春秋事語與左傳的傳流〉，頁 283。

七、投稿方式更正啟事

㈠逕交或寄送（以下二處擇一）

1. [106]　臺北市大安區和平東路一段 198 號

　　　　臺灣學生書局　經學研究論叢編輯部

2.[115]　臺北市南港區研究院路二段 128 號

　　　　中央研究院中國文哲研究所　清代經學研究室

3.來稿請以電腦中文打字，並附上磁片。

㈡如以 E-mail 方式遞送電子檔案，因舊址：lwenchon@pcmail.com.tw 伺服器
　故障，無法使用，倘有 2002 年 1 月以後投遞至該信箱之稿件，煩請轉投至
　magzin@gate.sinica.edu.tw，如造成不便，敬請見諒。

國家圖書館出版品預行編目資料

經學研究論叢·第十一輯

林慶彰主編.— 初版.—臺北市：臺灣學生，
2003[民 92]　面；公分

ISBN 957-15-1190-0 (平裝)

1. 經學 – 論文，講詞等

090.7　　　　　　　　　　　　　　　　　　92012398

經學研究論叢·第十一輯 (全一冊)

主　編　者：林　　　慶　　　彰
責任編輯：張　　　穩　　　蘋
出　版　者：臺　灣　學　生　書　局
發　行　人：孫　　　善　　　治
發　行　所：臺　灣　學　生　書　局
　　　　　　臺 北 市 和 平 東 路 一 段 一 九 八 號
　　　　　　郵 政 劃 撥 帳 號 0 0 0 2 4 6 6 8 號
　　　　　　電　話　：（ 0 2 ）2 3 6 3 4 1 5 6
　　　　　　傳　真　：（ 0 2 ）2 3 6 3 6 3 3 4
　　　　　　E-mail : student.book@msa.hinet.net
　　　　　　http : //studentbook.web66.com.tw

本書局登
記證字號：行政院新聞局局版北市業字第玖捌壹號

印　刷　所：宏　輝　彩　色　印　刷　公　司
　　　　　　中 和 市 永 和 路 三 六 三 巷 四 二 號
　　　　　　電　話：（ 0 2 ）2 2 2 6 8 8 5 3

定價：平裝新臺幣六〇〇元

西 元 二 〇 〇 三 年 六 月 初 版

09011　　　　有著作權·侵害必究
　　　　　　ISBN 957-15-1190-0 (平裝)